D1246507

DU MÊME AUTEUR

Aux Éditions Gallimard

LA NAUSÉE, *roman.*

LE MUR (Le Mur — La Chambre — Érostrate — Intimité — L'Enfance d'un chef), *nouvelles.*

L'IMAGINAIRE *(Psychologie phénoménologique de la perception), philosophie.*

L'ÊTRE ET LE NÉANT *(Essai d'ontologie phénoménologique), philosophie.*

LES CHEMINS DE LA LIBERTÉ, *romans.*

I. L'ÂGE DE RAISON

II. LE SURSIS

III. LA MORT DANS L'ÂME

THÉÂTRE, I (Les Mouches — Huis clos — Morts sans sépulture — La Putain respectueuse.)

BAUDELAIRE, *essai.*

SITUATIONS, I à X, *essais.*

LES MAINS SALES, *théâtre.*

LE DIABLE ET LE BON DIEU, *théâtre.*

SAINT GENET, COMÉDIEN ET MARTYR (tome premier des Œuvres complètes de Jean Genet), *essai.*

RÉFLEXIONS SUR LA QUESTION JUIVE, *essai.*

KEAN, adapté d'Alexandre Dumas, *théâtre.*

NEKRASSOV, *théâtre.*

LES SÉQUESTRÉS D'ALTONA, *théâtre.*

CRITIQUE DE LA RAISON DIALECTIQUE *précédé de* QUESTIONS DE MÉTHODE, *philosophie.*

LES MOTS, *autobiographie.*

QU'EST-CE QUE LA LITTÉRATURE? *essai*

Suite de la bibliographie en fin de volume.

LETTRES AU CASTOR
ET À QUELQUES AUTRES

JEAN-PAUL SARTRE

LETTRES AU CASTOR

ET À QUELQUES AUTRES

Édition établie
présentée et annotée par
Simone de Beauvoir

1940-1963

GALLIMARD

Il a été tiré de l'édition originale de cet ouvrage trente-trois exemplaires sur vergé blanc de Hollande Van Gelder numérotés de 1 *à* 33 *et quarante-trois exemplaires sur vélin d'Arches Arjomari-Prioux numérotés de* 34 *à* 76.

1940

À Simone de Beauvoir

1er janvier

Mon charmant Castor

Je vous écris du coin du feu, tout contre le poêle, bien qu'il fasse beaucoup plus doux à présent. Cette nuit, même, il a dégelé et, comme les conduites d'eau avaient éclaté l'avant-veille, Paul a été réveillé vers deux heures — je dormais comme un juste — par un ronflement. Il a cru que c'était le feu, mais c'était l'eau. Il s'est habillé à la hâte et précipité dans le couloir déjà inondé. Il y a eu tout un remue-ménage et finalement on a coupé l'eau. Nous n'avons plus la moindre goutte pour nous laver — vous savez que ça ne me soucie guère. Ce n'est ennuyeux que pour les cabinets qu'on ne peut plus nettoyer et où des excréments de diverses provenances s'interpénètrent intimement au gré des gels et des dégels jusqu'à former un pudding immonde et volumineux. On « va » dans la campagne. Je crois que Paul en pâtit et se constipe par vergogne de montrer son cul.

C'était donc aujourd'hui Jour de l'An. Ça ne s'est traduit par rien d'extraordinaire, sinon qu'il y avait une excellente choucroute et beaucoup de monde au Restaurant de la Gare. Et hier, réveillon de la Saint-Sylvestre, il n'y eut pas grand-chose non plus, sauf qu'une brute mystérieuse a ouvert à plein gaz la radio des officiers après leur départ et a accompagné la musique en tapant du poing au hasard sur le clavier du piano, jusqu'à minuit. Pour moi j'écrivais sagement dans notre petit local.

Le paysage est toujours le même, une maigre petite poussière de neige, un petit peu de blanc partout, il suffirait de gratter avec l'ongle pour trouver le noir de la terre gelée et des arbres. J'ai retravaillé des passages de mon roman tout le jour et vais aussitôt après me mettre à *Septembre*; je m'en réjouis fort. J'espère pouvoir faire paraître les deux volumes à la fois, ça serait mieux, on verrait mieux où je vais. Le monde est pareil à lui-même ici : Paul toujours inquiet; Mistler me rend mille menus services en échange de mon enseignement. C'est lui qui a fait les paquets de livres que j'enverrai à Bost et à vous dès que vous m'aurez envoyé un peu de sou et, comme un soldat m'avait demandé *Quai des brumes*[1] (par erreur, d'ailleurs et croyant qu'il allait retrouver tout au long l'histoire racontée par le film) et que j'avais prié Mistler de me le rappeler, il est venu ce matin m'en faire souvenir et, le livre étant dans un des paquets de Bost, il a défait le paquet puis l'a reficelé. Il va me faire envoyer par ailleurs les *Nocturnes* et les *Préludes* de Chopin pour que je les étudie au piano. Il y a des jalousies de famille entre les secrétaires et nous. Nous sommes les jalousés, bien entendu. Ainsi mon sort est-il d'être objet de jalousie partout depuis la Cité universitaire jusqu'ici. Mais surtout ils *parlent*. C'est un genre de jalousie faible et désarmé que je ne connaissais que par ouï-dire et qui ne s'élève même pas jusqu'à la médisance. Par exemple chaque matin quand je reviens de prendre mon petit déjeuner, je passe sous leurs fenêtres et mon passage est commenté : « Ah ! Voilà Sartre qui revient du café. Oui. Il a vu la belle Charlotte. Les autres auront fait le sondage sans lui », etc. Cela ne diffère de la constatation du fait que par l'intention de blâme aimable qu'ils y mettent, mais d'ailleurs c'est une simple constatation de fait, au fond, parce qu'ils n'arrivent pas à déterminer au juste ce qu'il faut blâmer : que j'aie assez d'argent, de loisir, de puérilité pour m'offrir un petit déjeuner au café ? L'objet leur paraît vaguement scandaleux chaque matin et chaque matin ils le relèvent au passage, sans plus, c'est devenu un petit scandale habituel dont ils ne sauraient plus se passer. Ils sont au plus bas degré de l'échelle. Naturellement tout cela m'est rapporté par le bon Mistler, qui voudrait même que je fasse un détour pour éviter leur regard, mais vous pensez bien que ce serait trop fatigant. Et

1. De Mac Orlan.

voilà. Le *Journal* de Stendhal me charme, je lis le 3e volume, son histoire avec Mme Daru, c'est bien plaisant. Je lis aussi le Rauschning, fort instructif, j'en ferai même un résumé dans mon carnet ; et puis un peu *Provinciales* et aussi un peu *Jacques le Fataliste.* Tania m'écrit : « Je lis un bien beau livre que je *dois* t'envoyer. » Je me perds en conjectures. Serait-ce *Le Diable amoureux ?*

Aujourd'hui pas de lettres de vous. Mais comme j'en avais trois hier, je ne me plains pas trop. J'ai une bien forte envie de vous revoir, mon cher amour. C'est le moment un peu agaçant où la permission recule ou s'approche de jour en jour, suivant des informations différentes et l'humeur du caporal chargé de faire les listes au Q. G. Mais je vais me défendre. Je voudrais bien partir d'ici une quinzaine si c'est possible. Au revoir, doux petit Castor, qui dormez déjà après avoir si bien skié. Vous savez je me lève aux aurores, comme vous. Quand vous chaussez vos petits skis, il y a longtemps que j'ai mis mes molletières et que je suis descendu prendre le vent pour téléphoner un tour d'horizon au poste météo du corps d'armée. Je dors peu mais je suis tout vif. À demain, ma chère petite fleur, je vous aime de toutes mes forces.

À Simone de Beauvoir

2 janvier

Mon charmant Castor

Une petite lettre de vous aujourd'hui, du 29. — Hé ! comme c'est loin mon petit — nous sommes, nous autres soldats, le 2. Mais vous avez l'air si faraude sur vos skis que ça fait plaisir. En somme c'est chaque année pareil, de beaux progrès et du bon amusement après un peu de cafouillage au début. Ça m'amuse de vous entendre parler de toutes ces pentes que je connais. Je comprends si bien quand vous me dites que la neige fraîche les rend plus faciles ou le verglas drôlement difficiles. Je suis avec vous tout le temps. Je ne peux guère m'imaginer que cette lettre-ci, que je vous écris, va vous joindre à Paris. Songez que demain je vais recevoir encore une — ou deux, j'espère — lettre de Megève, ça me fait drôle. Vous êtes encore à Megève, et je vous écris à Paris, où vous n'êtes pas et où vous allez pourtant arriver en même temps que cette lettre. Et le 4 vous la trouverez à Paris et moi je recevrai encore des lettres de Megève. Ça me rappelle — moins le sinistre — cette histoire de ma tante Marie Hirsch qui a perdu son fils, enseigne de vaisseau, mort d'accident à Shanghai, qui a appris sa mort par télégramme et puis un mois après a reçu une lettre de lui où il expliquait comme il était heureux — il avait dû mourir le soir même. J'ai toujours un peu peur que, pendant que je me réjouis à lire votre lettre, vous ne vous soyez cassé vos pauvres petites jambes. Mais c'est une toute faible peur et, par contre, vous n'imaginez pas comme c'est plaisant de vous savoir si profondément heureuse, j'en étais encore tout illuminé aujourd'hui. Pour la permission il faut avoir un peu de patience, ça recule un tout petit peu — pas loin vers le 20 janvier — comme on avait dit finalement. Mais qu'est-ce que c'est que vingt jours. L'essentiel est qu'avant un mois je serai à Paris.

Tania m'a envoyé *Le Moine*[1], dont elle est férue, naturellement : il y a viol, satanisme et moines lubriques, et surréalisme à l'arrière-plan, avec la figure d'Artaud qui l'a toujours un peu fascinée parce qu'elle l'a vu fou. Il y a, à côté d'une force réelle de sensation chez elle, un drôle de démoniaque de pacotille qui est tout d'apparence (pourquoi aimer le sang quand on n'en peut supporter la vue ? Les viols quand on s'évanouirait presque si un type vous témoigne un peu brutalement son désir ?), et pourtant profond. Je ne sais comment dire. En tout cas *Le Moine* que j'ai feuilleté m'a un peu déçu. La main d'Artaud y est visible mais ne le sauve pas. Et puis les horreurs m'ont paru très intellectuelles, à la façon surréaliste. Il faudra pourtant que je lui dise que c'est beau. Par contre *Le Diable amoureux*[2] qu'elle m'a envoyé aussi, sans même l'avoir coupé, est un authentique petit charme, je l'ai lu d'une traite ce soir. Ce type raconte admirablement et il a déjà bien des ficelles pour le XVIIIe siècle et il y a une drôle de nature : une fille charmante et tout en pudeurs et en grâces qui *est* le Diable, c'est-à-dire un horrible monstre à tête de chameau. Et le héros couche fort bien avec la fille. Tout est préparé à coups de coquetteries, de modestie langoureuse, la fille aguiche le lecteur autant que Don Alvare et puis, quand elle le serre dans ses bras, elle lui dit dans un

1. De Lewis.
2. De Cazotte.

mouvement de passion tendre : « Je suis le Diable Alvare, je suis le Diable. » Je vous l'enverrai mais il faut que Mistler le lise d'abord.

Je fignole le roman — la fin — et je m'en dégoûte un petit peu. Voilà que mon envie d'écrire une pièce me reprend. Finalement je ne sais pas ce que je ferai et c'est un peu plaisant, je suis tout excité, parce que ma liberté m'est rendue. Quand je serai à Paris, je prendrai tous les *Paris-Soir* de septembre 38 pour ma documentation.

À part ça calme plat : petit déjeuner au café de la Gare, Mistler m'y rejoint à présent, ce qui ne me cause qu'un plaisir mitigé, travail, sondage, déjeuner au café de la Gare où Courcy me rejoint pour le café ce qui m'est franchement désagréable, retravail mais mollement, ça sent la fin et l'écurie. Et puis j'ai jeûné. Et Mistler est venu un moment se faire donner une liste de livres (j'ai mis Faulkner et Dos Passos). J'étais d'excellente humeur. Je suis seul avec Keller, parce que Paul a un trou à son pantalon et qu'il préfère le recoudre dans sa chambre par −5° que devant nous au chaud, par pudeur ou plutôt une drôle de honte (et en somme imméritée) de son corps.

Mon amour il faudra m'envoyer du sou, je vis sur 100 francs empruntés. J'envoie les livres demain (Kierkegaard et Shakespeare). Tous les autres (et il y en a) font deux paquets que Mistler a soigneusement ficelés, qui portent l'adresse de Bost et que j'enverrai dès que j'aurai des sous. Gardez bien les 1 500 francs pour ma permission et mettez un peu de côté pour votre petit voyage de février.

Je vous aime si fort, mon doux petit, j'ai tant envie de vous revoir. Je vous embrasse sur tout votre cher petit visage.

À Simone de Beauvoir

3 janvier

Mon charmant Castor

Deux petites lettres enchantées de vous autre aujourd'hui. Enchantées et enchanteresses. J'ai bien profité de vos petits jours si poétiques et de votre plaisante soirée de nouvel an. Oui mon cher petit vous faites tout à fait bien romanesque; j'aime tant quand vous êtes heureuse. Pour moi, je voudrais bien avoir quelque occasion de vous sembler en retour poétique ou romanesque, mais au vrai je ne suis ni l'un ni l'autre. La guerre s'est éloignée de moi, comme aussi bien le « service militaire » ou les « grandes manœuvres » qui en sont les succédanés et tout également le sens de mon historicité et ma morale et je ne sais quoi. Il n'y a plus qu'un mécanisme administratif un peu désordonné mais tout de même assez régulier, qui va cahin-caha et je suis pris dedans et sec comme un sarment. Il me semble que je suis météorologue civil, que je vis une vie civile que le destin m'a refusée et pour laquelle il faut des vertus que je n'ai pas et que je tâche, mais mollement, d'acquérir : c'est terrible ce que je fais d'erreurs dans le dépouillement des sondages. Elles se compensent les unes les autres d'ailleurs et il n'y paraît qu'à peine. Mais par exemple j'ai l'œil farceur quand je vois du papier millimétrique, il se pose où il veut et je pointe d'après ses caprices la position du ballon. C'est un peu un succédané de l'agoraphobie : je perds la tête devant ces grands espaces quadrillés et je me jette un peu sur n'importe quel carré que je crève presque avec la pointe de mon crayon pour faire cesser l'atroce supplice de planer sans point de vue, comme une conscience désincarnée, au-dessus du quadrillage. J'en conclus, naturellement, qu'il faut être bien mesquin pour être physicien. Donc je suis rond-de-cuir pour ma raison sociale. Imaginez, si vous voulez bien mieux voir que par une chronologie ce que je fais, un chaud petit antre organique et lumineux, plein d'odeurs intimes et de fumée de tabac, ça c'est ma journée — avec trois petits crevés d'air glacé, gris et pâle, ça c'est les sondages. Et puis entre-temps le déjeuner au café de la Gare, confortable mais sans poésie. Et, à côté de ma fonction administrative, des activités techniques — fignoler le roman — et de la pensée toute sèche. Avant-hier quelque chose sur la mauvaise foi, aujourd'hui une petite tirade de 22 pages sur le Dégoût. On y trouve cette phrase qui ne me déplaît point : « A ce compte, direz-vous, si nous avons dégoût de la merde, c'est que nous avons envie d'en manger? » Je réponds : « Certainement. » Tout ça, c'est du bonheur, notez-le bien, ma petite fleur. Mais du bonheur sec. Mes grandes réjouissances viennent du carnet et du roman, au lieu d'être versées dans le carnet et le roman. Et je crains que le roman n'ait un peu pâti d'une certaine incapacité à m'émouvoir. Mais bah c'est du romantisme, on peut faire de l'émotion sans en ressentir, n'est-il pas vrai ? Pour être juste, je dois dire que, il y a trois ou quatre jours, j'ai été saisi, mais pas d'émotion, d'une espèce d'aura vaticinante, à propos du livre de Rauschning qui m'avait bien pénétré ; je *voyais* une certaine Allemagne je comprenais son rôle et sa menace et je sentais mon historicité, ça m'a permis de mieux comprendre ces types dont nous avons quelquefois parlé vous et moi et qui pensent social tout le temps. Ça a sa grandeur mais le revers de la médaille c'est qu'on est tout le temps au-dessous des pensées qu'on fait. Parce qu'on y *croit.* Ce n'est pas que je ne croie pas aux miennes, à l'ordinaire, mais enfin je sais bien qu'elles sont le produit de ma liberté. J'y crois « à l'infini » c'est-à-dire que je crois au système qu'elles formeraient si les petits cochons ne me mangeaient pas. Mais ils mangent toujours les types un peu avant que le système soit fait. Voilà. Il n'y a qu'une petite étoile de bonheur humide et de poésie dans ma vie, c'est vous autre et votre neige. Je ne verrai pas votre neige mais je verrai vous autre petit. Alors voilà : c'est ferme, autant que faire se peut, chez les militaires, je serai là entre le 25 janvier et le 1er février. Il y a eu des tas de bouleversements et puis finalement on a trouvé le bon argument, l'argument irréfutable : 1° Il ne faut pas qu'il y ait 2 sondeurs partis à la fois, c'est-à-dire 50 % de l'effectif. 2° Il faut que les derniers permissionnaires partent le 15 février puisque le premier tour de permission doit prendre fin le 1er mars. 3° Donc Paul étant dernier et partant entre le 10 et le 15 février il faut bien que moi je parte entre le 25 janvier et le 1er février (on compte 15 jours à cause de la longueur des trajets). Quand vous recevrez cette lettre je serai au plus distant de vous d'une quinzaine ou vingtaine de jours. Il n'y a rien à dire aux Z. J'ai écrit à T. que j'aurai cinq jours, sans préciser encore que je vous verrai deux jours sur les cinq, donc notre premier projet tient toujours.

Quoi plus, mon cher petit ? Lévy a cru devoir vomir sur les tables du College Inn. Cette grossièreté m'a scandalisé ; je crois bien que ça venait de ce que représente pour moi, d'ici, ce College Inn où j'ai eu de petits rendez-vous sentimentaux avec vous, des soirées de passion avec Olga et de galanterie attentive avec Tania — sans parler de Bourdin — et enfin de charmantes soirées amicales avec cette dame. Vous voyez quand même que la guerre rend sentimental, ça m'a fait un peu comme si Lévy s'était torché le cul avec de vieilles lettres d'amour à moi. À vrai dire même en vous l'expliquant ainsi ça rend tout de même un son de puritanisme et de délicatesse de sentiment, je n'y peux rien.

Voilà tout, ma petite fleur. Envoyez-moi d'urgence, si vous ne l'avez déjà fait : *argent, capsules d'encre, carnets.* Et assez vite aussi, des livres. Les vôtres sont partis. Je voudrais que vous m'achetiez, *avec* le *Gilles* et le Romains, le petit volume de M. de Rougemont qui s'appelle *Journal d'Allemagne,* je veux le lire après le Rauschning. À demain, mon amour, mon cher amour. Je vous aime de toutes mes forces et je brûle de vous revoir.

Vous aurez *six* carnets à lire quand j'arriverai. Mais ils sont écrits plus gros.

À Simone de Beauvoir

4 janvier

Mon charmant Castor

Pas de lettre de vous aujourd'hui. Je sais, c'est que vous rentrez et l'expédierez de Paris. Peut-être bien que je ne l'aurai pas demain non plus. C'est bien long sans vous, mon doux petit. J'imagine que vous avez eu hier votre mercredi de solitude, mon doux petit, et que vous en avez été bien heureuse. Je vous soupçonne d'avoir été sournoisement voir Sorokine en fin de journée, parce que vous l'aimez bien et qu'elle veut vous séduire. Vous êtes ma douce petite fleur et je vous aime bien fort.

Pour moi ce sont toujours ces journées de confort sec et sans histoires dont chacun s'étonne un peu ici. Ce matin il ne faisait guère froid. Je n'ai pas été déjeuner dans la cuisine du café de la Gare parce que Keller était piqué et j'ai donc fait le sondage du matin avec Paul, puis j'ai travaillé le roman, fait encore le sondage de 11 heures, été chercher du charbon dans une cour près de la cuisine roulante. On y va avec un sac vide dans l'auto du colonel, qui n'est pas trop content qu'elle serve à cet usage mais qui ne dit rien, on sort le sac, je le tends, tout béant, comme les filles tendent leur tablier sous le pommier et le chauffeur y jette des pelletées de briquettes ou de poussier selon les jours, sous l'œil attristé des cuisiniers qui voient leur charbon s'en aller. Puis, après avoir porté ce charbon chez nous, je suis allé déjeuner. C'était la relève aujourd'hui, c'est-à-dire que les chasseurs de première ligne descendaient et ceux d'ici remontaient. Ils m'ont dit qu'ils ont eu très froid et qu'il y a plusieurs types qu'on a emmenés à l'arrière avec les pieds gelés. Mais ils ont ajouté avec un regard de mépris pour leur situation actuelle : « On était tout de même rudement mieux qu'ici. » Je n'ai pas su pourquoi. J'ai appris ensuite de Mistler que la 70ᵉ division avait son « rouge ». C'est un type qui s'est battu en Espagne, il est revenu, a eu juste le temps de régulariser sa situation en épousant sa maîtresse dont il avait un gosse. Puis il est parti pour cette guerre-ci. Son gosse vient de mourir. Ensuite de quoi le capitaine de gendarmerie l'a appelé, sévèrement cuisiné ici même et accusé de propagande défaitiste. Le malheureux n'y songe guère, il est complètement abattu par la mort de son gosse et ahuri par cette nouvelle guerre. On va sans doute le verser dans un bataillon disciplinaire — unité nouvelle qui est en voie de constitution. J'ai lu du *Journal* de Stendhal mais c'est curieux, il m'agace un peu à présent. Je le trouve (dans le 3ᵉ volume) bien fat et préoccupé surtout d'apparence. Et puis son histoire avec Mᵐᵉ Daru est ridicule. Je pense que je le retrouverai charmant en Italie dans le 4ᵉ volume. Ensuite j'ai travaillé jusqu'à quatre heures, fait le sondage et puis là grand remue-ménage : j'ai dû aller chercher la soupe, parce que Keller est exempté de service pour 48 heures après sa piqûre. Puis Mistler est venu — timide et discret, il offre toujours quelque chose ou rend un service pour faire excuser sa présence. Cette fois il nous apportait du fromage de chèvre et du cognac. Nous avons bu et mangé. Je le terrorise et le viole un peu en lui expliquant ce que serait une dictature de la liberté et comment je forcerais les gens à être libres par une alternance de raisonnement et d'atroces supplices. Il est chatouillé. Il m'apportait *Le Nouvel Âge* de Valois, ce journal que vous devez lire et ne lisez pas, mauvais petit. À présent il est parti (c'est marrant, nous recevons chez nous. À l'agrément des habitants près, ce à quoi ce local des sondeurs fait le plus penser, par son étroitesse, sa saleté, son confort dans la crasse, sa relative indépendance, ses occupants strictement mâles, et ce mélange de travail et de réception et son caractère collectif, c'est à une turne de l'École Normale). Il est parti et Hantziger joue ses valses d'avant-guerre au piano, ça rappelle les premiers cinémas, ceux que vous n'avez pas connus et où une pianiste accompagnait de valses les exploits de William Hart. Et voilà mon cher petit, je vous écris.

J'ai envoyé les livres. Mais vous de votre côté envoyez l'argent. J'ai été obligé d'emprunter à Mistler et à Paul, il me faut absolument du sou. Envoyez aussi les capsules d'encre à stylo celle-ci est l'avant-dernière. Ou alors ne vous étonnez pas, mon pauvre petit bon Castor, que je ne vous écrive plus du tout faute de matière première.

Au revoir mon cher petit. Je vais maintenant écrire à T. qui m'abreuve de lettres passionnées. Je suis passé au rang de belle légende attendrissante pour T. Ça lui embellit la vie, ça lui fait vertueux et poétique, elle ne m'a jamais tant aimé. Pour moi je me sens toujours de bois.

Que je vous aime donc mon cher petit, je suis tout triste pour vous que vous ayez abandonné votre belle neige où vous étiez si appliquée. Vous avez l'air d'avoir vachement progressé cette année.

Je vous embrasse, mon doux petit, avec toute ma tendresse.

À Simone de Beauvoir

5 janvier

Mon charmant Castor

Vous voilà donc rentrée? J'ai reçu de vous aujourd'hui en l'espace de deux heures une lettre, un télégramme et un colis. Pour le télégramme vous avez de la chance que la censure l'ait laissé passer. Car imagine-t-on d'écrire à un militaire « en secteur » : « Envoyez le Shakespeare d'urgence. » Ça pue l'espionnage. Mais il est parti, le Shakespeare, mon doux petit. Il est parti avec *Le Concept d'angoisse* avant-hier et je suppose qu'il est arrivé aujourd'hui et que vous êtes tirée d'affaire. Merci pour les livres. Figurez-vous qu'il m'était venu, je ne me rappelle plus pourquoi, il y a une quinzaine, l'envie de lire une biographie de Heine. Ah ! oui, ce doit être en lisant dans le livre de Cassou sur 48, qu'il était lié avec Marx. Et puis votre lettre d'aujourd'hui m'a rendu cette envie plus vive et je me disposais à vous écrire de me l'envoyer et puis justement le voilà, douce petite fleur. J'en ai déjà lu trente-trois pages avec intérêt. C'est bien fait et c'est intéressant cet effort — qui s'imposait évidemment — pour replacer chaque événement dans le cadre social. Par exemple, au lieu de dire, comme n'importe quel biographe ordinaire : « Heine enfant était le préféré de ses tantes », elle ajoute « parce qu'il était l'aîné, l'héritier mâle destiné à réciter la bénédiction des morts. » On sent bien les solides soubassements de ces drôles de familles juives. Donc merci bien, je suis tout enchanté, petit charmant. Enchanté aussi — mais là, formidablement — des deux gros cahiers. À ce point que ça me donne des idées pour finir plus vite le mauvais petit que je tiens et passer plus vite à ces deux gros beaux là, tout épais, tout douillets avec leur tranche bleu de nuit. Ah dame, il ne faut y écrire que du beau, sinon qu'est-ce que c'est ? Savez-vous que si j'arrive le 20 ou le 25 à Paris vous aurez bel et bien cinq carnets à lire : deux petits, deux moyens et un des gros et puis aussi un petit morceau du second gros. L'encre était bien nécessaire aussi ; savez-vous qu'avec le carnet, les lettres et le roman j'en use une capsule par jour et demi. De ma vie je n'ai tant écrit.

Aujourd'hui je suis allé faire un nouveau pèlerinage mais non plus pour reconnaître les lieux, dans l'intention plutôt de m'humecter un peu, de perdre un petit peu de cette sècheresse des jours derniers. J'y ai parfaitement réussi, encore que les deux voyages m'aient laissé fort insensible ; il faisait froid dans le camion et puis le conducteur n'était pas sympathique. Mais la ville même, si laide, si allemande, avait pour moi cette poésie de visage tuméfié qu'avait Berlin. Je me suis promené dedans pour faire des courses, j'ai acheté pour un chacun de l'huile goménolée, de la pâte dentifrice, de grosses aiguilles, des semelles, de la laine, que sais-je. Je n'ai rien trop pensé ni senti d'intéressant mais ça m'a rendu ma petite poésie intérieure. Je m'en passe fort bien pendant huit jours, après ça me manque. Au fond il ne faut pas grand-chose et le lieu importe peu. Simplement un peu de solitude. Je suis moins que jamais seul. Nous sommes toujours trois dans la turne. Et puis le restaurant est à présent bondé : c'est la relève et les chasseurs qui descendent du front s'offrent les deux ou trois premiers jours des repas soignés.

Après ça se tasse. Mais ce matin retour de pèlerinage et hier, j'avais un minuscule bout de table pour moi et encore, un genou de chasseur contre mon genou et une cartouchière d'un autre dans le derrière. J'ai tout de même pu lire Stendhal qui me plaît de moins en moins pour cette période. Il y a à la fin une histoire louche de mariage qui ne fait pas beau, d'autant qu'il était à ce moment-là avec Angelina Bereyter — et qu'il a pris prétexte de ses engagements matrimoniaux pour déclarer sa flamme à Mme Daru. Et puis qu'il voit donc de monde et de monde inepte. Non il ne me plaît pas bien. Mais peut-être est-ce une « mauvaise période ». Pour moi j'en ai traversé des foules dans ma vie et vous savez que l'an dernier, pour la sincérité des sentiments, je ne valais guère mieux.

Avec tout ça je suis heureux. D'abord chaque jour me rapproche de vous, alors j'attends le lendemain avec goût. Mon amour dans beaucoup moins d'un mois je serai à votre petit bras dans Paris, c'est formidable. Mais, comme j'écrivais hier à T. j'ai bien l'idée que je vais *vous* retrouver, *la* retrouver, mais je ne peux presque plus concevoir que je vais retrouver aussi pour quelque temps mes loisirs du temps de paix et un temps dont je ne dois compte à personne et une certaine façon de vaguer dans les rues, sans avoir précisément de raison pour aller ici plutôt que là. Cela passe l'imagination. Je vous aime, mon petit ; nous ne nous laisserons pas manger et ce sera une belle permission. Et puis aussi j'attends le lendemain *pour lui-même* parce qu'il y a toujours quelque chose de plaisant dedans. Par exemple aujourd'hui c'était le jour où j'irais en pèlerinage à la recherche de ma poésie perdue. Demain c'est le jour où je lirai la vie de Heine, où j'expliquerai sur mon carnet ce que je pense du *Journal* de Stendhal, où je finirai de corriger les dernières pages de mon roman. Etc., et chaque jour je suis tout affairé et content de me réveiller. Je me précipite hors de ma chambre froide et je vais m'habiller dans la turne qui a gardé un peu de la chaleur de la veille et puis je fais un tour d'horizon, c'est-à-dire que je descends uriner dans la neige près d'une perche qui supporte un drapeau noir et je regarde la direction du drapeau en urinant. Après quoi je reviens la tête levée vers le ciel, je chiffre les résultats de mes observations et je les téléphone. Puis petit déjeuner et vous savez le reste.

Je vous envoie une lettre — est-elle de Tania ou de moi ? — qui vous mettra au fait de mes badinages épistolaires. Elle était restée un jour sans répondre et je lui avais envoyé ça avec une enveloppe à mon nom. Mais c'était un retard de la poste. Alors j'ai écrit : « Prends ça comme une mauvaise plaisanterie. » Elle-même furieuse l'a rempli au pis et tout aussitôt a couru jeter une lettre à la poste disant : « C'était une plaisanterie un peu irritée. » De sorte que j'ai reçu cette lettre d'une écriture qui m'était vaguement familière et antipathique, elle m'intriguait et puis j'ai pensé : c'est de moi.

Voilà, mon cher petit Castor. Vous m'avez sagement écrit je n'espérais pas de lettres aujourd'hui et je suis comblé. Vous ne pouvez pas savoir comme je vous aime fort, petite tout enneigée. Je vous serre de toutes mes forces dans mes bras.

Lettre renvoyée par Tania

Prière de barrer les formules qui ne correspondent pas à la réalité.

Exemple : Je suis	~~une petite vertu~~ une petite lumière ~~un petit polichinelle~~
Mon	
Je me porte	~~Bien~~ ~~Assez bien~~ Mal
Je travaille	~~Un peu~~ Pas du tout
J'ai pour toi	~~Encore un peu d'affection~~ ~~Une bonne et solide indifférence~~ De la haine
Je suis	~~Une petite vertu~~ ~~Une petite lumière~~ Un petit polichinelle

ET PIRE ENCORE

~~t'embrasse~~
Je ~~te serre la main~~
ne te salue pas

Signature

JE NE SIGNERAI PAS

À Simone de Beauvoir

6 janvier

Mon charmant Castor

Deux lettres de vous aujourd'hui. Je suis ennuyé que vous n'ayez pas reçu celles que j'avais envoyées à Megève. Elles étaient bien aimables, savez-vous — et je vous aimais très fort. J'espère que vous avez reçu les livres. Moi j'ai eu le mandat ce matin, j'ai remboursé mes gaillards et tout est bien.

Je me débats, à propos de cette permission, contre ma mère mais sur un point insignifiant : elle a d'elle-même écrit : « Te déshabilleras-tu chez nous ou ailleurs ? » Ce qui appelait la réponse : j'aurai une chambre à l'hôtel Mistral, mais je me changerai chez vous. La chose a été acceptée sans commentaires et, semble-t-il, comme allant de soi. Seulement la digne femme veut à toute force m'acheter un pantalon et moi je ne veux pas, je ne veux que mon beau petit costume sport de chez Alba. Nous sommes en pourparlers assez vifs. Naturellement elle offre de payer le pantalon. Mais je veux que la pauvre femme garde ses sous. Naturellement aussi mes réponses doivent être enveloppées de mystère à cause du beau-père.

Journée nulle et studieuse. Il n'y a même pas eu de sondage à cause du brouillard. J'ai travaillé mon roman. La scène avec Daniel, celle de la fin, est rudement délicate. Pensez qu'il annonce à la fois à Mathieu qu'il épouse Marcelle et qu'il est pédéraste. Il y a de quoi sonner un type et puis la situation exigerait que Mathieu posât une foule de questions oiseuses tandis que l'économie du chapitre l'interdit expressément. Je m'en tire assez bien mais c'est long. J'ai écrit une trentaine de pages sur votre beau carnet bleu de nuit. Non, petite toute bien inspirée, il n'est pas trop gros. Il tient dans la poche et puis c'est un plaisir d'écrire dessus. C'était à propos du *Journal* de Stendhal — ce que je pensais dessus, du mal. J'ai lu la vie de Heine (le début) et ça m'a inspiré de curieuses réflexions. Comme en effet je le louais en moi-même d'avoir su assumer sa condition de Juif et que je comprenais lumineusement que des Juifs rationalistes comme Pieter ou Brunschvick étaient inauthentiques en ce qu'ils se pensaient hommes d'abord et non Juifs, il m'est venu cette idée, comme une conséquence rigoureuse, que je devais m'assumer comme Français ; c'était sans enthousiasme et surtout c'était vide de sens pour moi. Tout juste une conclusion inévitable et évidente. Je me demande où l'on va par là et je vais m'occuper de tout cela demain. Depuis que j'ai brisé mon complexe d'infériorité vis-à-vis de l'extrême gauche, je me sens une liberté de pensée que je n'ai jamais eue ; vis-à-vis des phénoménologues aussi. Il me semble que je suis en chemin, comme disent les biographes aux environs de la page 150 de leur livre, de « me trouver ». Je veux dire juste par là que je ne pense plus en tenant compte de certaines consignes (la gauche, Husserl), etc., mais avec une totale liberté et gratuité, par curiosité et désintéressement pur, en acceptant par avance de me retrouver fasciste si c'est au bout de raisonnements justes (mais n'ayez crainte je ne crois pas que ce soit à envisager). Ça m'intéresse et je crois que, outre la guerre et la remise en question, la *forme* carnet y est pour beaucoup ; cette forme libre et rompue n'asservit pas aux idées antérieures, on écrit chaque chose au gré du moment et on ne fait le point que lorsqu'on veut. Par le fait je n'ai pas encore relu l'ensemble de mes carnets et j'ai oublié une foule de choses que j'y ai dites. Au fond c'est le bénéfice des *Propos* qu'Alain vante si fort et dont il profite si peu, ce systématique.

M. m'a écrit. Il est en passe de devenir fou, ça lui va très bien, mais j'aime autant ne pas être là quand ça se produira car il est herculéen et je ne me vois pas bien jouer auprès de lui votre rôle auprès de Ballon. Quand je dis fou, j'exagère ; les symptômes sont : humeur sombre, maux de tête et ce qu'il appelle « anémie cérébrale » et qui cache évidemment des troubles mentaux. Il m'écrit cette phrase mystérieuse : « Je vois que Paulhan te publie parallèlement avec Mauriac. » Qu'est-ce à dire ? Voyez donc si d'aventure le Giraudoux n'aurait pas enfin paru dans la *N.R.F.* de janvier. Voilà mon petit. Dites-moi si vous comprenez qu'on doive s'assumer comme Français (sans rapport a priori avec le patriotisme naturellement) je suis bien cupide d'avoir votre avis là-dessus.

Mon petit j'aime tant vous parler. Voyez, il n'y avait rien à dire et j'écris quatre pages pour le plaisir de vous écrire. Oh ! que je voudrais vous revoir, ma petite fleur.

Je vous aime.

À Simone de Beauvoir

7 janvier

Mon charmant Castor

C'est fini de rire, Pieter est revenu. Depuis deux heures de l'après-midi il parle. Il est tout agité, il se levait toutes « les cinq minutes ». « Tu ne crois pas que je devrais aller dire bonjour aux secrétaires ? » « Tu ne crois pas que je devrais aller dire bonjour aux radios ? » En chaque cas je l'exhortais vivement à le faire : pendant qu'il était là-bas, il n'était pas ici. Il était ivre de paroles et n'a eu qu'un moment de cafard — ça lui ressemble bien — quand il s'est absenté cinq minutes pour aller porter ses musettes dans la chambre à coucher : « Alors, a-t-il dit, c'était sombre, il n'y avait personne, ça m'a fait quelque chose. » Je sais bien que, quand je rentrerai, je ne trouverai d'agrément que dans ma chambre close et c'est leurs gueules qui me donneront le cafard. Voilà votre encre, mon doux petit. Vous la reconnaissez ? Elle est bleue des mers du Sud. Mais si délectable sans doute que le papier la boit un peu. Mais c'est un détail. Figurez-vous qu'avec cette encre et malgré Pieter j'ai écrit depuis hier matin 81 pages sur le premier carnet bleu de nuit. Bleu des mers du Sud, sur bleu de nuit. Vous imaginez si c'était beau. Les 39 pages d'aujourd'hui sont sur mes rapports avec la France. Juste un historique, le genre que vous aimez. Je n'en suis qu'à l'historique mais demain je ferai la théorie. Seulement j'ai un peu peur que la venue de Pieter ne me fasse perdre du temps. Par exemple en ce moment ils sont quatre dans cette petite pièce, Mistler, Pieter, Keller, Paul. Paul et Keller ne disent rien, à leur ordinaire mais Pieter parle à Mistler et il faut déjà de la tension d'esprit pour vous écrire sans l'entendre. Je n'ai écrit que mon carnet, je n'ai pas travaillé mon roman et je n'ai pas lu. Je vais mettre ordre à cela dès demain, au risque d'être grossier. Passe pour aujourd'hui : c'était le retour.

À part ça journée calme mais qui n'eut pas le mérite d'être studieuse. Je n'aime pas cela, je suis un peu agacé à présent. J'ai reçu une lettre de vous, mon gentil petit... (Je viens de m'arrêter de vous parler pour engueuler Pieter qui n'a pas cessé de parler depuis une demi-heure. Mistler était parti, Keller et Paul lisaient, j'écrivais et cet animal-là trouvait moyen de poser des questions dans le goût de celle-ci : « À propos et le rapport de l'O.N.M. sur les 95 francs, est-ce que le capitaine Munier y a répondu ? etc. » Je lui ai dit : « Pieter veux-tu un livre ? » Et énervé par son retour de perm, lui : « Je ne parle pas à toi, Sartre, je parle à Paul. » « Mais tu emmerdes Paul, Pieter, tu vois bien qu'il lit. » « Il est assez grand pour me dire si je l'emmerde. Je te prie, Sartre, de n'intervenir que dans les rapports qui nous concernent directement toi et moi. » « Mais je parle au nom de tout le monde, Pieter, si tu savais comme nous étions tranquilles quand tu n'étais pas là. » « Je fais ce qui me plaît, Sartre, a-t-il répété dix fois d'un air buté de mouton enragé, je fais ce qui me plaît. Ça te plaît bien à toi de laisser traîner des mouchoirs crasseux sur la table de nuit. » « Bon, eh bien faisons un pacte, Pieter, je ferai disparaître mes mouchoirs mais tu la boucleras. » « Je ne fais pas de pacte. » « Parce que tu n'es pas foutu de les tenir. » La dispute s'est arrêtée net, à ce moment-là, je ne sais pourquoi : il y a des arrêts brusques comme ça. Comme s'il avait épuisé son énergie. Les autres n'ont pipé mot. Keller qui le hait devait être sournoisement content de le voir engueulé. En tout cas depuis ce moment c'est-à-dire depuis dix minutes c'est le silence le plus total, c'est toujours ça de pris. Il doit trouver amer de s'être fait engueuler le jour de sa rentrée de permission mais le contraste était trop grand entre mon absolue tranquillité d'hier et ce bruit de crécelle d'aujourd'hui. Tant pis.) Donc je referme la parenthèse. Je la referme sur une conclusion pessimiste d'ailleurs parce que ça va le faire tenir tranquille ce soir jusqu'au coucher mais demain il recommencera à pépier, c'est un oiseau. Reçu une lettre amusante de Tania sur la femme lunaire qui « veut être une lionne de cet après-guerre-ci comme Youki le fut de celle de 19 » et qui s'y prend d'avance comme vous le voyez. Elle veut plaquer Blondinet pour le peintre argentin et prie Tania de le voir quelquefois et de lui dire du bien d'elle quand il sera seul avec elle. Je trouve ça bien naïf. Il paraît qu'il y avait chez le peintre les deux jambes sortant du gramophone que nous avons vues à l'exposition surréaliste. Voilà pour la journée, mon petit. Je regrette de n'avoir pas pu lire davantage la vie de Heine, elle est bien faite.

Mon petit, mon cher petit. Ça m'a tout de même fait quelque chose que Pieter rentre. Ça m'a fait voir Paris tout proche, à travers lui d'abord et puis aussi parce que je vais bientôt m'en aller moi aussi. Vous comprenez comme il est revenu, il n'y a plus, semble-t-il, de raison *valable* pour que je reste ici (en fait il y en a, c'est l'ordre des perm, seulement j'ai l'illusion affective que je pars après Pieter) il n'y a donc plus qu'un vide amorphe qui me sépare de vous, c'est énervant et excitant à la fois et finalement c'est pour ça que j'ai engueulé Pieter, je crois. Je vous aime tant mon cher petit, je voudrais tant avoir votre petit bras sous le mien et me promener avec vous. Je vous embrasse de toutes mes forces.

À Simone de Beauvoir

8 janvier

Mon charmant Castor

Ça va bien mieux aujourd'hui qu'hier, nous avons intégré Pieter, il est tout abruti et ne parle plus. Mais auparavant il a cru devoir ronfler toute la nuit, c'est une véritable machine sonnante, ce type-là. J'ai sifflé, mais en vain, alors j'ai pris la table par un pied et j'en ai tapé de grands coups contre le parquet, très rudement. Il gémissait comme un jeune faon et puis l'instant d'après son ronflement se cherchait un peu et puis, quand il s'était trouvé, s'épanouissait de nouveau. Je retapais et la scène recommençait. Enfin, j'ai fait si fort cavalcader la table qu'il s'est redressé en sursaut, a saisi sa lampe électrique, l'a allumée et l'a braquée sur moi, affolé, pendant que je fermais les yeux et faisais sournoisement l'ange endormi. Il s'est rendormi sitôt après mais n'a plus émis que de petits jappements tout doux et berceurs. J'ai trouvé le sommeil à quatre heures du matin et me suis levé à six et demie, c'est vous expliquer pourquoi ce soir je me hâte de vous écrire, bien qu'il ne soit pas huit heures, de peur de m'endormir. Vous avez dû bien rire, l'autre jour, des graves éloges que je décernais à Heine pour sa fidélité israélite, vous qui saviez qu'un an plus tard, il s'était fait baptiser pour gagner un cabinet d'avocat. Ça ne fait rien d'ailleurs, ce reniement *pour rien* est assez intéressant, car ce fut vraiment une petite saloperie gratuite. Le livre est vraiment prenant, vous avez raison, bien que peut-être on sacrifie un peu trop la personne de Heine à sa *situation.* On le voit tout de même bien, on sent fort bien ce qu'il était, en gros. Ce sont les détails qui manquent. Je trouve qu'il fait très juif et qu'il ressemble au Rosenthal de *La Conspiration* (un peu) et j'en ai pris de l'estime pour Nizan. Aussi l'envie de lire les *Œuvres complètes* de Heine en allemand, mais ce sera pour la paix. À propos de la paix voici du bon : il est incontestable qu'on va rappeler à l'intérieur dans un délai de 2 à 3 mois tous les plus de 30 ans. La paperasserie a commencé ici même aujourd'hui. Nous sommes à part, nous, et c'est l'O.N.M. qui fera la chose mais enfin, vous voyez c'est en bonne voie. Donc plus de S.P. et naturellement tout ce qui s'ensuit. Vous voyez tous les avantages bien sûr, mon doux petit. Je crois que vous pouvez commencer à vous réjouir, avec, naturellement, toute la prudence qui convient lorsqu'il s'agit de décisions militaires.

Aujourd'hui pas de lettre de vous, ni de T. J'imagine qu'il y a encore embouteillage; juste une petite lettre de ma mère. Figurez-vous que les restaurants sont fermés à présent jusqu'à 5 heures du soir, en sorte que je ne peux plus déjeuner dehors. J'ai mangé des haricots blancs ici, sans mélancolie. Simplement j'ai été prendre clandestinement un café à la Poste. Car la poste s'est établie dans un petit hôtel mauve entre la ville et notre hôtel. La pièce de droite est occupée, en bas, par les postiers, celle de gauche continue à faire café. Alors on passe par chez les postiers, on demande négligemment s'il y a des lettres, on gagne la porte du fond et on se glisse dans le café qui est verrouillé et volets clos mais rempli d'habitués qui jouent aux cartes et se saoulent doucement dans la pénombre. Ils sont partis peu à peu et je suis resté seul, écrivant sur mon carnet avec quatre autres délinquants, qui étaient les types de la garde de la veille. En tant que types de la garde, ils avaient, la veille au soir, pénétré dans ce même café pour en chasser les délinquants, mais le lendemain, libérés de leurs obligations, ils délinquaient à leur tour. J'écrivais donc sur la France. La théorie est faite et bien faite mais rassurez-vous, je ne deviens point fasciste, loin de là. J'ai vu clair et je crois que vous penserez comme moi. D'ailleurs tout ça c'est toujours pareil : historicité, être-dans-le-monde, *ma* guerre, etc. J'ai déjà couvert la moitié d'un carnet bleu de nuit mais j'ai de quoi faire puisque j'en ai encore tout un grand et puis j'en ai acheté l'autre jour quatre petits. Je vous en rapporterai sûrement six et peut-être sept ou huit, vous aurez de quoi lire. Vous savez peut-être que j'ai aussi une théorie de la conscience — néant; d'ailleurs elle n'est pas au point. Bref j'écrivais sur la patrie quand on a fortement cogné à la porte du café et tenté plusieurs fois de l'ouvrir. Et les quatre délinquants se sont dressés chuchotant : « Les bourres ! les bourres ! » C'étaient en effet les gendarmes qui faisaient leur tournée d'inspection. Ils ont dû passer par la porte de derrière et pendant ce temps nous grimpions au premier étage de l'hôtel en emportant demis, schnaps et tasses à café et nous entrions dans un bureau du service de santé où le type nous a vus entrer avec stupeur. Les gendarmes s'éternisaient, j'ai fini par redescendre tranquillement et repasser par la poste mais de l'affaire j'ai perdu un gant car je le cherchais au moment où les gendarmes sont arrivés et la patronne m'a poussé dans l'escalier par les épaules, sans me laisser le temps de le retrouver. J'ai aussi terminé le dernier chapitre de *L'Âge de raison,* je vais revenir un peu sur le précédent et puis j'écrirai un petit monologue de Boris qui se place bien avant et ce sera le moment de partir en permission. De vous revoir, mon charmant petit, mon cher amour. Faites bien vos plans pour que nous voyions tout ce qu'il faut et que nous soyons heureux.

Je vous aime.

À Simone de Beauvoir

9 janvier

Mon charmant Castor

J'ai reçu une lettre de vous aujourd'hui. Mais une seule. Une seule de T. Celles d'hier manquent, semble-t-il. Je les recevrai peut-être demain. Enfin, je sais ce que vous faites. Vous avez donc vu Merleau-Ponty et ce que vous m'écrivez de lui m'a amusé car cela apprend qu'on pratique en France les méthodes que les journaux réprouvent si fort quand elles sont allemandes. Vous semblez de bon œil et bon poil et votre gaieté me fait plaisir. Oui, mon cher petit, nous allons bientôt nous revoir ; j'en ai si fort envie.

Figurez-vous que je traverse une petite crise de doute de moi-même aujourd'hui. Le fait n'est pas si fréquent qu'il ne vaille la peine d'être raconté. Ça tient à une multitude de petites causes. Je viens de finir *L'Âge de raison,* aujourd'hui. Il reste dix lignes à corriger, ça me prendra une heure demain et j'en suis un peu ébahi. Je me dis : ça n'était que ça et je le trouve maigre, bien maigre. Peut-être ce livre a-t-il tout de même un peu souffert, non pas directement de la guerre, mais du changement de mes points de vue sur toute chose. J'étais un peu sec à son égard tout ce temps et chose curieuse surtout depuis que vous en avez lu les 150 pages de novembre. Pourtant vous m'avez dit que c'était bon. Je ne sais pas trop ce qui s'est passé dans ma tête. Est-ce cette nécessité de changer le caractère de Marcelle ? Enfin voilà, j'en suis mécontent, j'aurais voulu que ça soit bien et *sincère.* Entendez-moi, je sais bien qu'on ment tout le temps dans un roman. Mais du moins on ment pour être vrai. Et il me semble que tout le roman est un peu un mensonge gratuit. Oh ! et puis voilà un an et demi que j'y travaille, je peux bien être un peu dégoûté. Et puis alors j'ai relu mes cinq carnets et ça ne m'a pas fait l'impression agréable que j'escomptais un peu. Il m'a semblé qu'il y avait du vague, des gentillesses et que les idées les plus nettes étaient des resucées de Heidegger, qu'au fond je ne faisais depuis le mois de septembre, avec les trucs sur « ma » guerre, etc., que développer laborieusement ce qu'il dit en dix pages sur l'historicité. Là-dessus je lis cette vie de Heine qui me prend, comme elle vous a prise. Mais, à présent que je suis « fait », les lectures de biographie ne me donnent plus cette excitation joyeuse et facile que j'avais il y a dix ans. Ça m'a plutôt un peu abattu. Je me suis jugé plutôt futile en face de ce type, qui a fait bien des saloperies et qui avait une grande faiblesse de caractère, mais qui a vécu, comme vous le disiez, si formidablement en situation. Pour moi je sais bien que j'ai attendu la guerre pour déchiffrer un peu ma situation et je vois aussi que je n'ai pas grand talent pour ça : la bonne volonté ne me manque pas mais il me faudrait aussi ce sens historique qu'il avait. Enfin voilà je suis un petit tout modeste ce soir, mon amour. J'entends que sans doute je ne le serai plus demain et que la lettre où vous vous efforcerez de me démontrer gentiment que je suis un très bon petit homme, pas du tout si méprisable que ça, me trouvera tout au pinacle de moi-même et que je serai plutôt un peu vexé des ombres de restrictions que vous pourrez faire. Je me demande ce que je vais écrire à présent. Il serait sage de continuer, en un sens. Mais si ça m'écœure, en un autre sens, ce n'est pas trop raisonnable. Et que puis-je écrire ? Je me tâte. Ne vous inquiétez pas trop de cette crise de modestie : ça dépasse à peine le niveau du va-et-vient quotidien.

À part ça rien de neuf, je fais toujours le moine. Il y avait du verglas aujourd'hui alors je ne suis sorti que pour aller chercher la soupe. Vous auriez ri de me voir sur les routes avec gamelle, bouteillon et lampe électrique, marcher à petits pas de vieille. La vraie petite joie de la journée, ç'a été votre lettre. Plus forte que d'ordinaire parce que je n'avais rien eu de vous hier. Je vous aime tant mon petit.

Je vous embrasse de toutes mes forces, mon amour.

À Simone de Beauvoir

10 janvier

Mon charmant Castor

Je vous ai donc écrit hier une petite lettre bien modeste. Il n'en reste plus rien du tout en ce jour d'hui. Je ne suis certes point délirant d'orgueil mais je suis revenu à des sentiments convenables, c'est-à-dire que je fais ce qu'il faut sans penser du tout à moi. Il y avait un vent formidable aujourd'hui (60 km à l'heure) et il faisait en plus de ça −12°. Imaginez les sondages qui se font, comme il se doit, en terrain découvert, et ces trombes d'air glacé qui se jetaient sur nous et se coulaient jusqu'à nos ventres. C'était absolument étrange, sous ce ciel parfaitement pur et qui est resté longtemps rose, toute cette terre interdite autour de la maison qui mordait, griffait et pinçait dès qu'on sortait. À l'heure qu'il est, ça miaule encore à nos fenêtres et il y a un petit ruisseau de froid qui coule par l'interstice d'une fenêtre. Ce matin à huit heures en revenant de sonder j'avais le bras gelé jusqu'au coude. Après, quand je le remuais, il me donnait ces impressions de feu d'artifice sec qu'on a quand on s'est frappé le « petit Juif » contre le bras d'un fauteuil. Mais entendez bien que tout cela est *amusant,* ça fait des impressions de lutte et puis surtout de pleine pâte de nature. Ajoutez à ça le verglas qui fait danser la danse des œufs. Je m'obstine tout de même à ne pas mettre ma capote, c'est un point d'honneur. Mais alors, disent les gens, pourquoi vous qui aimez tant le froid dehors, ne pouvez-vous le supporter au-dedans, pourquoi faut-il toujours qu'il fasse 18° ou 20° dans la pièce où vous vivez ? J'en sais la raison, je l'ai écrite dans mon carnet. Vous la lirez.

Voilà le cadre de la journée. Et mes seules sorties puisque le restaurant demeure consigné. Comme la nourriture régimentaire s'avise justement d'être infâme ces jours-ci, je déjeune et dîne d'un bout de pain. Ceci joint à mon régime, fera de moi un fil quand je viendrai à Paris. Cela approche, mon amour, le rythme des permissions s'accélère ; encore une pauvre petite quinzaine et c'est fait. Je ne pense plus guère qu'à ça. Ce matin j'ai fini le roman. Mais tout à fait fini, on n'en parlera plus avant Paris. Et puis cette après-midi, j'ai longuement médité sur une pièce de théâtre. Je voulais un siège de ville, des pogroms que sais-je ? Le sujet proprement dit ne venait pas. Alors j'ai tout à coup commencé quoi donc ? Les histoires pour l'oncle Jules. D'abord avec une sorte de remords parce que c'est futile. Mais ensuite m'est venue l'idée d'y mettre une foule de choses sous forme badine et finalement ça m'amuse beaucoup et m'excite un peu. Ça commence ainsi pour vous donner le la.

« Mon oncle Jules entra, ce matin-là, dans ma chambre et me dit : “ Mon neveu, tu voles ton argent. ” »

J'ai pensé que j'en écrirai entre les deux permissions (si le genre vous agrée, ce que vous direz dans quinze jours) ça fera un drôle de petit livre gratuit, finalement dans la ligne des *Er l'Arménien* et *Légende de la Vérité,* mais justement comme je n'ai plus aucun des défauts qui rendaient le genre insupportable (symbolisme, maniérisme, etc.) je me demande ce que ça va donner. Ça c'est l'événement du jour. Et à part ça, il y a des lectures : le *Journal* de Stendhal (IV) qui redevient tout charmant et puis une inepte *N.R.F.* de janvier, sans mon article, qu'ils m'ont envoyée avec un long poème insipide de Mauriac, un Cocteau qui fait sous lui, un Aragon que je n'ai fait que feuilleter et qui semble très mauvais. C'est tout. Une longue lettre de mon charmant Castor, rien de T. qui pourtant m'écrivait hier : « Je t'aime avec générosité (ne ris pas). »

Voilà tout, mon très cher petit, mon tendre petit Castor, je vous aime si fort et si bien vous êtes mon cher petit cœur. Dans quinze ou vingt jours je vous vois.

Quand vous enverrez les livres, vous serez gentille d'y joindre deux blocs de papier semblable à celui-ci.

À Simone de Beauvoir

11 janvier

Mon charmant Castor

Je viens de faire un petit cours sur la littérature américaine à Mistler, histoire de parler un peu. Et maintenant il est là, à côté de moi, il lit le *Journal* de Stendhal, il rit aux anges avec cette béatitude intérieure et voisine de l'abrutissement qui le caractérise. Il fait bien chaud, chez nous, mais c'est le dernier jour. Il n'y a plus une briquette de charbon dans tous les environs, je ne sais ce que nous allons faire, d'autant qu'il fait −12° ou −13° au-dehors. C'est plutôt excitant, d'ailleurs, pour un candidat universitaire à la dureté. Seulement il y a un hic c'est que je n'écrirai plus. D'abord un corps frigorifié est peu propice aux idées et puis ma main gelée ne pourra tenir la plume. Enfin on verra ce qu'il en sera. Je suis pourtant en veine d'écrire, bien que je me défie extrêmement de ce que je fais. Quand je parlais de Faulkner à Mistler je me sentais comme une Walkyrie tombée avec mon petit volume satirique, que je suis en train d'écrire et toutes ses histoires de meurtre et de sang me paraissaient la seule littérature sérieuse. Mais après tout il n'y a pas de mal à essayer vingt jours. Après les vingt jours vous jugerez. Voici l'idée que j'ai eue. Ce serait un petit volume de critique littéraire où j'exposerais les lois des genres. Il y aurait naturellement dialogue discussion sur les genres et puis finalement l'histoire, pour illustrer : 1° un conte de fées (pour distinguer le conte de fées allégorie — Maeterlinck — du vrai conte de fées populaire) ; 2° le récit ; 3° la nouvelle ; 4° le chapitre de roman. Exposé du genre puis histoire racontée. Je commence par me justifier d'écrire de l'obscène et par expliquer ce qu'est une œuvre littéraire en général, tout ça sous la forme de paradoxes badins qui risquent évidemment de taper sur les nerfs. Vous verrez, vous jugerez. En tout cas j'acquiers la preuve en écrivant ce dialogue que j'ai de quoi faire un excellent dialogue de théâtre. J'ai le sens de ce dialogue. Il faut seulement qu'il me vienne un sujet. C'est remis à la fin des *Histoires de l'oncle Jules.* Dites-moi tout de même si a priori vous vous méfiez ou si vous m'encouragez. C'est du beau style simple. Mais c'est formidable comme il est *facile* d'écrire en beau style simple. Dix fois plus facile que d'écrire dans le style rude et cafouillé de *L'Âge de raison.* Je comprends maintenant pourquoi je suis un peineux et les autres non pas. C'est que j'ai pour mes romans adopté un style qui n'est peut-être ni meilleur ni pire que les autres mais qui est simplement plus difficile. Voilà pour l'intelligence. Bien entendu je ne travaille plus à mon carnet, je n'ai plus le temps. Il faut pourtant que j'y mette encore une petite chose ou deux, je le ferai demain. Pour peu que la guerre dure, je reviendrai avec cinquante volumes et je n'aurai plus guère qu'à me reposer pour le restant de mes jours.

Pour la vie ici, ce ne fut guère qu'un long bain de chaleur, coupé de brefs éclats de colère qui font dire à Pieter : « la cohabitation est difficile » et puis traversé de langues de froid glaciales (sondages ou bien quand on va chercher la soupe) mais pas désagréables. Sur la foi de Pieter nous nous sommes mis en route à midi pour aller au café de la Gare mais il était fermé et nous avons dû rebrousser chemin sous le froid qui nous mordait les oreilles. Pour vous montrer le désœuvrement de commères où tous ces gens sont plongés sachez que cette tentative manquée a défrayé la chronique de toute la journée. Chacun nous avait vus partir et voulait savoir où nous allions ou bien, s'il le savait, faisait ses petits commentaires. Bref j'ai déjeuné de pain et de chocolat et dîné de même, parce que la cuistance était trop moche. Voilà trois jours que je vis de pain et de chocolat, si je ne reviens pas comme un fil il n'y a plus de Bon Dieu. Rassurez-vous : le restaurant est ouvert le soir et si j'avais faim je pourrais y faire un saut. Mais ce sont mes meilleures heures de travail et tout compte fait, j'aime mieux rester ici.

Voilà, mon doux petit, voilà tout. Si vous saviez comme j'ai envie de vous voir. Tout ce temps-ci m'apparaît comme un épilogue un peu verbeux avant mon voyage à Paris. Je confonds d'ailleurs vaguement la Permission et la Paix, faute de voir plus loin que ces dix jours. Ce n'est pas tant que j'imagine qu'ils vont durer indéfiniment, c'est plutôt que je n'imagine pas que ma vie continuera après eux. Ils sont terminés par une limite définitive et un peu tragique qui pourrait être aussi bien ma mort que mon retour dans mon secteur. Mais comme ils font beaux et plaisants de loin ! Ma mère a l'air sage comme tout l'aimable femme ; elle a l'air fort décidée à me laisser porter mes vêtements clairs. Tout va donc fort bien de ce côté. Et vous autre, mon petit, je vais vous voir et parler tout du long avec vous et secouer votre petit bras. Nous nous coucherons tôt, puisqu'à onze heures on est chassé de partout mais nous nous lèverons à la militaire dès sept heures du matin et nous irons courir tout partout. Je vous aime tant.

Je vous aime, mon doux petit, je vous aime de tout mon cœur.

Bost est un dur et un estimable gaillard.

À Simone de Beauvoir

12 janvier

Mon charmant Castor

C'est fini, j'ai déchiré tout à l'heure les six premières pages des *Histoires pour l'oncle Jules,* ça me faisait honte de les écrire. Il y avait là-dedans une complaisance à soi et des gracieusetés, à vrai dire voulues par le genre, et des couplets, qui me donnent le frisson. Et puis je vous l'ai dit, je me sentais une Walkyrie déchue. Aussi ai-je repris mon projet d'écrire une grande pièce de théâtre avec sang, viols et massacres et vous m'auriez vu, toute cette après-midi l'air triste et le poing aux dents — ce qui est ma manière de chercher un sujet, vous le savez — en telle manière que Paul qui guette mes défaillances m'a demandé avec une supériorité ironique et compatissante si je n'avais pas le cafard ou de mauvaises nouvelles de chez moi. Je l'ai vertement renvoyé à ses affaires et par le fait j'étais fort gai ; je m'étais lancé en plein et avec enthousiasme dans la confection d'un *Prométhée* dictateur de la liberté qui finissait dans les supplices que vous savez. J'en ai eu mon petit moment d'enthousiasme, parce que je vise au grand dans la littérature et j'ai chanté *The man I love* en faisant le sondage, ce qui faisait trembler sur son pied le théodolite. Et puis à la réflexion, le caractère symbolique de *Prométhée* m'a un peu dégoûté. Ce n'est pas qu'en soi on ne puisse user du symbole, si du moins l'on demeure discret, mais j'en ai tant abusé dans ma folle jeunesse que j'en ai une indigestion. Tout un tas de métaphores de *La Légende de la Vérité* me sont remontées aux lèvres et finalement j'en suis là. Je crains de m'assombrir encore un jour ou deux dans la recherche d'un sujet et puis de finir par en revenir honnêtement à *Septembre.* Honnêtement mais avec un petit regret. Il me semble que j'ai le style dramatique dans la tête et je voudrais en user une bonne fois. Et quand l'occasion sera-t-elle meilleure que maintenant puisque j'ai du loisir ?

Ah ! ça, direz-vous, vous ne geliez donc pas, vous qui n'aviez pas de charbon ? C'est que ce matin après deux ou trois heures assez dures (sondage par −15° avec un vent à décorner les bœufs), las de végéter dans une pièce où nous allumions des journaux pour maintenir la température à 4 degrés au-dessus de zéro, nous avons appris par Mistler, qui est notre espion, que les secrétaires allaient voler du coke dans l'établissement de bains. Nous y avons été et sommes revenus avec trois sacs pleins. Par le fait ce n'était pas du vol et ce que nous avons pris fut dûment inscrit par un gardien. Seulement voilà-t-il pas que le coke est un drôle de charbon à la tête dure qui, quand il prend, nous rissole, puis s'éteint et refuse ensuite obstinément de prendre. Mais dans l'ensemble il a fait chaud. Rien d'autre à dire. Nous avons été boire un verre au café de la Poste à une heure et j'ai pour la première fois depuis trois jours mangé autre chose que du pain sec : il y avait à la soupe de la purée de pois que j'aime bien.

Je n'ai pas reçu votre petite lettre quotidienne mon cher amour et ça m'a fait un petit vide. J'en ai reçu une de T. qui ne me dit rien sur vous, pendant la soirée au Théâtre Français (mais la pièce l'a enchantée) mais qui est retournée dès le lendemain matin dans le « bar des Champs-Elysées que le Castor a découvert » ce qui dénote, il me semble, de très bons sentiments.

Vraiment, sauf vous autre, mon cher amour, ma petite fleur, qui vous tueriez très bien, je ne compte déjà plus du tout pour le reste du monde (ma mère mise à part). Et c'est marrant dans mon cas, parce que j'étais comblé. Mais il faut la *présence*. Je le dis sans aucune espèce d'amertume, amusé d'être un petit mort, un petit fossile pour tous ces gens-là, parce que je me sens, moi, bien vivant. Ça me fait expérience et puis, je me promets bien de faire peau neuve, si ça me plaît, à la fin de la guerre puisqu'en somme personne de ces petites gens n'aura acquis les droits de la fidélité. Qu'en pensez-vous, me trouvez-vous trop facilement et trop commodément sceptique ? En tout cas, ça ne serait que parce que vous autre me comblez par vos petites lettres tendres, par toute votre manière d'être et que lorsqu'on a ça, on devient exigeant pour les autres.

Je vous aime tant, vous autre petit parangon. C'est si facile de vivre et d'être heureux quand vous existez.

À Simone de Beauvoir

13 janvier

Mon charmant Castor

Je recopie pour vous un début de lettre qui commençait par ces mots : je vous écris pendant un moment de calme : il est neuf heures et il fait soif, je viens d'envoyer Mistler et Pieter acheter du vin à mes frais. Quand ils seront revenus, on boira et criera un peu sans doute. La lettre continuait et je la recopierai tout entière seulement je dois vous dire que Pieter est rentré avec le bidon plein comme j'en avais déjà écrit deux grandes pages, s'est jeté sur mon verre pour le remplir dans un emportement de générosité et a flanqué tout le vin sur votre pauvre petite lettre. Hélas mon doux petit il faudra donc la recommencer. Il se tenait penaud, car ils ont peur de moi. (« On ne peut pas te pincer sur de grandes choses quand tu nous engueules, m'a dit Pieter. Alors on se rattrape sur les petites. Mais ça ne fait rien : tu es dur quand on te dérange. Tout ce que tu peux dire aux pauvres mecs. Tu es dur ! ») Mais après l'avoir traité de bon gré d'empoté, j'ai pris rapidement mes décisions : je n'écrirai pas à T. qui ne m'a pas écrit, ni à mes parents qui peuvent bien rester une fois sans lettre.

On a tenu salon, ici, ce soir. Mistler est venu et Pieter a parlé d'une façon intéressante sur la vie et la mort de la colonie juive de la rue des Rosiers, car il paraît que c'est fini à présent. Pendant ce temps, Keller, pince-sans-rire à ses heures, avait glissé un long tube de caoutchouc derrière les livres de Paul et l'avait fait aboutir à hauteur du nez de Paul, sans que celui-ci s'en doutât. Ensuite de quoi il a allumé une pipe et soufflé des torrents de fumée dans le tuyau. Paul recevant ça en pleine figure (il déteste le tabac) s'agitait et disait : « La pièce est sursaturée de fumée et il se produit des courants de convection. » Nous autres, cependant, n'en pouvions plus de rire — même moi, mon bon Castor, j'étais tout rouge et je racontais une histoire de rats pour justifier mon fou rire. Il faut dire que cette fumée était charmante, elle tournait en rond à ras de table, comme un chat qui court après sa queue, sous les yeux ébahis et scientifiques de notre caporal. Nous nous proposons de remettre ça tous les soirs.

À part ça bien sûr journée de calme absolu. Tout le monde part en permission ici et sûrement ça va être mon tour dans dix ou quinze jours. Paul va agir d'ailleurs auprès du capitaine car c'est son intérêt comme le mien. La nuit d'avant j'avais eu si froid (−7°) dans ma chambre que j'ai couché cette nuit dans le poste de sondage sur un sommier que nous avions trouvé dans le corridor. C'était voluptueux. Aujourd'hui, nous étions de soupe, Pieter et moi ; ça consiste à ne rien foutre : on balaye vaguement le poste (Pieter) on va chercher le café (moi) à 7 heures, on va chercher la becquetance à midi (Pieter) et la soupe le soir (les deux ensemble parce qu'il faut emporter les lampes électriques) de sorte que, vous le voyez, de 7 heures du matin à 6 heures du soir je suis entièrement peinard. Keller et Paul font les sondages. Demain c'est à nous.

Vous allez croire que j'ai commencé *Prométhée* ou je ne sais quoi de grand. Mais pas du tout, je n'y ai même pas du tout réfléchi. J'ai écrit de longues considérations sur le Destin. C'est encore historicité. Ça me frappe et m'amuse de voir comme « sous la pression » des événements une pensée historique s'est déclenchée en moi et ne s'arrête plus, en moi qui jusqu'à l'an dernier était un petit tout en l'air, un petit abstrait, un Ariel. Finalement je suis hanté à présent non par le social mais par le milieu humain. Et c'est assez gonflant attendu que je suis un régulier ici, dans une solitude parfaite (les aides ne comptent pas) et que je ne sens pas du tout la contrainte sociale. Vous vous rappelez cette impression de guerre à la Kafka quand on était dans cette gare de l'Est et que vous aviez l'impression que je m'en allais vers l'Est par une obstination héroïque et bien coupable sans vraiment que personne m'en priât. (Hé mon bon petit que je vous aime donc, je me rappelle cette nuit de promenade dans Paris désert, que je vous sentais proche de moi, ma petite fleur, ça c'est quelque chose de bien fort entre nous.) Eh bien ma foi ici c'est pareil. Nous faisons notre service mais avec une étrange et constante impression d'être des volontaires, nous n'avons pas de chefs, je n'ai pas de contenance à prendre, je ne me lave ni ne me soigne. (Paul m'a rapporté qu'on lui avait dit à la cuisine : ton copain est une célébrité dans la division — et je ne crois pas que cette célébrité soit de bon aloi. Et ce soir le grand d'Arbon demi-idiot, quincaillier dans le civil m'a dit, pendant que je lavais les gamelles : « Ils disent des conneries, des fois. » « Ah ? » « Oui. » Un silence et puis grand rire de d'Arbon : « Ils disent comme ça que tu es professeur ! » « Ah ? Eh bien ? » « Eh bien tu n'es pas professeur. » « Si. » Il mangeait quelque chose qu'il a craché de peur d'étouffer.) Et cependant dans cet état de liberté et de solitude je sens autour de moi une formidable pression humaine, c'est ce qui me maintient constamment en état d'intérêt.

Ici s'arrête le bout de lettre recopiée (avec fioritures, bien sûr). J'ai eu deux grandes lettres de vous, petite fleur. Que venez-vous me parler de Mme Medvédeff ? C'est parce que j'ai demandé de ses nouvelles ? Vous avez dû noter avec bien du divertissement que je n'ai pas oublié son nom. C'était un beau brin de fille qui semble bien disgraciée d'après son petit mot. Mais je tiens à ce que vous lui corrigiez une ou deux dissertations, mon bon petit. Il faut réserver des distractions aux futurs démobilisés.

Figurez-vous que ce soir j'ai pensé que bientôt je serai avec vous en civil dans un restaurant de Paris comme autrefois (nous irons au Louis XIV et au Relais de la Belle Aurore) et que nous ferions du bruit avec nos bouches devant un bon repas et j'en suis resté pantois, j'avais de la peine à imaginer que ça existait. Oh mon amour, comme j'ai envie de cette permission. Et les omelettes ! Aujourd'hui je me suis rappelé que ça existait les omelettes : il y a trois mois que je n'en ai pas mangé. Pour les saucisses par contre, j'ai eu ce que j'ai voulu.

Voilà tout pour ce soir, mon cher petit, mon amour. Sentez-vous bien fort comme je vous aime, comme vous êtes ma petite fleur ? On ne fait qu'un, mon doux petit, on ne fait qu'un. Un demi, même. Je vous aime.

À Simone de Beauvoir

14 janvier

Mon charmant Castor

Toute la journée j'ai rêvassé sur un sujet de pièce. À la fin j'avais sombré dans l'écœurement le plus total. Tout a été envisagé et rien ne fut retenu, depuis *Prométhée* jusqu'à ce fameux bateau plein de Juifs dont l'histoire m'avait un moment tenté. Et puis rien. Rien du tout. J'ai écrit une scène de *Prométhée* et je l'ai déchirée ; vous savez combien je suis à charge aux autres et à moi-même dans ces périodes d'enfantement. Pour comble, ayant voulu relire un passage de mon roman, pour me mettre enfin en face de quelque chose d'achevé qui ait un peu de dureté, je l'ai trouvé exécrable. Alors j'ai pris mon courage à deux mains et je l'ai refait mais je ne crois pas que ce soit encore ça. Du coup je n'ai presque rien écrit sur le carnet. Telle fut ma journée, du vide rêveur en somme. Il faut dire qu'il fait ici une température de rêve. 25° à 30° de quoi vous endormir pour la vie, c'est un peu atroce, on sent tout son corps dans sa propre tête. C'est ce maudit coke : ou bien il ne brûle pas ou bien il brûle trop. Il est de toute évidence qu'il faut lui préférer l'anthracite.

Il va y avoir un petit retard dans les permissions, mon doux petit. Pas grand-chose, peut-être cinq ou six jours mais je crois qu'il sera sage de ne pas m'attendre avant le 1er février. Usez, mon doux petit, de cette patience qui est une grâce de guerre. Mais ne vous inquiétez pas. Ce n'est pas une manière de vous annoncer précautionneusement que je n'aurai pas de permission du tout. Ça n'est rien de plus que ce que je vous dis.

J'ai reçu une lettre de vous avec un post-scriptum bien injuste. Vous m'accusez de n'avoir point envoyé les livres à Bost et m'appelez : petit tout mauvais. Mais voilà tantôt une semaine que je lui en ai envoyé *douze*. Il les aura sûrement reçus. À propos je n'ai plus grand-chose, pour ma part, envoyez-moi vite les Romains et ce *Gilles* qui vous ennuie tant. Je pense que je vais lire, si je n'écris pas. Je ne sais trop que devenir.

T. m'a sagement fait une longue épître mais m'agace, je ne sais pourquoi. Je pense que je me suis mis gratuitement dans la tête que six mois d'absence c'était beaucoup trop pour une si petite tête et qu'en conséquence je lui en veux un peu de m'avoir oublié. Mais sans passionnel, fichtre. Vous avez tout à fait raison, mon doux petit, de dire que je suis aussi sensible que vous aux incongruités. Je ne crois pas que j'en laisse échapper. Seulement il faut dire que je suis toujours plein d'indulgence pour celles des bonnes femmes les premiers temps.

Voilà tout pour aujourd'hui, mon cher petit, mon charmant Castor. Je vous aime de toutes mes forces, vous êtes ma petite fleur.

À Simone de Beauvoir

15 janvier

Mon charmant Castor

Encore une journée studieuse. Pieter et Keller sont allés chercher l'hydrogène, c'était leur tour et moi je n'ai pas eu ma petite matinée poétique. Mais c'était sans importance et j'ai bien travaillé. De la philosophie hélas, pas de pièce ni de roman. Cela ne fait rien, cela devait être fait. Ce matin j'ai relu la conférence de

Heidegger *Qu'est-ce que la métaphysique ?* et je me suis occupé dans la journée à « prendre position » par rapport à lui sur la question du Néant. J'avais une théorie du Néant. Elle n'était pas encore très bien tournée et voici qu'elle l'est. Vous la verrez quand je viendrai en permission. Vous allez peut-être trouver que mes carnets deviennent trop philosophiques, mon petit juge. Mais il faut bien aussi en faire et puis j'écrivais justement dans mon carnet aujourd'hui que la philosophie que je fais doit être un peu émouvante pour d'autres parce qu'elle est intéressée. Elle a un rôle dans ma vie qui est de me protéger contre les mélancolies, morosités et tristesses de la guerre et puis à cette heure je n'essaye pas de protéger ma vie après coup par ma philosophie, ce qui est salaud, ni de conformer ma vie à ma philosophie ce qui est pédantesque mais vraiment vie et philo ne font plus qu'un. A ce propos j'ai lu une belle phrase de Heidegger qui pourrait s'appliquer à moi : « La métaphysique de la réalité-humaine n'est pas seulement une métaphysique *sur* la réalité-humaine ; c'est la métaphysique venant... à se produire *en tant que réalité-humaine.* » N'empêche que pour le « public cultivé » il y aura des passages emmerdants. Mais il commence à y en avoir un ou deux de croustillants par contre : un sur les trous en général et un autre tout particulièrement sur l'anus et l'amour à l'italienne. Ceci compensera cela.

À part cela je me suis offert une petite distraction dans le cours de l'après-midi, j'ai lu *Le Naufragé du Titanic.* Ça m'a considérablement amusé, savez-vous ? Seulement j'ai eu l'impatience bête de regarder la fin au bout de cinquante pages, et ayant connaissance du coupable je n'ai plus pu continuer. À ce propos, mon doux petit, il faut dès au reçu de cette lettre envoyer des livres, je n'ai plus rien. Et si vous n'avez pas lu les Romains, envoyez-les tout de même, je vous en prie. Je les renverrai avec scrupule.

Donc, mon pauvre petit bon, vous avez su qu'on les a suspendues, ces permissions. On n'a pas dit pourquoi mais ça n'est pas difficile à deviner : il y a de nouvelles menaces sur la Belgique et la Hollande. J'ai appris ça hier soir un peu avant de vous écrire et ç'a été un peu un coup dur. Moi qui vous parlais la veille des promenades que nous ferions ensemble et des omelettes que je mangerais. Et puis surtout j'ai tant envie de vous voir, mon cher petit. Mais vous savez ça n'est qu'un tout petit retard. Ces menaces n'auront, une fois de plus, aucune suite, dans quatre ou cinq jours les permissions reprendront leur cours. Et comme il faut en finir on accélérera le rythme. De sorte que vous me verrez presque à l'heure dite. D'ailleurs on annonce à la radio ce soir que la tension germano-hollandaise décroît. Seulement hier soir on ne savait rien du tout. Mais j'ai « pris sur moi » et digéré le coup dur de façon qui m'honore. Ce matin j'étais parfaitement dispos. Étaient assez effondrés par contre les trois ou quatre pauvres types qui devaient partir hier et qui sont restés. C'était d'ailleurs le tour de départ du colonel, qui est encore ici, de ce fait. *Ne vous inquiétez surtout pas.* Je suis *sûr* de venir d'ici une quinzaine environ ; c'est un petit contretemps sans gravité. Ça m'a fait coup dur hier parce que l'on ne savait absolument rien.

Pas de courrier du tout aujourd'hui. De personne. J'aurai donc six lettres demain, ce sera un bon jour. Et voilà. J'ai commencé mon neuvième carnet. C'est le second grand bleu de nuit que vous m'avez envoyé. Je vous en apporterai sûrement *sept* quand j'arriverai, vous n'en aurez jamais tant lu à la fois. Et puis nous en rédigerons un petit confidentiel à nous autres deux sur la permission, qu'on ne montrera à personne, surtout pas aux intimes, sur *le séjour* à Paris.

Je vous aime si fort, mon petit. J'ai bien senti hier quel besoin j'avais de vous voir. Vous m'écrivez que vous me sentez « sous la main » et j'aime tant ça, oui mon amour, je suis tout juste sous votre petite patte et je l'embrasse de tout mon cœur.

À Simone de Beauvoir

16 janvier

Mon charmant Castor

Je vous écris plus tôt aujourd'hui parce que je n'ai rien eu à faire de la journée (temps couvert, pas de sondages) et que j'ai pu sagement travailler. D'abord à édifier cette petite théorie du Néant que vous admirerez sûrement puisque 1° elle supprime le recours de Husserl à la *hylé* — 2° elle explique l'unicité du monde pour la pluralité des consciences — 3° elle permet de transcender *pour de bon* le réalisme et l'idéalisme. Tout cela est bel et bon. Mais je ne vous l'explique pas parce que je voudrais que vous assistiez à sa naissance, au fur et à mesure dans les carnets ; ça vous amusera. Ensuite lassé de courir après un sujet grandiose qui se faisait prier, j'ai repris tout modestement et sagement le roman. Il y avait un chapitre à faire sur Boris et je l'ai commencé. Au fond pourquoi ne reprendrais-je pas et ne refondrais-je pas mon roman à présent ? Je suis encore tout chaud et cependant suffisamment loin des premiers chapitres pour que leurs fautes m'apparaissent. Aussi voilà ce que je vous propose : que penseriez-vous d'écrire à cette dame pour qu'elle envoie le manuscrit en recommandé ? (Ou peut-être y aura-t-il quelqu'un de La Pouèze qui viendra à Paris et le portera, ça n'est pas à huit jours près.) Et vous pourriez alors le donner à taper, en 2 exemplaires et j'en emporterai un en revenant de permission. Ou bien si vous trouvez trop cher de le faire taper, je l'emporterai manuscrit : étant donné notre vie sédentaire il ne risque pas grand-chose. Qu'en pensez-vous ? Si vous êtes d'accord, vous pourrez écrire dès que vous le voudrez à cette dame. Sinon, présentez vos objections.

Bref j'ai écrit sur Boris et ça vient bien, je crois que ça sera plaisant. Et puis j'ai lu Heiddeger et commencé *Tandis que j'agonise*[1]. (Envoyez les livres mon amour, les Romains, *Gilles* et puis si vous n'êtes pas trop pauvre vous pourriez y joindre une ou deux petites surprises choisies sur la liste. Merci, petit trop gentil, pour vos offres de victuailles. J'ai justement reçu tout un paquet de ma bonne mère et puis, si j'en voulais, il y en a ici.) J'ai reçu *une* lettre de vous : j'en attendais deux puisque je n'en ai pas eu hier. C'était celle du samedi.

Mon cher petit, je comprends bien comment vous pouvez vous sentir toute sèche tout en étant heureuse et comment ce peut être une manière de me regretter. Je sens tout pareil. On est durci finalement et puis il y a tous ces petits ennuis (permissions suspendues, etc.) à quoi il faut opposer un front d'airain alors ça fait sec en dedans mais c'est une sécheresse un peu désolée. Moi aussi, mon amour, je voudrais avoir vos petits bras autour de mon cou et vous embrasser et vous parler. Heureusement qu'il y a ces

1. De Faulkner.

lettres, sinon je ne pourrais jamais raconter à personne ce qui m'intéresse. Remarquez que je dis ça de fort bonne humeur : il y a les lettres et il y a le carnet — et j'ai un peu oublié, heureusement pour moi, ce que c'est que d'avoir à côté de soi je ne dis même pas vous autre mais quelqu'un qui s'intéresse à ce que vous pensez et sentez et qui peut le comprendre. Je l'ai oublié comme l'existence des omelettes et je n'en ai pas un besoin conscient, je me réjouis d'écrire mes petites idées sur mon carnet et je pense que vous les lirez. Seulement voilà, la contrepartie c'est que je suis sec. Mais pas pour vous, mon amour, comprenez-moi bien. Oh non, je me rappelle des tas de petites figures de vous et ça m'émeut. Mais en face des choses, des gens, des paysages et aussi en face de ce que j'écris ; il y avait une espèce d'émotion autrefois qui se coulait un peu avec l'encre dans la plume de mon stylo quand j'écoutais Johnny Palmer au café des Trois Mousquetaires en écrivant mon roman — et je ne peux pas dire qu'elle m'inspirait directement tel mot ou telle phrase (encore que ce soit même possible) mais elle me donnait de la sympathie pour mes personnages. Au lieu qu'à présent c'est plus conceptuel. Je vois ce qu'ils doivent penser et faire mais froidement. Je suis curieux de savoir (vous me le direz bientôt) si ça change le roman, si ça lui ôte une espèce d'épaisseur ou pas du tout : c'est une espèce d'expérience cruciale sur la menterie qu'il y a dans les livres.

Pour ce qui est des Juifs, savez-vous, vous ne me convainquez pas. Vous écrivez : à ce compte (si s'assumer comme Juif c'était réclamer des droits pour les Juifs en tant que Juifs) s'assumer comme Français ce serait devenir chauvin. Mais non. L'expression : *droits* dont j'ai dû me servir à tort et en vitesse vous a égarée. Le problème est le suivant : s'assumer comme Juif est-ce pour viser à la suppression ultérieure de la race et représentation collective « Juif » ? (en ce cas l'assomption se ferait en tenant compte de l'historicité immédiate de l'individu, comme par exemple s'assumer bourgeois pour supprimer la classe bourgeoise, en sachant bien que, même si l'on *aide* à la supprimer ce sera en bourgeois et qu'on demeurera un ci-devant après sa suppression — seulement par la suite il n'y aura plus de bourgeois) ou bien n'est-il pas possible aussi qu'en s'assumant comme Juif on reconnaisse une valeur culturelle et humaine au Judaïsme, auquel cas le principe dont on s'inspirerait pour lutter contre l'antisémitisme ce ne serait pas que le Juif est homme mais bien que le Juif est Juif. Et naturellement on ne devrait pas *s'arrêter* à sa Juiverie. Mais toute assomption est dépassement vers l'homme, je vous expliquerai. Je ne décide pas et ça n'est pas à moi de décider, mais les deux attitudes me paraissent toujours possibles.

Au revoir, mon doux petit, mon cher petit. Voilà une bien longue lettre et je ne vous ai même pas raconté ma vie. Mais c'est qu'il n'y a rien à dire. Vous vivez pour moi.

À demain, ma petite fleur, je vous enferme bien fort dans mes bras.

À Simone de Beauvoir

17 janvier

Mon charmant Castor

Je viens d'écrire à cette dame, figurez-vous. J'en avais envie depuis longtemps. Et puis à Martine Bourdin qui m'avait envoyé une longue lettre brumeuse à son ordinaire, seulement dans cette nuée un seul élément solide : son adresse. Elle se plaignait amèrement que je ne lui eusse pas écrit. Mais où l'eussé-je fait ? Je ne vous envoie pas sa lettre qui n'est pas intéressante. J'ai répondu dans le style « amant » que vous connaissez. J'ai reçu deux petites lettres de vous, toutes charmantes, une du 13 et une du 15, j'ai eu celle du 14 hier. Eh, mon bon petit, il ne faut pas me parler de nos souvenirs. Sûr que non, que je ne suis pas sec pour eux ni pour tout ce qui me revient de nos beaux petits voyages. Par exemple ceux que vous me citez m'ont laissé froid, je ne sais pourquoi, peut-être par esprit de contradiction mais voici celui qu'ils ont fait renaître et qui m'émeut aux larmes d'amour pour vous : quand on revenait du centre de Naples (du Musée par exemple) en tramway, le tramway s'arrêtait sur une place à côté d'une église, c'était son terminus. Des enfants jouaient sur cette place et nous revenions à notre hôtel Umberto, bras dessus bras dessous, votre petit poing dans ma main. Est-ce que vous revoyez ? C'était une charmante petite place. Si nous retrouverons *ça,* mon amour ? Je ne sais pas. Pas tout de suite après la Paix, en tout cas : j'imagine que nous serons très pauvres. Mais c'était du luxe et je ne demande que d'avoir mes deux mois annuels de solitude complète avec vous. Nous reprendrons notre voyage dans les Pyrénées, nous retournerons dans les Causses, nous avons à faire, vous verrez et il nous arrivera encore un tas de petites aventures.

Vous voilà donc un peu éprise de votre petite Sorokine, mon amour ? Mais il ne faudra pas la laisser tomber, au moins ? Qu'est-ce que c'est ? Que vous voilà donc d'histoires et d'amours, petite tout-charme !

Pour moi j'ai sagement travaillé. Écrit sur la guerre et la nouvelle conception des *alliances.* Travaillé aussi à mon roman. Ce que je fais (le petit Boris) m'amuse très bien. Je me suis amusé à décrire l'avenue d'Orléans : ça m'a fait tout poétique et j'ai retrouvé le genre d'émotion que j'avais l'an dernier pour mes personnages, à imaginer simplement l'angle de la rue d'Alésia et de l'avenue d'Orléans par un beau soir de juin. A part ça Paul avait protesté hier soir auprès du capitaine Munier parce qu'il n'y avait pas assez à manger. Moi je m'en fous je mange du pain grillé (on le fait griller sur le charbon de notre poêle) et à partir de demain le restaurant rouvre à midi, j'irai. N'empêche que le capitaine Munier a envoyé un lieutenant protester auprès du capitaine Lemort. Et ce matin qui est-ce qui s'est fait engueuler à la soupe, c'est moi. « Vous ne venez jamais faire les peluches, c'est pour cela qu'il n'y a pas assez de pommes de terre », a dit le capitaine Lemort. « Mon capitaine, nous avons une dispense du colonel, en outre permettez-moi de vous faire remarquer que nous nous plaignons qu'il n'y avait pas assez de *nouilles.* » « Ah ! Ah ! a-t-il dit. C'est que nous n'en recevons pas davantage. » Et il a tourné les talons. Les Acolytes m'ont dit ensuite qu'ils prévoyaient une algarade de ce genre et étaient satisfaits que ce fût mon tour d'aller là-bas. « Parce que tu es le plus incisif », m'a dit Paul.

Autre chose : les permissions reprendront demain ou après-demain. Vous savez en effet que tous les déplacements de troupes avaient été arrêtés. Or ils ont repris dans la matinée. 4 radios d'ici devaient partir pour la ligne Maginot. On les a arrêtés tous pendant deux jours. Et puis aujourd'hui ils sont partis et le cinquième, celui qui devait partir en permission avant-hier, a été envoyé au centre de rassemblement des permissionnaires où il attendra qu'elles reprennent pour partir. Donc on ne perd qu'un jour ou deux.

Et voilà, mon charmant petit, voilà tout. Je vous aime de toutes mes forces et je crève d'envie de vous voir. Seulement je suis sage, je ne veux pas trop m'y laisser aller avant d'être sûr de partir. Mon amour, comme je vous aime.

À SIMONE DE BEAUVOIR

18 janvier

Mon charmant Castor

Que vous m'avez envoyé une charmante petite lettre et j'ai le cœur tordu parce que vous aviez l'air d'avoir tellement envie de me voir et même vous avez versé un petit pleur et puis qu'allez-vous apprendre justement le lendemain ? Que les permissions sont suspendues. Mais écoutez, mon doux petit, voilà qu'elles sont rétablies aujourd'hui même et avec un pourcentage accru. Demain Paul parlera au capitaine Munier pour moi et je saurai la date exacte de mon départ : ce sera certainement *au plus tard* le 1er février. Mon amour quand vous recevrez cette lettre je serai à dix jours de vous. Seulement ça ne changera rien à cette journée triste que vous avez dû passer quand je vous ai écrit que les perms étaient suspendues, il est trop tard. C'est ça qui me faisait hésiter à vous le dire, voyez-vous, je pensais que ça n'était vraisemblablement pas grand-chose (quoique ça m'ait été fort désagréable l'autre jour) mais que les mots faisaient gros. J'ai dit tout juste le premier jour : il y a un retard léger, sans dire quoi. Et puis, le lendemain, je me suis senti contraint en vous écrivant parce que je ne vous avais pas dit le vrai, j'ai trouvé ça insupportable et je l'ai dit, en feignant d'ailleurs une assurance que je n'avais pas tout à fait. Seulement, le lendemain tout était arrangé et je regrettais alors cette petite commotion que j'ai dû vous donner. C'est embêtant de dire la vérité *par lettres* parce qu'elle se corrige au fur et à mesure tandis que la lettre est un petit instant figé qui s'envole vers le correspondant et risque de lui tomber comme une tuile sur la tête : finalement si je ne vous avais *rien* dit, vous ne vous seriez aperçue de rien. Oui, mais alors nos rapports auraient été faussés pour quelques jours. C'est toujours ces histoires de fausse sécurité : la vôtre eût été entière mais *fausse*. Et puis si tout de même ç'avait été sérieux ? Si les permissions avaient été suspendues un mois ? Mon amour n'ayez pas peur, je vous dirai toujours la vérité (au plus avec 24 heures de retard comme cette fois, le temps de poser le cas de conscience) seulement c'est désagréable de penser que vous avez reçu *aujourd'hui* ma lettre de mardi et que vous ne recevrez celle-ci que samedi. Enfin celle d'hier était tout à fait rassurante déjà et puis les journaux ont dû vous éclairer.

À part ça mon doux petit, je ne sais pas comment les journées passent : je me retrouve au soir sans avoir quasi rien fait. Aujourd'hui j'avais trois sondages à faire et puis, ce matin, le feu ne prenait pas et il faisait −23° dehors, vous vous rendez compte. On a claqué des dents jusque vers 10 heures et demie, il faisait 3° ou 4° dans notre local et puis tout à coup le feu a pris et en peu de temps a transformé la pièce en fournaise. Naturellement je n'ai pas travaillé, j'avais les mains gelées par le sondage : deux trous au bout des bras. C'est étonnant, vous savez, ce que c'est que le vrai froid, c'est un peu terrible mais un peu voluptueux. Je sors toujours sans capote pour prendre ces bains perfides, je ne connais rien qui vous pénètre plus profondément. La chaleur ça reste extérieur. Mais vous vous rappelez ces condamnés du bagne de Kafka qui lisent leur condamnation avec leur corps, par leur chair. Eh bien on a cette impression-là, il semble qu'il y a quelque chose d'extérieur qu'on apprend à connaître avec ses intestins, son foie, sa rate, etc. Et puis alors, quand on revient du sondage dans une pièce pas trop chaude c'est surprenant aussi comme on a l'impression d'être une petite dynamo qui fabrique son propre froid, il a l'air de se répandre de vous par ondulations jusqu'au milieu de la pièce et chaque frisson a quelque chose de métaphysique. Pour tout vous dire, j'aime bien ça. Actuellement il est neuf heures du soir, il fait −20° au-dehors, il fera −25° demain matin. Mais tout cela est pour vous dire que jusqu'à 10 heures 1/2 je n'ai rien fait. Là j'ai commencé à noter quelques petites choses sur l'innocence dans mon petit carnet. Et puis ç'a été de nouveau le sondage et puis nous avons été déjeuner avec Pieter au restaurant de la Gare qui est déconsigné. L'après-midi j'ai un peu lu *Classe 22* de Glaeser en allemand. (Un type était entré hier sans frapper et m'avait dit assez sèchement en me tendant un livre : « Tiens, je te rends ça. » Puis il était reparti.) Et c'était *Classe 22* en allemand que, bien entendu, je ne lui avais jamais prêté, puis j'ai travaillé à « l'innocence » et à mon roman. Puis sondage puis de nouveau travail puis dîner et Mistler est apparu avec une bouteille de vin blanc (c'est le nouveau rite, on paye chacun à son tour, un litre de blanc chaque soir) et puis voilà, je vous écris. Demain je n'ai rien à foutre et travaillerai davantage. Il faut que je me presse un peu si je veux que ce chapitre soit fini quand je vous l'apporterai.

Voilà ma vie, mon doux petit. Toujours heureuse, bien sûr, mais je crève d'envie de vous voir. Cette fois ça y est, je peux me le dire et commencer à compter les jours. Dans pas beaucoup plus d'une semaine, je serai avec vous. Voyons, qu'en est-il ? Ma mère vous apporte mes habits civils ? C'est extrêmement avisé à elle. Si par hasard elle ne le faisait pas, il faudrait les lui réclamer car je ne veux pas me promener en Polichinelle dans Paris, même le premier soir.

Je vous aime, mon doux petit. Quelque chose est en train de finir ces jours-ci, notre première longue séparation. Je vais vous revoir tout à loisir. Je vous embrasse sur votre chère petite figure.

À Simone de Beauvoir

19 janvier

Mon charmant Castor

Nous avons un chat depuis une demi-heure. Il est gros comme le gros eunuque de Toulouse et assez noble. Keller lui donne d'énormes quartiers de viande et lui dit : « Explique-toi avec ça ». Pour Paul, il dit : « C'est très curieux les réactions des chats quand ils se voient dans une glace » et il le pourchasse dans les coins en lui présentant sa glace de poche. Nous avons aussi du café, de pleins bidons de bon café que les cuisiniers nous font (les cuisiniers des officiers, s'entend — pas ceux de la cuisine roulante). Bref nous nous installons. C'est le moment, bien entendu, où on parle de partir. En tout cas *moi* je pars, mon charmant Castor : le 1er février *au plus tard*, je suis près de vous. Paul a été voir le capitaine Munier qui a téléphoné au Q.G. La chose est décidée. Songez que lorsque vous recevrez cette lettre je serai à *huit jours* de vous, neuf au plus tard, ma petite fleur. Que je suis heureux mon amour.

Aujourd'hui qu'ai-je fait ? J'ai écrit sur l'adjudant et puis sur la solitude, ça m'a amusé. Vous savez, on se demandait toujours ce que ça voulait dire : être seul (seul dans une foule, etc.). C'est ça que j'ai essayé de tirer au clair. Je n'ai pas touché au roman, mais demain je ne ferai que lui car il m'amuse. Mais je ne sais pourquoi, consacrant le même nombre d'heures au travail je travaille tout de même au ralenti. Est-ce la fatigue ? Une fatigue qui ne serait ni intellectuelle ni physique mais proche plutôt du dégoût ? Je ne saurais vous le dire mais le fait est là : 150 pages du 1er septembre au 1er novembre (pour le roman) et 70 pages du 1er novembre au 15 janvier. Mais il faut dire que j'ai énormément écrit sur le carnet. C'est dit, vous en aurez six et le commencement d'un septième. Ô mon cher amour quand je pense que je me réjouis de vous revoir et que vous êtes encore un peu méfiante et inquiète en ce moment et ne savez même pas que les permissions sont rétablies !

J'ai fait un cours sur la sexualité à Mistler, ce soir, devant les Acolytes. Il en bavait. À part ça j'ai déjeuné chez Charlotte et n'ai rien foutu de la journée du point de vue proprement militaire. Je n'ai pas lu non plus, je ne sais comment le temps passe. Il n'y avait pas de lettre de vous.

Voilà, mon petit, je suis un petit tout-à-la-joie. Mon cher amour que je vais revoir, je vous aime de toutes mes forces.

Écoutez bien : 1° il faudra, dès que vous serez fixée sur la date exacte de mon arrivée retenir une chambre à l'hôtel Mistral.

2° si d'aventure ma mère vous téléphonait pour savoir la date exacte lui donner comme date le *lendemain* du jour où j'arriverai en fait.

3° ne pas m'attendre à la gare, finalement, parce que Rosette Pieter y a manqué Pieter, c'est une effrayante cohue. Pour gagner une demi-heure, vous courez le risque de perdre une heure. J'arrive à cinq heures du soir. Attendez-moi plutôt dans un café voisin de la gare de l'Est. Ce café il faudra que vous m'en écriviez le nom et la position exacte dans votre prochaine lettre.

20 janvier

Mon charmant Castor

Il me manque une de vos lettres : celle d'hier. J'ai lu avec bien de l'amusement celle que j'ai reçue aujourd'hui. Votre petite Sorokine a l'air bien charmante. J'aime bien quand elle devient haineuse parce qu'elle s'en va et puis comme elle vous apporte une bouchée, l'après-midi, pour se faire pardonner.

Pour moi je suis embarqué dans une métaphysique. Elle est peineuse et difficile mais elle paye bien. Elle va avec la morale naturellement, en sorte que ces carnets seront tout un petit traité de philosophie. J'ai travaillé tout l'après-midi, non sans succès sur le Mit-Sein. Ce matin au roman, avec plaisir. Et puis j'ai commencé *Classe 22* de Glaeser en allemand. C'est tout pour la journée avec trois sondages. Mais c'est une plaisante journée parce qu'elle a un avenir tout prochain et charmant. Dans dix jours je vous verrai, je me promènerai avec vous tout tranquillement. Il y a encore quelques petits caps à passer et puis nous y serons. Pourquoi je veux aller au Relais de la Belle Aurore ? Je ne sais pas mon amour. Vous savez, je repasse un peu dans ma tête les endroits où nous avons été ensemble et puis tantôt c'est celui-ci qui me tente et tantôt celui-là. Alors, si je vous écris, je dis celui qui me passe par la tête. C'était le quartier qui me plaisait et puis les hors-d'œuvre. Mais le petit Louis XIV, ah, ça c'est obligé, c'est une autre affaire. Et puis Ducottet, naturellement. Et peut-être, qui sait ? Pierre, hein ? Qu'en diriez-vous ? Et puis Lipp pour être tout de même à Saint-Germain. Je vous aime mon petit ; comme ça sera charmant de se lever tout matin et de s'aller promener. Vous savez ce que j'ai pensé ? C'est qu'en se levant à six heures du matin nous pourrions sans grande crainte aller prendre un verre au Dôme. J'aimerais tant y aller avec vous.

Je vous ai mal expliqué tout à l'heure ce qu'il y a d'étrange dans cette tentative pour faire une métaphysique. En somme ce que nous faisions jusqu'ici, en sages petits phénoménologues, c'était une ontologie. On cherchait les essences de la conscience avec Husserl ou l'être des existants avec Heidegger. Mais la métaphysique c'est une « ontique ». On met la main à la pâte, on ne considère plus les essences (ce qui donne une éidétique — sciences des possibles — ou une ontologie) mais bel et bien les existences concrètes et données et on se demande pourquoi c'est comme ça. C'était ainsi, en somme, que procédaient les philosophes grecs — il y a un soleil, pourquoi y a-t-il un soleil ? Au lieu de : « Quelle est l'essence de tous les soleils possibles, l'essence solaire », ou bien : « Qu'est-ce que l'être-soleil ? » C'est plus barbare mais plus amusant. Aron ne saurait que m'approuver car il m'a toujours encouragé à faire de la métaphysique.

Voilà pour aujourd'hui, mon petit. T. m'envoie des lettres délirantes (pour elle) d'amour. Cette drôle de petite créature, par peur d'avoir un peu de tristesse, se barre et vous oublie tant qu'elle n'envisage pas de vous revoir et, quand cela devient possible, elle se rappelle brusquement qu'elle tient à vous. Je suis en sympathie avec elle, en ce moment, je pense que je serai très gentil quand je la verrai et sans effort. C'est une bonne fille, un peu menteuse, un peu putain mais avec de la classe. À sa manière. Elle sent plus court et plus rond que sa sœur mais finalement elle sent sa situation dans le monde, bien obscurément mais bien fortement.

Mon cher amour, que je vous aime et que j'ai envie de vous voir. Nous ne faisons qu'un, petit charme-tout.

À Simone de Beauvoir

21 janvier

Mon charmant Castor

Voilà un petit désastre : j'ai cassé mes lunettes. Heureusement ce n'est que la monture. C'est tout à l'heure en allant chercher la soupe. Il faut pénétrer dans une soupente chaude et pleine de vapeur où la viande cuit dans une grande marmite noire. Je mets, avant d'entrer, mes lunettes dans ma poche sinon, passant de −10° à +20° du froid sec à l'humidité touffue et chaude, elles se couvrent de buée et je n'y vois plus rien du tout. Mais aujourd'hui le cuisinier a renversé par mégarde la gamelle, je me suis baissé pour la ramasser, ma hanche a roulé sur ma cuisse et mes lunettes prises dans cet étau se sont cassées en deux. Le bon Pieter ce soir a entouré la monture à l'endroit de la fracture avec le caoutchouc d'un ballon-sonde puis il a fait une ligature et je porte ça sur le nez. Ça me râpe la peau et me fait mal aux yeux mais je tiendrai bien comme ça jusqu'à jeudi. Jeudi j'irai « à la ville » chercher des tubes d'hydrogène, je ferai un détour par une ville plus grande encore et je me ferai remettre une monture.

C'est l'événement de la journée. Un autre événement c'est qu'il n'y a pas eu de lettres du tout. Le train a eu dix heures de retard, en conséquence nous aurons deux courriers demain, un le matin à neuf heures et un le soir.

J'ai couché toutes ces nuits-ci dans le « local » sur un matelas, parce qu'il y faisait chaud et puis pour le plaisir de laisser Pieter tout encoconné dans son sac de couchage et de dormir seul. Ça désoblige un peu Keller qui a tellement fort le sens de la propriété qu'il reste ici, crevant de sommeil jusqu'à des minuit, par jalousie d'amant, pour ne pas laisser une conscience après lui entre les murs. J'ai donc dormi là cette nuit, fort bien, si bien, même qu'au matin j'ai entendu Paul qui bramait après moi dans le corridor : il était sept heures et demie et j'avais tout à fait oublié de me réveiller. J'étais de corvée de jus. Ça consiste à porter les lettres à la poste et à chercher le café à la cuisine roulante. J'ai mis les lettres encore à temps. Mais je n'ai pas eu le café, j'ai dû courir chez la boulangère acheter du chocolat. C'était charmant, je suivais un sentier dans la neige, tout à fait comme aux sports d'hiver. Et puis finalement le cuisinier du colonel nous a fait d'excellent café. Ensuite de quoi j'ai fait de la métaphysique jusqu'à midi. Je crois que c'est réellement intéressant et neuf, ce que je fais, ça ne ressemble plus du tout à de la philosophie husserlienne, ni à Heidegger ni à rien. Ça ressemblerait plutôt à toutes mes vieilles idées sur la perception et l'existence, idées mortes avant de naître faute de technique mais que je puis développer à présent avec toute la technique phénoménologique et existentialiste. Je suis bien cupide de vous montrer ça. C'est bien curieux comme la guerre et le sentiment d'être, malgré tout, un peu « perdu » m'a donné de la hardiesse, c'est-à-dire m'a permis d'aller de l'avant sans me préoccuper jamais de savoir si j'étais ou non en accord avec mes idées antérieures — ni même si j'étais d'accord d'un jour à l'autre avec moi-même. Cette manière de penser rapporte bien et, finalement, on se trouve tout de même d'accord avec soi-même et ça a le mérite de n'être pas forcé. Déjeuné chez Charlotte avec Paul et Pieter. Puis on est remontés ici. Il y a quelques petites difficultés avec le Q.G. pour ma permission mais le capitaine Munier m'a promis d'un ton qui ne laissait pas place au doute que je partirai pour le 1er février et je crois qu'on peut s'en reposer tout à fait sur lui. Les difficultés sont de pure inertie d'ailleurs : en gros les plans absurdes du Q.G. reviendraient à me faire partir en permission vers le 10 en même temps que Paul. Mais c'est ce que le capitaine ne peut admettre parce que ça ferait deux sondeurs sur quatre de partis, ce qui risquerait à la moindre anicroche (maladie d'un des restants ou n'importe quoi d'analogue) de supprimer complètement le service de sondage. Il n'y a donc d'autre solution que de me faire partir en avance sur mon tour de façon que je sois de retour le 15 février et que Paul puisse partir alors. Il n'y a pas d'autre solution *parce que* les permissions doivent *toutes* avoir été prises pour le 1er mars, c'est-à-dire que les derniers partants doivent partir le 15. Le capitaine a le droit pour lui, d'ailleurs, parce que les notes relatives aux permissions précisent bien que l'ordre des permissions peut toujours être modifié pour raison de service — et cela s'est fait cent fois ici d'ailleurs. Seulement le Q.G. serait obligé de faire de légères modifications à ses listes et vous n'imaginez pas la puissance d'inertie d'une administration militaire. Mais le droit aura gain de cause parce que, surtout, le capitaine Munier est capitaine d'état-major et, en conséquence, peut ce qu'il veut. Je vous fais donc part de tout cela par scrupule mon doux petit et tout en vous assurant que le 1er février à 5 heures — ou au plus tard le 2 qui est un vendredi, si je pars le 1er, vous me verrez arriver en militaire à la gare de l'Est. Mon doux petit, comme nous serons heureux tous les deux.

Ça me manque un peu de ne pas avoir eu votre lettre. Je devrais en avoir 3 demain. Celle du 17 qui me manque toujours, celle du 19 que j'aurais dû recevoir aujourd'hui, et celle du 20 qui doit arriver normalement demain. Je ne sais plus rien de vous.

Cette après-midi j'ai travaillé au roman et ce soir Mistler est venu et je lui ai parlé de la guerre d'Espagne. À présent c'est chose entendue : le soir on amène un litre de vin blanc, ils s'installent, je pérore et ils m'écoutent. Après quoi je mets au mur une petite pancarte que Pieter m'a préparée : « On est prié de ne pas me faire chier. » Je les terrorise atrocement, comme je terrorisais ceux de Berlin. C'est curieux comme mes rapports avec les types (École Normale — Berlin — ici) se reproduisent identiques à travers les variations d'âge et de communautés, Mistler remplissant le rôle de Brunschvick et Paul celui de Klee. Sur ceux-ci j'ai actuellement le genre de domination que je souhaitais, qui n'est pas de l'impérialisme, mais qui me permet d'avoir une paix royale, c'est appréciable. Je suis vraiment et absolument mon maître comme dans la vie civile. J'ai eu de la chance.

À demain mon doux petit. Vous recevrez cette lettre le 23 et il n'y aura plus que huit jours à nous séparer. Il est vraisemblable par ailleurs que nous n'allons plus rester très longtemps ici.

Je vous aime de toutes mes forces, ma petite fleur.

À Simone de Beauvoir

23 janvier

Mon charmant Castor

Pas de lettre de vous aujourd'hui. La cause en est un accident de chemin de fer qui a coûté la vie à 7 permissionnaires et en a blessé 40 autres. Après ça, on se réjouit prudemment de partir en permission. Comme disait le sergent : « Est-ce qu'ils partaient en permission ou est-ce qu'ils en revenaient ? » « Ils en revenaient. » « Oh ben alors ! » Par le fait j'aimerais autant que ça m'arrive au retour, si ça devait m'arriver. En tout cas les heures du courrier sont déréglées, on a les lettres le matin (avec vingt-quatre heures de retard originel) et ça surprend, après ça la journée est devant vous, vide et bête. Par exemple, il est quatre heures et demie et je vous écris pour avoir un petit contact avec vous, puisque je ne lirai pas vos chères petites pattes de mouche de tout aujourd'hui. Ça coupait bien. J'ai reçu une plaisante lettre de Tania et puis ce mot au moins surprenant de *Marianne* (signé André Roubaud).

M. Sartre — Poste de sondage — Secteur 108 (c'est sur l'adresse) et sur la feuille au-dessous de l'en-tête :

« Monsieur,

« Nous aurions plaisir à envisager votre collaboration éventuelle. Voudriez-vous avoir l'amabilité de prendre contact avec moi l'un de ces prochains jours, afin que nous puissions convenir d'une heure de rendez-vous.

« Veuillez croire, etc. »

Cette lettre me confirme dans l'opinion qu'on ne prend pas du tout, dans cette drôle de guerre, les mobilisés au sérieux. Ça leur fait les pieds, d'ailleurs. Mais enfin ils ont tout de même une drôle d'opinion, à l'arrière, sur ce que c'est qu'être en secteur.

Qu'ai-je fait aujourd'hui ? D'abord hier soir je me suis couché très tard (vers une heure) et puis le froid m'a tout d'un coup surpris (il a fait − 25° cette nuit, c'est-à-dire − 6° ou − 7° dans nos chambres). J'ai dû rester deux heures sans dormir et puis, ce matin, j'avais un petit bouton de froid à la lèvre, j'ai eu grand-peur d'arriver près de vous avec un lupus pareil à celui que j'avais en revenant de Grèce. Mais ça s'est séché cette après-midi. J'étais un peu abruti ce matin en allant chercher le café mais ça va fort bien à présent et j'ai écrit tout le matin sur cette idée de totalité et de morale sans mérite, dont nous parlions.

On a été déjeuner Pieter et moi au café de la Gare et un militaire près de nous a émis l'idée (sans base) que nous allions partir, alors Charlotte a dit en me regardant : « Alors je ne verrai plus les beaux petits aviateurs. » Si ça n'était pas ironique, elle n'est pas dure, vous n'imaginez pas ce que je peux être salingue avec ma barbe, mes favoris et cette ficelle qui retient mes lunettes sur mon nez. Le capitaine disait à Paul aujourd'hui : « Est-ce qu'il coupera sa barbe pour aller en permission ? » « On en cause », a dit Paul. Et capitaine et lieutenant ont levé les bras aux cieux : « Ce serait tellement dommage. Avec son costume et ses lunettes, ça fait un ensemble. » N'ayez crainte, je la couperai pourtant, ma mère m'écrit que vous vous êtes mises d'accord pour faire pression sur moi à ce sujet. Je ne veux pas du tout déambuler à Paris toute une soirée en militaire, savez-vous. Envoyez donc un petit coup de téléphone à ma mère pour qu'elle dépose les vêtements chez le concierge et vous pourriez les prendre en taxi. Ou bien ce que vous voudrez. Prenez-les quelques jours d'avance pour que ça n'ait pas trop l'air. Vous aurez un télégramme parce que l'affaire sera officiellement réglée le 30 ou le 31. Vous de votre côté envoyez-moi l'adresse du café près de la gare où vous m'attendrez. Envoyez-la *dès au reçu* de cette lettre car elle va vous parvenir le 25 ou le 26 et moi j'aurai la réponse le 29 ou le 30. Si je mets dans mon télégramme : « Arriverai telle date entendu café X. », attendez-m'y mais s'il n'est pas question de café dans mon télégramme c'est que je n'aurai pas reçu la lettre et, dans ce cas, attendez-moi aux Trois Mousquetaires (ou s'il est fermé au Rallye). Enfin, autre chose, il faut se méfier des télégrammes. J'écrirai donc jusqu'au dernier jour. Si vous ne recevez pas de télégramme, fiez-vous à ce qu'il y aura dans ma dernière lettre.

Mon amour voilà des lettres tout affairées qui sentent l'arrivée, n'est-ce pas vrai ? Ça m'amuse tant d'aller à Paris. Comme nous serons heureux tous les deux, mon cher, cher charmant Castor. Je vous aime.

À Simone de Beauvoir

24 janvier

Mon charmant Castor

Qu'est-ce donc, mauvaise ? Vous ne vous réjouissez pas de ma permission ? Petite toute-morte ! Figurez-vous que moi aussi, voyant revenir un type accablé, de Paris, j'ai eu une sorte de désenchantement qui dure encore. Mais tout ça c'est du jeu, savez-vous. Qu'on nous la supprime, pour voir et nous autres deux nous mettrons à braire comme des ânes. Il n'est d'ailleurs pas du tout question de nous la supprimer et quand vous recevrez cette lettre, sans doute vendredi, je serai à *six* jours de vous. Moi, pensant à partir d'aujourd'hui, je pense que dans huit jours, à la même heure, je serai dans le train pour partir. Je voyage vingt-six heures et serai sans doute un peu abruti le premier soir mais si content. J'ai écrit à ma mère qu'elle fasse un paquet de mes vêtements et les laisse chez sa concierge où « je les ferai prendre ».

Aujourd'hui fut grandement occupé par une longue dispute avec Pieter que j'ai traité hier de tire-au-flanc parce qu'il prétextait de sa hernie pour ne pas participer à la corvée de charbon et qui, justement indigné, arguait des services qu'il a rendus à la communauté depuis le 1er septembre 39. Paul s'en est mêlé, on m'a reproché d'être dur et prétentieux. Je leur ai reproché d'être mous et cons, on s'est dit de ces paroles irréparables qu'on ne peut se dire qu'en famille et que nous nous disons tous les quinze jours et puis après on a été faire le sondage. Je vous fais grâce des détails de la dispute, je ne l'ai même pas écrite sur mon carnet tant elle ressemble aux autres. À part ça j'ai travaillé à mon roman, le chapitre sur Boris vient assez bien et puis j'ai écrit un peu sur la métaphysique, je crois vraiment que c'est assez bien, ce que je fais. Je retrouve le dogmatisme en passant par la phénoménologie, je garde tout Husserl, l'être-dans-le-monde et pourtant j'arrive à un néo-réalisme absolu (où j'intègre la Gestalt-théorie). Eh! direz-vous : quelle salade. Eh bien, pas du tout : c'est ordonné très sagement autour de l'idée de Néant ou événement pur au sein de l'être. J'ai reçu une drôle de lettre d'un élève un peu intéressant nommé Chauffard [1] qui ne voulait pas faire disciple et qui « résistait » de toutes ses forces l'an dernier. Il m'écrit qu'en juin il hésitait à faire une agrégation de lettres mais que je lui ai conseillé de faire de la philosophie et que ç'a été une journée décisive pour lui, parce qu'alors il s'est farouchement résolu à faire des lettres pour me biter. « Aussi cette année j'ai commencé cette agrég. de lettres. Durant trois mois j'ai suivi ou à peu près les cours de français et de latin. Et puis, il y a 10 jours, très courageusement, j'ai envoyé tout promener parce que je m'embêtais trop et j'essaye de faire de la philo. À ce moment-là, il y a dix jours, j'étais très content de moi et je me considérais comme un type bien. Et puis, l'autre jour, en racontant cette histoire à un type, j'ai ajouté : " Sartre me l'avait bien dit, pourtant, que je ne pourrai pas faire de français " et ça m'a dégonflé. Je crois bien que la véritable raison de cet abandon, c'est ça. Je crois bien que dès le mois d'octobre j'avais décidé que je ne continuerais pas et ça m'a bien un peu dégoûté. Je vous écris ça pour que vous vous méfiiez. Vous devez le savoir d'ailleurs mais vous êtes puissant. Je veux dire qu'à côté de vous, la boussole ne marque plus le nord. D'ailleurs je ne veux pas vous charger d'une responsabilité que vous n'avez pas. J'étais libre, du moins je l'espère mais je vous dis ça comme ça parce qu'il

1. Devenu plus tard un excellent acteur.

fallait bien que je le dise à quelqu'un. » Il joint à sa lettre, mystérieusement, une longue épître qu'un Normalien philosophe et mobilisé adresse à sa femme et où entre deux « mon cher amour » il lui expose complaisamment la théorie de l'Existence d'Antoine Roquentin.

Ce soir j'ai reçu votre paquet, merci, mon doux petit. J'ai tout de suite commencé *Gilles,* sec et grinçant, qui me paraît fort ignoble. J'irai jusqu'au bout, mais « en me prenant par la main » comme on dit ici. J'ai à peine regardé les Romains qui m'ont paru tout à fait retombés dans la médiocrité des premiers de la série. Nous mettrons donc *Verdun* au compte du hasard.

Et voilà, mon cher petit, mon doux petit. Je vous aime si fort en ce moment. Vous savez, mon désenchantement vise l'air de Paris, le plaisir qu'on peut tirer des restaurants que sais-je ? Mais pas vous, petit Castor. Oh, vous autre j'ai bien envie de vous retrouver et de vous embrasser et puis, comme je disais autrefois : « de vous prendre et de vous expliquer ma théorie. » Je lirai très bien votre petit roman à vos côtés pendant que vous lirez les carnets, je m'en réjouis énormément.

Je vous aime.

J'ai reçu une invitation à une exposition Chagall (Galerie Mai — 12 rue Bonaparte) envoyée par Gérassi (?) et où je compte bien que nous irons tous deux.

À Simone de Beauvoir

25 janvier

Mon charmant Castor

Aujourd'hui c'est sérieux vous n'en aurez pas bien long. Je vous l'ai déjà dit avant-hier, je crois et puis, pour finir vous avez eu vos quatre pages bien tassées, vous avez dû rire. Mais ce soir j'ai la main et les yeux fatigués. J'ai rempli *quatre-vingts* pages de carnet, je ne sais pas si vous vous rendez compte. Parce que ce matin en m'éveillant, j'ai entrevu la façon dont je composais un roman et dont j'imaginais ; ça m'a frappé (ce que disait Lévy me chiffonnait : que je n'avais pas l'imagination d'un romancier et je savais que vous en aviez discuté avec B. et que vous lui aviez dit qu'on sentait bien chez Faulkner ce qui est inventé). Et j'ai voulu mettre ça dans mon carnet. J'ai commencé ce matin, je n'ai fait que ça en dehors des corvées de soupe et je viens de terminer.

C'est assez drôle de voir comment ça se goupille, un roman. Mais je pense en effet que je n'ai pas l'imagination romanesque. Ça ne veut pas dire que j'écrirai de plus mauvais romans que les autres mais seulement que je ne suis pas « fait » pour le roman. Vous lirez bientôt les quatre-vingts pages ; quand vous recevrez cette lettre je serai à cinq jours de vous. Je ne pense pas que je vais partir mais je vis mon départ, les choses me quittent, je sens une espèce d'instabilité dans ce local où j'étais pourtant enfoncé comme un perce-oreille dans une oreille. Il y a une espèce de joie dans l'air et en même temps un léger regret car je pense que je ne reviendrai pas ici, je retrouverai mes types ailleurs en rentrant de permission. Ça fait grand voyage. À part ça, rien de neuf. Je lis *Gilles* avec écœurement, *Classe 22* avec amusement (parce que c'est en allemand). Je suis réconcilié avec Pieter. Mais comme ils me surveillent et cherchent toujours à me biter, Pieter ayant commencé *La Douceur de vivre* qui commence par un éreintement des journaux intimes m'a poussé sous les yeux le livre ouvert à la bonne page en rigolant sournoisement. Je copierai le passage dans mes carnets parce qu'il est fort juste, mais je veux me défendre. Sachez qu'une revue japonaise m'écrit pour me demander 8 pages dactylographiées qu'elle paiera comme il convient attendu que mes « œuvres sont très appréciées au Japon ». Je n'écrirai pas les 8 pages mais, comme bien vous pensez, mon nez a remué en lisant ça. Par ailleurs Koyré m'écrit qu'il acceptera n'importe quoi de moi dans les *Recherches philosophiques.* Je me tâte pour lui écrire quelque chose sur le Néant. À vrai dire ça dépend de vous. C'est que j'ai de vilains petits sentiments rapaces pour tout ce qui touche mon carnet, je ne voudrais pas le déflorer en parlant ailleurs avec style et composition de ce qu'il traite en négligé. Si, en le lisant, vous estimez qu'on pourra, à la publication, ou plutôt qu'on *devra* supprimer les passages trop techniquement philosophiques alors Koyré aura le Néant. Si au contraire vous pensez que l'*histoire* de ma pensée sur le Néant, qui est inscrite au jour le jour est aussi intéressante que les idées mêmes, alors il aura autre chose, n'importe quoi. À vous de dire, petit juge. Savez-vous : vous aurez *huit* carnets à lire.

Je veux très bien, mon amour, que vous écriviez à cette dame d'envoyer le roman à Poupette. Faites-le d'urgence. Et puis il faudra aussi envoyer ce que vous avez chez vous, mais attendez-moi puisque j'ai encore 75 pages à y joindre. Poupette vous enverra en port dû deux des exemplaires tapés, vous en garderez un et m'enverrez l'autre.

Eh bien, vous voyez ma petite fleur vous en avez quand même trois pages. On ne peut pas faire moins quand on vous écrit. Je vous aime, petite Castor, vous êtes mon cher amour.

Pas de lettre de vous aujourd'hui. Mais 3 hier.

À Simone de Beauvoir

26 janvier

Mon amour, mon charmant Castor

J'ai reçu de vous avec un jour de retard une charmante petite lettre où vous n'avez plus du tout l'air indifférente à ma venue. Ça vous énerve, mon doux petit et vous râlez un peu crainte que ça vous empêche de travailler. Eh ! vous autre que nous serons heureux. À vrai dire je n'ai reçu ni confirmation ni infirmation, c'est toujours pareil, le capitaine parle avec bonhomie de ma barbe que je me couperai avant le 1er février et que ce sera tellement dommage. Mais de précisions point. Mais rassurez-vous, dans le métier militaire, c'est bon signe. Les esprits y sont lents et réfléchis et les idées mûrissent longuement avant de se manifester.

Aujourd'hui j'ai bien été un peu paresseux, j'ai lu *Gilles* qui m'indigne et m'amuse. Je le trouve fort injuste pour Breton (Caël), j'admets même qu'il y ait dans la vie de Breton des scandales minables et vaguement policiers comme l'histoire de Paul Morel, mais c'est tout de même trop facile de le prendre uniquement par ce minable goût de scandale. Le surréalisme a été autre chose que ça et Drieu ne dit que des conneries sur ce qu'a été — non pas Breton ou Aragon — mais le surréalisme. Et puis ça me dégoûte toujours un type qui se plaint de son époque. Il me fait marrer quand parlant de ses contemporains il écrit : « Je me suis laissé voler mon âme par eux. » J'aurais honte, à sa place, car enfin il n'y était pas du tout obligé. J'aurais même si honte que je ne songerais plus à accuser les contemporains, je m'accuserais moi-même. C'est vraiment un bien petit salaud. Et puis qu'il condamne le communisme, soit. Mais c'est tout de même gonflant qu'il aille le chercher dans les salons de la IVe République ; il a l'air d'oublier tout à fait qu'il y avait *aussi* des ouvriers qui étaient communistes. Tout ça, ça pue le bureau d'esprit. Au point de vue du roman, ça n'est pas toujours si mal fait (quand Paul Morel a sa crise et que Galland vient chez lui) mais c'est mal foutu, mal ficelé. Il y a des scènes essentielles qu'il ne traite pas (les rapports de Galland et du policier), des personnages essentiels qu'il bâcle (le policier, justement) et puis des redites et du décousu. Mais il y a des situations : par exemple cette petite Juive arriviste qui arrive à Paris tout éberluée et court partout après son amant fou.

J'ai un peu écrit le roman, un peu aussi le carnet et puis voilà, pour le reste : trois sondages. Ce sont de bonnes journées de moine. Demain je vais chercher un tube d'hydrogène. Je ferai un détour par une grande ville où je me ferai couper les cheveux et remplacer ma monture de lunettes. Sachez que *L'Imaginaire* paraîtra dans la première quinzaine de février et que l'on me prie si je suis de passage à Paris de faire le service de presse. Je le ferai les heures où vous serez au lycée ; ça me divertira bien fort de dédicacer tous ces livres, moi soldat. Il y a une revue japonaise qui veut ma collaboration mais j'ai répondu courtoisement que non, parce que les Japonais sont des mauvais. Pas de lettres de Paris, aujourd'hui, la vôtre était celle que je devais recevoir hier. Et puis voilà tout, mon amour. Ça aussi c'est une lettre bien quotidienne. Mais vous savez, je suis tout dans la joie de partir et de vous revoir.

À demain, mon cher petit, ma douce petite fleur. Quand vous recevrez cette lettre vous serez à 4 jours de me revoir. Je vous embrasse, douce petite figure de vieux chemin battu.

À Simone de Beauvoir

26 janvier

Mon charmant Castor

Je tombe de sommeil, j'ai essayé d'écrire quelques lignes de roman et je me suis aperçu que je rêvais sur les mots, j'écrivais « devanture » et je me retrouvais à Arcachon avec vous autre petit. Alors j'ai abandonné. Je vous écris à vous mais si ça ne me réveille pas, j'irai me coucher sans écrire aux autres. C'est d'ailleurs un peu voluptueux d'avoir sommeil à ce point-là lorsque rien ne vous retient sur terre.

J'ai été chercher un tube d'hydrogène ce matin, avec Keller, dans une camionnette camouflée. Le chauffeur était plaisant, il exerçait dans le civil le métier de photographe c'est pourquoi sans doute on l'avait mis chauffeur de camion. Il portait une peau de mouton superbe et avait une petite gueule vive et noire. Ensuite nous sommes allés à la grand-ville et nous avons eu toutes les peines du monde à y arriver. La neige tombait et givrait la glace de la voiture. Pas d'essuie-glace naturellement. Le chauffeur a dit « nous allons prendre les grands moyens » et il a pissé sur un petit torchon qu'il a frotté ensuite sur la glace. Le résultat était fort satisfaisant. À la grand-ville j'ai acheté des lunettes et je me suis fait tondre, mais sans excès. Je n'ai pu résister au plaisir de faire tailler ma barbe et mes favoris pour voir la gueule que j'aurais mais rassurez-vous, ces appendices seront supprimés en temps utile. Il faisait un temps sinistre et superbe, ciel gris, avalanches de neige, des nuées de corbeaux dans les champs et même sur la route et des tas de petits traîneaux. On est revenu à midi et j'ai mangé une choucroute chez Charlotte. Et puis l'après-midi j'ai attendu le courrier. Il y avait tout un tas de lettres, une de T., une de ma mère, deux de vous. C'est agréable. Paul en rentrant m'a appris que le capitaine Munier avait été en personne au Q.G. pour ma permission et qu'on lui avait promis que je partirais le 1er février, ce qui me met le 2 au soir à Paris. Il enjoint prudemment d'ailleurs de compter en gros entre le 1er et le 3 pour ne pas avoir de déception. En tout cas sûrement la semaine prochaine. J'arriverai donc vendredi ou samedi. Vous aurez confirmation en temps utile, ma petite fleur. Je connais très bien le café-restaurant de Vieillards. Il y a une salle en contrebas, on descend deux marches. C'est là, bien entendu (dans cette salle) que vous m'attendrez. Mais il est inutile d'y arriver à 4 h 1/2 si vous avez autre chose à faire. Le train arrive théoriquement un peu plus tard que cinq heures et il est sans exemple qu'il n'ait pas une heure ou deux de retard. Arrivez à cinq heures un quart ou cinq heures et demie, ça suffira. Mon cher petit, mon amour, dans moins d'une semaine je vais vous voir.

Je suis content que vous aimiez *Le Château* et que vous trouviez ça mieux que *Le Procès,* c'est tout à fait mon avis. Mais quelle drôle d'idée vous avez qu'on ne doit écrire que si l'on fait quelque chose d'inquiétant comme Kafka. Ça n'est pas absolument nécessaire. Ça dépend de la nature de chacun. Il n'y a rien de tel chez Dos Passos — ni même au fond chez Faulkner. J'ai grand-hâte de lire votre petit roman, je souhaite bien fort aussi que ce soit un chef-d'œuvre de première partie. Oui, mon amour, nous aurons terriblement de bruit à faire avec nos bouches et encore ne rattraperons-nous pas entièrement le temps perdu.

Au revoir mon doux petit, à demain, je vous aime. Comme nous allons être heureux.

À Simone de Beauvoir

29 janvier

Mon charmant Castor

Je vous aime de toutes mes forces ce soir mais je vais vous écrire un tout petit bout de mot parce que Mistler est venu à neuf heures et demie avec du chocolat et du cognac. Je suis si dur avec lui, à présent, qu'il apporte des présents quand il vient. J'avais fait un retour sur moi-même, m'étais taxé de caprice et avais décidé d'être aimable, ce que j'ai fait, parlant deux heures sans m'arrêter sur le théâtre et le cinéma. Et voilà qu'il est minuit à présent.

Qu'est-ce que j'ai fait d'autre ? Je m'amuse bien ; j'ai remarqué que juste au début de cette guerre deux livres ont paru qui flétrissaient également et pour des raisons différentes le surréalisme : le Romains et le Drieu et j'ai entrepris de dire ce que je devais au surréalisme. Je n'ai pas encore fini mais c'est bien divertissant.

Pour ma permission, je suis un peu dégoûté, je ne sais rien encore de précis. On avait promis, on geint, à présent, que c'est bien difficile, on veut gagner deux ou trois jours. Naturellement c'est toujours dans les tout premiers jours de février peut-être même le 1er mais je ne sais plus rien de précis. Ça m'agace pour vous, ma petite fleur, parce que je sais que vous n'aimez pas faire le gros dos et attendre. Moi je le fais, mais si vous saviez mon petit comme je voudrais être auprès de vous avec votre petit bras sous le mien. Je vous aime tant.

Savez-vous ? Deux jours sans lettres de vous. Si je n'allais vous voir avant une semaine j'en serais tout triste mais je sais que je vais voir votre cher petit visage de Castor et je puis bien supporter un petit retard dans les lettres.

À demain mon amour, je vous aime aussi fort que possible.

À Simone de Beauvoir

29 janvier

Mon charmant Castor

Ce fut une journée agréable mais creuse. De celles qu'on ne se rappelle pas. J'ai fait des sondages, j'ai fini *Classe 22,* j'ai mollement écrit sur *Gilles* dans mon carnet et un peu travaillé à mon roman. Entre-temps j'ai déjeuné chez Charlotte et j'ai un peu parlé ce soir avec Mistler. Mon influence sur lui est si grande — par suite de sa faiblesse — que depuis avant-hier il n'ose plus pisser la nuit dans son pot de chambre. Je lui avais dit que c'était infect et il s'était excusé gravement sur ce qu'il était un vieil homme mais je n'avais pas reçu ses excuses. Avant-hier il a commencé à pisser par la fenêtre et me l'a fièrement conté. Et depuis, tous les matins il y a des fleurs jaunes dans la neige au-dessous de sa fenêtre, Paul les voit chaque jour avec écœurement. Pourtant, à cause de cette docilité, il ne me plaît plus, ni ne m'amuse. Je ne peux plus lui parler en face. Tiens, je vais noter ça sur mon carnet. Je ne suis pas sournois et je regarde les gens en face. En pure perte d'ailleurs car avec mon œil qui louche, ils croient que je regarde leur oreille. Mais lorsqu'un type me produit un cetain écœurement nauséeux, j'approuve niaisement tout ce qu'il dit en fuyant son regard. Ce soir, je ne pouvais littéralement pas le regarder. Par moments je m'y forçais et puis mon regard se détournait de lui-même. À présent il est parti, tout est calme. Keller dort sur un livre et Pieter fait sa lessive dans une cuvette avec du « Persil », ça mousse et grésille un peu et il brasse ses mouchoirs là-dedans. Paul est couché, il se couche ponctuellement à neuf heures, son besoin de sommeil est aussi gros que son besoin de manger. Le chat est là, aussi, le « Greffier » comme dit Keller. Ça fait silencieux et plaisant mais tout cela se produit tous les jours. Je me place au point de vue du type que je serai dans un an, dans deux ans et qui relira ces lettres avec vous, qui voudra retrouver à travers chaque lettre une sorte de nuance de la journée où elle fut écrite, eh bien pour aujourd'hui je ne peux pas aider ce type-là, je ne peux pas retrouver quelque chose qui marque la journée, qui en fasse quelque chose de particulier, elle est faite pour s'ajouter à des tas d'autres et constituer une masse indistincte que j'appellerai mon temps de guerre. C'est sans doute parce que je vais partir en permission, je suis plus distrait pour tout ce qui est ici. Ma foi, mon amour, quand vous recevrez cette lettre, il se pourrait bien que ce fût la veille de mon départ et l'avant-veille de mon arrivée. Comme nous serons heureux nous autres deux... Savez-vous, nous choisirons un jour à viande et nous irons manger chez Dagorneaux à la Villette, où il paraît que c'est si bon. Et puis, une autre fois, nous irons à Ménilmontant et à Belleville. J'ai vu que je gagnais une petite chose à arriver si tard : les cafés resteront ouverts jusqu'à minuit, nous aurons en somme des soirées aussi longues qu'en temps de paix. Je vous aime, ma chère petite fleur.

À demain, j'ai encore deux lettres à vous écrire et puis je serai là.

À Simone de Beauvoir

30 janvier

Mon charmant Castor

J'ai reçu votre petite lettre du 28, vous me dites que c'est la dernière. Mais par le fait j'en aurais très bien reçu deux encore si vous les aviez écrites car même en admettant que je parte le 1er le départ est à 19 heures et le courrier à 14. Je les aurai tout de même, je l'espère ces deux petites lettres car celles d'hier et d'avant-hier ne me sont pas parvenues et je pense les avoir demain. À présent est-ce que je pars le 1er ou le 2 ou le 3 ? Je n'en sais rien du tout. Pas plus tard que le 3 certainement. Mais l'administration militaire s'entend à gâcher par avance les minces plaisirs qu'elle vous accorde, en laissant planer le doute sur eux jusqu'à la dernière minute. Donc, ma petite fleur, soyez un peu flottante, un peu vague comme moi, pas trop âpre. L'essentiel c'est qu'avant cinq ou six jours je serai auprès de vous, que j'enfermerai votre chère et maigre petite personne dans mes bras et que nous serons formidablement heureux tous les deux. Je vous aime tant. Vous m'avez écrit une bien douce petite lettre, mon amour et je suis bien fort ému de penser qu'avec mon arrivée vous allez retrouver « les choses qui comptent ». C'est bien plaisant de pouvoir se réjouir comme nous le faisons tous deux sans la moindre crainte d'aucune déception qui vienne de nous. Ô mon petit parangon.

Que vous dire d'ici ? Il neigeait, nous en avons profité pour ne pas sonder un ciel obscurci, j'ai sagement travaillé à mon carnet le matin, à mon roman l'après-midi. J'ai fini un chapitre sur Boris et sa rencontre avec Daniel, sans doute le retaperai-je un peu demain. Et les jours suivants — s'il y a des jours suivants — je retaperai quelques faiblesses très apparentes dans l'ensemble de ces soixante-quinze pages. Entre-temps déjeuner chez Charlotte où j'ai fini *Vorge contre Quinette*. C'est un peu amusant et puis j'aime encore mieux entendre Romains parler des surréalistes que Drieu. À tout prendre c'est plus intelligent. Vous aurez sans doute remarqué avec agacement au cours de ces dernières lettres que je dis Drieu comme Mme Verdurin disait Rimsky. Ce n'est pas affectation de familiarité de ma part — encore que toute la *N.R.F.* dise Drieu —

mais ce nom est vraiment interminable et j'ai une invincible paresse à l'écrire. J'ai lu aussi attentivement ce soir, profitant de vos conseils, le début du roman d'Aragon dans la *N.R.F.* que je n'avais fait que parcourir. Et en effet c'est bien écrit et puis, sans y avoir vécu, on a l'impression qu'il a attrapé à peu près une certaine nature « 1889 » mais c'est d'une psychologie bien pauvre. Voilà. Tout cela ce sont des nouvelles bien littéraires, mon pauvre petit, mais que voulez-vous que je vous dise d'autre ? Il semble qu'il y ait des journées qu'on regarde et alors elles vous livrent des petites choses, un aspect du froid ou de la maison ou des rapports entre les gens d'ici. Hier c'était un peu comme ça. Et puis il y en a d'autres comme avant-hier et aujourd'hui qui passent sans qu'on les regarde. Elles ne sont pas plus vides. Mais vous savez tous ces jours d'ici ont des richesses si discrètes qu'il faut s'y donner tout entier pour les découvrir. Nous allons déménager d'ici, c'est certain. Je ne reviendrai pas dans ce petit hôtel hanté pour mon retour de permission. Déjà nos successeurs viennent en reconnaissance ici et « visitent » les lieux, d'un œil à la fois timide et critique, absolument comme les gens qui visitent un appartement à louer. « Ha ! Ha ! Et ça qu'est-ce que c'est ? Et qu'est-ce que vous en faites ? Et comment vous y prenez-vous pour..., etc. »

Voilà mon petit. Ça m'amuse moins de vous écrire d'ailleurs, depuis que je sais que je vais vous voir. Ça me paraît un trompe-la-faim ces petites lettres que je vous envoie ou que je reçois de vous. C'est *vous* que je veux voir mon petit et vos petits sourires, c'est avec ma bouche que je veux vous raconter mes histoires et de votre bouche que je veux tenir les vôtres. Je vous aime, j'ai grand *besoin* de vous voir. Qu'est-ce que vous en dites : le premier soir nous irons dîner chez Ducottet, c'est un excellent endroit pour un revoir.

Je vous embrasse tendrement, ma petite fleur.

Pour moi j'écrirai jusqu'au jour de mon départ — ou plutôt jusqu'à la veille et vous aurez un télégramme.

À Simone de Beauvoir

31 janvier

Hé mon pauvre bon petit Castor !

Je vais vous faire une grosse déception. Je vous dis vite qu'il ne s'agit que d'une semaine, au plus de dix jours, de retard. Mais enfin voilà, vous m'attendiez, vous attendiez le télégramme, vous étiez toute prête déjà à vous en aller m'attendre dans le petit café en contrebas et puis il va vous falloir encore compter les jours. Mon petit, mon cher petit, comme je souhaite que vous n'ayez pas trop de peine. D'ailleurs je sais bien que ça ne sera pas de la vraie peine puisque vous *savez* que je vais venir, seulement ça fait une espèce de violente déception nerveuse, avec des larmes j'imagine et puis ça engendre une espèce de défiance injustifiée devant l'avenir ; après j'ai peur que vous n'osiez plus vous réjouir et que toute votre joie d'attendre soit gâchée. Mon petit, mon cher petit, dites-vous bien que, si odieux que cela puisse être, ça n'est qu'un *retard,* ça ne fait qu'une dizaine de jours à attendre, ça ne veut pas dire du tout qu'on nous ôte dans l'absolu notre permission. Seulement ils s'entendent bien à gâcher les pauvres plaisirs qu'ils vous donnent parce que, ces dix jours qu'on aurait trouvés délicieux et pleins s'ils les avaient donnés comme ça, généreusement et sans se faire prier, on finit par se dire, à force d'attentes trompées, que ça n'est pas grand-chose, pour tant d'espoirs et tant d'après déceptions. Mais ne vous dites pas ça non plus, mon cher amour. Pensez que vous auriez bien été à New York pour quarante-huit heures, rien que pour voir les gratte-ciel, pour les mêler à votre vie. Mon amour ici c'est pareil. Ces dix jours ça n'est rien comme temps mais c'est énorme parce que nous allons nous toucher et exister l'un pour l'autre, mêler nos vies, après on aura la patience d'attendre, et puis mettre en commun tout ce que nous avons vécu depuis que vous m'avez quitté. Je vous aime tant.

Pour ce qui est de vous raconter ce qui s'est passé : eh bien il ne s'est rien passé. Simplement nous commencions à trouver louche de ne rien savoir. Alors Paul a été trouver le capitaine Munier qui avait envoyé la veille un grand imbécile malintentionné pour régler la question. Et le capitaine Munier qui avait *promis* ferme pour le

1er février (sans quoi je ne me serais pas permis de vous donner cet espoir) mais qui avait fort affaire ce jourd'hui a répondu : « Eh bien qu'est-ce que vous voulez ! Ça ne s'arrange pas. Je ne sais pas quand il partira. » « Mais alors nos permissions chevaucheront l'une sur l'autre et c'est ce que vous ne vouliez pas. » Il a fait un geste d'indifférence : « Eh bien qu'est-ce que vous voulez ? elles chevaucheront. De toute façon nous serons au repos. » Alors voilà. Quand est-ce que je partirai ? Au pis le 15 : il *faut* que tous les permissionnaires soient rentrés le 1er mars. Je n'ose vous dire de compter trop pour avant, parce que je suis déjà coupable de vous avoir donné de faux espoirs, mais enfin je ne pense tout de même pas que je vais partir le *dernier*. Par conséquent espérez languissamment pour le 8 ou le 10. Et ne soyez pas trop nerveuse, mon doux petit.

Reste la question Zazoulich. Que lui dire ? Je crois que le mieux est de prendre franchement le taureau par les cornes, de lui dire que vous ne savez plus du tout quand je viens (je vais écrire dans ce sens à Tania, demain) et que vous ne pouvez pas prendre la décision de partir avant d'être exactement fixée.

Pour moi ça m'a un peu déjeté sur le coup et puis comme j'ai la volonté de rester un roc, j'ai repris en une vingtaine de minutes. Il n'y a que vous qui me tourmentez. Et puis alors je vais rester deux ou trois jours sans lettres de vous, sans livres et sans argent, c'est ennuyeux. Récrivez-moi bien tous les jours, ma petite fleur. Et puis *dès au reçu de cette lettre* envoyez-moi cinq cents francs et puis choisissez trois livres sur la liste et envoyez-les-moi d'urgence. Si je n'ai pas le temps de les lire avant mon départ, au moins en aurai-je besoin pour lire un peu dans le trajet.

Mon cher amour, ma petite fleur, je vous aime tant, je voudrais tant vous voir. Prenez bien patience, nous sommes malgré tout plus près de nous revoir que nous ne l'avons jamais été. Je vous embrasse de toutes mes forces.

Vous aurez huit carnets à lire au lieu de 7.

À Simone de Beauvoir

1er février

Mon charmant Castor

Juste un petit mot. Voilà que tout est changé et que je pars le 3 ou le 4. Mais cette fois c'est sérieux. J'ai été au Q.G. et je passe la visite demain matin. Donc il faut *compter sur moi* ferme pour le 4 au soir ou le 5 au soir. Le rendez-vous est bien où vous le dites, je me souviens tout à fait bien du petit café. Mon amour que je suis aise de vous revoir. Vous recevrez cette lettre la veille de mon arrivée, peut-être le jour même. Vous aurez aussi un télégramme pour vous fixer. Mais le mieux si vous n'en avez pas le 4 c'est d'aller tout de même au rendez-vous parce qu'ils mettent quelquefois longtemps.

Je suis tout aise, mon amour. C'est ma dernière lettre et dans trois jours j'embrasserai votre petite figure. Je vous aime.

À Simone de Beauvoir

15 février

Mon cher petit Castor, mon amour

Je ne peux toujours pas bien vous dire ce que c'est qu'un sentiment dans ma tête mais ce que je peux vous dire c'est que votre petit visage aux yeux pleins de larmes que je voyais par-dessus le dos des soldats de mon compartiment m'a tout bouleversé d'amour. Qu'il était beau, ce visage, mon charmant Castor, je ne connais rien de plus beau au monde et ça m'a fait tout fort et rendu tout humble de penser que c'était *pour moi* qu'il était si beau. Mon amour je ne suis pas triste du tout mais dans un drôle d'état tendre et actuellement encore je ne puis penser à votre visage sans que les larmes ne me viennent. Je ne voudrais pas que vous ayez été triste, mon amour. J'imagine que le lycée vous a un peu asséchée forcément. Mais il y a dû avoir cette heure de battement (je vous ai vue tourner lentement sur vous-même et partir) qui était pénible et ça me faisait lourd sur le cœur, de penser que vous étiez triste et que je ne pouvais pas vous prendre dans mes bras et bien vous embrasser. Maintenant c'est passé et c'est irrémédiable. Pourtant on ne fait qu'un, ma petite fleur, rien qu'un. Je vous aime plus encore, si c'est possible après cette permission qu'avant. Je ne vous dirai pas que vous êtes parfaite, parce que ça vous agace et c'est bien en effet le genre de truc que Xavière et Pierre [1] peuvent se dire avec une complicité sournoise. Mais vous êtes ce que je connais de mieux de toutes les façons, tout ce que j'aime vous l'avez et vous l'avez au mieux. Je vous aime de toutes mes forces. Ça n'est pas des « signes » ce que j'écris là.

Les types étaient un peu abrutis et sombres. Et puis vers la fin il y en a un qui a joué du banjo et ils ont chanté. Ça n'était pas déplaisant du tout. J'ai lu le roman policier (moyen), dormi, mangé, commencé le *Bismarck,* le tout dans un état de bouleversement tendre qui confinait par moments au remords. J'avais peur de n'avoir pas été assez gentil pendant ma permission. Mon amour j'ai fini par trouver une raison de remords : j'ai donné votre petit couteau à Tania. Mon petit, vous savez, j'y tenais tout fort à ce petit couteau tant que j'étais ici. Seulement il ne coupait plus du tout et puis surtout il ne comptait plus parce que je n'étais pas en guerre, j'étais à Paris. Mais j'ai eu tort et je commence à le regretter, à regretter sa petite jambe et son petit pied doré. Mon charmant petit, ça devient très incommode de vous écrire. J'ai encore un autre petit sujet de remords mais je vous en parlerai demain. Je suis dans un baraquement semblable à ceux que je vous ai décrits et j'écris sur mon bidon au milieu d'un va-et-vient infernal. Je suis arrivé à quatre heures, il en est cinq (vous êtes avec Bien sans doute) et je repars ce soir à 9 heures. J'arriverai à la « gare d'embarquement » à 4 heures du matin et j'imagine que je serai à destination vers les 8 heures.

Mon amour je vous aime de toutes les forces de mon cœur, je voudrais que vous soyez là. J'embrasse vos petites joues.

Vous avez écrit un beau petit roman.

1. Héros de *L'Invitée.*

À Simone de Beauvoir

16 février

Mon charmant Castor

Me voilà arrivé. Que ça me fait drôle de vous écrire. Et surtout de recommencer le déluge des lettres quotidiennes. Il y a vous autre cher petit à mon horizon et c'est tout. Que je vous aime, mon doux petit, quel petit joyau de permission j'ai passé avec vous. Il est possible que nous partions en repos le 2 mars pour 3 ou 6 mois. Voilà qui vous ferait plaisir, mon cher petit. Sachez qu'il en est *fortement* question. Je vous fais grâce des indices mais on ne parle que de ça ici et on ne parlait que de ça dans le train. Ça paraît fondé et d'ailleurs il est exact qu'après six mois de front les divisions partent au grand repos à l'arrière. Réjouissez-vous, pour bien des raisons, entre autres celle-ci que j'aurai des permissions de 48 heures et de 24 heures. Je dois vous dire que ces nouvelles reçues en arrivant n'ont pas peu contribué à consolider une humeur que je m'efforçais de garder impavide.

Pour l'histoire de mon voyage voici : depuis 9 h 40 jusqu'à 16 heures environ, train. Je n'étais pas triste (il y en avait qui étaient fort sombres et tous étaient silencieux. Vers la fin un type a joué du banjo. C'était assez fort comme impression) mais bouleversé. Il y avait surtout de la tendresse pour vous ; par brefs éclairs pour Tania — et puis un énorme dépaysement et puis de petites habitudes prises en permission — jusqu'à des habitudes de *voir*, des schèmes perceptifs qui esquissaient votre petit sourire par exemple et qui venaient se briser sur cette réalité nouvelle. Mais encore une fois ça n'était pas de la tristesse j'étais même presque heureux, je crois que ça pourrait, si jamais un état mérite ce nom, s'appeler du pathétique. J'ai lu. Après ça je suis descendu dans des baraquements profondément sinistres et sombres où on était entassés comme du bétail. Rien que des types accablés ou râleurs. Mais j'ai bien senti que le sinistre et la tristesse sont affaire de volonté car je sentais ça devant moi et je n'étais pas dedans et je ne voulais pas y être. Mon Dieu, mon doux petit quand je pense que je me suis permis, pendant mon service militaire, d'être accablé parce que je retournai pour cinq jours à Saint-Cyr. Quelle honte ! Il y avait des canettes de bière et j'ai bu, un cinéma permanent et j'ai été tenté d'y aller mais ça m'a fait comme une lâcheté, une manière d'échapper à l'atmosphère noire des baraques et je suis retourné dans la mienne qui sentait le bois humide et qui a fini par me sembler formidablement poétique. Je me suis mis à écrire mes lettres puis je me suis rapproché du poêle et je me suis mis à me chauffer fesse contre fesse avec d'autres soldats en fumant et en pensant à vous autre avec bonheur. De temps en temps je me rappelai aussi Tania me serrant dans ses bras et me disant : « Mon tout chéri, mon tout chéri » et ça me secouait aussi. Mais c'est curieux : aujourd'hui les souvenirs de Tania sont desséchés, il n'y a plus que vous. Mon amour, si vous pouviez savoir comme je vous ai aimée ces deux jours-ci, vous ne me demanderiez plus qu'est-ce que c'est qu'un sentiment dans ma tête et vous renonceriez pour toujours à m'appeler sépulcre blanchi. Mais je dois dire que je reste toujours sur la réserve avec mes sentiments, ils pourraient toujours s'étaler davantage. Surtout hier, parce qu'alors je serais tombé dans le minable. Sur quoi à 21 h 20 on nous a fait sortir des baraques et nous avons été nous empiler dans un train obscur et glacé (parce que les tuyaux de chauffage étaient gelés). Ce train est parti, tout noir, mes voisins ont commencé à s'ébrouer et à jurer le nom de Dieu parce qu'ils avaient les pieds gelés, sur quoi je leur ai conseillé de descendre au premier arrêt et de monter en tête de train où il y avait plus de chances que les tuyaux ne fussent pas gelés. J'ai pris moi-même l'initiative de descendre et de courir dans la neige le long du train. Et, en effet, la première voiture était chaude comme une oreille et j'y ai dormi béatement jusqu'à sept heures du matin. Après quoi j'ai fait un bout de conversation avec mon voisin qui m'a appris que son capitaine était radiesthésiste et vérifiait l'emplacement de ses sections au moyen du pendule. Quand le pendule lui apprenait qu'une section n'était pas à la place qu'il lui avait imposée, le capitaine prenait le téléphone et engueulait la section. Le type m'exposait ça avec objectivité et sans se permettre de juger. Mais lorsqu'il a eu fini il a ajouté : « *D'ailleurs* c'est un con. » Vers sept heures et demie descente de train, nouveaux baraquements où j'ai bu un verre de café et fait la conversation avec des types toujours très sombres et puis un car m'a amené ici. Je suis descendu tout seul, les autres étaient descendus avant ou descendaient après. C'est une petite ville tournante et descendante avec des tas de pentes raides, ça fait un plaisant petit mouvement. J'ai descendu une rue au hasard et, en bas, je me suis foutu en l'air avec tout mon barda. Un soldat qui passait m'a reconnu et conduit au Q.G. De là j'ai été à l'A.D. où l'on m'a accueilli avec cette indifférence souriante que j'escomptais. Sauf Pieter qui s'est emparé de moi et m'a emmené aussitôt au bistro pour commérer sur tout un chacun. Paul est en permission, Mistler est parti au Q.G. du Corps d'Armée. Pour la situation, je vous en parlerai avec plus de détails demain, mais enfin voilà : bons restaurants, petite ville plaisante, *absolument* rien à foutre. Mais nous n'avons pas, nous autres sondeurs, de local à nous. Nous vivons à 14 dans une pièce grande comme votre chambre et c'est assez pénible. Aussi vais-je me mettre en quête d'un local. J'ai des vues. Aujourd'hui je me suis remis à mon carnet. Je ne suis pas triste mais creux : l'important c'est d'acquérir de nouvelles habitudes ou, comme dit Mistler, de « faire mon trou ».

Et voilà donc, mon petit, ces dix jours tout passionnés sont enterrés. Mais il y en aura d'autres et peut-être tout bientôt. Mon cher amour, je pense qu'à présent vous n'êtes plus trop triste. Je voudrais vous faire sentir comme je vous aime, mon petit et comme je suis uni à vous. J'ai, comme vous autrefois, l'impression que je ne vous ai pas assez dit comme je vous aimais.

J'embrasse de toutes mes forces vos chères petites joues.

N'oubliez pas
le Selbona
les 2 boîtes de Halva
l'encre à stylo

Et si c'est possible d'envoyer un peu d'argent faites-le. (Mais ça n'est pas nécessaire bien entendu d'envoyer cinq cents francs.) Seulement sachez bien qu'il faudra envoyer au mois prochain le supplément parce que j'emprunterai à Pieter.

À Simone de Beauvoir

17 février

Mon charmant Castor

Pas de lettres aujourd'hui. Je m'étais bien sagement dit qu'il n'y en aurait pas, que les lettres du 15 ne pouvaient arriver le 17, que si on les mettait à la poste avant 14 heures 30 ce qui vous était impossible. Aussi n'ai-je pas été bien déçu, seulement je n'aurai le sentiment d'avoir renoué avec la vie d'ici que lorsque j'aurai reçu des lettres. Pour l'instant je suis un peu désorienté, je n'ai pas fait mon trou. Tout est creux mais c'est une drôle d'impression, on sent que les choses creuses se remplissent lentement sous les yeux. Cet après-midi par exemple j'ai senti que le profil de Naudin penché sur son papier à lettres reprenait une espèce de valeur dans ma vie, la reprenait dans cette lumière neuve et dans cette pièce neuve. C'est ma vie d'ici qui commence à se former. Il y a des petites impressions qui apparaissent, des distances qui font familier (celle de l'hôtel du Soleil, que Pieter appelle notre P.C. à l'A.D.). Mais dans l'ensemble ça n'est pas trop sympathique il y manque une querencia ; comme elle était sympathique, notre étroite petite querencia de Morsbronn où nous vivions tous les quatre et qui « cocottait » s'il faut en croire les secrétaires, très considérablement. Ici le village n'est pas antipathique et on nous fout royalement la paix, nous sommes rois. Seulement où aller ? Nous sommes dix dans une toute petite chambre, Courcy y fait ses promenades sentencieuses de long en large en craquant pensivement des talons et en s'écriant parfois : « Que voulez-vous qu'il fît ? » (corruption de : « Que vouliez-vous que la bonne y fasse ? » Je l'avais laissé au stade Boniface à Morsbronn, cette corruption et contraction permet de mesurer le cours du temps). L'adjudant y raconte pour la dixième fois ses histoires, il veut à présent « couper les moustaches du petit père Staline » et rêve qu'on nous envoie en corps expéditionnaire en Finlande. Il y claquerait net, d'ailleurs, étant frileux comme une vieille. Pour vous rassurer je me permets de vous dire, comme je le lui ai doucement rétorqué, qu'on n'enverra de corps expéditionnaire en Finlande *que si* préalablement on remplit la légère et insignifiante formalité de déclarer la guerre à la Russie. Les autres ne disent pas grand-chose mais ils vivent et ça consomme du bruit. Le matin je reste dans un grand café triste où on me tolère bien qu'il soit consigné. A midi je vais déjeuner dans le restaurant attenant. Bien. Pour onze francs. On me chasse à 1 heure 1/2. Alors je me résigne à aller chez les secrétaires. Ils sont installés au rez-de-chaussée d'une petite maison cossue, confortable et sans mystère qui n'a pas le charme ruineux de notre hôtel Bellevue. Cette maison qui est au bord de la « Grand-Rue » est alignée avec sept autres maisons toutes semblables, peintes en gris-bleu et fort allemandes. Ce lot appartenait autrefois à un prince. A présent elles sont « bourgeoisement » habitées et l'une de ces familles bourgeoises nous a cédé le rez-de-chaussée. On l'entend vivre au-dessus de nos têtes. Donc de 2 à 5 je reste là, je lis un peu — aujourd'hui j'ai fait mon carnet, j'y ai parlé de vos « situations irréalisables » — vous savez ce qu'Élisabeth[1] sent tout autour d'elle. Et j'ai rangé ma permission parmi ces situations. J'ai aussi raconté mon retour (ce que je vous avais écrit hier). Dès cinq heures je retourne au café qui est plein de militaires mais de militaires qui bruissent entre eux, qui ne me dédient pas leurs bruits (ce qu'il y a de terrible à l'A.D. c'est que chacun destine expressément ses bruits à tous les autres, ce sont des bruits pénétrants. Ceux du café sont des bruits mousses) et je peux y écrire mes lettres. Enfin — comme au mois de novembre — je suis volontaire pour garder l'A.D. le soir parce que j'y suis tout seul. Et voilà. Ajoutez à cela que ce matin j'ai passé la visite, comme le doit tout permissionnaire à son retour, et que cet après-midi j'ai porté du bois à scier chez le menuisier. De sorte que je n'ai pas pu faire grand-chose. Dès demain peut-être je me remettrai à mon factum, je travaillerai le chapitre Jacques-Mathieu pour ne pas perdre de temps. Je ne suis pas triste mon petit mais je voudrais bien des lettres. Je voudrais bien que vous enfermiez votre petite personne à nouveau dans les lettres, comme un diable dans une bouteille ; pour l'instant elle est libre et vagabonde et ça m'arrive plus d'un coup que le cœur me manque parce qu'elle est si loin. Je vous aime si fort, mon petit, si fort, si fort et comme je n'ai absolument rien à faire ici, pas le plus petit sondage, je trouve absurde d'être si loin de vous.

Je vous aime de toutes mes forces.

1. Personnage de *L'Invitée.*

Il paraît qu'Emma, quoiqu'elle ne sache pas trop ce qu'il adviendra d'elle, s'occupe tout de même et à tout hasard de préparer votre visite. Elle m'a écrit ça ce matin.

N'oubliez pas, mon amour de demander à cette dame un mot de recommandation pour Tania chez Tournay.

L'ambassade du Japon (service de propagande) m'annonce que mon « volume de nouvelles *Le Mur* » est traduit en japonais. Mais il doit y avoir erreur : c'est seulement la nouvelle de ce nom.
Jacques Chardonne m'envoie son dernier livre : *Chronique privée* où il écrit : « J'oserai dire que *Les plus beaux de nos jours* de Marcel Arland, *Noël Malais* d'Henri Fauconnier, *Milady* de Paul Morand, *La Chambre* de J.-P. Sartre... ont en commun cette qualité mystérieuse et inaltérable des romans d'autrefois que nous lisons toujours. » Mon nez tourne un peu. Je suis un peu content que tout cela couve encore un peu malgré la guerre.

À Simone de Beauvoir

18 février

Mon charmant Castor

J'ai enfin reçu votre longue lettre tantôt. Comme j'étais aise, mon doux petit, de voir que vous n'avez pas été trop secouée par mon départ. Je vous avais vue partir si doucement, avec une si drôle de souplesse mécanique, que j'avais grand-peur d'un peu trop d'émotion. Mon amour je suis si aise d'être pour vous une source de bonheur et jamais, même à présent, une source de tristesse. Mon petit, oui, j'aimerais bien fort embrasser vos vieilles joues de chemin battu, qui me plaisent mieux que tout au monde. Je vous aime. Vous savez, ces jours-ci, j'ai beau me guinder dans l'authenticité, il y a des tas de fois où le cœur me manque tout honteusement d'être loin de vous. Tout de même je reste un ci-devant permissionnaire propre. Les autres, Hang et l'adjudant par exemple, sont sur le flanc. Hang en est devenu défaitiste. Et, d'une façon générale, j'ai vu dans le train et dans les baraquements que le permissionnaire est salement secoué ce qui justifie un peu l'étourderie de ma mère : « On dit qu'on ne devrait pas leur donner de permission parce qu'ils reviennent avec un plus mauvais moral. » Alors je peux bien me permettre quelques petites pointes d'emmerdement. Pourtant ça y est, vous savez, j'ai fait mon trou. C'est surtout un trou intellectuel, d'ailleurs. J'ai du pain sur la planche, ça me réjouit : j'entrevois une théorie du temps. J'ai commencé ce soir à l'écrire. C'est grâce à vous, savez-vous ? Grâce à cette hantise de Françoise : qu'il y a dans la chambre de Xavière, quand Pierre y est, un objet qui existe tout seul sans aucune conscience pour le voir. Je ne sais trop si j'aurais la patience d'attendre pour vous la faire connaître que quelqu'un vous apporte mes carnets. A propos, mon amour, vous n'avez pas eu le temps de me dire ce que vous pensiez de ma théorie du *contact* et de l'*absence.* Dites-le-moi.

Pour ma journée voici : tout d'abord c'était dimanche. Ici ça recommence à se sentir. Tout le matin j'ai travaillé et lu à l'hôtel du Soleil ; il faisait plutôt froid vu que la servante n'arrivait pas à allumer le poêle. Je me passionne pour la guerre de 70. Vous m'avez donné un livre de Duveau sur la question (je le connais par Maheu, c'est un triste, il tient un journal intime mais son livre est intelligent) j'ai trouvé ici un livre de Chuquet sur la guerre et puis j'ai le *Bismarck* de Ludwig, ça fait un tout et c'est intéressant. À midi les chasseurs amis de Pieter sont venus et on a déjeuné ensemble. Cette fois-ci par miracle ils ont été intéressants mais je crois prudent de réserver pour mon carnet ce qu'ils m'ont dit. Des chasseurs que je ne connais pas se sont mêlés à la conversation et ont été intéressants aussi. Puis j'ai été chercher le courrier : une longue lettre de vous, une de Tania. La vôtre m'a tout remué, mon amour mais celle de T. m'a irrité. Je ne sais pourquoi, elle me semblait moins plaisante que les deux autres et surtout je la soupçonne de l'avoir écrite le lendemain en la datant de la veille. Finalement ça n'a pas tant d'importance mais ça a fait tomber d'un coup l'espèce de confiance que je lui donnais par sottise pure.

Je suis allé faire un tour pour me calmer les sangs et j'ai vu un spectacle charmant : des soldats, des filles et des gamins qui descendaient en luge une rue en pente raide entre deux rangées de spectateurs-soldats qui leur jetaient des boules de neige. Sur quoi je suis revenu, dispos et rassis, et j'ai travaillé sur le temps jusqu'au dîner dans le café qui, faute de mieux, me sert de querencia. À propos je n'ai plus le sou. Si cela vous est possible sans trop vous gêner, envoyez-moi cent francs, mon petit. Et n'oubliez pas le colis.

Voilà pour aujourd'hui. À présent, je suis seul et dispos. Je vous écris. Je vous aime si fort, si fort. Oui mon amour, c'était une soirée bien forte que celle du petit O.K. et nous y retournerons, j'ai passé une permission formidable. (Mais pas « précieuse », je m'en plains discrètement dans mes carnets.)

Voici une petite anecdote pour vous édifier : la femme du soldat C. que je connais, est venue le voir, avec papiers en règle. Elle a d'*authentiques* cousins dans l'endroit. En débarquant dans une grande ville proche elle a demandé à un type de lui chercher un taxi. Le type était de la prévôté, il l'a fait arrêter. On l'a cuisinée trois heures. Au bout de quoi elle a avoué et ils ont eu l'extrême gentillesse de l'autoriser à voir son mari *24 heures* (elle était partie pour huit jours, en emportant son chat parce que personne ne pouvait en prendre soin). Dans d'autres cas ils ont été moins gentils et ont puni le soldat qu'on venait visiter. Mais c'est que nous sommes encore tout près des lignes. Si nous étions à l'arrière, ces bonnes femmes viendraient comme elles voudraient.

Mon cher amour, mon petit Castor, je vous aime de toutes mes forces.

À Simone de Beauvoir

19 février

Mon charmant Castor

Pas de lettre de vous aujourd'hui. Juste un mot de Tania. Et puis, à présent, le facteur-vaguemestre a mis dans sa tête de les distribuer lui-même, c'est agaçant, elles arrivent plus tard. J'aurais pourtant bien aimé savoir ce que vous deveniez, mon doux petit. Mais peut-être n'avez-vous pas eu le temps d'écrire, ne vous embarrassez pas pour ça surtout. Mais par contre ne *manquez* pas d'écrire au boxeur. Avez-vous répondu à la Cie d'Assurances ? Moi j'ai reçu deux lettres et j'y répondrai ce soir. Faites-en autant, pensez au pauvre chauffeur russe, si sympathique, qui a refusé mon pourboire.

Aujourd'hui je passe la journée dans la salle de restaurant de l'hôtel du Soleil, je trouve le temps un peu long à ne rien vous cacher. Ces permissions détraquent un peu leurs bénéficiaires. Il y en a trois ici qui sont sonnés. Moi pas, mais de temps en temps je pense que je ne vous reverrai pas de longtemps et malgré moi je trouve ça dur. Figurez-vous que je regrette un peu mes sondages, ils donnaient un sens à la journée et puis les petits morceaux de lecture et de travail étaient resserrés entre eux, compacts et drus. À présent ça fait ample et lâche. On a trop de temps.

J'ai pourtant commencé une théorie du temps qui est assez bonne, je crois ; elle me donne du mal mais elle paie. Elle n'est pas finie d'ailleurs. Je ne m'occupe que de mes petits carnets mais je pense que dès demain matin je vais me remettre au roman. Il y a deux choses que je peux encore écrire : Jacques-Mathieu et puis la promenade rageuse de Daniel quand il vient de quitter Boris et qu'il va chez Marcelle. Vous serez douce de presser un peu Poupette, bien qu'évidemment ça doive prendre pas mal de temps ce tapage. Mais j'aimerais bien avoir du travail précis et agréable, ça me changerait beaucoup. Pour des livres, inutile d'en envoyer maintenant, mais le 28 quand vous serez payée il faudra vous ruer et m'en envoyer une cargaison. Je vous enverrai une liste demain. On ne sait toujours rien sur notre départ éventuel. Si vous n'avez pas de sou en ce moment n'envoyez rien, pauvre petit, ne vous saignez pas. Je peux très bien m'arranger avec Pieter. Seulement il faudra envoyer 1 000 francs le 1er mars. Est-ce trop dur ?

Sachez que T. me dit (gentiment) qu'il y a des passages de mon carnet qui l'ont « profondément choquée » et qu'elle est toute déroutée parce que j'ai une « vie intime » et qu'elle croyait que je n'en avais pas.

Voilà, mon cher petit, une lettre bien vide mais que vous dire d'autre ? À vrai dire c'est moi qui suis vide, j'imagine bien qu'à d'autres jours ça me serait venu tout naturellement de vous parler du café où je suis, du retour de Hantziger, est-ce que je sais ? Mais ça n'est même pas que je n'en ai pas envie : c'est que je n'y pense pas. Et vous savez, ne soyez pas jalouse du carnet, il n'y a rien dessus, à la date d'aujourd'hui, que la théorie du temps. Ne me croyez surtout pas déjeté mon amour : c'est une petite mélancolie qui passera vite, il faut faire son trou, voilà tout.

Je vous aime de toutes mes forces, mon petit. Je voudrais que vous soyez là ; tout irait bien.

À Simone de Beauvoir

20 février

Mon charmant Castor

Je viens de recevoir de vous une lettre émouvante et bien forte. Ça m'a tout secoué de penser comme je vous ai été présent à tous deux et comme vous avez parlé de moi. Je trouve le petit Bost bien sympathique et je trouve que vous avez raison de penser qu'il faudra vivre l'après-guerre *pour* lui et tâcher dans la mesure de nos moyens d'empêcher les types de son âge de devenir des Brice Parain.

Ô mon petit, je suis encore tout ému de ce petit temps que j'ai passé avec vous ; jamais, même à Brumath, je n'ai senti si fort comme je vous aimais, petit parangon, mon doux petit Castor. Vous savez je n'en ai pas parlé d'abord, par coquetterie, mais je ne suis pas du tout insensible aux éloges que vous me décernez touchant le Sumatra. Ça m'encourage, comme disait mon vieux grand-père et je vais me remettre à l'ouvrage dès aujourd'hui. Je pensais bien qu'il était réussi ce chapitre. Je vais tout retravailler pour que tout soit à cette hauteur, je suis plein de bonnes résolutions. Mon petit qui savez si bien me rendre la joie de vivre quand je l'ai un peu perdue. Merci aussi pour la belle pipe, je la fume en vous écrivant, elle est toute bonne et douce. J'ai donné le Halva à Pieter, il a fait des manières mais je l'ai engueulé. À présent il en mange un grand bout avec satisfaction. Pour l'encre et les enveloppes c'est tout bien, mais figurez-vous que le paquet est arrivé en morceaux. Sans casse.

Décidément je ne quitte plus l'hôtel du Soleil. Il est consigné mais on nous tolère toute la journée. De temps en temps je fais un saut jusqu'à A.D. pour voir si tout va bien et puis je reviens ici. J'ai travaillé au carnet ce matin et monnayé quelques petites idées que nous avions eues à Paris, vous et moi, notamment que le désir d'authenticité ou bien était tout inauthentique ou bien était l'authenticité elle-même (à propos est-ce que le carnet que vous m'envoyiez s'est perdu ou bien avez-vous oublié de m'en envoyer un ? Mais de toute façon il y en a ici et j'en ai deux de réserve, ça n'est pas pressé). Cette après-midi j'ai écrit mes lettres aux assureurs à propos de l'accident du Pont Alexandre III. Faites-le, petite vilaine, si vous ne l'avez pas fait. Et puis j'ai écrit à Brice Parain « sur les générations ». À présent je vais lire un peu et puis recommencer le roman. T. ne m'a pas écrit aujourd'hui. C'est un peu étrange deux jours après avoir été si aimable, il y a quelque chose là-dessous ; peut-être trouve-t-elle louche l'histoire que vous n'avez pas découché. Ça m'agaçait un peu hier et avant-hier mais aujourd'hui ça m'est indifférent, je suis de bonne humeur et bon travailleur. Dites au petit Bost — ou, si vous ne le voyez pas, écrivez-lui — que je suis plein de sympathie pour lui et que je vais lui écrire.

A demain, mon doux petit Castor, mon cher amour, je vous aime de toutes mes forces. J'embrasse vos vieilles joues de vieux chemin battu avec une tendresse « religieuse » mon petit.

À Brice Parain

[20 février]

Mon cher Parain

Je suis désolé que notre conversation de l'autre soir ait dégénéré : nous avions plus intéressant à nous dire. Désolé surtout que tu puisses me considérer comme un représentant de la génération de 1930 faisant le procès de celle de 1914. Rien n'est plus faux et il se produit ceci de curieux, à chacune de nos conversations, que tu saisis le moindre prétexte pour faire acrimonieusement le procès de ta génération *à ma place*. Je t'accorde absolument *tout* ce que tu me dis dans ta lettre et je te jure bien que je ne suis pas fier de ma génération, ni honteux non plus. Je n'y pense guère. Simplement je t'en ai parlé pour te montrer combien il y avait de légèreté chez Drieu à parler d'une France en décomposition et en désarroi alors que des jeunes gens comme ceux que j'ai connus quand j'avais vingt ans et qui sont à présent des hommes, se distinguaient justement par le sérieux de pisse-froid que tu leur reprochais l'autre jour. Mais ce que je réclame c'est la possibilité de juger un homme, Drieu ou un autre peu importe, comme individu tout simplement sans qu'on vienne me jeter à la face sa génération. Il ne s'agit pas de métaphysique (encore que je te trouve bien hardi de prétendre que le seul jugement extra-historique doive être celui du vrai et du faux). Il ne s'agit pas non plus de nier que Drieu s'est trouvé avec un esprit formé autrement que le mien dans des circonstances que je n'ai pas connues. Ce serait enfantin. Mais il ne faut pas m'escamoter Drieu quand je veux le juger et me coller brusquement sa « génération » à sa place en me disant que c'est la même chose. J'appelle ça vouloir me faire prendre des vessies pour des lanternes. L'individu Drieu est *de* sa génération, c'est entendu et il a connu les problèmes de sa génération. Mais il ne faut pas dire qu'il *est* sa génération. Pour user d'une expression phénoménologique, on est-dans-sa-génération comme on « est-dans-le-monde » (« In-der-Welt-sein »). Ce qui suppose toujours qu'on dépasse vers soi-même sa génération. Et c'est justement à ce niveau que je veux juger Drieu, pas à un autre. Autrement dit la génération est une *situation,* comme la classe ou la nation et non pas une *disposition.* Je te répète donc que jamais je ne considérerai que les reproches que j'adresse à Drieu en tant qu'il « transcende » sa génération, je ne songerai à te les adresser à toi bien que vous ayez eu à transcender une situation identique. Pas plus que je ne songerai à te juger comme Blaise Cendrars ou Giraudoux ou Aragon qui, après tout, sont plus près de ta génération que de la mienne.

Ce que je trouve profondément attachant et sympathique en toi c'est cette susceptibilité de génération qui s'est élevée jusqu'à une Weltanschauung; je trouve ça bien éloigné des pauvres aigreurs de Drieu. Tu es exactement, à mon avis, une « conscience malheureuse » et tu représentes au contraire dans mon univers à moi une valeur morale. Je te le dis pour qu'à l'avenir je puisse traiter de salaud un de tes contemporains sans que j'aie ensuite à m'apercevoir avec surprise que je t'ai attaqué sans le savoir.

Pour ce qui est de la politique, n'aie pas peur. J'irai seul dans cette bagarre, je ne suivrai personne et ceux qui voudront me suivre me suivront. Mais ce qu'il faut faire avant tout c'est empêcher les jeunes gens qui sont entrés dans cette guerre à l'âge où tu es entré dans l'autre d'en sortir avec des « consciences malheureuses ». Cela n'est possible, je crois, qu'à ceux de leurs aînés qui auront fait cette guerre avec eux.

Tu as mon adresse à présent ; si tu as un moment de temps en temps et si ça ne t'ennuie pas, écris-moi.

Je te salue avec bien de l'amitié.

À Simone de Beauvoir

21 février

Mon charmant Castor

Un honnête inconnu m'a très bien envoyé votre petite lettre égarée. Elle ne m'a rien appris de plus mais ça m'a fait plaisir de l'avoir, du moment que vous l'aviez écrite — et puis j'en ai eu une autre grande et qui m'a tout ému, mon doux petit. N'ayez pas peur, c'est bien avec ce cher petit visage de l'autre matin que je vous revois, mon petit Castor. Il ne s'efface pas vite et je l'aime tant.

Mon petit ça me décharge d'un poids que vous envisagiez avec sérénité de vous remettre au travail. Moi, je suis de très bonne humeur mais le travail me manque. Ce dialogue Jacques-Mathieu, je le ferai consciencieusement mais c'est la corvée. J'ai envisagé de le supprimer mais je ne peux pas, je regrette un peu de n'avoir pas emporté le manuscrit. Au moins dites à Poupette de le taper le plus vite possible. J'ai lu un livre passionnant et qui va admirablement dans mon sens : *Plutarque a menti.* Vous l'avez lu, je crois, à La Pouèze. Ce Pierrefeu a été extrêmement intelligent, c'est comme une Critique de la raison militaire et on y trouve des tas de choses que j'avais pressenties dans mes carnets. Je viens de le finir et je lis aussi *Le Siège de Paris* de Duveau que je vous ai pris et qui est tout amusant. Dites-moi si vous l'avez lu et je vous l'enverrai. Ça enseigne, entre autres choses, pour les utopistes du genre Drieu et même Guille qui mettent l'âge d'or en arrière, qu'en 70 au moins c'était tout pareil à maintenant. Vous comprendrez mieux ce que je veux dire quand vous l'aurez lu.

Je suis donc captif dans ce grand café-restaurant. Je guette le matin à travers les fenêtres de ma chambre le moment où ses volets s'ouvriront. Puis je traverse la rue et j'entre. Il est encore tout froid et désert, il y a un grand poêle de fonte qui vient de s'allumer. Je me mets devant le poêle, debout, pendant qu'une servante balaye la longue salle rectangulaire. C'est un café d'hôtel d'ailleurs et ça se sent à des riens — à des nappes multicolores sur les tables par exemple, à quelque chose de sinistre et d'aéré. Je lis Goethe ou Schiller pour me mettre en train, en allemand, tout debout et j'ai l'impression sous-cutanée d'être au XVIIIe siècle dans quelque halle jésuitique, au lieu qu'à Morsbronn et Brumath c'était le Moyen Âge. Un soleil rationnel sur le dégel contribue au-dehors à m'en persuader. La patronne arrive — son mari est aux armées, elle tient l'hôtel avec ses beaux-parents — puis son gosse qui a six ans et me fait la conversation. Petit déjeuner : un verre de café, trois petits pains comme ceux de Brumath et du beurre. Et puis je lis et je travaille. Hier soir et ce matin je me suis remis à mon roman. Quelques rares militaires. Puis Pieter arrive et parle en déjeunant. Il m'a raconté des histoires charmantes sur la période où il faisait, comme il dit « la chasse » aux filles. Je vous les raconterai demain parce que je prévois qu'ayant épuisé la description type de mes journées je n'aurai plus rien à vous dire. Donc lecture. Si vous voulez savoir je suis à une grande table de fond près d'une fenêtre et à deux pas du poêle. Chaque jour je viens là. J'ai des foules de livres et de papiers autour de moi, on dirait un bureau. Vers midi nous allons au restaurant. C'est un restaurant « mixte » civils et militaires. Effet très curieux parce que, du côté civil, c'est le genre pensionnaires. Ils sont là à tous les repas, il y a le monsieur et la dame d'un certain âge, en noir, décents. Il y a aussi le couple mystérieux formé d'une jeune femme atrocement laide et d'un jeune bossu, boiteux, élégamment habillé, pas laid, à figure triste, qui ne s'adressent pas la parole, entrent et sortent chacun par une porte et pourtant déjeunent scrupuleusement tous les jours à la même petite table, avec un air de vieille haine. Et puis des familles de passage, bruyantes et joyeuses comme en temps de paix. Et puis mêlés à ça des militaires, pas très nombreux, à l'air assez dur, semblables à ceux que vous avez pu voir en novembre. Ça ne jure pas autant qu'on pourrait le croire, ça se neutralise plutôt. À 1 h 1/2 on chasse les militaires, les civils vaquent à leurs occupations et moi je reste là par une de ces drôles de faveurs que j'ai obtenues partout où je suis passé depuis que je suis soldat. Ça m'étonne toujours car enfin Dieu sait que je n'ai rien du type à obtenir des faveurs. Le fait est pourtant là. Je suis plongé toute l'après-midi dans cette drôle d'atmosphère que vous connaissez bien pour avoir vu quelquefois, par une fenêtre, un restaurant-pension de famille à Rouen, après le déjeuner, déjà prêt pour le dîner. Par une grande baie je vois passer les soldats dans la rue. Là j'écris mes lettres en général ou je lis. Vers cinq heures le jour tombe et concurremment les militaires acquièrent le droit d'aller au café. Je repasse donc au café qui est plein de soldats, je bois un café en lisant du Goethe puis j'écris sur mon carnet au milieu du brouhaha, en m'interrompant pour regarder des joueurs de billard, tantôt civils, tantôt militaires. A sept heures je mange deux petits pains (je ne sais quelle étrange pudeur m'a fait mettre : deux. En fait j'en mange trois). Et je lis *Le Siège de Paris.* Puis j'écris un peu et enfin vers 9 heures je reviens chez les secrétaires où je travaille solitaire puis me couche. Ça n'est plus monacal, comme à Morsbronn, c'est moins fort et moins poétique — ça n'est rien du tout ou si l'on veut ça tiendrait du fonctionnaire. Mais ça y est depuis hier, tout cela a acquis une espèce de qualité intime qui me fait sentir que c'est « à moi ».

Une très bonne nouvelle : la seconde série des permissions commence aujourd'hui. Je compte ferme être là aux environs du 1er mai et peut-être un peu avant, fin avril. Cette fois ce ne sont plus des rêves colorés : la liste n'est pas modifiée et on avait commencé le 20 novembre. J'étais parti le 3 février. Donc puisqu'on commence le 22 février, je dois partir le 5 mai. Mais par ailleurs c'est par service et Mistler et Keller qui étaient avant moi ne font plus partie de l'A.D. Ça me met donc à peu de chose près vers le 25 avril. Ça ne fera vraiment pas trop long, ce coup-ci. D'autant qu'on parle toujours d'aller au grand repos.

J'ai reçu une lettre toute passionnée de T. « Je t'aime comme une présence, avec enthousiasme... je suis toute pénétrée de toi. » Par ailleurs elle avoue qu'elle n'a pas écrit les jours précédents « je ne t'aimais pas assez pour ça ». Je trouve étrange leur façon d'être mais en somme compréhensible (ce qui ne veut pas dire : acceptable). Pour nous autres, le départ porte les sentiments au paroxysme. Mais elles, elles se mettent en sommeil et en sécheresse trois ou quatre jours pour éviter le petit moment où ça pourrait leur faire pénible. Enfin de toute façon elle tient à moi comme il faut.

Voilà de la lettre ou non ? Eh mon doux petit que je vous aime donc bien, que je voudrais vous tenir dans mes bras. Je vous aime de toutes mes forces.

À Simone de Beauvoir

22 février

Mon charmant Castor

Voici une bien bonne nouvelle : Pieter part demain soir en permission. Je n'osais en espérer tant. Comme je suis parti la dernière fois un mois après son retour, jour pour jour, ça me mettrait à peu près, pour partir au 10 avril, c'est-à-dire en somme dans un mois et demi. Ils se hâtent de donner les permissions pour des tas de raisons. (N'oubliez pas si jamais vous en parliez à Z. de trouver ça *naturel* que j'arrive vers le 10 avril — et prévu. N'ai-je pas dit en effet que je reviendrai 2 mois après être parti ? Nous reprendrons la fiction des cinq jours. Seulement cette fois-ci, comme il fera beau et pour vous éviter le louche voyage auprès de Poupette, je verrai mes parents *le soir* — ou du moins certains soirs ; nous nous verrons tout le jour, vous sortirez avec Z. jusqu'à onze heures, comme à l'ordinaire et vous me rejoindrez ensuite au petit hôtel Mistral.) N'est-ce pas bien fait ? Par ailleurs *il faut* pour tous éclaircissements utiles que vous téléphoniez à Pieter (Magasin « Chez Gaston » 255 rue des Pyrénées — MEN. 63-59) ou que vous alliez le voir. *Mais* si vous avez sa femme au téléphone ou si vous la voyez chez lui, il vous demande de ne pas le connaître car il a tu à sa femme votre équipée de novembre. Il sera chez lui quand vous recevrez cette lettre. Il n'a d'ailleurs rien d'absolument urgent à vous dire, simplement des précisions.

Mon doux petit, que vos lettres sont donc des charmes et qu'elles me font plaisir. Si vous êtes un peu douillettement dolente, comme vous dites, vous voilà tout juste dans l'état qu'il faut. Vous êtes un petit sage, vous aussi. Ô mon petit sage, ça m'a tout revigoré l'idée que dans un petit mois et demi j'allais vous revoir. Et puis il fera beau, vous mettrez votre petit bras sous le mien et nous irons nous promener. Comme le Poulpiquer et la Poulpiquette, vous rappelez-vous ? Mon amour, depuis ce temps, je n'ai fait que m'attacher à vous davantage.

Pour les cent francs mon petit, ne vous mettez pas en peine. Pieter me les prêtera avant de partir. *Ne les envoyez pas.* Vous enverrez 1 000 francs par mandat télégraphique dès que vous aurez touché nos traitements.

Qu'ai-je fait aujourd'hui ? J'ai lu les poèmes de Heine en allemand et ça m'a diverti. Un peu du *Faust* de Goethe, la fin du *Siège de Paris* que je vous fais rapporter par Pieter et des mots d'esprit de Chamfort. J'ai peineusement écrit mais correctement sur l'Avenir. Je commence à comprendre tout à fait par là-dedans la théorie de Heidegger sur l'existence de l'avenir, en même temps que j'en fais une autre qui a l'avantage de donner une *réalité* à l'avenir tout en gardant à la conscience sa translucidité. Finalement cette théorie du Néant est plus fructueuse, je la crois vraie. Par exemple (des tas de trucs sont bâtis là-dessus mais je vous donne l'idée simple) : est-il possible de concevoir le *désir* autrement que comme se fondant sur un *manque.* Mais pour que quelque chose manque à la réalité-humaine il faut qu'elle soit de telle sorte que quelque chose puisse par principe lui manquer. Or ni la psychologie des états, ni Husserl, ni même Heidegger ne rendent compte de cette vérité évidente. Si quelque chose doit pouvoir manquer à la conscience en général, il faut que la nature existentielle de la conscience soit celle d'un manque. Réfléchissez bien, il est *impossible* de concevoir le désir autrement qu'à partir de là. Vous me direz ce que vous en pensez.

J'ai aussi noté les confidences de Pieter sur ses « chasses » et je voulais vous en faire part mais, toute réflexion faite, il y en a 14 pages sur le carnet, autant vaut que vous les lisiez dessus. En ce moment des militaires jouent sagement aux cartes un peu partout dans le café ; Pieter, piqué contre la typhoïde mais guéri par la perspective de partir, les regarde avec aménité et moi je vous écris. Il est 8 h 1/2, il faut que j'écrive encore à T., à ma mère. Avez-vous répondu à Cavaillès ? Je vais le faire de mon côté.

Mon doux petit, je vous aime, vous êtes mon petit tout, mon tout petit. J'embrasse vos petites joues et vos petits yeux.

À Simone de Beauvoir

23 février

Mon charmant Castor

Comme vous l'avez auguré, je suis très énervé par cette histoire de Bourdin. C'est tombé comme un coup de tonnerre et Dieu sait si j'étais loin de soupçonner ça. J'ai lu quatre pages écumantes de Tania. Ce qui est gênant pour répondre c'est l'existence de lettres écrites par moi à Bourdin et qu'elle a montrées à Mouloudji et où je m'amuse à faire mâle, vous vous rappelez. C'est aussi en somme que, comme vous l'avez bien dit, Tania n'a rien appris qu'elle ne sût. Heureusement il y a d'abord deux faits *faux* que j'ai pu réfuter : elle me soupçonne, d'après ce qu'a dit Mouloudji, d'entretenir des rapports avec Bourdin encore à l'heure qu'il est et elle croit que je couchais encore avec Bourdin quand j'ai couché avec elle, ce qui est faux. 2° Elle croit que j'ai raconté à Bourdin qu'elle était (elle Tania) amoureuse de moi et que je couchais avec elle, ce qui est encore faux, vu que quand j'ai touché un mot de Tania à Bourdin je ne pensais pas qu'elle fût amoureuse de moi et nous n'avions aucun rapport physique. Sur ces deux points ma bonne foi est entière. Pour les rapports physiques avec Bourdin, je nie résolument qu'ils aient été mouvementés et que je fasse figure de bouc : ça c'est facile, il n'y a pas de preuve. Et puis je fais un truc vache mais que Bourdin mérite bien, j'envoie une lettre ouverte à Bourdin que Tania est chargée de mettre à la poste et dans cette lettre je raconte l'histoire de Bourdin à Bourdin telle qu'elle fut. Je vous envoie le brouillon. La lettre est mieux mais ça vous donnera le ton. Maintenant est-ce une « faute » au sens où vous disiez « vous ferez encore des fautes » ou un désastre ? Je ne sais pas. Si j'étais à Paris j'arrangerais ça mais je n'y suis pas et Mouloudji va poursuivre son avantage — d'un autre côté il y a les carnets. Si on les prend en mal ils enfonceront dans l'écœurement ; la lettre de Tania est certainement soucieuse d'éviter le pis car elle termine ainsi :

« Excuse-moi, je fais tout mon possible pour ne pas me laisser écœurer comme une mauviette par de l'obscénité. Mais je ne peux me défendre d'une terrible gêne physique, c'est comme si on avait mis de la viande devant moi et puis je pense à ces mélanges de corps auxquels j'ai dû participer sans en rien savoir. À demain, je t'aime bien quand même mais je suis gênée il faut que ça se dissipe.

« Tania »

et elle ajoute en post-scriptum : « Note que j'ai tout dit et que ç'aurait été plus facile de tout garder pour moi. Mais je crois que toute ma fausseté n'y aurait pas suffi. »

Ces dernières lignes laissent beaucoup d'espoir car elle se défend déjà contre une engueulade possible (parce que je lui avais dit que l'an dernier au lieu de s'affoler elle aurait dû tout me dire) en réclamant les bénéfices de la franchise. Qu'en pensez-vous ?

Pour vous mon cher petit il y a des conduites à tenir. Vis-à-vis de Z. il faut dire : 1° Que je n'ai jamais dit que des choses insignifiantes à Bourdin et que je ne lui ai parlé de Tania qu'évasivement sous le nom de quelqu'un. C'est vrai d'ailleurs. Que j'ai raconté un soir en gros l'histoire de Z. et sans la nommer. — 2° Que mes rapports avec Bourdin ont fini le 1er octobre et se sont prolongés par cinq ou six visites en octobre sans que je couche avec elle. C'est d'ailleurs vrai. Que je l'ai revue une fois seulement en juin et qu'elle m'a paru folle. C'est encore vrai. Qu'elle me court après depuis et que je l'ai laissée tomber complètement. C'est encore vrai. — 3° Pour les carnets, souvenez-vous bien de ceci que vous ne *les avez pas encore lus* pour la plupart. Il ne serait même pas mauvais que vous les réclamiez le plus tôt possible pour les lire et ainsi que vous l'empêchiez de se livrer dessus à une méditation morose. — 4° Tâchez de me tenir au courant, faites parler Z. là-dessus le lendemain ou le surlendemain du jour où vous recevrez cette lettre pour voir à peu près si ça s'est calmé après mes explications. Et donnez-moi dès au reçu de celle-ci votre opinion sur la gravité de l'affaire. Il me semble que rien n'est jamais grave avec les Z. et que rien non plus n'est jamais pardonné.

Quant à mon état personnel, eh bien voici : naturellement ça m'a secoué parce que j'ai de bons sentiments pour T. et puis j'ai été assez salaud pour que ça me paraisse injuste. Et de fait l'histoire Bourdin est finie. Et puis alors une violente colère m'a secoué qui m'a donné ce trait de génie d'écrire une lettre à Bourdin que je faisais lire par T. C'est vache pour Bourdin mais c'est marrant comme je deviens dur avec les gens. J'en ai marre des situations fausses et je veux être tranquille, j'ai été trop longtemps bridé et écœuré par une fausse sensibilité. En même temps, et heureusement, ça me durcissait contre T. ça n'était plus ce plaisant petit personnage que j'avais vu pendant une permission. Toujours est-il que je suis encore énervé et que je vous romps les oreilles avec toute cette histoire.

C'est qu'à part ça, mon doux petit, il n'y a trop rien à dire. J'ai sagement travaillé à mon roman ce matin et il a avancé, j'ai aussi écrit quelques petites choses sur mon carnet et puis je me suis beaucoup agité pour aider Pieter à partir. Eh mon petit, ça me fait quelque chose de le voir partir, je voudrais bien être à sa place et vous retrouver dans notre petit café de la gare de l'Est. Vous autre, petit charme, comme je vous aime, comme ça me fait fort de penser à vous, comme nous avons eu une plaisante permission. Mon petit, ce que je vous ai dit une fois reste vrai, vous êtes l'optimisme de ma vie. Rien ne peut être mal, si vous existez. Mais je voudrais tant revoir votre petit visage de chair et l'embrasser.

À Simone de Beauvoir

Mon Castor

Voici le brouillon de la lettre à Bourdin.

S'il te plaît de garder un culte à ma mémoire, inutile d'essayer de le faire partager aux autres, ma chère Martine. Inutile surtout de clamer à tous les vents notre histoire revue et arrangée. Ton indiscrétion, qui m'est revenue aux oreilles, me force à te dire ce que je pense exactement de notre histoire, afin que tu puisses, si tu ne peux t'en empêcher, la raconter comme il convient.

Je ne t'ai jamais aimée, je t'ai trouvée physiquement plaisante quoique vulgaire, mais j'ai un certain sadisme que ta vulgarité même attirait. Je n'ai jamais — et cela du premier jour — entendu avoir avec toi autre chose qu'une brève aventure. Tu as monté dans ta tête romanesque toute une belle comédie d'amour partagé mais hélas défendu par un serment antérieur et je t'ai laissé faire parce que je pensais que la séparation te serait moins dure. Mais la réalité était beaucoup plus simple. En septembre je m'ennuyais déjà un peu avec toi et tu te rappelles combien souvent tu te plaignais dans la journée que j'aille voir des parents ou des amis. C'est que je ne m'amusais pas beaucoup avec toi. Mes lettres, qui furent des exercices de littérature passionnée, dont nous avons bien ri, le Castor et moi, ne t'avaient à l'époque pas entièrement dupée. Tu pensais bien au fond de toi-même que je ne t'aimais pas. Et quand j'arrivais en retard à un rendez-vous, tu croyais que je ne viendrais pas du tout, que je t'avais abondonnée. Cette histoire devait finir le 1er octobre. Comme les menaces de guerre avaient fait revenir le Castor, j'ai cessé de te voir une huitaine de jours trop tôt et par une sotte idée de compensation, je l'avoue, je t'ai offert de te voir quatre ou cinq fois en octobre ce que je fis. C'était gênant, tu étais là près de moi, tu semblais avoir envie de reprendre des rapports physiques avec moi, tu te jetais sur moi et puis tu me repoussais brusquement et tu prétendais que je te manquais de parole que je voulais reprendre des rapports que nous avions décidé de cesser. J'étais trop poli pour te contrarier mais ça m'excédait. Je vins de moins en moins, j'oubliai d'écrire, tu m'envoyas une lettre amère de rupture, je sautai sur l'occasion. Voilà une histoire, pensai-je, qui n'a peut-être pas toujours été propre mais qui a fini proprement. Je t'avouerai que le goût que m'avait inspiré quelques jours ta personne était tombé depuis longtemps, on se lasse du sadisme et de la vulgarité. Et puis il fallait par-dessus le marché subir ton noble bavardage, ton pêle-mêle philosophique, j'en avais la tête rompue. Particulièrement, je dois l'avouer, lorsque tu me parlais du théâtre. Enfin nous sommes restés plusieurs mois sans nous revoir et je t'avais bien oubliée quand tu m'écrivis une lettre en juin, tu semblais malheureuse et le Castor me conseilla de te voir. Je t'ai vue deux heures tu m'as semblé tout à fait folle, on a pris un deuxième rendez-vous et je n'y suis pas allé. Depuis tu as cru devoir m'écrire de nombreuses lettres auxquelles je n'ai pas répondu sauf *une* fois, la curiosité me poussant, parce que tu semblais avoir eu des histoires assez drôles. J'y répondis donc mais de façon à laisser entendre que c'était fini. Tu me disais dans ta lettre : « Sartre, Sartre ne voudras-tu donc plus que je t'embrasse ? » Et je répondis : « Mais pourquoi donc pas, il n'est pas désagréable de t'embrasser. » Cette lettre résolument mufle tu la traitas de « badine » et tu compris à partir de ce moment, quoique tu m'aies écrit encore deux fois. Ainsi si tu racontes de nouveau cette histoire, ne dis pas que nous entretenions encore des rapports. Dis plutôt que je t'ai profondément oubliée. Et si tu trouves quelque plaisir, faute de mieux, à évoquer entre amis nos rapports physiques de septembre, c'est ton affaire, bien que je trouve cela profondément répugnant. Veille en tout cas à ne pas inventer les trois quarts de ce que tu racontes, tu me feras le plus grand plaisir.

Voilà donc comment il faut que tu racontes l'histoire. Par ailleurs tu m'écrivais, la dernière fois : « Pourquoi me trouves-tu vile ? » Eh ! bien tu le sais à présent : parce que tu racontes des histoires obscènes, ignobles et inventées que tu mélanges à un sentimentalisme de romance.

À Simone de Beauvoir

24 février

Mon charmant Castor

Que je suis content de vous écrire, c'est un peu comme si je vous voyais. Je voudrais bien fort que vous soyez là, votre petite main dans la mienne et que je vous entretienne du drôle de temps que je traverse. Car je passe par un drôle de temps. Ce n'est pas tant la circonstance extérieure bien qu'elle soit assez étrange puisque ça branle singulièrement dans le manche avec T. Mais ce n'est pas tellement ce dont il s'agit, encore que je sois désolé à l'idée de perdre T. Ce qu'il y a surtout c'est qu'à l'occasion de tout ça, je suis dégoûté de moi très profondément. Vous savez que ça m'arrive assez rarement et, même là, il y a tout de même un manque de solidarité envers moi-même qui rend la chose encore supportable, mais enfin, vous mon petit juge, je voudrais bien connaître votre avis. Je vais vous exposer ce que je pense et je ne vous demande surtout pas l'absolution mais de bien réfléchir. Et puis vous me direz ce que vous pensez, en pesant bien, petite bouche d'or. Ce sera un verdict. Voici :

Je suis de votre avis et Tania est bien agaçante de s'évanouir de dégoût parce qu'on lui *raconte* ce qu'elle savait déjà. Et elle-même, il me semble, a passé par beaucoup trop de mains pour se scandaliser tant. Certes ses histoires ne sont pas obscènes mais enfin il y en a quelques-unes qui n'en valent pas mieux pour ça. Elle n'est donc pas en cause en tant que personnalité mais plutôt il reste, chez elle comme chez sa sœur, une sorte de pouvoir de juger et de déceler le laid qui peut être considéré en faisant abstraction d'elle. Eh bien, premièrement, en me voyant à travers cette sensibilité, je juge mes rapports avec Martine Bourdin ignobles. D'abord il n'est que trop vrai que cette histoire ne s'imposait pas. Je n'ai jamais eu d'illusions sur ce qu'elle valait et, si j'en avais eu, quelques heures de conversation eussent suffi à me dessiller les yeux à temps. Je me suis aveuglé un peu volontairement. Qu'avais-je besoin de cette fille ? N'était-ce pas pour faire le Don Juan de village ? Et si vous m'excusez par la sensualité, disons que d'abord je n'en ai pas et qu'un léger désir à fleur de peau ne peut pas être une excuse et deuxièmement que mes rapports sexuels avec elle ont été ignobles. Ici ce que j'accuse ce n'est pas tant celui que je fus avec elle mais mon personnage sexuel en général ; il me semble que jusqu'ici je me suis conduit en enfant vicieux dans les rapports physiques avec les gens. Je connais peu de femmes que je n'aie gênées de ce point de vue (sauf précisément T. ce qui est comique). Vous-même, mon petit Castor, pour qui je n'ai jamais eu que du respect, je vous ai bien souvent gênée, surtout les premiers temps et vous m'avez un peu bien trouvé obscène. Non pas un bouc, certes. Cela je suis sûr de ne pas l'être. Mais obscène simplement. Il me semble qu'il y a là quelque chose de très abîmé en moi et, vous savez, je le sentais obscurément depuis quelque temps puisque, dans nos rapports physiques à Paris, lors de ma permission, vous avez pu remarquer que j'avais changé. Peut-être la force des rapports physiques y perd-elle un peu mais je trouve qu'ils y gagnent en propreté. En tout cas avec M. Bourdin que je ne respectais pas comme vous, que je ne ménageai pas comme T., j'ai été en effet ignoble. N'allez pas imaginer des bacchanales, il n'y a rien eu que je ne vous aie dit. Mais c'est l'atmosphère de canaillerie sadique qui ressuscite aujourd'hui et qui m'écœure. En sorte que ce que je sens assez fort depuis hier c'est que quels que soient les torts de T. dans cette affaire — je paye. Et pas seulement pour M. Bourdin mais pour toute ma vie sexuelle passée. Il va falloir changer ça. Est-ce que vous êtes d'accord, qu'en pensez-vous ? Je me sens assez profondément sali par cette histoire et je trouve qu'elle n'a absolument rien pour elle. Elle finit sordidement d'ailleurs (un an et demi après sa fin réelle) comme elle a commencé, par ces récits complaisamment ignobles de Bourdin et par ma lettre à elle, non moins ignoble.

Donc première accusation. A celle-ci s'en ajoute une autre qui me chiffonne : quel être parais-je donc à travers mes carnets pour avoir si puissamment choqué les sœurs Z. ? Oh ! certes, je ne me fais pas d'illusions sur leurs jugements. Mais tout de même. Quand elle a commencé, T. était nettement prévenue en ma faveur et pourtant sur-le-champ elle a été révulsée. Qu'en pensez-vous vous-même ? Ceci est d'ailleurs secondaire.

Et pour finir, mon charmant Castor, T. m'a écrit hier une lettre folle de fureur où notamment ce qui la fait râler c'est que Bourdin parle de mon « mysticisme » pour vous. J'ai écrit aujourd'hui : « Tu sais bien que je passerais sur le ventre de tout le monde (même de Castor malgré mon « mysticisme ») pour être bien avec toi. » Qui veut la fin veut les moyens mais je n'étais pas fier en écrivant ça. Aussi bien à cause de vous qu'à cause de T.

Conclusion : je n'ai jamais su mener proprement ni ma vie sexuelle ni ma vie sentimentale ; je me sens tout profondément et sincèrement un salaud. Et un salaud de petite envergure, par-dessus le marché, une espèce de sadique universitaire et de Don Juan fonctionnaire à faire vomir. Il faut changer ça. Il faut que je m'interdise 1° les petites histoires canailles : Lucile, Bourdin, etc. — 2° les grandes histoires par légèreté. Je garderai T. si ça se remet parce que j'y tiens. Mais si ça ne se remet pas c'est fini, mon activité de vieux marcheur recevra son point final. Dites-moi ce que vous pensez de tout ça.

Ça ne m'a pas empêché, mon doux petit, d'écrire quelques pages de mon roman ce matin et des masses de pages de mon carnet ce soir sur un sujet qui m'amuse : mon manque de sens de la propriété. Seulement j'écris sur moi avec des pincettes, si j'ose dire. Vous me reprochiez un peu de complaisance, à la lecture de mes précédents carnets. Eh bien je vous jure que je n'en ai pas.

Rien de plus, mon petit. En apparence il y avait moi dans une pièce de café écrivant et lisant et puis moi dans une salle de restaurant lisant et écrivant, mais ça se donnait dans ma tête. Il faut avouer que c'est inédit d'apprendre la pudeur à trente-quatre ans.

Mon petit, mon cher petit, il n'y a qu'avec vous que je sois propre et cela ne vient pas de moi, cela vient de vous, petit parangon. Je vous aime si fort, mon doux petit, je voudrais tant serrer votre petit bras et couvrir de baisers vos vieilles petites joues.

Ne me jugez surtout pas *accablé,* je suis plutôt calme. Mais sévère.

Je vais vous envoyer demain une liste de livres à m'acheter quand vous aurez du sou.

Le fond de tout ça c'est que je pensais que rien ne pouvait jamais me salir et que je m'aperçois que ce n'est pas vrai.

Pas de lettre de T. aujourd'hui : je m'y attendais. Mais pas de lettre de vous non plus et ça me laisse tout seul dans la merde.

À Simone de Beauvoir

25 février

Mon charmant Castor

Voici une liste de livres. Si vous êtes douce vous me les achèterez *dès que* vous aurez votre sou du mois. En partie du moins.

*

La Commune Lissagaray
La Commune. Je ne sais de qui dans *Anatomie des révolutions,* la même collection que le livre de Cassou sur *48.* Vous voyez ça ?
La Vie de Goethe — Ludwig
Guillaume II — Ludwig
Journal — Renard
Le volume du *Journal* des Goncourt qui a trait au siège de Paris et à la guerre de 70 (il en a paru une édition assez bon marché il y a deux ou trois ans)
Don Quichotte

La Vie de Baudelaire — par Porché.

Voyez si une autre vie du même n'a pas paru dans la collection Vie des Hommes illustres (Gallimard) auquel cas il faudrait aussi l'acheter.

Merci mon petit. Je vous aime tant.

* *(En marge)*. C'est les plus intéressants pour moi en ce moment.

À Simone de Beauvoir

25 février

Mon charmant Castor

Je suis tout aise : j'ai reçu deux petites lettres de vous. Ça va bien mieux. Ça va toujours mieux quand vous m'écrivez. Je me sens avec vous aujourd'hui et je pense que puisque vous êtes si douce avec moi, je ne dois pas être si noir que ça.

Figurez-vous qu'aujourd'hui j'ai reçu d'un admirateur épistolaire nommé Alain Borne une plaquette de vers intitulée *Cicatrices de songes*. Je les ai lus, me suis irrité de ne pas pouvoir comprendre la poésie et d'un même mouvement me suis mis à en écrire une « pour voir ». La voici, je vous la donne pour ce qu'elle vaut, je l'ai aussi consignée dans mon petit carnet, par mortification.

Fondus, les crissements de lumière sous les arbres morts.
En eau, les mille lumières d'eau qui cachaient leur nom
Fondu le sel pur de l'hiver, mes mains sèchent.
J'égoutte entre les maisons la douce étoupe grasse de l'air
Et le ciel est un jardin botanique qui sent la plante revenue.
Aux fenêtres des grandes halles désertes
Des fantômes poudrés voient couler dans les rues la lente colle [noire

Fondues les aiguilles de joie blanche dans mon cœur
Mon cœur sent le poisson.

Printemps vénéneux qui commence
Ne me fais pas de mal
Mon cœur était si dur à la peine
Et voici qu'il s'écœure de printemps

Printemps qui commence en mon cœur
Puisses-tu brûler comme une torche
Et que la pierre torride de l'été
Touche et sèche les herbes souples

Souffle embrasé j'ai glissé sur la pierre
Et les germes brûlaient, incendiés par le vent
Souffle glacé sur la neige
J'ai glissé dur et transparent
Et le monde était de marbre et j'étais le vent
Mais voici revenu l'exil du printemps.

Vous pourrez être aussi offensante que vous voudrez dans votre critique. Moi-même je ne me sens pas fier, je regarde avec surprise ce rejeton, tout étonné d'avoir osé parler de mon cœur et tutoyer le printemps mais c'est le genre qui veut ça. C'est précieux, d'ailleurs, parce que ça vous fait entrevoir du dedans qu'est-ce que c'est que l'état poétique.

À part ça un gendarme m'a proprement chassé du café ce matin et je suis monté au premier étage dans le lieu qui sera désormais mon unique refuge tant que je serai ici : le foyer du Soldat, organisé par l'Armée du Salut. C'est une grande salle qui servait autrefois à des séances de cinéma et le mur du fond est recouvert d'un écran. C'est organisé avec une coquetterie pieuse, il y a de longues tables, des nappes à carreaux sur les tables et des bouquets de fleurs, imaginez ! sur les tables. Cinquante soldats silencieux sont là-dedans, lisant, écrivant, jouant aux cartes. Ça sent le club anglais, l'hospice des vieillards et la bibliothèque municipale. Une alerte petite vieille, qui a l'air dur et mauvais, circule au milieu de ça, se dépense et surveille. Ne me plaignez pas, je suis certainement beaucoup mieux là qu'à l'A.D. et aussi bien, au fond, qu'au café. La vieille trottine et ne se fait pas voir, les soldats ne font pas grand bruit, ils ont ce je ne sais quoi d'éteint des mâles qui fréquentent l'église. Il y a une T.S.F. qui joue discrètement quelques airs, ce matin j'étais presque joyeux d'être là. Mardi on me pique pour la première fois contre la typhoïde. Il y en a que ça sonne un peu et d'autres non. Si vous n'avez pas de lettre ce jour-là, c'est que ça m'aura sonné. Je suis assez content d'en être enfin débarrassé. Je retiendrai une chambre ici comme Pieter et je m'y coucherai si je m'y sens fatigué.

Mon amour, vous êtes inquiète pour ma permission : comment *cacher* cinq jours. Mais je vous le dis : vous verrez par exemple Z. trois soirées sur cinq et moi je verrai mes parents pendant ce temps. Finalement on aura d'abord toute la journée jusqu'à sept heures et demie du soir pour se voir (vous mangerez au lycée) et ensuite quand vers onze heures et demie vous aurez quitté Z. (n'allez pas vivre encore dans son hôtel, justement pour pouvoir découcher tranquille) nous aurons encore toute la nuit à nous. On se verra plus et plus agréablement comme ça qu'en février et on pourra faire de longues promenades. En plus de ça nous aurons tout de même deux soirées à nous ce qui variera et nous permettra d'avoir un peu de vie de nuit. Mais je ne trouve pas cette vie tellement agréable à Paris, d'ailleurs. Est-ce praticable ? Il me semble que oui très bien avec un peu de culot. D'ailleurs peut-être serai-je *tout à fait* libre à ce moment-là ; ça a l'air d'aller très mal avec T. : elle m'a écrit une lettre folle de fureur où elle me traînait plus bas que terre et, depuis, deux jours se sont passés et elle ne m'écrit plus. Elle doit m'en vouloir profondément. Pour moi j'ai écrit des pages et des pages de justification, j'ai même envoyé une lettre de Bourdin témoignant nettement que je n'ai plus de rapports avec elle mais je ne sais comment cela sera pris. Je sais bien que T. ne *peut* pas prendre sur elle de rompre. Mais elle peut faire une sale connerie avec son créole ou le type de V. Brochard ou tout autre et ça, je ne le tolérerai pas.

Voilà tout ce qui en est de moi, mon doux petit. Je suis uni au possible avec vous et vos lettres m'ont tout ragaillardi. Je vous aime de toutes mes forces. Soignez-vous bien, petit qui brûle la chandelle par les deux bouts, reposez-vous bien et travaillez sagement.

Je vous embrasse sur vos petits yeux, mon charmant Castor.

À Simone de Beauvoir

26 février

Mon charmant Castor

En voilà encore un qui vous vole votre sujet ? Cocteau, dans *Les Monstres sacrés*. Il y a un trio au second acte. Mais ça a l'air moche. Je suppose que vous irez tout de même. Vous n'êtes pas atteinte. Il y a l'air d'avoir un premier acte assez plaisant.

Par ailleurs vous admirerez cette enveloppe, tapée de mes propres mains. C'était hier soir, il y avait des fâcheux à l'A.D. qui m'empêchaient de me coucher et de faire rien de bon, alors j'ai pris la machine et j'ai tapé six enveloppes pour vous, six pour T., deux pour mes parents. Je n'ai de lettres de personne aujourd'hui. Pas de courrier de Paris, si bien que mes affaires avec T. sont stationnaires. À T. malgré les enveloppes dactylographiées, je n'écrirai plus avant d'avoir sa réponse à mes explications. Je crois que c'est de bonne politique : j'ai envoyé le premier jour et le second des lettres où je me défendais âprement et violemment en donnant des preuves (car ses 2 gros griefs sont faux : je n'ai jamais parlé d'elle à Bourdin, je n'ai pas dit en tout cas qu'elle était amoureuse de moi et que je couchais avec elle — je n'ai pas poursuivi les relations avec Bourdin depuis le 15 octobre dernier) — puis troisième lettre apaisée où je me place à *son* point de vue : je comprends que tu te sentes salie, j'ai horreur que tu sois salie, etc. — une quatrième tendre au début mais un peu menaçante vers la fin : je ne comprends pas que tu aies accepté ces histoires sans la moindre réaction en ma faveur, sans te rappeler ce que, hier encore, j'étais pour toi. Et à présent, supposant que cette nuée de lettres aura emporté le morceau, je me tais jusqu'à ce qu'elle ait répondu. Je pense finalement que ça n'est pas si grave, simplement ça efface d'un trait de plume tous les bénéfices acquis au cours de ces trois jours et ça nous remet six mois en arrière. Ça s'arrangera définitivement à ma prochaine permission. Qu'en pensez-vous ? Mais je crois que le seul moyen de lui ôter ces idées complètement de la tête c'est de la rendre inquiète et confuse de les avoir eues. C'est pourquoi je vais faire le morose quelque temps. Entre-temps elle fera peut-être une sottise mais au fond c'est ce qui pourrait arriver de mieux. Si elle est bien dégoûtée d'elle-même après une de ses saouleries et demi-coucheries dont elle a le secret, elle ne songera plus à être dégoûtée de moi.

Vous voyez que je suis à tout point de vue beaucoup plus calme quoique sans nouvelles de tout ce petit monde. Je regrette surtout aujourd'hui d'être sans contact avec vous autre, je me suis fait tout bête quand je suis ressorti de l'A.D. sans lettres et les mains vides (j'ai bien reçu vos 200 francs mon petit, merci, j'ai peur que ça ne vous ait gênée ?). Je travaille toujours au Foyer de l'Armée du Salut, mais ça devient aussi infernal que le café rouge, le dimanche, parce qu'ils ont mis un haut-parleur au-dessus de l'écran et la T.S.F. qui était discrète jusqu'ici rugit du matin au soir. Heureusement que dix ans de vie de café m'ont entraîné et mithridatisé. Je me rappelle comme au premier jour, l'agacement que provoquait chez moi, quand j'écrivais *La Nausée,* une T.S.F. au café Thiers au Havre, pourtant fort discrète et intermittente et les réflexions de Vieux Monsieur que je faisais sur le progrès des arts mécaniques. C'était le temps heureux, par ailleurs mon petit. Vous étiez à Rouen, moi au Havre, je n'avais pas encore été à Berlin, cette année-là reste la plus douce de ma vie. Ça reviendra, mon doux petit, nous aurons notre idylle à la Paix, nous autres, vieux « monstres sacrés ». (Excusez-moi, dans ma naïveté, je n'avais pas compris que, si la T.S.F. hurle ainsi, c'est qu'on projette un film sur l'écran. Un film à la gloire de la Finlande. Je crois que beaucoup ne s'en étaient pas aperçus plus que moi. C'est que la lumière du jour et la lumière électrique coulent à flots dans la salle et on voit quelques ombres grises sur fond blanc. Le fond blanc c'est la neige, comme de bien entendu. Je comprends à présent pourquoi la musique était décousue et ponctuée d'horribles détonations que je prenais pour des décharges atmosphériques : c'étaient des coups de canon. Je comprends aussi pourquoi un monsieur parlait de temps en temps, j'avais cru qu'il commentait un match de football.)

Demain je suis piqué, mais ça ne doit pas être grand-chose. Je vous ai prévenue hier à tout hasard qu'il se pourrait que je n'écrive pas mais je tâcherai tout de même de faire un mot. J'ai loué une chambre à l'hôtel pour être tranquille et avoir un lit si la fièvre me prend car autrement je ne saurais où me mettre. Ça m'amuse plutôt car je pense qu'un peu de fièvre donnerait matière au carnet.

A part ça mon petit ? Eh bien rien plus. (Le film se termine mais un autre commence c'est un peu terrible. Au point que je me demande si, quand j'aurai fini de vous écrire, je ne me mettrais pas à *regarder,* c'est peut-être la meilleure façon d'endurer la chose.) Donc rien : j'ai lu hier soir *Barbara* de Michel Durand par curiosité, pour savoir enfin ce que pouvait faire Durand qui critique tant les autres. Eh bien c'est tout bonnement abject, la basse pièce des boulevards sans vraisemblance ni intérêt, un peu copiée aussi sur les films légers américains genre *New York-Miami* et *L'Extravagant M. Deeds* (il lui a volé le « gag » du tuba) et puis sur les vieilles rengaines françaises *M*[lle] *Josette ma femme.* Puis je me suis endormi, roulé dans mes couvertures. Ce matin le chauffeur Klein m'a réveillé et j'ai été prendre mon petit déjeuner au café, puis Foyer. Puis déjeuner au restaurant — Foyer de nouveau et j'y suis. J'ai lu hier la *Vie d'Alexandre Dumas père,* puisée dans la bibliothèque de notre logeur et ça m'a donné envie d'y puiser *Les Trois Mousquetaires* que j'ai lu avec charme et estime tout à l'heure. J'ai aussi *La Chartreuse de Parme.* Et puis j'ai encore *Marat* et la fin de *Bismarck.* Le roman avance un peu, à petits pas. C'est facile mais pas très amusant. Ça ne sera pas saisissant non plus et ça ne doit pas l'être. C'est un chapitre nécessaire voilà tout. Dans une quinzaine de jours il sera fini. À propos dites à Poupette qu'elle m'envoie avec un exemplaire dactylographié le *manuscrit* quand elle aura fini de taper, parce que les corrections sont plus faciles sur l'écriture que sur l'imprimé, au point où j'en suis. L'écriture a l'air perfectible tandis que l'imprimé se cantonne dans une médiocre et revêche imperfectibilité. Au fond c'est le carnet qui n'avance plus. Il y aurait pourtant bien des choses à dire mais je n'ai guère en ce moment qu'une vie sentimentale et je me suis interdit d'y faire allusion.

Voilà, mon doux petit. C'est tout, sauf que je vous aime si fort et que je me sens tout à fait en communion avec vous autre. J'ai hâte de vous revoir.

Je vous aime.

Déjà *dix jours* que je vous ai quittée.

À Simone de Beauvoir

27 février

Mon charmant Castor

Il est une heure et quart, j'ai été piqué à 10 heures et vous voyez que je ne m'en porte pas plus mal. Tout de même je me hâte de vous écrire de peur de devenir vaseux au cours de la journée. Mais j'ai voulu attendre d'avoir vos lettres pour y répondre. Mais voilà l'embêtant, je n'ai pas celle du samedi.

T. n'écrit toujours pas, moi non plus. Sur cette histoire j'aimerais bien en savoir davantage et connaître votre avis. Mais sans doute n'en savez-vous pas plus que moi. C'est lundi qu'elle a dû recevoir mes explications et si elle répond la lettre arrivera demain ou jeudi. Mais vous, vous pourriez me dire quelle est l'*importance* de cette histoire. Sans doute aussi dans votre lettre perdue vous me parliez des rapports Bost et Zazoulich tels que vous avez pu les comprendre à travers Z. Mais je ne sais absolument plus rien sur tout votre petit monde, c'est un peu agaçant parce que c'est en pleine activité là-bas : il se « passe des choses », dans les têtes et les conversations et je ne reçois aucun renseignement.

Vous me demandez, mon doux petit, si je ne suis plus triste. Non. Pas vraiment. Après deux jours d'énervement, vendredi et samedi, je me suis nettement calmé, le dimanche et le lundi ; le présent, avec le Foyer, le goût de la pipe, les lectures, etc., a reformé autour de moi une croûte épaisse ; j'ai écrit dans mon carnet que je goûtais une « morne douceur de vivre ». Seulement le temps est long parce qu'il se centre tout entier autour de l'heure du courrier et justement le courrier est décevant : rien de vous hier, aujourd'hui une lettre « d'après », vous savez, il me semble, celles qu'on écrit après une longue longue lettre où on a épuisé les sujets et où on s'est épuisé soi-même, c'est ce qui me fait râler qu'on ait égaré l'autre qui devait faire volumineux. Pas de lettre de T. Alors sitôt après le courrier, il faut se remettre à attendre. Très patiemment mais c'est une attente quand même qui donne une sorte de glissement très lent au présent. Parlez-moi bien sur tout.

Paul est rentré ce matin, si guilleret, contrairement à mes

prévisions, que je le croyais saoul. Je l'ai emmené boire un café, puis vers neuf heures et demie, je suis descendu à l'hôpital où une vingtaine de types attendaient, les derniers à être piqués. Ç'a été plus long que je ne pensais parce que justement c'était la dernière fournée où on avait collé tout le reliquat ; on attendait dans un corridor sombre, éclairé en bleu par des vitres barbouillées ; j'ai parlé politique avec un photographe-chauffeur, celui qui urinait sur des chiffons pour nettoyer les glaces de sa voiture. Et puis vers dix heures et demie on m'a poussé dans une petite pièce où le major piquait. Ç'a été si vite fait que je ne m'en suis même pas aperçu, j'ai senti une petite piqûre et je me suis dit : il cherche le bon emplacement avec la pointe de son aiguille. Et puis pas du tout, c'était fait. C'est l'avantage d'être gras : les maigres ont souffert. Sur quoi, enveloppé pour une fois dans ma capote, je suis revenu au Foyer. J'ai pu fort bien travailler au roman jusqu'à midi et demi, heure à laquelle j'ai été chercher le courrier (vous savez qu'on fait diète le premier jour) et puis, après ça, je suis revenu vous écrire. Il est deux heures et je ne sens rien, si ce n'est un petit ganglion sous l'aisselle et une légère douleur dans le dos. On m'a piqué à l'omoplate gauche et j'ai la main gauche froide — au contraire la droite est chaude mais ça n'est pas déplaisant, au contraire, ça fait Hot fudge. Et voilà, mon doux petit. Vous ai-je dit que je relis *La Chartreuse de Parme* avec une admiration débordante ? C'est du fameux. Il faut être prévenu comme le petit Bost pour comparer le Sumatra à du Stendhal. Il y a une richesse d'inventions et de détails dans ce roman qui m'ahurit littéralement.

Mon doux petit, vous avez raison de dire que jamais notre amour n'a été si nécessaire et si fort. Je le sens tous les jours. Vous êtes un petit sage et une merveille de petite créature. Oui, mon cher amour nous aurons une bien belle permission. Et, vous savez, on parle *d'un mois* à présent, ça me mènerait chez vous aux environs du 1er avril.

Je vous aime si fort, si fort, mon charmant, mon doux petit Castor.

À Simone de Beauvoir

28 février

Mon charmant Castor

J'ai reçu en même temps votre lettre de samedi qui s'était égarée (mettez toujours *Secteur Postal* en toutes lettres, c'est pour ça qu'elle s'est perdue, vous faites un S qui ne ressemble à rien) et votre lettre de lundi. Mon Dieu, mon petit que vous m'avez intéressé et enseigné. Je vais vous répondre tout au long et sur tout, parce que je voudrais, moi aussi, causer tout du long avec vous. Sachez tout d'abord que j'ai reçu une lettre confuse et passionnée de Tania qui ne cherchera même pas à garder une supériorité obstinée, comme vous dites. Elle s'excuse comme d'un délire et du coup les carnets sont acceptés avec enthousiasme : « Dans ce trimestre irritant qui a filé entre mes doigts sans rien me donner, sans m'enrichir, tes carnets c'est le seul truc plein qui m'a plus donné et enrichi en quelques jours que tout le reste en trois mois. » Voilà une affaire réglée, je suis bien content. À propos, si Z. vous en reparle, dites sans insister que je vous ai donné toute explication utile et que vous êtes convaincue de mon innocence (*si elle a l'air de croire que vous êtes au courant* — mais je n'ai pas dit un mot qui le laisse supposer).

Mais que vous dire sur toute votre lettre ? Elle m'a remué. Je suis en train de changer. Je ne veux plus que du *pur* et vous comprenez ce que j'entends par là : mes sentiments pour T. n'ont rien de bien élevé mais ils *existent,* je râle quand elle m'engueule, je m'inquiète pour elle, je suis remué quand elle est tendre, etc. Et certes, il est profondément regrettable que j'aie mis les choses sur un tel pied que pour exprimer un moment de forte tendresse je sois obligé de dire « je vous aime passionnément ». Et il est regrettable que je doive lui mentir sur vous, etc. Mais toute pleine de petites saloperies et de petits mensonges qu'elle soit cette histoire est correcte parce que je tiens à T. La guerre m'a fait toucher du doigt la hiérarchie. Ne vous en plaignez pas, c'est ça qui m'a non pas montré l'infinie distance qui séparait mon affection pour vous de toutes les autres — ça je le savais déjà — mais appris qu'il n'était pas permis d'avoir une négligence ou un laisser-aller vis-à-vis de vous, puisque cet amour était si fort et que noblesse oblige. Mais ensuite elle m'a découvert que, si peu que ce soit, j'avais des sentiments pleins pour T. et il est si rare que j'aie des sentiments pleins qu'ils me sont devenus précieux. Et puis aussi ça m'a décidé à arrêter ma vie de petites conquêtes. Si je me donnais rendez-vous après la guerre ça n'était pas pour courir la gueuse mais pour faire de tout autres choses. Seulement alors il fallait, justement, parce que ma vie sentimentale était *finie,* je veux dire avec des contours nets, n'y garder vraiment que ce que je pouvais assumer *pour moi.* Eh bien — vous n'étant pas en question — c'était T. Je veux rompre avec tout ce genre de générosité louche qui me fait passer des heures et des heures avec des gens à qui je ne tiens pas plus qu'à une rognure d'ongle, sous prétexte que « ce serait trop vache de leur faire de la peine ». Pour ça je me sens assez dur, désormais. Je veux *tenir* à des choses, j'en ai assez d'être un poisson à sang froid ou un sépulcre. Donc je ne veux pas m'éparpiller et gâcher mes possibilités d'aimer les gens et les choses en racontant des boniments aux gens à qui je ne tiens pas. Je suis tout à fait de votre avis : on ne doit faire que ce qu'on peut assumer. Et je ne l'ai pas fait jusqu'ici. Je sais : il y a de l'ignoble dans mes rapports avec T. Il est ignoble que je sois obligé de lui dire que je ne vous aime plus, ignoble que je croie devoir écrire : « Je passerai sur le ventre de tout le monde (y compris du Castor, malgré mon mysticisme). » Mais je voudrais vous expliquer — ça va nous amener à Bourdin — il y a dans ces saloperies quelque chose de tout neuf pour moi. Je ne les fais pas du bout des lèvres comme je faisais « le bien » autrefois : je suis dedans. Je trouve ça répugnant mais je les veux, c'est du plein. Je pense : qui veut la fin veut les moyens. Et justement je veux la fin.

La lettre à Bourdin était abjecte. Pleinement d'accord. Mais vous ne savez pas quelle espèce de joie grinçante j'ai trouvée à être assez hors de moi pour commettre une saloperie. Finalement c'est la première fois de ma vie que j'en fais une de cette espèce. J'ai souvent été salaud par légèreté, frivolité, mais jamais je n'ai fait à proprement parler la saloperie caractérisée que représente l'envoi de cette lettre. Mais j'ai toujours été trop à froid jusqu'ici pour en faire. Je crois que je vous ai dit quelle impression de plénitude m'avait donnée ce moment de colère, dans un café de Rouen, où j'ai vu assez rouge pour accepter de me colleter avec un consommateur malgré le public. C'est à peu près ça qui m'a pris l'autre jour.

Voyez-vous ce qui m'écœure c'est ce monde de demi-mesures et de demi-mensonges où nous avons (vous aussi mon petit — et peut-être par ma faute) laissé s'enliser notre vie. Et là, tout d'un coup, il y avait quelque chose à quoi je tenais par-dessus tout. Ça n'était pas T. comprenez-moi, je n'ai pas une passion pour T., vous savez exactement mes sentiments. Mais c'était : ne pas gâcher ces trois jours qui m'avaient fait tout de même assez fort (ce qui les gâchait c'étaient mes mensonges), ne pas les laisser s'abîmer dans ses souvenirs, retrouver le ton de tendresse que j'ai mis trois ans à lui faire avoir, ne pas déchoir à ses yeux. Comprenez-vous que, pendant quelques heures, on puisse tenir à ça plus qu'à tout au monde, sans pourtant avoir une passion pour la bonne femme? C'était un drôle d'état que celui de ce vendredi. Je n'ai pas pensé tout ça sur-le-champ mais tout à l'heure, en me promenant avec Paul. Ce que je sentais ce vendredi c'est que s'il était possible de faire des saloperies fructueuses pour reprendre T. j'allais les faire. En plus de ça naturellement j'étais fou de colère contre Bourdin — qui, vous l'avouerez, est assez malpropre d'aller détailler nos couchages aux oreilles d'un petit garçon de 18 ans pour l'exciter. Et puis elle sait fort bien que Mouloudji est l'ami intime de T. alors je ne suis pas sûr qu'il n'y ait pas eu de calcul dans sa tête — et, s'il n'y en a pas eu, il y a eu une impardonnable légèreté. Je ne vous dis pas ça comme une excuse, je sais fort bien que vous avez raison et qu'elle méritait d'être engueulée *pour le présent* mais que ça ne me donnait pas le droit de revenir au passé. Je vous explique seulement comment elle m'a fait sale et louche, cette bonne femme qui vient dénuder ses histoires devant n'importe qui, ça fait incontinence d'urine. Par ailleurs, oui, je l'ai estimée, mais il y a un an que c'est fini. Elle m'avait un peu débecqueté en juin — je l'avais vue une fois, vous rappelez-vous ; ce que vous m'en avez dit, terrible petit destructeur, après l'avoir vue au Dôme avait continué le travail de sape et enfin ses dernières lettres de folle. Il y a longtemps que je pense que je me suis trompé sur elle et qu'elle était moche; je ne me l'avouais pas entièrement et ç'a été un soulagement dans ma fureur de vendredi, de pouvoir me dire avec illumination : c'est la dernière des dernières. Soulagement contre moi non contre elle. Tout ça, ce ne sont toujours pas des justifications mais des descriptions. Là-dessus l'idée de cette lettre m'est venue et j'ai su du premier instant que c'était salaud et j'ai voulu cette saloperie, au point même de recopier deux fois la lettre pour la rendre plus achevée. Notez que le but premier n'était nullement qu'elle atteigne Bourdin, mais que T. la lisant se convainque de la véracité de mes dires. Par ailleurs — car on n'est pas simple — tout en étant convaincu de m'enferrer jusqu'au cou dans l'ordure et de sacrifier le chagrin de Bourdin à T. j'étais *convaincu* que T. ne lui enverrait pas la lettre, parce qu'elle est trop paresseuse et parce qu'elle aurait peur que Bourdin ne devine d'où venait le coup, ce qui lui donnerait barre sur T. et aussi parce que les Z. se contentent de satisfactions symboliques. Et même je désirais vivement qu'elle ne l'envoie pas — non par moralité ou pour épargner une peine à B. — mais parce que l'autre aurait tout de même pu rectifier certains détails de la lettre à Mouloudji avec preuves à l'appui. C'est même encore un peu plus compliqué que ça : je ne me rappelais plus l'adresse de B. j'ai donc envoyé une enveloppe avec simplement « Martine Bourdin » dessus et j'ai dit à T. ou de la faire porter par Mouloudji ou de m'envoyer l'adresse et que je lui renverrais alors une enveloppe complètement libellée. Eh bien quand je pensais qu'elle en chargerait peut-être Mouloudji, je craignais qu'il ne la remît point, parce qu'il pourrait feindre de l'avoir remise et rapporter un récit mensonger de l'accueil que B. lui avait fait. Et quand j'imaginais que T. me donnerait l'adresse et que finalement la lettre partirait par la poste, je souhaitais que T. ne l'envoyât pas au contraire, parce que ça éviterait toute réaction dangereuse de Bourdin. Et puis le lendemain j'ai pensé avec désagrément à l'écroulement de Bourdin mais pas bien fort, parce que je réalise mal les choses quand je suis loin. Mais ce qui est important, c'est cet emportement que j'ai mis à faire ce que je jugeais une saloperie, comme si j'étais trop heureux de faire une faute, d'être assez hors de moi pour fauter. Et puis quelque chose qui m'est resté je crois de mon histoire avec Olga : une espèce de durcissement intérieur qui fait que je ne *veux pas* recommencer le coup et perdre par moralité ce que je tiens. Ce n'est pas que je ne m'approuve entièrement dans l'histoire Z. où j'ai été propre — et si c'était à refaire je recommencerais — mais c'est parce que *vous* vous étiez en question. Autrement dit j'ai compris que j'étais décidé 1° à sacrifier T. au premier signe de vous — 2° à sacrifier tout le reste à T. C'est une espèce d'expérience morale en un sens, j'ai déjà un peu senti ça à Paris, pendant ma permission. Je voudrais bien que vous me disiez ce que vous pensez là-dessus mon petit.

Conclusion : mes rapports avec T. ont repris leur aspect normal, je suis totalement désolidarisé (naturellement) de celui que j'étais vendredi. Il me semble que cette crise se termine au mieux pour moi. Jamais plus je n'aurai d'histoires libertines et canailles (ou du moins pas de longtemps). On va essayer de tirer les conséquences de tout ça, ensemble, lors de ma prochaine permission.

Mon très cher petit, voilà une bien longue lettre et je n'ai pas trouvé le temps de vous dire comme je vous aime. Vous savez j'ai peur en vous l'écrivant qu'elle ne vous effare, que vous me trouviez sournois, vil et bas. Mon petit je tiens à votre jugement plus qu'à tout au monde ; étrillez-moi bien si je le mérite, je vous prie. Je vous aime, mon tout cher petit Castor.

Comptez sur moi entre le 1er et le 15 avril.

À Simone de Beauvoir

29 février

Mon charmant Castor

Pas de lettre de vous ni de T. aujourd'hui, ce doit être un retard de la poste. J'aurais bien besoin de parler avec vous et, comme par un fait exprès, jamais vos lettres ne se sont faites si rares. Pas par votre faute, mon doux petit, mais par celle de la poste (mettez bien : Secteur Postal 108). Savez-vous qu'il me vient une crainte très déplaisante et que je repousse en feignant de la trouver absurde mais elle ne l'est pas tant et ça me secoue. J'ai peur que, dans l'état (justifié) de sévérité envers moi où vous vous trouvez, il ne vous ait été très déplaisant de lire, dans ma dernière lettre, que j'avais écrit à T. : « Je passerais sur le ventre du monde entier..., etc. » non pas tant à cause de vous autre qu'à cause de l'espèce de mensonge universel que ça respire. Mon amour ce serait le coup le plus dur si je vous déplaisais assez fortement pour que vous ne puissiez pas m'écrire de tout un jour. Vous savez en ce moment je suis dans un drôle d'état, je n'ai jamais été si mal à l'aise dans ma peau depuis que j'ai été fou. Entendez-moi : je ne suis pas fou du tout mais il y a une certaine façon d'être débordé, pris par-derrière, enculé en quelque sorte par les idées, une sorte de déséquilibre affectif et moral que je n'avais pas connu depuis ma folie. Je ne veux pas vous attendrir et je sais qu'on est sans excuse. Mais imaginez ce drôle de retour de permission, quand on est encore tout chaviré par les souvenirs civils, cette lettre de T. venant interrompre une espèce de rêverie tendre pour elle.

Depuis hier, je ne sais pas ce que je veux ou plutôt ce que je sens. Si T. m'avait écrit plaisamment comme elle avait commencé et sans cette histoire de Bourdin, j'aurais continué à avoir cette affection tendre et pleine que j'avais pour elle à Paris et qui avait une *valeur.* Mais après la lettre furieuse qu'elle m'a adressée suivie de cinq jours de silence, je n'ai eu qu'une idée, après la passion du premier jour : me durcir et c'est devenu de l'énervement et du passionnel. Je lisais, j'écrivais, je ne voulais pas y penser. Alors je me suis trouvé en *dehors* de cette histoire, de nouveau et, lorsque j'ai reçu sa lettre, au lieu de sentir la joie que j'escomptais, j'ai surtout été *rassuré.* Toujours cette même réaction de mufle que j'espérais bien ne pas avoir et qui ne m'a pas été épargnée. D'autant que votre lettre venant en même temps et disant : « Elle n'a songé qu'à la figure qu'elle ferait aux yeux de Mouloudji » en réduisant les humeurs de T. à leur juste proportion me rendait encore plus mufle et cynique vis-à-vis de la réconciliation. Au même moment votre lettre sévère me sonnait un peu. Tout cela faisait une drôle d'atmosphère. Ça a duré la journée d'hier et la matinée, mais tout de même je n'avais pas cet énervement des jours précédents. Ce matin j'étais drôlement « sensibilisé ». Je lisais le récit des amours de Fabrice et de Clélia (pour la vingtième fois) avec de réelles larmes aux yeux et en même temps je m'agaçais de faire le sensible dans l'imaginaire. Là-dessus le courrier, pas de lettre de vous ni de T. mon énervement m'a repris ; je suis très énervé au moment où je vous écris, surtout à cause de vous, parce que je n'imagine pas trop que T. soit retombée dans la fureur. Surtout que vos lettres me paraissent trop courtes en ce moment (encore qu'elles soient bien longues, mon amour). Je voudrais vous questionner et discuter sur tout à fond, avec vous. Enfin cela va bientôt venir. Mon doux petit, comme j'ai besoin de vous, comme votre présence a de charme pour moi et votre jugement de poids. Je vous aime. J'ai peur que je ne vous fasse un peu louche avec tous ces mensonges où je m'englue, j'ai peur que ma vraie image et ce que je suis avec vous ne soient un peu salis — juste comme l'histoire Bourdin m'a sali aux yeux de T. mais avec plus de raison. J'ai peur que vous ne vous demandiez tout d'un coup, au milieu de tant de politiques, de mensonges entiers et surtout de demi-vérités : est-ce qu'il ne me ment pas à moi, est-ce qu'il ne dit pas la demi-vérité ? Vous vous demandez ça, de temps en temps. Mon petit, mon charmant Castor, je vous jure que je suis tout pur avec vous. Si je ne l'étais pas, il n'y aurait plus rien au monde vis-à-vis de quoi je ne sois pas menteur, je m'y perdrais moi-même. Mon amour vous êtes non seulement ma vie mais aussi la seule honnêteté de ma vie. C'est parce que vous êtes ce que vous êtes. Je vous aime.

Je me suis mis à penser et à écrire sur mes rapports avec les gens mais là encore il faut mentir parce que T. voudra voir les carnets. Je m'efforce d'arranger le moins possible mais ça finit par me peser.

Ma lettre d'hier était stupide mais, outre tout ce que je vous ai dit plus haut, j'avais eu un peu de fièvre la nuit, ça m'avait à peine réveillé mais abruti pour toute la journée, j'étais au-dessous de moi-même. Vous m'aviez dit tant de choses intéressantes dans votre lettre auxquelles je voulais répondre et puis je ne sais comment j'ai répondu à côté et ma lettre a pris tournure de plaidoyer. Ce qui m'a surtout frappé c'est ce que vous dites que je m'accorde une prépondérance sur les gens et que je trouve que ce qui est mensonge pour moi est bien une assez bonne vérité pour eux. C'est *absolument vrai*. Mais que je voudrais donc vous en parler.

Mon amour ne vous impressionnez pas trop de cette lettre. Demain j'aurai vos lettres et je serai tout bien. Je vous aime de toutes mes forces, je voudrais que vous soyez là.

À Simone de Beauvoir

1er mars

Mon amour, mon charmant Castor

J'ai votre lettre de mardi et je suis rudement soulagé. Mais il ne faut pas trop craindre que vos lettres sentent un peu bien fort le blâme, vous devez me mettre le nez dans ce que j'ai fait. Ou bien n'êtes-vous plus ma petite conscience morale ? J'ai passé d'étranges journées, je vous jure et je garderai un drôle de souvenir fort de cette ville où il ne se passe rien du matin au soir, où je suis sans en bouger une seconde dans le Foyer de l'Armée du Salut et où, sans quitter ma chaise, j'ai eu la passion, le passionnel, les remords et j'ai fait voluptueusement la première grosse saloperie de mon existence (je veux parler de la lettre à Bourdin). Dans l'ensemble, j'imagine que ça me fera plutôt poétique ; et puis je suis à moitié ici parce que déjà le 1er avril me tire à lui et entre le 1er et le 15 je serai avec vous, mon doux petit. J'ai l'impression que toute cette période ne sera réglée, entérinée, enterrée que lorsque nous aurons pu en parler tous deux. Il faut comme ça que vous ayez un petit sceau et que vous l'apposiez sur tout ce que je vis. Vous êtes bien aussi mon petit absolu, allez. Pas métaphysique, parce que je fais de la métaphysique tout seul comme un grand, mais moral. Pour conclure, je crois que ce que vous pensez c'est 1° que j'ai fait vis-à-vis de Bourdin une saloperie gratuite (la lettre ne sera pas envoyée, j'imagine : T. ne m'en parle plus) — 2° qu'il faut désormais faire en sorte que jamais plus ces histoires ne se reproduisent dans notre vie. Est-ce ça ? Je souscris à tout. Je vous promets qu'il n'y aura plus aucune histoire d'ici longtemps (longtemps après la fin de la guerre, bien entendu, parce qu'autrement ça serait trop facile). D'ailleurs je suis réellement dégoûté. Et puis ça me prendrait beaucoup trop de temps. Et puis je crois que j'ai changé : je ne veux plus « séduire ». Tout était toujours une histoire de séduction, j'y vois clair en ce moment où j'écris là-dessus et, une fois la bonne femme séduite, j'étais tout étonné de l'avoir sur les bras. Je ne l'avais pas *prévu.* A présent c'est fini parce que j'aime avoir des rapports pleins et ils viennent au contraire une fois les cérémonies de la séduction achevées. De plus en plus, non pas seulement vous, mais mes *rapports* avec vous me sont précieux. Et pour la séduction « conjugale » en quelque sorte, je veux dire au sein de rapports officiellement établis, T. me suffit amplement.

A propos j'ai aussi reçu sa lettre. Une lettre un peu bien mensongère vu qu'elle est datée du mardi et évidemment (à des indices dont je vous fais grâce) écrite le mercredi. Sans doute a-t-elle voulu dissimuler une soirée avec le Créole ou n'importe quoi (mais je ne suis pas inquiet, tout ça est innocent). L'essentiel c'est qu'elle est bourrelée de remords à mon endroit « recueillie et inquiète » comme elle dit et que tout va au mieux. Ce qui arrangerait les choses c'est que, comme elle m'a longuement expliqué, elle avait conscience de faire un délire en même temps qu'elle le faisait et elle y prenait un plaisir sadique et n'avait pas la conscience trop tranquille. Tout est bien.

Ce jeu des vérités me semble extrêmement amusant. Si je comprends bien il faut, pour y bien jouer, faire preuve moins de sincérité que de présence d'esprit.

A demain, mon doux petit, je vous embrasse tout tendrement sur vos vieilles petites joues, je vous aime de toutes mes forces.

À Simone de Beauvoir

2 mars

Mon charmant Castor

Comment ça se fait-il donc que vous n'ayez pas reçu ma lettre du mardi ? Pour moi vous en aurez reçu deux le lendemain car j'avais écrit très scrupuleusement. Et j'allais fort bien. Il y a de singuliers retards et de singulières avances dans le courrier ces temps-ci, on dirait un accordéon.

Mon doux petit que vous êtes douce de me conseiller de prendre une petite chambre-querencia. Mais considérez : 1° Que ça fait 250 francs en supplément par mois au bas mot. 2° Que je me trouve très à l'aise au Foyer, où j'aime travailler parce qu'il y a du bruit. 3° Que les chambres *ne sont pas chauffées* ce qui, jusqu'au 1er avril, au moins est un empêchement décisif.

En vertu de quoi je reste ici. Sachez qu'il se précise que nous irons à l'arrière dans quelque temps et peut-être pour tout l'été. Nous serions une division d'hiver. J'ai vu quelqu'un d'assez bien informé qui m'a appris cela hier soir. C'était un Alsacien et j'ai mené avec lui une conversation assez singulière (sur un tout autre sujet) mais qui ne peut être rapportée ici. Je ne l'ai d'ailleurs pas encore mise dans mon carnet parce que j'étais absorbé dans la rédaction de ce qui concerne mes rapports avec autrui. J'en ai écrit, depuis avant-hier *cent* pages imaginez et sans épuiser le sujet. C'est d'ailleurs dommage mais il faudrait parler d'Olga, de Bost, de vous, de Tania et alors je devrais indignement truquer. J'ai donc arrêté *avant* l'histoire d'Olga avec quelques phrases sibyllines à l'usage de T. annonçant une transformation totale survenue peu après. C'était très amusant. J'ai bien vu les sources de mon impérialisme et de tout ça, seulement à présent je suis un peu écœuré comme chaque fois qu'on a trop longtemps parlé de soi. Que fais-je d'autre d'ailleurs dans toutes ces lettres de justification que je vous envoie ? Mais à présent, je ne vais plus penser à moi de quelque temps, toutes ces histoires sont enterrées, on les ressortira quand nous nous verrons.

Pour moi, mon cher petit, j'ai travaillé tout le matin et lu, devinez quoi ? *L'Expédition du Mexique* (Second Empire) d'Émile Ollivier. C'est extrêmement amusant, ça va très bien avec Bismarck et la guerre de 70, je commence à sentir un peu la drôle d'atmosphère de l'époque. Et puis j'ai déjeuné, eu votre lettre et une lettre de Hermann qui me dit que mon factum sur les Émotions est paru. Sachez que l'article sur Giraudoux paraît dans la *N.R.F.* de mars. C'est annoncé dans les *Nouvelles littéraires.* Si *L'Imaginaire* paraît aussi ça fait un bon mois littéraire. Vous allez recevoir des exemplaires des *Émotions.* Voulez-vous 1° en déposer un dans la case de Tania — 2° en donner un à Poupette si elle est encore là, pour elle, et lui en confier un pour de Boulet — 3° en envoyer un à Bist si ça l'amuse — 4° en poser un chez mes parents à l'occasion.

Autre chose : il faut m'envoyer mille francs mon petit. Si nous envoyons les Z. à Laigle ça pourra peut-être aller ?

Enfin un dernier petit truc : il va donc y avoir des cartes. Je ne crois pas du tout que ce soit gênant pour vous. Mais voulez-vous veiller à ce que T. ne fasse pas de sottises et lui faciliter la tâche (en même temps que vous serez bien obligée de la faciliter à Olga qui n'est guère moins incapable. Voyez s'il faudra qu'elle ait un papier d'identité pour qu'on lui délivre ses cartes). Je trouve la mienne fort juste et heureuse pour ma part. Il est amusant que ce soient ici les militaires riches comme Hang qui protestent contre la réglementation des repas, au nom de la liberté individuelle alors que l'établissement de la Censure leur paraissait une excellente décision. La Censure politique est abolie, par ailleurs, le saviez-vous ? Vous pouvez relire un peu les journaux, ils sont moins vides.

Voilà mon petit. C'est une lettre d'idées. Mais qu'y faire ? Il ne se passe rien, je suis là, je lis et j'écris. Mais j'aimerais bien que vous sentiez comme je vous aime fort et comme je suis proche de vous tout ce temps-là.

Je vous embrasse de toutes mes forces, mon cher, cher petit

À Simone de Beauvoir

3 mars

Mon charmant Castor

Cette journée m'a coulé entre les doigts. Au-dehors c'était un vrai dimanche, juste avec le genre de temps pâle et ensoleillé qui convient et les promeneurs dans les rues, un dimanche à fendre le cœur. Mais je l'ai à peine aperçu. Au Foyer c'était aussi dimanche, par la grande proportion des « paysans » qui venaient à la ville. Car par les besognes qu'on leur demande les 160 types du Q.G. qui sont ordinairement ici représentent une aristocratie. Et le dimanche les peigne-culs des batteries ou des chasseurs qui sont dans les villages environnants « descendent » ici. Le Foyer est plein de visages lents et impassibles, de types mal bâtis et costauds, aux grosses mains noueuses qui restent là à rêver dans l'état d'attente militaire, qui ressemblent à ces soldats minables de l'active que l'on voit traîner dans les villes de garnisons, simplement un peu vieillis et qui donnent nettement à penser, ce qu'on voit mal ici la plupart du temps, c'est que le soldat français est un paysan. Dimanche dernier, j'ai oublié de vous le dire, il y en a trois qui déambulaient, le nez en l'air. Tout d'un coup ils m'avisent : « Eh mon gars, le cinéma, y en a pas ici ? » « Non, il n'y en a pas. » Alors baissant la voix : « Et le bordel, où c' qu'il est ? » Ça faisait très *Train de 8 h 47.* Ils ont été profondément choqués quand je leur ai dit qu'il n'y en avait pas. Ça fait donc un dimanche très spécial ici. Seulement la journée a été toute décentrée, parce que tous ces jours-ci les lettres arrivaient à midi et, aujourd'hui, le vaguemestre en titre qui était en permission est revenu, c'est un gaillard à qui on ne la fait pas et il nous a apporté le courrier à 4 heures. De sorte que jusqu'à quatre heures ce fut une longue matinée pour moi. Et l'après-midi était toute tassée entre quatre heures et la tombée de la nuit, je l'ai occupée en jouant aux échecs. Par ailleurs il n'y avait pas de courrier. Si, une lettre du *Figaro littéraire* que je vous envoie car elle vaut son pesant d'or et puis deux exemplaires de la *Théorie des émotions* que j'ai relue avec un peu de déception. La théorie est montrée mais non point démontrée. La préface est ce qu'il y a de mieux. Mais de vous autre rien du tout. C'est le dimanche qui en est cause. Ça fait une journée nulle, avec un « moment sans lettres », pas trop long à passer, bientôt ce sera demain. Mais ce qu'il y a avec tous ces contretemps, ces disputes, ces déluges de blâme qui se sont déversés sur ma tête, c'est que je tue un peu le temps ici. Je ne suis pas du tout malheureux, il y a même un charme particulier à chaque journée mais je n'ai pas retrouvé ma sérénité d'avant la permission.

Voilà tout pour aujourd'hui mon petit. J'ai repris mon roman et un peu délaissé mon carnet. Le roman m'amuse — dans le sec. Tout à l'heure j'ai entendu des airs à la T.S.F., je me suis approché et j'ai écouté — c'était de cette basse musique qui m'émeut, genre *Johnny Palmer* et chantée qui pis est par Jean Tranchant, j'en jurerais. Ça ne fait rien, ça m'a fortement ému et d'un genre d'émotion que j'ai oublié depuis longtemps parce que d'ordinaire je suis fort sec et je m'épouille devant mon carnet avec une espèce d'hostilité. Vous savez, le genre d'émotion qui nous a pris — ou plutôt qui m'a pris et que vous avez reprise, mon doux petit — un soir que nous avions un peu bu à Montmartre. Sur moi ; quelque chose comme : moi aussi j'écrivais autrefois des choses qui pouvaient émouvoir (pourquoi autrefois on se demande) et ça m'a remué de sympathie pour moi. Voilà quinze jours, il faut le dire, que je me prends consciencieusement sur vos ordres, sur ceux de T., pour un scélérat. Mais, soyez rassurée, je ne perds pas de vue que je suis *aussi* un scélérat. Et puis la dame de l'Armée du Salut, trouvant sans doute ces chants profanes, a tourné le bouton et je suis revenu vous écrire. Hélas mon petit que je voudrais donc vous avoir près de moi, que je voudrais donc que nous versions nos petites larmes sur nos destins comme autrefois. Que je voudrais tenir votre petit corps maigre dans mes bras. Vous autre mon petit Castor, vous autre moi. Je vous aime tant.

Il n'y a plus d'enveloppes dactylographiées mais j'en ferai ce soir puisqu'elles vous plaisent.

À Simone de Beauvoir

4 mars

Mon charmant Castor

Je reçois aujourd'hui votre lettre du 2 (écrite le 1er) et qui me charme parce qu'elle m'apprend que vous êtes convaincue par ce que je vous ai écrit. Mon doux petit, vous seriez bien flattée si vous pouviez voir combien j'ai de mal à supporter votre blâme. Je me tords dessous comme le Diable sous le pied de l'Archange saint Michel. Seulement figurez-vous que je ne me rappelle *plus du tout* ce que je vous écrivais et qui vous a convaincue. Ce n'est pas que ce fût inventé sur l'heure mais finalement j'en ai tant écrit sur le sujet que je ne me rappelle plus le choix exact d'arguments qui était assorti dans la première lettre.

Voyez-vous, c'est un peu ce que je voulais vous dire, il y a deux mois, quand je vous disais qu'avec un peu de bonne volonté on peut se croire enterré, ici. Pensez au nombre de gens qui ne sont plus aimés que *comme ça.* Ils savent très bien que leur bonne femme leur est fidèle, ils savent qu'elle les reverra avec joie et qu'à la fin de la guerre ils reprendront une vie commune. Mais, s'ils sont un peu fins, ils sentent aussi que pendant qu'ils s'emmerdent ici, il n'y a plus rien pour eux dans le cœur de la bonne femme, qu'un petit os poussiéreux. Heureusement que *vous* mon petit vous ne pouvez pas m'aimer comme ça, osseusement ; j'en ferais une maladie, j'ai besoin de sentir votre amour et je le sens si fort, dans ses moindres détails, profondément. Je vous aime. Je dois dire aussi qu'avec les drôles de sentiments de T. on se sent souvent trahi mais jamais embaumé, je ne sais pourquoi. À propos ça va au mieux. Elle m'écrit : « Je n'ai que toi, tu es ce que je connais de mieux au monde : voilà comme je t'aime. » T. veule et pas toujours fière d'elle et tout égarée dans le monde a besoin de moi et même si je suis loin, elle a besoin de penser, de temps en temps, que j'existe.

Vous me demandez ce que je pense de ce que Bienenfeld vous a dit sur les romans américains. Mais il n'y a rien à dire : oui, les romans américains sont comme ça et les nôtres sont autrement. La question était, quand nous envisagions un roman à faire et que nous nous préoccupions de la technique, de savoir dans quelle mesure nous pouvions nous assimiler la *technique* américaine, qui est excellente, pour *servir nos fins.* C'est-à-dire — mais ç'a été réglé une fois pour toutes — justement dans quelle mesure le souci de mettre des idées dans le roman était compatible avec la technique de ces romans sans idées. Eh bien, nous le savons : c'est une question d'accommodement, etc. Mais l'absurdité serait de dire : les romans d'Hemingway, qui n'ont pas d'idées, ont une bonne technique, donc il faut écrire des romans sans idées. Par ailleurs pour revenir à cette histoire de gratuité, il faut être prudent : en fait *rien* ne peut être gratuit en art puisque l'art est d'abord unité. Que ce soit un tableau de Picasso ou un roman de Stendhal ou de Kafka vous ne trouverez jamais rien qui ne *serve.* Et j'avais remarqué en lisant *l'Adieu aux Armes,* combien l'art de Hemingway est éloigné de faire sa place au gratuit, comment par exemple la place qu'il donne à l'épisode sans intérêt de l'achat d'un revolver à Florence est justifiée ensuite par le rôle que joue ce revolver. Et vous-même n'accepteriez pas de mettre n'importe quoi dans votre roman. Ce qu'il y a c'est que le nécessaire doit parfois — pas toujours — pouvoir prendre l'aspect du gratuit. Il n'en aura l'aspect que *d'abord* quand il est rencontré : par exemple on parle d'un personnage qui n'avait jamais été mentionné, on décrit une promenade sans rapport direct avec le sujet. Mais cent pages plus loin il deviendra nécessaire parce qu'il sera lié au reste par cent liens. Reste alors le seul problème : avez-vous réussi à donner à des épisodes *en fait* nécessaires l'apparence du gratuit ? Moi, je réponds tranquillement que *oui.* Mais je vous assure que lorsque je vous félicitais de ce que *tout* porte, il était entendu « sous l'apparence du contingent et du gratuit ». Sinon on aurait une démonstration mathématique et ce serait ennuyeux. Et puis enfin, si au bout de cent pages et à travers mille épisodes changeants le lecteur est saisi par une étouffante impression de nécessité (la « vie » des personnages — qui est gratuité — étant conservée) où serait le mal, je vous le demande. En tout cas, vous pensez bien que ce n'est pas une question de style.

Bist veut devenir aspirant ? Je crains qu'il ne trouve une vie moins pénible mais cent fois plus antipathique. Je ne sais pas s'il ne vaut pas mieux mépriser des supérieurs sans en être complice que râler contre ses égaux, et au sein d'une espèce de complicité. Lui seul décidera. Mais je pense qu'il ne retrouvera pas là-bas un Amselem — ni rien d'aussi plaisant que le type de Belleville qui l'envoie voir sa femme et ses copains. Par ailleurs on en fait baver aussi aux types qui « font la préparation ». Et dans le sec. Sans loisirs, sans ces grands abrutissements vagues où le soldat est livré à lui-même. Et puis ils courent souvent plus de dangers. En tout cas ce qu'il faut évidemment lui dire c'est qu'il n'y a *aucune raison morale* qui l'empêche de faire ce qu'il jugera le moins désagréable. Pour le service militaire, la chose est claire. Pour la guerre et surtout pour *cette* guerre, il faudrait reconsidérer la question de tant de manières que ça n'est plus possible.

Mon amour je vous envoie des volumes à présent. Heureusement qu'il ne s'est *rien* passé depuis hier, sinon il me faudrait six pages de plus pour vous raconter ma vie. Sachez seulement qu'on me pique demain et que je suis tout gaillard aujourd'hui.

Autre chose : tout semble concourir à indiquer que je serai en permission vers le 24 ou 25 mars au plus tard.

Il se confirme que nous irons au grand repos. Peut-être tout l'été.

Mon amour, mon charmant Castor, ça me ferait formidable si je pouvais vous voir dans trois semaines et puis tout confortablement ensuite.

Je vous aime de toutes mes forces.

À Simone de Beauvoir

5 mars

Mon charmant Castor

Deux lettres de vous aujourd'hui, dont une toute douce, celle de samedi où vous m'expliquiez bien que vous ne me jugez pas un trop mauvais petit. Mon amour, je suis si heureux que nous soyons tout unis et que vous sentiez bien fort comme je tiens à vous. Vous avez bien raison, cette année est « capitale » et il ne faudrait pas que nous ne l'ayons pas eue. Ça fait « épreuve » et je pense qu'il est bon comme ça qu'il y ait au milieu d'une vie qui est forcément engagée un peu à l'aveuglette et qui se construit sans perspectives ou avec des perspectives fausses, un temps d'épreuve qui permette de tout vérifier et remettre au point. Et c'est bien fort, mon cher amour, mon petit, de penser que la seule chose qu'il n'y ait pas lieu de changer le moins du monde, qui fait tout vrai et satisfaisant, c'est notre amour à tous deux.

J'ai été piqué ce matin pour la seconde fois mais il y a cinq heures de ça et il n'y paraît pas du tout. Peut-être la tête un peu vague, si l'on veut bien chercher. J'ai même mangé un sandwich au saucisson. Je suis au Foyer et je vais faire mon roman (savez-vous que je le tape à la machine le soir, encouragé par la réussite de mes adresses, en sorte qu'il n'y aura qu'à l'insérer dans le manuscrit de Poupette quand il arrivera). Ce soir je couche à l'hôtel. Ma provision de livres est finie et j'ai bien besoin que vous m'en envoyiez d'autres. Je renverrai ceux que vous me dites d'ici quelques jours, il faut que je finisse le *Bismarck,* le seul qui reste encore inachevé. À ma permission, je choisirai des romans parce que je n'aurai lu que de l'historique et de l'austère ce mois-ci. Mais j'y pense : si j'arrive vers le 25 mars il nous faudra du sou pour les premiers jours. Au moins 1 000 francs (si vous touchez le 30). Comment allons-nous nous y prendre ? Je pourrai d'ailleurs à la rigueur emprunter 500 francs à ma mère pour quelques jours.

Mon doux petit, j'ai formidablement envie de vous voir, je vous presserai comme un citron. Je vous aime tant, doux petit Castor.

À Simone de Beauvoir

5 mars

Mon charmant Castor

Juste un petit mot pour compléter la liste des livres. Je voudrais *Solitude en commun* — Margaret Kennedy.

Et un bouquin de Ludwig qui pourrait bien s'appeler *Août 1914* ou *Le Drame d'août 1914* sur la déclaration de la guerre de 1914.

Je viens de recevoir *Guillaume II* et *La Commune. Guillaume II* a l'air *passionnant.* J'espère y trouver dans le concret quelque chose à penser sur ce truc troublant : le rôle d'*un* homme dans un événement social. Je sais qu'Aron dira que c'est une couche de signification parmi d'autres. Mais en admettant même, cette signification-là n'est pas si simple.

Je vous aime.

À Simone de Beauvoir

6 mars

Mon charmant Castor

Vous n'aurez qu'une petite lettre aujourd'hui parce que je n'ai pas grand-chose à vous dire, mais le cœur y est. Je ne sais trop comment nommer cette vie que je mène ici, rivé dans ce Foyer où j'ai très rarement une table à moi tout seul et où l'on entend les bruits les plus divers, y compris celui des balles de celluloïd du ping-pong. Ça n'est plus la vie d'un moine ou alors celle d'un cénobite. Et le Foyer lui-même est pour moi d'aspect très instable, tantôt sympathique (le matin quand il n'y a pas trop de monde) tantôt un peu désespérant, quand la querencia m'est tout à fait refusée et que ça bruisse de tous les côtés. C'est un drôle d'endroit dont la particularité essentielle est d'être organiquement lié à un vieil hôtel alsacien où je prends mes repas, de sorte que lorsque je déjeune je descends d'un étage et lorsque je vais uriner je monte d'un étage et me trouve dans un couloir entre deux rangées de chambres d'hôtel. C'est un de ces objets qu'on ne peut voir apparaître qu'au cours d'une guerre et, je vous dis, à cause de tout cela, il est profondément sans équilibre, je ne sais ce que j'en pense. Ajoutez qu'il a relativement peu de fenêtres pour une si grande salle et qu'elles donnent sur une cour en sorte que, du matin au soir, c'est la lumière électrique, ce qui a bien son charme. Ajoutez aussi qu'il a d'étranges variations de température, par exemple aujourd'hui il y fait nettement froid et, d'autres fois, on étouffe. Aujourd'hui il est envahi par les piqués. Et ça va continuer quelques jours parce qu'on pique à tour de bras. Ça le rend plutôt moins plaisant. À propos, j'ai aussi été piqué hier, vous le savez et j'ai dormi dans l'hôtel dans une chambre du troisième étage, toute campagnarde, avec, imaginez, un immense drapeau français dans un coin, tout déployé, sans doute celui qu'on sort les jours de défilé. Ça m'a fait vaguement sinistre de coucher avec ce fétiche dans ma chambre mais j'ai superbement dormi de 10 heures à 7 heures et aujourd'hui je me porte comme un charme et j'ai plantureusement déjeuné. Donc fini avec les piqûres.

Pour le reste j'ai beaucoup lu et peu travaillé — sinon à mon carnet, où j'ai écrit superbement : « Je suis le produit monstrueux du capitalisme, du parlementarisme, de la centralisation et du fonctionnarisme. » Le plus fort c'est que c'est vrai. Je suis passionné par le *Guillaume II* de Ludwig, c'est bien fait et formidablement intéressant. Je vous l'enverrai avec le *Bismarck* si vous ne l'avez pas lu. *La Commune* que j'ai commencée me déçoit un peu mais vous l'aimerez peut-être vous qui avez aimé *48* de Cassou. De toute façon, tous ces livres permettent d'entrevoir ce que devrait être l'histoire. Par exemple dans *La Commune* il y a une heureuse tentative pour montrer l'influence du mythe de Paris grand-ville (Caillois est cité) sur les Communards. J'ai aussi un peu travaillé le roman mais je ne me presse pas puisque de toute façon j'aurai terminé ce que je peux en faire bien avant d'avoir reçu le manuscrit tapé. Et voilà. Le temps est un peu un accordéon, tantôt il file très vite et tantôt je le tue un peu. Je n'ai pas repris mon équilibre de guerre entre cette permission qui vient de finir et cette autre à trois semaines de moi et dans cet hospice de vieillards qui sent si peu la guerre — on ne sait ma foi pas trop ce qu'il sent. Drôle de vie. Je me suis fait un ami, c'est le petit vendeur de journaux, qui a quatorze ans et vient tout le temps me taper de cigarettes. Il rôde autour de moi et me fait la conversation en termes tout à fait inintelligibles ; je le soupçonne par ailleurs de proposer des femmes vénales aux soldats.

Et voilà pour aujourd'hui, mon tout cher petit Castor, mon amour. Ça c'est vrai vos lettres ne sont jamais assez longues mais vous savez ça n'est pas votre faute, c'est que c'est le bon moment quand je les lis. En mettriez-vous quinze pages que j'en voudrais encore davantage et je les relis toujours trois ou quatre fois. Je vous aime tant.

Mon tout cher petit Castor, je vous aime tendrement.

À Simone de Beauvoir

7 mars

Mon charmant Castor

Pas de lettre de vous aujourd'hui mais c'était prévu. Tout de même ça m'a un peu endeuillé, mon doux petit. J'aime si fort vos petites pattes de mouche. Vous usez encore obstinément de cette encre « bleu des mers du Sud » qui fut un échec et quand il y a une lettre de vous je le sais d'avance en voyant un coin de lettre qui déborde du paquet de courrier avec F. M. en lettres de cette couleur pompeuse et abjecte. Aujourd'hui je l'ai cru, mais T. se mêle d'avoir la même encre et c'était une lettre d'elle. Ça ne m'a pas fait du tout plaisir parce que mon feu pour elle est bien tombé, ces « tornades » morales et sentimentales comme vous dites l'ont pour un temps épuisé.

À part ça j'ai passé une journée charmante. Pas tellement le matin parce que les officiers ont réquisitionné le Foyer pour y faire une conférence. Ça leur ressemble assez : ils ont tous les locaux à eux, s'ils veulent, des tas de restaurants où ils ont leurs « popotes » qui les hébergeraient. Mais non, il faut qu'ils prouvent aux hommes que rien n'appartient aux soldats, qu'un officier peut toujours tout leur reprendre. C'est d'autant plus intelligent qu'il y avait ce matin une vingtaine de vaccinés qui ne savaient plus où se fourrer. Je suis donc redescendu à l'A.D. et je suis resté une heure avec les secrétaires qui sont décidément tombés au plus bas de l'abjection. Ça n'est même plus drôle. Puis vers onze heures je suis remonté au Foyer et là, ça a commencé à être plaisant parce qu'il m'est venu des idées sur l'histoire et je les ai écrites dans le carnet. J'ai été déjeuner, j'ai été au courrier et puis je suis remonté au Foyer et j'ai recommencé à écrire et à lire le *Guillaume II* qui est vraiment étonnant, moins à cause de Ludwig que du personnage et de son entourage. Puis de nouveau j'ai écrit. Un jeune homme à lunettes m'a fait la conversation et j'allais me remettre au travail quand une vieille dame rousse qui fait l'animatrice ici m'a dit : « Vous êtes toujours à écrire, vous feriez rudement mieux de faire un ping-pong avec moi. » Le matin elle avait déjà tourné autour de moi — je l'agace à tant lire — et avait avisé *La Commune* d'Ollivier.

« Oh ! Oh ! communiste ? » m'a-t-elle dit. « Mais non, madame. » « Eh bien moi je dis : les communistes il faut les envoyer tous en Russie. J'ai été quatre ans là-bas et je sais ce que c'est. Faire comme en Amérique : vous n'êtes pas contents ici eh bien allez là-bas. Et sans leur payer l'argent du voyage : démerdez-vous ! » Cette expression fort militaire m'a surpris dans cette bouche. Mais c'est que la gaillarde n'est pas salutiste, c'est quelque volontaire et j'imagine qu'en son beau temps elle a usé plus de paires de couilles que l'armée française de souliers. Pas absolument antipathique, d'ailleurs. J'ai donc accepté de faire le ping-pong. Elle m'a battu au premier jeu, je l'ai battue au second et nous commencions le troisième quand la balle est allée se loger sous la scène. Il a fallu déplacer je ne sais combien de madriers, nous nous sommes mis à quatre et suions sang et eau. Sur quoi on l'a appelée ailleurs et la partie a pris fin mais nous jouerons la belle demain. Eh mon petit, vous rappelez-vous quand nous allions, nous autres deux, à Rouen, en haut de la Brasserie l'Univers (qu'elle s'appelait, je crois) faire notre petite partie ? Mais vous savez, je ne regrette pas ce temps-là, je *vous* regrette, vous autre petit. Après la partie j'ai travaillé au roman — bien. Et puis je vous écris. J'enverrai encore la lettre rue Vavin, mais j'y pense : T. va déménager dans trois ou quatre jours, Olga n'est plus là, rien ne s'oppose à ce que je vous écrive à l'hôtel très régulièrement d'ici une huitaine. En tout cas si elles partent à Laigle.

Au revoir, mon doux petit, mon amour. Je vous aime tant. Je voudrais tant revoir votre petit visage. Vous savez ça me bouleverse encore quand je me rappelle comme il était le matin de mon départ.

À Simone de Beauvoir

8 mars

Mon charmant Castor

Comme elle m'a ému votre petite lettre d'aujourd'hui où vous m'expliquez que vous avez du remords de m'avoir tant engueulé. Mais, mon petit, je ne suis plus triste du tout, vous savez. Et puis il *faut* me blâmer quand je le mérite, tout juste comme vous devez être sévère touchant mon roman s'il n'est pas bon. Je vous aime tant, ma petite fleur. Oh oui, je sens bien comme vous m'aimez et j'aime tant la façon dont vous m'aimez. J'ai tant envie de vous voir. Et voilà, il y a un petit contretemps, rien peut-être : on est sans nouvelles de Pieter, parti en permission il y a quatorze jours et qui aurait dû rentrer hier matin. Sans doute est-il malade. Dès qu'on le saura Hang partira et cela ne le retardera que de deux jours. Mais s'il est malade encore au moment où mon tour viendra, me laissera-t-on partir? Ce serait laisser Paul tout seul pendant quatorze jours. Et s'il y avait des sondages à faire? Enfin voilà. Si vous voulez en savoir davantage, téléphonez à Mme Pieter de ma part pour lui demander des nouvelles de son mari. Peut-être vous en apprendra-t-elle plus que je n'en saurai au même moment. À part ça, rien, mon petit. T. déménage et désormais je vous adresserai mes lettres à l'hôtel du Danemark (après confirmation de sa part, toutefois). Ici j'ai sagement écrit sur Guillaume II. Mais ça n'est pas votre sujet, petite bête! Eh bien non, mais il faut écrire sur tout. Et puis j'ai presque achevé le chapitre sur Jacques. Mais peut-être le reprendrai-je en entier. Et puis aussi j'ai scié du bois et haché du bois, parce que c'est moi qui allume les feux demain. La dernière fois c'était désastreux, les secrétaires ont été obligés de les rallumer après moi. J'aurai à cœur de bien faire.

C'est une bien pauvre lettre que celle-ci, mon amour, mais c'est que je n'ai rien de plus à dire. Et j'en ai écrit tant de si longues que vous pouvez bien me passer celle-ci.

Mon amour, je suis si bien avec vous, je voudrais tant serrer votre petit bras. Je vous aime aussi fort que je peux.

À Simone de Beauvoir

9 mars

Mon charmant Castor

Voici une lettre tout affairée. Pourtant je suis bien tendre pour vous. Mais cette journée-ci a été remplie d'événements et il faut que nous en parlions ensemble.

D'abord *je suis rappelé à l'intérieur.* Pas aujourd'hui ni demain mais d'ici un ou deux mois au maximum. Voici l'histoire : le capitaine Munier avait écrit au colonel chef de la Météo pour lui demander s'il ne pourrait pas nous faire reprendre nos fusils, attendu que nous ne nous en servions pas et étions auxiliaires. La réponse du colonel est arrivée aujourd'hui : « Impossible de reprendre les fusils mais je reprends les hommes. » Les postes de sondage étant les postes les plus avancés de la météo doivent être occupés par des soldats de l'active, non auxiliaires et il va prendre les mesures nécessaires pour que nous soyons rappelés dans le plus bref délai. Le capitaine Munier s'en tordait les mains et voulait nous faire signer une protestation mais Paul qui tient à sa peau a été inébranlable. Nous allons donc quitter la division. À présent il y a une possibilité pour qu'on nous ramène seulement à cinquante kilomètres d'ici. Mais d'abord ça serait déjà beaucoup mieux. Et ensuite il n'y a presque pas de chance. Vraisemblablement je ferai un stage de six semaines à Saint-Cyr avec quelque chose comme une permission de 24 heures par semaine et deux permissions de nuit. Vous devinez notre enchantement. Mon doux petit nous ne serons plus jamais séparés si longtemps.

Ceci m'amène à la permission. Je serai au plus tôt (grâce au retard providentiel de Pieter, qui est arrivé ce matin frais comme la rose) le 26 mars à Paris. Mais je crois qu'il vaut mieux se hâter de prendre la permission parce que, avec ce changement d'affectation, ce sera toujours ça de pris. Si je retourne à Saint-Cyr tout de suite après, tant mieux. Il faudrait donc négocier *tout de suite* un emprunt de mille francs à Gégé, par exemple (ou à cette dame).

Je reçois une lettre du président de Jury du Prix du Roman Populiste (membres : Duhamel, Romains, Durtain, Thérive, etc.) m'apprenant que je suis candidat audit prix et me demandant d'écrire une lettre où je ferai acte de candidature. Le prix est de 2 000 francs, ce n'est pas méprisable. *Seulement* si j'écris pour faire acte de candidature, me voilà étiqueté populiste. Ou non? Conseillez-moi d'urgence. Mon premier mouvement était pour refuser mais peut-être trouverez-vous que c'est bien vain ces histoires d'étiquettes et que, finalement 2 000 francs c'est du palpable. Nous avons charge d'âmes. Décidez, ma petite conscience.

Paulhan m'écrit : Wahl et Brunschwicg ont décidé de prendre

L'Imaginaire pour *thèse* de doctorat. On publierait la thèse en supprimant la première partie (déjà parue dans *La Revue de Méta*). Ça j'accepte sous la réserve qu'il n'y aura pas de thèse secondaire à écrire. Est-ce bien ?

Reçu en outre une lettre de Monnier [1] qui dit que ma signature a changé, qu'elle est devenue « aérienne ». Une lettre de T. qui me demande du sou. Vous deviez m'envoyer 200 francs. *Voulez-vous les lui donner quand vous les aurez (le plus tôt possible),* je m'arrangerai avec Pieter.

Ouf ! Quand j'ajouterai que j'ai aussi reçu la *N.R.F.* avec mon article sur Giraudoux [2] (et que Pieter qu'on croyait mort est rentré ce matin) vous jugerez que cette journée fut fertile en émotions.

Et par ailleurs vide. Voilà bien le paradoxal. Car en dehors de cela, *rien,* comme dit Heidegger. Si : des artistes du Théâtre aux Armées répétaient derrière l'écran et des bouffées de musique me parvenaient. C'était poétique et émouvant.

Mon amour, comme je suis heureux ce soir. Dans quinze jours je vous revois et peut-être qu'ensuite nous ne nous quitterons plus guère — au moins pour un long moment.

Je vous aime si fort, mon doux petit, si fort.

1) Si vous écrivez à cette dame pour l'argent, faites-le d'urgence et dites que nous rembourserons le 1er.

2) J'écris à T. qu'elle peut compter sur 200 balles. Mais s'il y a des difficultés, écrivez-le-moi et je lui dirai que c'est impossible.

3) Vous ne me dites pas si Bonafé est mobilisé.

À Simone de Beauvoir

10 mars

Mon charmant Castor

J'ai tout bien eu deux lettres de vous aujourd'hui et la plus récente datait d'hier — c'est-à-dire que vous avez dû la mettre à la

1. Adrienne Monnier, qui dirigeait la librairie « L'Ami des livres » que fréquentaient beaucoup d'écrivains de l'époque.

2. Reproduit dans *Situations I.*

poste hier matin à 7 heures en allant au lycée. Ça fait bien plaisant d'avoir des nouvelles si fraîches. C'étaient deux toutes courtes petites lettres mais à elles deux elles en faisaient une grande. J'approuve vivement votre idée de taper Toulouse (1 200 francs). C'est pour quinze jours en somme et ça doit pouvoir se faire. Sinon, cette dame. Paulhan est un drôle de gaillard. D'après votre lettre du 8 *L'Imaginaire* est déjà paru. Fort bien, mais sa lettre à lui a été mise *à Paris* le 7 et par conséquent il n'ignorait pas que le livre était en vente au moment où il me proposait d'en retarder la publication. Je m'en fous mais avouez que c'est un drôle de type. Et pourquoi ne m'en a-t-il pas parlé il y a un mois et demi au moment où Wahl vous pressentait à ce sujet ? Si Wahl ne l'a pas fait lui-même c'est sans doute que Paulhan s'en était chargé. J'imagine que ce Machiavel ne voulait pas, pour des raisons que j'ignore, de cette combinaison. Je vous dis ça pour peindre le personnage, parce que, en ce qui me concerne ça me laisse froid d'autant que je pourrai toujours présenter un machin sur le Néant ou n'importe quoi si fantaisie m'en reprenait. Pour le Prix Populiste j'hésite toujours. J'ai vu que Troyat l'avait eu, or Troyat n'a rien de spécialement populiste. J'attends votre décision. Seulement il faudrait que je l'aie, ce prix, si je le postule. Je ne peux pas faire l'éternel candidat à des prix qui me passent l'un après l'autre sous le nez, ça finit par devenir grotesque.

À part ça, mon doux petit, après tant de secousses hier, rien de neuf aujourd'hui, c'est bien naturel. J'ai travaillé au Foyer tout le matin à ce truc sur Guillaume II qui commençait à m'emmerder singulièrement. Je l'ai fini et vais m'occuper d'autre chose. J'ai lu *Guillaume II,* discouru avec Pieter et, je ne sais pourquoi (ah oui parce que Pieter m'avait bourré de cake) je n'ai pas été déjeuner. J'ai travaillé jusqu'à deux heures au Foyer où il est venu tout fièrement me rejoindre parce qu'il avait menacé un caporal-chef à table de pied au cul et main sur la gueule. Le type en question, semblable en cela à tant d'autres ici, avait déclaré dans la colère de s'être vu refuser par la patronne du restaurant deux places réservées : « Cochons d'Alsaciens, tous des Prussiens et dire que c'est pour eux qu'on se bat. » Slogan étrange car, enfin, en premier lieu on a assez voulu l'avoir l'Alsace, de quoi se plaint-on — et en second lieu on ne se bat pas du tout *pour eux.* Après avoir développé ce thème qui faisait bouillir d'indignation Pieter, il a ajouté avec logique : « Pour eux et pour les Juifs. » Sur quoi Pieter, heureux d'avoir enfin un prétexte pour intervenir : « En voilà un de Juif, qu'est-ce que tu lui veux ? Qu'il te foute la main sur la gueule, etc., etc. » L'autre s'est tenu coi. Pour moi, j'ai dûment approuvé Pieter puis on nous a chassés et j'ai été lire au café. Car le dimanche les cafés sont ouverts mais on nous chasse du Foyer à cause du cinéma aux Armées. À cinq heures et demie, il y avait tant de gens au café que je suis retourné au Foyer mais là on m'a annoncé une nouvelle séance de cinéma. Épuisé je suis resté vissé à mon siège et j'ai vu un charmant petit Harry Langdon, muet et sans titre et la moitié de *L'Oiseau rare* avec Max Dearly et Brasseur, texte de Prévert. Ça se tenait un peu, dans le terne — mais pour un spectacle de guerre ça en valait bien un autre. Avant il y avait eu un film documentaire sur les avant-postes, visiblement destiné — d'après les commentaires — à l'arrière et échoué là par hasard. Ça me faisait un drôle d'effet d'entendre parler de « nos vaillants soldats » devant tous ces types dont la plupart avaient passé deux ou trois mois aux avant-postes. Mais eux ne bronchaient pas, ils ignoraient le texte et ils étaient surtout sensibles aux détails quotidiens, par exemple quand ils voyaient dix types en train de pousser une auto qui avait dérapé sur le verglas, ils criaient « Hisse, Ho hisse » et ils riaient de sympathie.

Dans l'ensemble fort bonne journée. Et puis Hang est parti hier soir et dans quatorze jours c'est à moi. J'ai si fort envie de vous voir mon doux petit.

Mon doux petit, mon cher petit, je vous aime si fort. Dans quinze jours — 18 jours au plus, je vous tiendrai dans mes bras.

À Simone de Beauvoir

11 mars

Mon charmant Castor

Pourquoi ne vous montrerais-je pas mes talents à vous aussi ? J'ai déjà écrit une lettre dactylographiée à mon beau-père ; une à Tania ; si je reculais à le faire pour vous, c'est que j'avais peur que les signes tapés ne vous paraissent trop froids. Et puis, jusqu'ici, en tapant, je n'avais pas toute ma tête ; j'élucubrais pauvrement parce que j'étais tout occupé de trouver mes lettres au bout de mes doigts : à cet égard la lettre à Tania fut un modèle d'infantilisme et j'ai été obligé de rajouter un mot manuscrit pour qu'elle ne me croie pas tout à fait retombé en enfance. Mais à présent ça va mieux, j'ai l'esprit libéré, comme vous expliquez chaque année à vos élèves, chapitre de l'habitude — et j'ai un peu envie de me faire admirer. Je vous promets que je ne recommencerai que sur demande expresse de votre part : je sais très bien qu'on aime à voir les sales pattes de mouche de son chacun et moi-même je préfère vos abominables lettres toutes rongées à des caractères d'imprimerie.

Je n'ai pas reçu du tout de lettres aujourd'hui, et en ce qui vous concerne c'était justice, car j'en avais reçu deux hier. Mais tout de même ça m'a rendu l'après-midi plus long, jusqu'à ce que j'aie trouvé une petite idée sur le jeu et l'esprit de sérieux. J'ai alors écrit sur mon carnet pendant près de deux heures et avec un plaisir que je n'avais pas connu depuis le mois de janvier. Après ça, Pieter est venu, toujours plein d'histoires et Hantziger qui nous a parlé avec une naïveté ignoble et marrante du rapprochement qu'il a opéré pendant sa permission avec sa femme. Toujours la même chose d'ailleurs : que quand on a un intérieur tout fait, c'est dur de s'en refaire un autre à trente-sept ans ; que par exemple il avait un bon piano chez sa femme et qui sait s'il en trouverait un aussi bon ; et puis sa femme gagne sa vie et n'est pas dépensière et quand on est au front c'est tout de même agréable de recevoir un petit colis de temps en temps et puis aussi un petit mandat. Par le fait il est revenu de sa permission plein aux as ; sa femme lui avait donné mille francs et il s'est tout de suite acheté de beaux vêtements, ce qui a indigné le bon Pieter. Vous voyez c'est toujours pareil mais c'était amusant de le faire parler, c'était ce ton édifiant de Monsieur qui vient de rendre enfin à la morale ce qu'il lui devait et qui s'est soulagé l'âme par une bonne action. Par ailleurs il paraît que les secrétaires ici l'y exhortaient vivement : Nippert, le Bibelforscher, lui lisait tous les soirs de grands extraits de la Bible où il était traité de la fidélité conjugale. Il est revenu ici tout fier et leur a dit à peu près textuellement : « Mes enfants je vais vous faire une bonne surprise : je me suis remis avec ma femme. » Et les autres lui ont offert un déjeuner d'honneur.

Après ça ping-pong avec la vieille rousse que j'ai battue cette fois. Et me voilà. Ce matin j'avais mis le point final à mon chapitre Jacques-Mathieu que je vais taper après cette lettre. Je crois qu'il amusera plus à lire qu'il ne m'a amusé à écrire. Et c'est tout, mon petit, tout à fait tout. Ça m'a semblé un peu longuet mais comme par un fait exprès à présent que je pourrais me coucher, la passion de taper m'a pris et je vais veiller au moins jusqu'à onze heures.

Mon doux petit, je vais vous envoyer des livres : *Le Siège de Paris, Bismarck* et *Guillaume.* Avant la fin de la semaine pour que vous les ayez samedi.

À demain, mon doux petit; vous ne pouvez savoir combien j'ai envie de vous revoir : il n'y a plus que ça qui compte pour moi. Nous irons bien nous promener partout; je vous aime, ma petite fleur, j'embrasse vos vieilles petites joues.

Vous m'avez amusé avec cette histoire du boxeur. Mon amour que nous aurons donc de choses à nous dire.

Je rajoute à la main que je vous aime de toutes mes forces pour que vous voyiez tout de même un petit bout de mon écriture. La lettre m'a pris trois quarts d'heure à taper (en la composant en même temps).

À Simone de Beauvoir

12 mars

Mon charmant Castor

C'est la dernière fois, je vous le promets, que je vous envoie une lettre dactylographiée. Mais considérez que je n'ai plus rien à taper, ayant terminé la copie de mon chapitre VIII aujourd'hui. Et ça me tient : vous rappelez-vous ma passion maniaque pour le yo-yo? C'est de cet ordre. Vous en étiez effrayée alors et irritée; vous en seriez effrayée à présent et peut-être vous en irriteriez-vous. C'est marrant ces sortes de passions qui me prennent parfois; vous rappelez-vous aussi ce soir de l'année dernière où nous avons couru après un numéro de *Verve*? Il faudra que je m'en explique sur mon petit carnet. D'ailleurs je fais des progrès.

Aujourd'hui il y avait deux lettres de vous ; vous me dites que je n'en aurai pas demain, mais comme je n'en ai pas eu hier j'espère bien que je ne resterai pas sans courrier. Il y en avait une toute longue et bien divertissante. Je suis très vexé du mépris où Sorokine me tient.

Pour l'argent je suis comme vous un peu embêté ; il doit être trop tard pour s'adresser à cette dame. Écoutez, faites ce que vous pourrez pour vous et les Z. et si vous ne trouvez rien pour nous autres deux, j'essaierai de taper Pieter ; quoique ça présente certaines difficultés, du fait que nous ne serons sans doute pas rappelés en même temps à Saint-Cyr et qu'il peut craindre que son argent ne passe à l'as ; mais c'est faisable.

Imaginez que nous avons appris brusquement que nous allions partir d'ici quatre ou cinq jours (je veux dire toute la division). Et où allons-nous ? Nous retournons dans nos cantonnements de novembre. Ça m'amuse bien fort de retrouver cet endroit-là. J'en ai gardé un souvenir tout poétique : les petits déjeuners à la Rose ; la taverne du Bœuf noir ; vous autres mon amour ; et puis cette drôle de crise d'où, au fond, est sortie ma théorie de l'authenticité ; c'est lié aussi à des lectures bien fortes : Shakespeare, Saint-Exupéry, *Le Testament espagnol.* D'ailleurs je n'y resterai pour ma part guère plus de huit jours, car Hang rentre le 25 et après je pars. Au retour de permission, je serai probablement rappelé ; j'en ai fini avec cette division à laquelle mon sort était tellement lié jusqu'ici, déjà je la sens qui se détache de moi ; on parle ici de son avenir proche et lointain, comme toujours, et ça me laisse froid. Vous ai-je dit que nous aurions probablement six semaines d'instruction à Saint-Cyr, parce que la météo a fait tellement de progrès depuis mon temps et que ce sera le paradis avec je ne sais combien de permissions de nuit et davantage encore, grâce à l'artifice, bref comme au beau temps de la paix.

La journée s'est passée pas très vite, pas trop lentement : le matin la salle du Foyer était occupée par une conférence d'officiers, alors je suis venu ici et j'ai tapé mon roman ; puis j'ai entraîné Paul récalcitrant dans un nouveau restaurant qu'il a critiqué âprement, simplement parce que c'était du neuf et où par le fait on ne mange pas mieux que dans l'autre, mais qui est tout charmant, avec des boiseries partout comme au Nordland et qui a l'air enfin d'une taverne alsacienne ; si je l'avais connu plus tôt ça m'aurait évité ces impressions fines de XVIIIe siècle jésuitique qui ont tant fait rire le petit Bist. J'y retournerai désormais.

C'était le ping-pong cet après-midi, toujours avec la rousse : je l'écrase à présent ; et puis j'ai écrit dans le carnet sur l'histoire ; tout va par problème dans le carnet ; depuis huit jours c'est l'histoire, et de réfuter Aron, naturellement. J'ai aussi lu une pièce de Léo Ferrero, que les Pitoëff ont jouée, *Angélica,* c'est bien mauvais mais ça m'a donné un bref instant l'envie d'écrire une pièce ; au fond j'enrage de connaître mes limites qui sont le théâtre et la poésie. Pour la poésie j'ai perdu tout espoir mais pour le théâtre j'en garde un peu. Et me voilà.

Ce que vous me dites de T. m'explique son silence subit, après des lettres fort aimables, mais où je voyais poindre le désespoir ; j'avais appris dans une de ses lettres en effet que la lunaire avait démérité ; il paraît que Poupette aurait elle-même expliqué à T. que la lunaire la considérait un peu comme un serpent qu'elle aurait réchauffé dans son sein ; il doit y avoir là-dessous une petite histoire de rivalité « mondaine » ou un sourire de Dominguez à T. sur quoi on aura fait du bruit, mais ça ressemble aux sœurs Z. d'aller s'installer chez une bonne femme quand elles sont brouillées avec elle. Par haine de la lunaire on me fait écrire les lettres à l'hôtel d'Olga.

À demain mon doux petit ; il faut que je me couche ; car demain c'est moi qui allume les feux : je ne vous ai pas dit qu'après les avoir lamentablement ratés la première fois, j'ai triomphalement réussi la seconde. Ce coup-ci c'est la troisième manche et la belle.

Adieu j'embrasse vos chers petits yeux, mon amour ; je vous aime.

J'enverrai des livres demain ; mais il faudrait bien m'envoyer aussi un second paquet, mon petit.

À Simone de Beauvoir

13 mars

Mon charmant Castor

Ouf, je viens d'écrire *19 lettres* et toutes sur le même modèle. Il m'en reste une que je vous envoie, par curiosité. C'était au Jury du Prix Populiste. Muni de votre autorisation j'ai commencé le travail aussitôt, je ne connais rien de plus ingrat et ça vaut bien deux mille balles. Il était deux heures quand j'ai commencé et voilà quatre heures et quart. Je vous écris pour recréer.

Pour le sou, je me méfie un peu de Stépha. L'enverra-t-elle ? Et *à temps ?* Suppliez-la de l'envoyer scrupuleusement le 20. Ou alors qu'elle prenne un taxi à mes frais et *qu'elle aille le déposer pour moi sous enveloppe chez le concierge de mes parents,* ça serait peut-être bien le mieux, parce que ça lui permettrait de paresser un jour ou deux avant de se décider à le faire. De mon côté j'emprunterai 300 balles à Pieter ; avec les 125 qu'on m'alloue ici, ça me permettra de « me retourner ».

J'ai donc écrit aujourd'hui même à T. une lettre très sèche (elle ne m'écrit toujours pas et doit être au comble de la prostration) où je lui dis que je serai très probablement le 26 à 7 heures au Dôme.

Pour Saint-Cyr, petite nature inquiète, ne vous faites donc pas de souci. Pensez que je vous verrai 2 fois contre 1 Tania et que sur les 2 fois il y aura *une* qui sera officielle, l'autre vous pourrez la cacher. Ceci vaut pour les permissions et sorties à Paris. Mais pour le quotidien, c'est-à-dire tous les jours à cinq heures et jusqu'à huit — car j'espère bien vous voir tous les jours, ça ne sera pas tellement difficile. Ou non ?

Mon petit que j'ai donc envie de voir votre bonne tête et de vous embrasser.

Pour aujourd'hui, rien à signaler, comme dans le communiqué. Ce matin j'ai lu et cette après-midi j'ai fait 20 lettres et je vous écris. Voilà tout, mon cher petit. Je n'ai plus trop qu'à lire, car j'ai fini mon chapitre et n'ai plus guère d'idées pour mon carnet. Je suis d'humeur paisible et tranquille, plus encroûté que sensible, j'attends.

Je vous aime de toutes mes forces.

À Simone de Beauvoir

Jeudi 14 mars

Mon charmant Castor

Nous partons demain à trois heures, je vous l'avais dit je crois. Nous comptons retrouver notre petit logis de novembre mais nous n'en sommes pas sûrs. Il est vacant mais « réquisitionné » et il n'est pas certain que nous puissions y coucher à moins d'un billet de logement. Sinon, je prendrai une chambre au Bœuf noir, tout simplement. Ça me plairait peut-être encore davantage. De toute façon ça ne serait pas pour plus de huit ou dix jours, puisque je pars ensuite en permission. Et je ne les y retrouverai certainement pas au retour, ils seront « en secteur ».

Figurez-vous qu'hier après avoir écrit les 17 lettres et la vôtre voilà la Salutiste qui s'avance dans la salle : « Parmi ceux qui ne sont pas vaccinés, y en a-t-il quelques-uns qui voudraient aider à décharger des caisses de bière ? » Silence épais, chacun comptait sur l'autre. Je me sentais solidaire de tous ces soldats et j'avais un vague sentiment de honte, qui doit être à l'origine de bien des « héroïsmes volontaires » en première ligne. C'est idiot et j'en ai été puni. Je me suis levé et j'ai été faire le secourable. Il fallait descendre jusqu'à un camion les caisses de bouteilles vides et remonter les caisses de bouteilles pleines. Ça a marché jusqu'à la dernière caisse mais la dernière (qui était pleine et que je remontais) le camionneur a voulu me la faire mettre sur l'épaule, j'ai obéi et, en montant l'escalier, fait un faux pas, patatras, voilà toutes les bouteilles en bas et une mare de bière qui cascadait sur les marches. Il y avait vingt bouteilles et j'en ai cassé huit, les autres sont tombées aussi mais par la grâce du ciel elles ne se sont pas cassées. Il a fallu subir les condoléances d'une foule de gens, les propos réconfortants de la Salutiste qui m'a donné un grand bol de café noir « pour me remettre » et balayer les marches de l'escalier. Je me suis trouvé tout bête devant les tessons, au premier moment : l'officieux ridicule comme je disais à ce Grec sur le *Cairo City*[1].

1. Bateau qui nous avait conduits à Athènes.

Ce matin vers sept heures et demie, le lieutenant Ullrich était là, prêt à partir faire les cantonnements dans notre nouvelle résidence quand une grosse dame est entrée, éplorée et importante : « Monsieur, il faut vite prévenir les locataires du dessus, il y a eu un accident grave. » Elle l'a répété deux fois et comme nous allions nous décider à le faire, elle a ajouté : « M. Jean Chiappe, le préfet de police, est grièvement blessé, il est dans le sous-sol. » Sur quoi nous avons compris et l'avons éconduite avec de bonnes paroles. Elle est folle à lier et se promène volontiers dans notre maison. L'autre soir elle est entrée pendant que Pieter était aux cabinets, a ouvert la porte qu'il avait omis de fermer et lui a tenu un long discours sans s'émouvoir de sa position. Nous avons d'ailleurs été persécutés, ces jours-ci par un mystérieux vandale qui barbouillait de merde les murs des cabinets et je soupçonne fortement que c'était elle.

Cet après-midi, courrier. Longue lettre de vous. Vous savez, je défends absolument à Sorokine de répandre le bruit que je suis impuissant, dites-lui que je lui jouerai quelque tour abominable si elle continue, par exemple que je lui *adresserai la parole* la première fois que je la verrai. Je l'autorise par contre à me traiter de faux génie[1] tant qu'elle voudra.

J'ai reçu aussi un énorme paquet : le 1er tiers de mon manuscrit tapé et je l'ai relu toute l'après-midi. Je suis à la fois content et déçu : c'est bien *dans le détail,* c'est même ce que j'ai écrit de mieux, mais c'est un peu vrai ce que dit Lévy que les chapitres ne sont pas reliés, ça s'en va un peu dans le brouillard et le sujet n'est pas nettement posé. Il faut que je reprenne tout ça et que je donne une armature nette à ces premiers chapitres. Notamment il faudra en revenir au vieux truc : Mathieu se ressouvenant, sinon ce personnage n'a ni consistance ni unité. Il faut qu'on sache d'où il vient, où il a été professeur, comment il a connu Boris et Ivich, etc. Tout ça peut être bref mais il faut qu'on le sache *tout de suite;* d'une façon générale ça manque de racines, tandis que tous vos personnages à vous sont si profondément enracinés. Ça ne doit pas être un très gros travail, mais c'est délicat.

Toujours pas de lettre de T. J'ai reçu la dernière vendredi ou

1. Sorokine disait, plus drôlement : « Votre Sartre qui se prend pour un faux génie. »

samedi, jamais elle ne reste si longtemps sans écrire. Est-elle prostrée dans le désespoir ou quoi ? Le savez-vous ? Ça me laisse d'ailleurs assez froid pour le moment.

Et voilà mon petit. Ça sent le départ ici, car même chez les soldats, un départ c'est un départ. En particulier je suis comme l'oiseau sur la branche, déjà je ne suis plus à Bouxwiller, mais d'autre part je ne me sens plus lié à cette division puisque je vais être rappelé et puis enfin ma permission me tire hors de la guerre vers vous autre et Paris. Bref, dépaysement. Je joue au ping-pong, voilà ce que je fais. Dès après-demain, je me mettrai à rapetasser ce roman. Je ne vais pas encore toucher à Marcelle, mais je vais essayer, comme je vous le disais, de *situer* mes chapitres.

À demain, mon petit, songez que, quand vous recevrez cette lettre nous serons à *huit jours* de nous voir.

Je vous embrasse sur vos belles vieilles petites joues.

À Simone de Beauvoir

15 mars

Mon charmant Castor

Me voilà donc revenu quatre mois en arrière. On a empaqueté et ficelé toute la matinée avec de brefs répits au Foyer et puis après déjeuner on s'est amenés en capote, chargés de musettes, du masque à gaz et du casque sur une grande place, près du collège où mon grand-père fit ses études mais qui depuis a été remplacé par une lourde bâtisse allemande en pierre blanche et en grès du pays. On a vu partir les camions et entrer les élèves dans le collège — il est mixte : jolis garçons et lourdes filles — et le temps passait. On a vu sortir les élèves et enfin vers quatre heures moins vingt deux cars sont apparus où nous nous sommes empilés. Le voyage a été aussi bref que l'attente était longue. J'ai pourtant eu le temps de projeter un prologue à *L'Âge de raison*, c'est la meilleure manière de présenter les personnages ; ce sera le 10 juin 1928 (juste 10 ans avant l'histoire) il y aura trois chapitres : 1° Ivich : on verra Ivich et le lit nuptial. On saura là qu'elle est émigrée, on verra Boris. On verra la mère. On entendra parler du père. Ce sera l'histoire du lit où elle couchait avec sa mère. — 2° Mathieu : il sera en passe de passer l'agrégation, on le verra tout jeune et plaisant avec Brunet et Daniel — il expliquera qu'il veut être libre, ça fera pas mal de le retrouver 10 ans après et ça permettra de ne pas exposer *à la fois* qu'il veut être libre et qu'il ne l'est plus ce qui est une erreur de technique. — 3° Marcelle : une histoire quelconque de la jeunesse de Marcelle qui la rendra attachante. On aura bien davantage l'impression du vieillissement et de l'âge de raison ensuite. Je suis enchanté de ce projet. Qu'en pensez-vous ? Je ne sais trop si j'ai plaidé pour lui comme il convenait mais je vous assure qu'il m'apparaît lumineusement qu'il a tous les avantages : ça donnera des racines à mes personnages et ça me permettra d'alléger le texte ensuite. Je vais commencer dès demain.

À peine arrivés il a fallu que nous défassions les colis que nous avions faits et dépaquetions les paquets. Nous sommes toujours à l'école mais au premier étage, dans une belle salle vaste et nue — car nos prédécesseurs ont déboulonné les bancs et les ont foutus les uns sur les autres au fond de la salle. Ça ne ressemble plus à grand-chose. Un tableau noir, un crucifix, une carte de France, une carte d'Alsace, un tableau du système métrique et puis, à part ça, nos tables pliantes (bière Vézelise), nos machines à écrire, nos casques et un immense espace vide au milieu de la pièce. C'est là que je vivrai jusqu'à ma permission. C'est là que je coucherai même — car Pieter est parti chercher des chambres et nous n'avons pu ravoir les mêmes, il a trouvé une étroite alcôve chez des vieillards méfiants et une chambre dans une autre maison qui loge déjà l'aumônier. Dans l'une et l'autre il faut rentrer à 9 heures du soir et ça m'assomme, j'ai préféré me porter volontaire de garde comme je l'étais ces jours-ci ; j'ai un tout petit lit dans la salle, quatre planches et de la paille dessus, ça ne me déplaît pas du tout.

Tout ceci fait, je suis allé chercher le courrier. Il y avait une lettre d'un Espagnol nommé Ferrer qui veut que je lui envoie gratuitement *L'Imaginaire* afin qu'il puisse démontrer tout à son gré que Lautréamont se mouvait joyeusement au sein du Néant. Et puis une lettre de vous.

T. ne m'a pas donné signe de vie depuis *huit* jours. Pouvez-vous me renseigner ? Y a-t-il un nouveau pépin ? Ou bien est-elle simplement prostrée ? Figurez-vous que j'ai eu une peur imaginaire mais forte, aujourd'hui, qu'elle ne soit enceinte. Ce serait du joli.

Enfin, même si c'était ça, j'arriverais à temps pour le lui faire dire.

Après le courrier, j'ai traîné un peu et puis j'ai été dîner au Lion d'Or pour refaire connaissance. C'était plein d'officiers mais tout de même bien plaisant. Et puis j'ai mangé comme je n'avais pas mangé depuis quatre mois (permission mise à part) et je me suis offert un petit verre de kirsch en terminant *Guillaume II* que je vous envoie demain avec d'autres livres. Mais je n'ai plus rien à lire savez-vous bien, mauvais petit. Qu'est-ce que je vais faire ? Vous m'aviez promis d'autres livres et puis rien n'est venu. Peut-être que je trouverai une petite chose ou deux ici et puis de toute façon, je n'y serai pas longtemps.

Voilà mon doux petit. Je suis un peu bien fatigué parce que j'ai coltiné des paquets toute la journée et je vais dormir comme un plomb si seulement les cochons qui dorment à côté cessent le potin qu'ils font depuis une heure. Et, dès demain, je me mettrai au Lit Nuptial, fondu et remanié.

Je vous aime tant mon petit, moi aussi j'ai formidablement besoin de vous voir en ce moment, un vrai besoin qui n'est pas si drôle à supporter, je voudrais avoir votre petite tête contre la mienne, ma petite fleur.

À Simone de Beauvoir

16 mars

Mon charmant Castor

Pas de lettre de vous aujourd'hui.

Aujourd'hui j'ai été prendre mon petit déjeuner à la Rose. Figurez-vous que la jolie petite rousse se farde, porte des jupes suggestives et est devenue un peu putain. La grosse brune par contre s'est mariée. Comme dit Naudin, qui a eu ses faveurs : « Y a du bon pour les cocus. » Après quoi je suis revenu travailler et j'ai courageusement commencé le prologue. Plus j'y travaille, plus j'en sens la nécessité. Mais il faut du courage pour récrire cinquante pages d'un roman qu'on croyait fini. Ça ira bon train d'ailleurs et, à présent que je suis dedans, ça m'amuse fort. J'en ai tapé deux pages à la machine, ce soir.

À midi j'ai déjeuné à l'Écrevisse et, l'après-midi, je me suis proposé, par désœuvrement (je n'ai plus rien à lire et vous ai envoyé poste restante le *Guillaume II, Le Siège de Paris, La Commune* et *Bismarck,* ça fait un petit tout très amusant) pour aller chercher du charbon en camion dans la ville que nous avions quittée hier. À l'aller, ça pouvait encore marcher, j'étais à l'arrière avec un Parisien de la rue Lepic surnommé non sans quelque raison Nimbus. Nous recevions le vent en coupe-gueule et faisions du tape-cul plus que de raison, mais c'était plutôt plaisant. Seulement au retour la vitesse soulevait en tourbillons la poussière de charbon et ça nous a transformés Nimbus et moi en nègres authentiques, c'en était risible. Entre-temps j'ai fait des adieux circonstanciés aux Dames du Foyer que j'avais oublié de congratuler hier. Je suis revenu à cinq heures, me suis amplement lavé, ai travaillé un peu, été boire un café kirsch à 7 heures avec les Acolytes et — revenu vers 8 h 1/2 — j'ai travaillé depuis ce temps. Il est onze heures et je vous écris.

Je vous embrasse, mon petit, mon amour, sur vos petits yeux et sur vos joues.

À Simone de Beauvoir

17 mars

Mon charmant Castor

Je vous écris à la machine une fois encore puisque vous aimez ça ; et pourtant je vous jure bien que j'ai tapé aujourd'hui, mais je veux vous faire profiter de quelques petits perfectionnements que j'ai récemment appris : par exemple je sais à présent mettre l'accent circonflexe et l'accent grave sur l'u ; voyez plutôt : ùùù, ô, ô, ô. Pour le point d'exclamation, par contre, il n'y en aura pas dans cette lettre, parce que je tape sur une nouvelle machine qui n'en comporte pas. Mes parents m'ont envoyé toute une lettre d'éloges sur mon art de taper ; et naturellement comme Poupette m'avait écrit et qu'il fallait la remercier de m'avoir copié mon roman j'ai saisi l'occasion et avec de gracieux badinages de confraternité, je lui ai envoyé six pages tapées. Je la trouve étonnante, à propos, de trouver mon roman sinistre ; qu'en pensez-vous, vous autre qui me disiez qu'on serait probablement déçu par sa fadeur ?

Aujourd'hui donc c'était dimanche. Il y avait des messes et des noces partout. Pour ma part j'ai voulu avoir au moins le corps sinon l'âme propre en ce jour de blanchissage et j'ai été me baigner, ce que je n'avais pu faire depuis ma permission, non par mauvaise volonté mais parce que « là où j'étais » il n'y avait pas de bains. Puis vers neuf heures je suis revenu à l'école où j'ai travaillé jusqu'à midi. Je fais une enfance d'Ivich en ce moment et ça m'intéresse fort ; j'y mets bien entendu tout ce que Z. nous a raconté à Rouen ; plus je vais, plus je crois que ça va donner des racines à mes personnages. Par exemple l'examen d'Ivich, son horreur des rapports amoureux, prendront plus de force si l'on connaît ses parents ; en particulier l'histoire du lit nuptial qui romanesquement paraîtra la cause de son attitude envers les choses du sexe. De même on verra Mathieu tout jeune et sûr de lui, il viendra de plaquer une bonne femme parce qu'il avait peur qu'elle n'en voulût à sa liberté ; il se raillera de son frère parce qu'il a un appartement, etc., et on verra aussi Daniel jeune qui aura la réputation d'être chaste et l'amitié de M. avec Brunet fera plus émouvante par la suite si on les a vus d'abord sans nuages ensemble. Évidemment ça m'oblige à renoncer à mon commencement que j'aimais bien, mais il sera toujours commencement de la première partie, simplement il y aura un prologue avant lui.

A midi, je suis allé chercher le courrier, j'étais bien impatient de savoir ce qui en était de vous autre. J'ai vu hier soir les types du Q.G. et je leur ai bien spécifié qu'il fallait me faire partir le 24, au retour de Hang ; ils m'ont paru de bonne volonté. Paul est donc parti cet après-midi, tout joyeux parce que ça correspondait avec les vacances de sa femme. Avant ça on a fêté son départ à l'Écrevisse en mangeant fin et en buvant une bouteille de sylvaner. Cette après-midi, j'ai un peu lu un roman policier acheté ici et fort mauvais (un vieux du Masque) et je me suis remis au travail. Je commence à taper en corrigeant, c'est-à-dire que la troisième et la quatrième version sont tapées. C'est plus amusant.

Pour l'argent ne vous inquiétez pas mon doux petit, vous avez tout fait au mieux. Ecoutez, Paul m'a prêté 300 francs avant de partir en permission ; Pieter fera quelque chose aussi, si bien que j'arriverai à Paris avec 4 ou 500 francs. Là, je taperai Gérassi ou Gégé et puis ma bonne mère m'aiderait au besoin ; l'essentiel, c'était d'avoir de quoi « se retourner ».

Donc T. m'a écrit fort aimablement et piteusement ; c'était déjection pure si elle n'écrivait pas. J'ai un poids de moins sur le cœur. Ce n'était pas sentimentalement que j'étais emmerdé, mais je ne sais pourquoi je m'étais fourré dans la tête l'inquiétude dont je vous ai parlé ; et il faut bien dire qu'elle n'aurait pas été autrement si cela avait été : muette, décomposée et ne faisant rien pour se sortir d'embarras. Vous savez, de loin on se fait des idées dans notre famille ; ma mère n'y manque jamais.

Que j'ai envie de vous voir. Vous rappelez-vous ces vœux que nous avions faits à Marrakech en nouant les feuilles d'un palmier ? J'y ai repensé aujourd'hui et ça m'a tout attendri. Je vous aime mon petit.

C'est moins bien tapé que l'autre fois mais la faute en est à la machine.

À Simone de Beauvoir

18 mars

Mon charmant Castor

Pas de lettre aujourd'hui. Ça m'agace, parce que je ne sais plus rien de vous, avec toutes ces incertitudes. Je voudrais tant qu'elles soient plaisantes pour vous, ces vacances. Mais à part ça je suis d'une humeur charmante. Ma dernière villégiature m'assombrissait : toujours et toujours le Foyer, je finissais par en avoir marre. Les cafés étaient antipathiques. Ici c'est tout charmant. J'ai repris mes habitudes, je vais pour le petit déjeuner à la Rose, pour le grand à l'Écrevisse, je retrouve tous ces gens. Mais ça fait lourd de souvenirs, mon Dieu ce que ça fait lourd de souvenirs. Dire que j'ai déjà des « souvenirs de guerre ». Eh bien, vous savez, ils sont forts et plaisants, je ne regrette rien de ce que j'ai vécu, c'est une des périodes les plus pleines de mon existence. Je dirais presque comme le boxeur, qui m'écrit aujourd'hui, qu'il fallait ça. Il vous appelle « exquise amie » et ne tarit pas d'éloges sur vous, mais vous accuse assez sournoisement d'avoir déconné sur la politique. Vous en avez autant, je crois, à son service. Il est bien brave et je vais lui écrire.

À part ça, je travaille beaucoup. Je ne tiens plus du tout le petit carnet. Je fais le roman et ce chapitre sur Ivich (prologue) m'amuse énormément. Je voudrais bien qu'il soit fini ou tout au moins très avancé pour pouvoir vous le montrer. C'est le genre : atroce voilé sous le charme de l'enfance. Je fais un brouillon à la plume, je le corrige, je le tape, je corrige à la plume le brouillon tapé et je tape ce brouillon corrigé. Il me semble que ça rend plus conscient des fautes et, en même temps, ça varie un peu les exercices. Vous savez, après la guerre je m'achèterai une machine et je taperai moi-même mes écrits comme Nizan. Entre-temps je fais quelques parties d'échecs avec Hantziger, que je bats régulièrement et j'écoute les doléances de Pieter, très agité parce que la grande glace de sa devanture s'est effondrée.

Mon petit, mon doux petit, comme j'ai hâte de vous revoir ; je vous aime bien, allez ! J'ai tant envie de prendre votre petit bras et que nous allions nous promener, j'ai tant envie de passer de vrais jours de vie avec vous du matin au soir. Je vous aime. Pourquoi j'ai dit à mes parents que je venais ? À cause de ma pauvre mère qui est touchante et qui est vraiment privée par mon absence. Je ne savais pas alors que je retournerai à Saint-Cyr, sans quoi je ne l'aurais pas fait.

Au revoir mon petit. Je vous embrasse sur vos vieilles petites joues.

À Simone de Beauvoir

19 mars

Mon charmant Castor

Il est dix heures, je suis seul dans la salle d'école avec Grener écrasé de fatigue comme un bœuf et qui ronfle à casser les vitres, étendu sur un coussin de banquette de chemin de fer. D'où vient ce coussin, mystère. J'ai bien reçu les livres. Je suis enchanté de relire le Jules Renard, mais ce type est infâme. Je vais en écrire un peu sur le carnet. Mais je délaisse le carnet, ces temps-ci, je suis tout acharné à faire une enfance d'Ivich et ça ne marche pas mal. Je crois que ça fera romanesque de la retrouver ensuite à 20 ans. Toute la journée je n'ai fait qu'écrire et taper, taper et écrire et puis j'ai pris quelque repos au déjeuner pour lire le *Journal* de Renard, j'en ai déjà lu cent pages. C'est fatigant à cause des concetti qui consistent uniquement à prendre le contre-pied d'une formule courante. Il appelle ça très sérieusement : avoir des idées. Que ce monde d'écrivains d'alors était donc infâme. Je me rappelle tout le temps en lisant ça que le Piètre Bost[1] a écrit quelque chose comme : « le *Journal* si humain du grand Renard ».

Et voilà tout pour moi. J'ai reçu une troisième lettre de T. un peu pincée parce que je l'ai engueulée mais florissante. Et je cherche en vain que vous dire de plus, sinon que je vous aime si fort, mon doux petit et que je suis heureux, si heureux de vous revoir.

À demain. Je vous embrasse de toutes mes forces.

À Simone de Beauvoir

20 mars

Mon charmant Castor

C'est moi qui vais chercher le courrier, le matin. Et ce matin il n'était pas encore tout dépouillé. On m'a donné d'abord une lettre de vous.

Et de moi que dire? Rien plus, mon petit. Je travaille énormément. Je voudrais bien vous montrer tout un chapitre de ce prologue (Ivich) pour que vous puissiez voir en perspective. Je me lève à sept heures, je prends la bicyclette, comme aux beaux temps de novembre, je file à la Rose où je lis le *Journal* de Renard et je pense dessus. Dru. Je reviens à l'école et là de 9 à midi, je tape à tour de bras. J'ai tout repris ce début de prologue et je crois que ça ira bien. J'y ai mis beaucoup d'intentions mais les y trouvera-t-on? Voilà que vous travaillez dans l'intention à présent? Eh oui, mon

1. Pierre Bost, frère aîné de Jacques Bost.

petit, c'est signe d'âge. Après je vais déjeuner à l'Écrevisse avec Pieter. Là vous saurez que nous avons dit à Sophie, la serveuse, que nous ne voulions plus qu'elle nous serve et que nous préférions n'avoir affaire qu'à Maryse, qui est fille-mère et charmante. Et Maryse a été aux anges, parce que ça sera une bonne leçon à Sophie, qui n'a que 18 ans et qui la traite d'imbécile, bien que Maryse ait 22 ans et un enfant de 16 mois. Sophie est une garce. Par ailleurs Pieter m'a dit : « Il paraît que Maryse s'est fait chasser par ses parents parce qu'elle s'en fait mettre plein le cul. » Mais je l'ai grondé et nous aimons bien Maryse qui nous le rend. Voilà pour l'Écrevisse. A 1 h 1/2 nous rentrons, je lis un peu Renard, j'écris sur lui, puis je tape jusqu'à sept heures. A sept heures j'ai la tête en feu, non à cause des idées mais à cause des touches de la machine, il faut que les yeux courent après les doigts, j'en perds la tête. J'accompagne donc Pieter à l'Écrevisse où il fait un substantiel repas et moi un léger. Ce soir il y avait des types de l'infanterie — ça ne vaut pas les chasseurs. L'un d'eux était saoul à rouler et criait : « Il n'y a qu'un Français, ici, c'est moi. Vive l'armée française et l'Alsace française. » Puis nous sommes rentrés et j'ai écrit sur Renard jusqu'à 11 heures, parlé sur la politique avec le capitaine Munier, récrit et je vous écris ; il est minuit, je n'écrirai pas à T. ce soir. Peut-être demain matin.

Je ne sais rien de plus sur ma permission. Mais ça ne va pas tarder à présent.

À demain, mon doux petit, vous m'écrivez des charmes de petites lettres et je vous aime de toutes mes forces.

À Simone de Beauvoir

22 mars

Mon charmant Castor

D'abord voici quatre petites photos. C'est le capitaine Munier qui les a prises au mois de janvier, elles sont assez comiques. C'est là-dessus que j'ai l'air d'un Juif, d'après Pieter qui s'y connaît.

Ensuite que je vous dise mon inquiétude : voilà deux jours que je suis sans lettres de vous. Ce doit bien être le courrier de votre sale bled qui fonctionne par intermittence. Peut-être me blâmerez-vous d'user du mot bled, qui doit, pour vous, rejoindre toubib, dans la pire abjection néo-coloniale. Je m'en excuse sur ce qu'il est employé couramment ici et qu'il a une fonction très précise : par exemple l'endroit précis où nous sommes n'est pas un bled parce qu'on y trouve des cafés, des lames de rasoir et des aiguilles à repriser. Mais les artilleurs de la N^e^ batterie, à 10 km se plaignent d'être dans un bled parce qu'ils sont privés de ces biens. Tout ceci pour dire que la poste est mal faite chez vous autre petit. Si bien que, ce matin, T. me boudant parce que je l'ai engueulée pour ses huit jours de silence, *juste,* voyez le manque de tact, au moment où elle avait tant envie que je sois bien avec elle, je me suis trouvé tout con car c'est moi qui avais été chercher le courrier, j'en rapportais des floppées pour les autres et il n'y avait rien pour moi. Mais ça m'est un peu bien égal en ce moment, parce que *après-demain* dans les circonstances les plus favorables — et dans trois ou quatre jours si elles me sont contraires — je vais partir en permission.

Ma vie demeure toujours aussi sage et vide; aujourd'hui j'ai poursuivi la lecture de J. Renard que je hais et j'ai travaillé ferme sur Ivich, je crois que je vous montrerai le chapitre fini ou à peu de chose près. J'ai déjeuné à l'Écrevisse et repris mon travail toute l'après-midi. Je vais écrire encore à mes parents et, dans une heure environ, je serai couché. Vous ne sauriez croire comme le temps, qui stagnait dans mon avant-dernier cantonnement, passe vite ici, on dirait que c'est une propriété de l'air ici. À peine suis-je levé que la journée est finie.

En ce moment Grener, qui attend que les officiers soient partis de la pièce à côté, ronfle sur un banc (c'est celui qui m'accusait de siffler en dormant). C'est une brute qui rote, pète, crache à jet continu; il est fondeur près de Strasbourg et abruti de bière. Quand il revient de permission, il se frotte le ventre avec satisfaction et dit : « J'ai sauté la vieille » (ça veut dire : j'ai couché avec ma femme) et il explique comment il s'y est pris. Pourtant je fais des bassesses pour obtenir son estime, simplement parce qu'il est ouvrier. J'y parviens d'ailleurs car il suffit de lui payer à boire pour être estimé de lui.

Voilà, mon doux petit. J'espère bien avoir au moins deux lettres demain. Je vous aime. Avant huit jours, je vais vous voir.

À Simone de Beauvoir

23 mars

Mon charmant Castor

J'ai reçu vos lettres du 21 et du 22 à la fois, heureusement, en sorte que je suis bien rassuré. Je suis revenu à mon ancien cantonnement et m'y trouve poétiquement et bien. Le temps passe avec une rapidité qui m'effraie, je me lève et c'est le soir. C'est que je travaille comme un dur. Dix heures par jour à un Prologue du roman. Je vous vois déjà froncer le sourcil. Mais ce prologue était indispensable. Sinon les personnages manquent de racines. Il aura 3 chapitres : I : Ivich — II : Mathieu — III : Marcelle. Il se passe 10 ans avant au mois de juin 1928. Je suis en train de finir le premier chapitre : Ivich, que je vous apporterai. Ça me permettra de dégraisser d'interminables monologues de Mathieu. Ne râlez pas, je jure que c'est une bonne idée. Ivich, ça fait toute une petite nouvelle à soi seul et, pour une fois, mon petit, vous lirez un factum de moi du commencement à la fin. Ce seront trois instantanés des personnages dix ans avant, avec leur jeunesse (ou enfance) et leurs espoirs. Je ne tiens plus le petit carnet, du coup. J'ai reçu vos livres et lis avec intérêt et dégoût le Renard. Vie studieuse et sans histoires aucunes (la mienne — celle de Renard aussi par le fait). Pieter va être bientôt rappelé à Saint-Cyr, c'est le commencement. Je déjeune à l'Écrevisse et prends le petit déjeuner à la Rose, naturellement. Mais je suis ingrat et je n'ai pas mis encore les pieds au Bœuf noir. Peut-être irai-je en pèlerinage.

À part ça, que vous dire, mon doux petit ? Que je souhaite de temps en temps vous voir et mener une vie moins austère ? Cela va de soi. Aujourd'hui j'étais à la Rose à côté d'un soldat qui avait sa bonne femme. Le type avait une gueule honnête et candide, la bonne femme avait une gueule de truie et zozotait, histoire de faire aérien, avec l'accent alsacien. N'empêche, ça m'a ému parce que c'était un type qui revoyait ici sa bonne femme. Ça me rappelait des souvenirs. J'ai bu un second quart de vin d'Alsace en leur honneur, ce qui fait que, en revenant je sifflais *Caravane* et trouvais que la lune était bien belle au-dessus du chemin. Nous sommes toujours dans l'école mais au premier étage. J'y couche comme

« volontaire » pour avoir un peu de solitude mais je n'en ai guère car Grener, le ronfleur (qui m'accusait de siffler en dormant) y couche aussi. Je l'ai parqué dans la pièce réservée aux officiers, mais n'importe, il s'étend sur un banc dès huit heures du soir et ronfle jusqu'à onze heures. A onze heures, les officiers partent, je le réveille et il s'en va courbé sous le poids de ses matelas (des coussins de banquettes de chemin de fer) et alors j'ai cinq minutes de solitude, je suis tout animé et je chantonne en défaisant mes molletières mais comme il est tard, je me couche. Mes lettres contenaient aussi un peu de la chronique scandaleuse du bourg, mais comme j'espère tout de même que vous les recevrez un jour, je ne vous en dis rien.

J'avais écrit à Poupette. Elle m'envoie demain la suite et la fin du roman. C'est bien. Il sera fini en octobre, sans doute et il aura *six cents pages,* j'ai compté. Je suis un peu fier de cette longueur parce que, jusqu'ici, je faisais plutôt des bluettes. J'ai toujours considéré l'abondance comme une vertu. Mais qu'il y a donc encore à travailler pour que ces six cents pages soient convenables. Avez-vous reçu la lettre où je vous disais que les détails, à la relecture, me satisfaisaient mais que j'entrais dans les vues de Lévy et que je trouvais l'ensemble un peu heurté ? C'est pour ça que je fais un prologue.

Voilà, mon doux petit. Ajoutez à cela que je vous aime tout fort, tout fort et que je ne songe qu'à vous voir, qu'à tenir dans la mienne votre chère petite main, et que vous êtes mon charmant Castor, mon amour.

À Simone de Beauvoir

24 mars

Mon charmant Castor

Pas de lettre de vous aujourd'hui. Mais ça ne fait rien du tout, je vais vous revoir bientôt. A vrai dire, je ne sais pas trop quand — à quarante-huit heures près — je pars sûrement au retour de Hang mais peut-être pas *tout de suite* après le retour de Hang, parce qu'il y a des retards dans les rentrées des permissionnaires. Je vous dis, c'est une question d'un jour ou deux et ça ne m'inquiète guère. Je suis d'excellente humeur et je travaille comme un dur. J'ai écrit ferme *17* pages en 6 jours, ce qui est un record pour moi pisse-vinaigre. Maintenant qu'en pensez-vous, tout est là. Je vous apporterai aussi les 100 premières pages du roman, nous en discuterons ensemble. Il y a du bon mais ça ne se tient pas assez.

À part le travail, rien. J'ai reçu une lettre de Kanapa dont je vous copie un passage (je l'avais autorisé à utiliser pour une conférence un chapitre de la *Psyché*[1]). « Pour ne pas me fatiguer j'ai lu en classe votre texte dactylographié lui-même. Après le cours M. Wahl est venu me demander si je pouvais lui prêter l'exposé. Je lui ai prêté les pages et je n'ai pensé que plus tard que ces pages étaient numérotées 46-47, etc. Personnellement ça ne m'ennuyait pas. Mais je savais que les idées que Wahl allait lire n'étaient plus les vôtres et qu'il aurait cru que c'était encore actuellement votre pensée. Alors je lui ai aussitôt écrit : " Je vous préviens que ces notes sont de M. Sartre et qu'il les désavoue formellement. " »

Ne trouvez-vous pas que c'est vraiment une apparence ce type-là ? Qu'est-ce qu'il va se mettre sur les bras cette histoire de pensée désavouée ou non par moi ? Et quelle drôle d'idée de demander une conférence si c'est pour *lire* mot à mot la pensée d'un autre. Et comment ne voit-il pas que je me fous que Wahl croie ou non que je conserve ces théories à l'heure qu'il est ? Vide et importance. Ça fait même un peu sinistre à force d'être maigrelet. Je suis convaincu que son accident de l'an dernier l'a vidé ; il n'était pas comme ça, il y a deux ans. Finalement ce groupe de petits camarades tient quelque chose comme apparence. Drôle de monde. Pas d'autre lettre. Si une de Saillet, le protégé de Monnier, pour me demander *L'Imaginaire.* Hier, une de Paulhan qui confirme que le livre est sorti, l'affaire de la thèse dans le lac et qu'il est, lui, « désolé ». J'en doute. Il va m'envoyer les *Œuvres complètes* de Malraux pour que je fasse un article sur lui. Je veux bien, ça m'amuse.

Je mange toujours à l'Écrevisse, je lis Renard. Figurez-vous que j'ai trouvé ici et acheté le *Journal* des Goncourt 70-71 qui complétera mes lectures sur le Siège de Paris et la Commune — et *L'Écornifleur* de Renard que je voulais lire en même temps que le

1. Étude de psychologie que Sartre n'a pas voulu publier, à l'exception du chapitre sur « La théorie des émotions ».

Journal. J'ai acheté le tout. Trouvé aussi pour cent sous non coupé *Le Camarade infidèle* de Schlumberger. Je l'ai lu hier. Ça me fait rire que le pédéraste à longues oreilles que j'ai vu faire un drôle de plongeon de côté quand on m'a présenté à lui est un « Cornélien ». Ça n'est d'ailleurs pas absolument mal — mais pas du tout si bien que je le pensais. Martin du Gard, Gide, Schlumberger, ça fait rudement époque. Et Renard, le vieux Goncourt, etc., ça en fait une autre. C'est marrant de penser que nous autres aussi nous ferons époque avec d'autres. Je me sens poussiéreux par avance.

Mais l'essentiel mon petit, dans ma journée, c'est mon travail. Je travaille et tape à m'en faire éclater le crâne. Ce soir, j'étais complètement dégoûté, par fatigue, de ce que j'avais écrit depuis samedi, mais en général je suis plutôt content et j'ai appétence avant de me mettre au travail.

Et voilà, mon cher petit, ma petite fleur. C'est une lettre bien littéraire, mais que puis-je vous dire d'autre ? Il ne se passe rien de militaire dans ma vie.

Je vous embrasse bien fort, mon cher petit Castor. Quand vous recevrez cette lettre, si tout va bien je serai à quatre ou cinq jours de vous.

Je vous aime.

À Simone de Beauvoir

24 mars

Mon charmant Castor

Pas de lettres de vous aujourd'hui. Savez-vous ce que Jules Renard dit des Castors : « Le Castor qui a l'air d'accoucher d'une semelle de soulier. » Cela me demeure un peu obscur. Peut-être savez-vous ce qu'il veut dire ? À moins qu'il ne parle de votre belle petite chaussure[1] que je me réjouis de lire dans quelques jours.

J'ai eu chaud ce matin. Naudin est venu m'avertir qu'on voulait faire partir Hantziger avant moi, au retour de Nippert, c'est-à-dire

1. Nom que nous donnions à nos écrits, par allusion au *Golden pot* de Stephens où les Lépricornes fabriquent de petites chaussures.

le 27. Pour moi, on envisageait seulement de me faire partir après le retour de Paul, qui sait quand ? (Paul rentre le 31.) Le plus pénible c'est que Hantziger a tous les droits de partir avant moi. L'âge, entre autres. Et puis aussi j'avais pour prétexte que s'il partait avant moi : 1° il resterait *un seul* secrétaire à l'A.D. (parce que Nippert était en permission) — 2° je serais obligé de partir en même temps que Paul (puisqu'il ne resterait plus que nous deux à partir). Et il ne resterait plus qu'un seul sondeur à l'A.D. Mais ces arguments se retournaient contre moi, du fait que je ne partais pas après Hang et que Paul était parti : Nippert rentrant, il resterait deux secrétaires à l'A.D. au départ de Hantziger — Paul étant parti, si je partais il ne resterait qu'un seul sondeur à l'A.D. pendant quelques jours. Mon affaire n'était pas bonne. Mais je *voulais* partir. J'ai bondi dès huit heures et demie au Q.G. et j'ai dit : « Mais c'est à moi de partir ! D'ailleurs Hantziger est d'accord. » « Ah ! si Hantziger est d'accord, tu n'as pas besoin de t'en faire, nous n'imposons pas les hommes, vous pouvez faire une permutation. » Restait à circonvenir Hantziger. Ce que j'ai fait, feignant une grande colère qui m'évitait les explications : « Hantziger ! tu as été par en dessous râler au Q.G. ! Il y a huit jours c'était à moi de partir le premier et, à présent, c'est toi qu'ils veulent faire partir. Tu es un salaud, tu aurais pu me demander à moi, je me serais arrangé, etc. » Hantziger tout déconcerté : « Mais non, je n'ai pas été au Q.G. Mais bien sûr tu partiras le premier. » Et moi : « Tu me donnes ta parole que tu n'as pas été au Q.G. et je peux leur dire que tu es d'accord pour partir après moi ? » « Mais oui. » « Bon. Alors je vais télégraphier chez moi. » Troisième acte, le capitaine. Je vais à lui pour lui faire viser un télégramme pour T. : « Mais c'est subordonné, mon capitaine, à votre acceptation du jour auquel je dois partir. Le Q.G. me dit le 27. Y voyez-vous des inconvénients ? » « Non. On tâchera de vous remplacer au besoin mais n'en parlez pas trop. » Sur quoi retour au Q.G. : « Hantziger est d'accord et le capitaine accepte. » Je partirai donc le 27 et serai le jeudi 28 à Paris.

J'ai passé mon dimanche de Pâques à travailler et vous verrez « Ivich » terminé. J'ai déjà des idées pour le 2 « Mathieu ». Mais Marcelle me demeure toujours fort incertaine. J'ai déjeuné avec Pieter à l'Écrevisse et j'ai été dîner seul au Lion d'Or en lisant le J. Renard. Paulhan m'a envoyé *La Condition humaine, Le Temps du mépris* et *L'Espoir* pour que je fasse un article sur Malraux ; ça fait du pain sur la planche comme vous voyez, avec les mille pages de *Don Quichotte* et le Baudelaire, que je n'ai pas encore relu.

Et voilà, mon doux petit, un jour de plus de ma vie de moine. Bientôt 7 mois de cette vie. En ce moment c'est du bon temps calme et fructueux, je travaille bien et j'aime bien cette ville. Il paraît, vous l'ai-je dit hier, que Pieter va être incessamment rappelé. C'est le commencement.

Mon doux petit, je vous aime si fort, vous me faites fragile, en ce moment. Je voudrais avoir de vos nouvelles. Je vous aime.

À Simone de Beauvoir

25 mars

Mon doux petit

Avez-vous vu ma belle enveloppe avec les festons ? Ça n'est pas tout à fait ma faute, c'est venu comme ça et j'ai su utiliser le hasard. C'est, dit-on ici, parmi les officiers, la marque du génie français. Non à propos de ces astragales mais de la bataille de la Marne.

Mon charmant petit, que vous m'avez donc envoyé une gentille lettre et comme vous avez l'air de m'aimer, vous autre qui vivez dans la « crainte et le tremblement ». Je vous aime tant aussi, mon petit et j'ai tant envie de vous revoir. Quand vous recevrez cette lettre, vous serez à trois jours de moi. Car je crois que je pars vraiment le 27, peut-être au plus tard le 28. Je le saurai demain en tout cas.

Que vous dire ? J'ai définitivement réglé la question permission en retournant ce matin au Q.G. où l'on me trouve un peu collant. J'ai terminé « Ivich », vous en aurez 35 pages à lire, plus 23 pages « Mathieu-Jacques », ça fait cinquante-huit. (Et quatre carnets. Mais voilà huit jours que je n'écris absolument plus rien sur le carnet. Je m'occupe uniquement du roman.) J'ai travaillé encore cet après-midi et ce soir j'ai conversé sur la politique avec le capitaine Munier. C'est tout. Et il ne s'est rien passé dans ma tête, il n'y avait que de studieuses pensées en ordre sur Ivich et puis bien de la joie de partir et bien de la tendresse pour vous, mon charmant petit.

Et puis voilà. Je vais faire un mot à mes parents. Il est tard et je vais dormir. J'écrirai encore demain. J'ai tant envie de vous voir. Je vous aime. J'embrasse toute votre chère petite tête.

Je me réjouis de lire encore 100 pages de votre roman[1].

À Simone de Beauvoir

26 mars

Mon charmant Castor

Je passe la visite demain matin et je pars en permission demain soir — au plus tard après-demain (mais c'est peu probable). Je suis bien aise.

Il n'y a trop rien à dire sur la journée. J'ai fini le chapitre « Ivich » peut-être un peu hâtivement, pour pouvoir vous le montrer. Et puis j'ai beaucoup joué aux échecs. Ayant battu ces derniers jours, les joueurs de l'A.D. je m'étais laissé indolemment construire une réputation de fort champion et j'en jouissais. Or, aujourd'hui, Pieter le débutant et puis Hang m'ont battu. Piqué au jeu, je me suis acharné jusqu'à ce que je gagne et j'ai fait je ne sais combien de parties, tout l'après-midi. Je lis le *Journal* des Goncourt qui me divertit. Je le finirai demain et vous l'apporterai, s'il reste de la place dans ma musette pour que vous ayez une vue d'ensemble sur Paris 1870-1871.

Au revoir mon doux petit, je vous aime si profondément et si fort. Vous avez dû recevoir beaucoup de mes lettres à présent. Au revoir petit qui m'aime si bien, petit *tellement gentil*. Je vous aime de toutes mes forces et j'ai hâte de vous revoir.

1. *L'Invitée.*

À Simone de Beauvoir

27 mars

Mon charmant Castor

Juste un petit mot pour vous dire que je pars seulement demain 28. J'ai passé la visite du Major et ce coup-ci c'est sûr. Je serai donc vendredi 29 à 6 heures à Paris.

Je suis tout heureux de partir et surtout de vous revoir, mon amour. Ô mon petit que je vous aime donc et que j'ai donc besoin de vous.

Je vous embrasse de toutes mes forces.

À Simone de Beauvoir

Mercredi 10 avril

Mon charmant Castor

Je suis désolé, je n'ai pas pu écrire hier, les horaires des trains sont changés. A peine arrivés à Port d'Atelier, on nous a fait prendre un nouveau train et je suis arrivé à minuit quinze à un centre de rassemblement où j'ai couché sur une paillasse. De là à sept heures du matin on nous a ramenés ici par des cars. Je n'ai donc pas eu une minute pour écrire. En un sens, je préfère ce voyage au précédent : je n'ai pas eu les heures interminables d'attente à Port d'Atelier. Tout le temps le train. C'est plus plaisant, je ne sais pourquoi, sans doute à cause du rythme. J'avais rencontré deux types de ma division à Port d'Atelier, un caporal-chef et un type du Génie et nous nous sommes adjoint un Breton de Quimper, au visage très breton — il ressemblait à Herland — et nous avons fait le voyage ensemble. Ça n'était pas du tout déplaisant, bien que nous fussions empilés comme des harengs, nous avions une place pour trois et nous nous la cédions à tour de rôle ; je suis resté quatre heures dans le couloir mais j'aimais mieux ça malgré d'horribles exhalaisons qui venaient des cabinets et ne m'ont pas empêché de dîner de bon appétit. Par exemple j'ai peu dormi — quatre pauvres petites heures sur une mauvaise paillasse et dans le froid, aussi ai-je été abruti toute la journée d'aujourd'hui et ne vous ferai-je qu'une pauvre lettre (je devrais en faire deux à T. qui m'a scrupuleusement écrit *tous les jours* après le départ et s'inquiète de mon silence, mais je n'en ferai qu'une, je n'ai pas de courage). J'ai lu avec beaucoup d'intérêt le *Dostoïevski* qui est superficiel (pas plus que le *Shelley* de Maurois) mais vise au « pittoresque » et qui donne des tas de renseignements sur cette vie extraordinaire et, finalement, le voyage a passé très vite. Nous avons su, dès 3 heures, l'invasion du Danemark et de la Norvège et ça a donné un rythme romanesque à notre voyage, on ne parlait que de cela et puis à minuit et demi, en arrivant dans nos baraquements, nous avons entendu une émission anglaise en français et ce matin, juste avant de partir, à six heures et demie en buvant un café chaud, une autre émission. Il *faut* que vous lisiez les journaux, ceci pourrait bien décider non du sort de la guerre, mais de sa durée. Les types n'étaient pas tristes, cette fois-ci. Un peu intérieurs seulement mais plaisamment et puis, à partir de 4 heures 1/2 on a été complètement pris par cette extraordinaire aventure et on avait, pour la première fois, hâte d'arriver, pour avoir des nouvelles. C'est assez fort comme ça faisait, cet immense train éclairé en bleu sombre, bondé de soldats, tout lent et où il n'était question du premier au dernier wagon que d'une mystérieuse bataille navale au large de la Norvège. Aujourd'hui c'est le jour de la T.S.F., j'ai entendu 3 émissions, ça ne m'était pas arrivé depuis septembre. Le reste du temps, j'étais vague et plutôt heureux. J'ai de si bons souvenirs, mon doux petit, vous avez été tellement gentille. Ça me fait tout chaud de penser à nos matins chez le petit Rey et à toutes nos graves et lourdes conversations au Delfourt ou au Mahieu. Écoutez, pour vous flatter, petite fleur, Dostoïevski a écrit et pensé du plus profond de son âme : « Chacun de nous est coupable devant tous, pour tous et pour tout. » Mais, mon petit, comme au contraire ça me fait lourd et riche et plein et heureux de penser à ce que nous sommes l'un pour l'autre. Je vous aime si fort, ma petite fleur, mon charmant Castor. Vous savez vous étiez bien aussi émouvante que l'autre fois, agitant le bras sur le quai et j'étais tout aussi remué et les deux images, celle d'hier et celle de l'autre fois ne font qu'un. Comme j'ai envie de vous revoir. On ne sait rien de plus ici, à ce sujet, sinon que l'affaire de Pieter va traîner encore un petit mois. Quant à nous autres, Paul, rien. Mais c'est un rien qui n'est pas du tout mauvais, au contraire.

Mon amour la tête me bruisse de sommeil, je crois que je vais crever si je continue. Je vais écrire six lignes à T. et me coucher. Je vous aime de toutes mes forces. J'embrasse si tendrement, si religieusement vos vieilles petites joues, petit parangon des Castors.

1) N'oubliez pas LE SOU.
2) N'oubliez pas d'envoyer les livres à l'Espagnol et à Saillet.

À Simone de Beauvoir

Jeudi 11 avril

Mon charmant Castor

C'était un vrai petit miracle, ce matin : j'ai été à la poste avec Pieter et il y avait votre lettre. Mon doux petit, que je suis heureux que vous soyez heureuse. Moi aussi je suis tout content et tout pénétré de vous autre et de notre amour ; je ne crois pas qu'on se soit jamais mieux entendus et ça faisait un peu bien angoissant et si plaisant (pour quelqu'un qui craint les responsabilités désormais) de vous voir si bien entrer dans mes préoccupations et les faire vôtres et tantôt les suivre et tantôt me dépasser de mille coudées et vous pénétrer si fort de tout ce qu'on pensait ensemble. Mon cher petit, je ne crois pas que je pourrais me passer de vous ; j'ai pensé, sans romantisme mais avec exactitude sèche, que si vous mourriez, je ne me tuerais pas, moi, mais je deviendrais tout à fait fou. Donc restons bien vivants, mon amour. Avez-vous vu ? Les nouvelles de guerre sont bonnes, les Allemands ont fait une énorme connerie et ils sont en train de la payer. J'imagine que ça va bientôt cogner sur terre ici ou là (mais probablement pas en France) et je commence à espérer que la guerre ne sera pas si longue que je le craignais.

Cette nuit j'ai fort sagement dormi. Comme un plomb. Dès la tête mise sur l'oreiller je ronflais. J'ai dormi neuf heures et tout le jour j'avais encore du sommeil tout autour de moi. J'ai tout de même travaillé à la fin du chapitre Brunet-Mathieu mais pas trop bien. Demain ça sera fini et ça ira mieux. J'ai eu aussi mille petites courses à faire comme toujours le lendemain des retours de permission, ici et là, au Q.G., chez le Major, etc. Et puis on a écouté la T.S.F. à la Rose, à midi et à sept heures. C'est plaisant, il y a foule de militaires tout passionnés qui réclament le silence à grands cris et couvrent le bruit de l'appareil et puis la jolie rousse circule à pas feutrés et il y a une autre jolie servante et puis les informations viennent avec ces mots si barbares de Skagerak et Categat et on écoute tout ça avec passion, puis dès que c'est fini, c'est un formidable brouhaha de commentaires. Et puis c'est intéressant comme dans un roman policier de voir les vérités percer peu à peu à travers un brouillard de fausses nouvelles démenties, confirmées, redémenties. À présent la journée est toute vivace : la T.S.F. à 8 h 1/2 — le courrier à midi — la T.S.F. à 12 h 30, la T.S.F. à 19 h 30, ça fait tout un rythme — et entre-temps, le travail. Je suis animé comme un pou — ou plutôt je le serais si je n'étais encore plombé de sommeil. Encore un jour ou deux et ça sera le réveil complet.

T. m'écrit scrupuleusement tous les jours, de charmantes petites lettres. Vous avez su sans doute par Olga sa lamentable histoire de carte d'identité. À présent voilà qu'Olga se formalise parce que j'avais mis « pour T. Z. » sur les enveloppes que je lui adressais. Je la trouve un peu folle, bien que vous m'ayez dit que c'était inutile. Elle se prétend vexée — qu'elle n'aurait jamais ouvert les lettres, etc. « Ce qu'il y a, me dit T. qui me transmet impartialement ces fureurs, c'est que tu es un furtif et tu as toujours un peu péché par excès de précaution. » Tout est bien.

À demain, mon doux petit, je vous aime de toutes mes forces, vous êtes mon doux Castor, ma petite fleur.

1) Je ne tiens plus du tout mon carnet.

2) Soyez douce, négociez pour l'argent le plus tôt possible. J'ai cru comprendre que Paul avait besoin du sien.

À Simone de Beauvoir

Vendredi 12 avril

Mon charmant Castor

Il est bien tard. Grener vient de m'entreprendre depuis une heure et, fidèle à ma tactique de lui faire des grâces, je l'ai écouté jusqu'au bout avec des petits signes de tête un peu distraits mais tout de même absorbants. Il m'a raconté qu'il avait été en 1922 ordonnance du fils Millerand pendant le voyage du père-président et du fils au Maroc et ça faisait rapports à la Dos Passos entre les gens parce que moi j'ai été condisciple du même fils Millerand à Henri-IV. C'est bien vrai que ces rencontres font un peu « à facettes » et ça fait un peu étrange et plaisant d'entendre dire, vingt ans après d'un ancien camarade : « Il était radin, tu sais, il ne m'a pas laissé un sou. » Et pendant le même voyage il était ordonnance d'André de Fouquières. Il racontait de façon charmante comment il se rasait avec le rasoir d'A. de Fouquières après que celui-ci eut fait sa toilette et se parfumait avec ses parfums et comment il lavait les glaces et les vitres avec son éponge de toilette. Le pauvre de Fouquières en ferait une maladie s'il pouvait le savoir.

À part ça, j'ai travaillé avec acharnement tout le jour et le chapitre Brunet-Mathieu (commencement et fin) est terminé. Par exemple, je ne sais si j'en suis content, il faudra voir demain. Nous nous sommes un peu désaffectionnés de la T.S.F. parce qu'on ne nous donne quasi plus de nouvelles et je n'y ai plus été qu'à midi, on verra demain. Il pleut ici ou bien, de temps en temps, le soleil perce un peu à travers les nuages mais faiblement. Nous faisons un sondage par jour le matin pour la D.C.A. vers 9 heures. Ce matin, j'en ai fait un, avec Paul, je me trouvais tout bête, parce que je n'en avais pas fait depuis le 3 février. Mais enfin on s'y remet. Savez-vous que Paul a de la chance d'être physicien ? Le ministère de la Marine le convie à faire partie pour la durée de la guerre d'un Centre de Recherches physiques organisé à Toulon. Vous auriez sauté dessus à sa place. Mais si vous l'aviez vu : il était tout hésitant, vert et les mains tremblantes. Chez lui l'émotion-choc se prolonge plus de trois et quatre heures, il lui faut ce temps pour reconnaître que c'est un événement heureux qui lui arrive. Il voulait télégraphier à sa femme pour lui demander son avis mais j'ai pris sur moi de le faire accepter. Paul à Toulon, Pieter rappelé, je resterai tout seul ici pendant un temps, avec des nouveaux venus. Ça me fait drôle. Je crois que je regretterai Pieter qui était sympathique et bon vivant.

Mon doux petit j'ai reçu une petite lettre désenchantée, ce matin, de vous autre. Vous n'étiez pas triste mais tout éberluée de sommeil. Vous attendiez un petit déclic, pour le lendemain. Et le déclic n'est pas venu, mon pauvre petit. Ce devait être ma lettre et je n'ai pu vous écrire mardi, comme vous le savez à présent. Ça fait drôle que les jours que vous me racontez soient *passés*. Je suis bien aise que les carnets vous aient intéressée (mais pourquoi n'avez-vous pas lu le *Guillaume II*?) mais vous savez, je ne les tiens plus du tout. J'ai hâte de finir le roman. Pourtant j'aurais pas mal de choses à y mettre ; mais je n'ai pas le temps.

Mon doux petit, mon cher petit, comme je vous aime. Je vous sens si proche de moi, dans toutes vos histoires et dans tous vos soucis. Vous êtes mon amour.

À Simone de Beauvoir

Samedi 13 avril

Mon charmant Castor

Je vais voir les « Maginots Boys » ce soir, figurez-vous. On a tiré au sort et mon nom est venu. Ça m'amuse un peu. Mistler qui est au Q.G. d'armée m'en avait parlé avec quelque mélancolie, disant : « Voilà des gars qui ont une belle planque. » Ce sont naturellement des professionnels de la danse et du chant. Ils vont de localités en localités à l'intérieur de la zone de l'Armée pour distraire les officiers et accessoirement les troufions dans la mesure des places disponibles. On a tiré au sort mon nom et celui de Pieter et nous irons dans une heure, c'est dans la salle du Foyer de Brumath.

Par ailleurs ce fut une journée studieuse. Figurez-vous que le travail de rapetassage a l'air de se faire *très* vite. Est-ce que je suis trop indulgent ? (j'ai un complexe depuis l'histoire du Prologue [1]) ou bien n'est-ce pas plutôt que le travail était presque tout fait et qu'il n'y avait que le coup de pouce à donner ? Je travaille aujourd'hui la mort de Lola. Un capitaine est venu — fringant, École de guerre, dîne avec le général —, et m'a dit : « Et celui-là qui a l'air effondré que fait-il ? » Je n'avais pas du tout l'air effondré mais j'avais la gueule que j'ai quand je travaille. « Un travail personnel, mon capitaine. » « Mais quoi ? » « Un écrit. » « Un roman ? » « Oui mon capitaine. » « Sur quoi ? » « Ça serait un peu long à vous expliquer. » « Enfin il y a des femmes qu'on baise et des maris cocus ? » « Naturellement. » « C'est très bien. Vous avez de la chance de pouvoir travailler. » Sur quoi, j'ai été acheter des petits pains pour le dîner et il a dit aux secrétaires non sans une pointe de mélancolie : « Les auteurs, il ne faut pas les voir de près. » « C'est son costume qui ne lui va pas », a dit le bon Pieter indigné.

À part ça, encore un nuage à l'horizon : nos traitements sont remis en question et la Chambre statuera à ce sujet au mois de mai. On parle de réduire nos traitements des 2/3. Ça ferait encore 1 000 ou 1 200 francs n'est-ce pas ? Aux dernières nouvelles, le danger ne semble pas si imminent, mais enfin il faut se méfier. Vous m'envoyez environ 7 ou 800 francs par mois, je ne vous en demanderai plus, en ce cas, que 200. Pourrez-vous tenir avec 1 700 francs au lieu de 2 500 ? Naturellement il faudra imposer des économies aux deux Zazoulich.

C'est marrant pour la T.S.F. : quand on envoie Pieter l'écouter il revient épanoui et il n'est question que d'hécatombes allemandes et de cadavres d'Allemands flottant dans le port d'Oslo. Quand on envoie Paul, il revient la mine basse et déclare : « Il n'y a pas de nouvelles mais ça n'a pas l'air de marcher si bien que ça. » Et il se promène les mains derrière le dos d'un air tatillon et navré.

Je lis *La Condition humaine* et je vois bien ce qu'il a essayé de faire sentir : une fatalité reprise et assumée par une volonté. C'est tout de même assez heideggérien. Mais il y a des passages ridicules (l' « érotisme » de Ferral) et d'autres mortellement ennuyeux. Je crois que je vais expliquer que d'une part il y a une sorte de saisie philosophique de la « situation » qui est fort louable et d'autre part

1. Je l'avais trouvé très mauvais et Sartre l'avait supprimé.

un art par vieux procédés qui est très blâmable. Ainsi mêlerai-je l'éloge à la critique. Mais je n'écrirai rien là-dessus avant longtemps. On annonce beaucoup de livres dont je suis vraiment cupide. *America* de Kafka. *La Vague qui passe* de Clemence Dane — Le *Journal* tome II de Samuel Pepys (à propos que ne m'achetez-vous le tome I, au début de mai ?). Vous serez douce, si vous avez l'œil là-dessus. Mais si nous sommes réduits, au lieu de ces achats ruineux, vous négocierez pour moi un abonnement chez Monnier, ça doit être possible.

Voilà tout, mon doux petit. Il y avait une lettre de vous et vous me disiez que vous aviez été bien déçue de n'avoir rien de moi jeudi. Mais je le savais, mon pauvre petit — et vous en savez à présent la raison. Que j'aime vos petites lettres, mon amour. Je suis content que vous ayez repris de l'intérêt pour Sorokine (et heureux qu'elle se contente de m'exiler trois ans. Mais, en somme, c'est ce qui se passe présentement).

Mon cher petit Castor, ma douce petite fleur, je vous embrasse de toutes mes forces, vous êtes mon cher amour.

À Simone de Beauvoir

Dimanche 14 avril

Mon charmant Castor

Comment donc n'avez-vous pas reçu de lettre vendredi ? J'avais pourtant écrit mercredi. Il est vrai que les lettres partent le jeudi matin. Mais d'ordinaire elles arrivent à l'heure. Ça m'a un peu assombri de vous savoir sans lettres mais finalement j'ai réfléchi que c'était du passé. Quelle drôle de vie sans simultanéité nous vivons. Qu'est-ce qui est le plus vrai : ce que j'apprends chaque jour et que vous ne ressentez pas — ou ce que vous ressentez au moment où je pense à vous et que je ne *sais* pas ? J'ai le derrière entre deux chaises. De toute façon vous *avez été* embêtée le vendredi et il n'y a rien à y faire. Mon petit, vous êtes restée si longtemps sans nouvelles de moi. Et pourtant je vous aimais si fort et je vous écrivais. C'est le pis, comme vous dites, vous ne pouviez pas râler contre moi. Vous savez, j'ai été un peu ému en lisant les dialogues ennuyeux de Kyo et de May dans *La Condition humaine.* Pas à cause de Malraux ; mais je pensais que, sans faire tant de façons, nous étions bien fortement unis et tout juste comme il fallait. Je vous aime, mon doux petit, ma petite fleur.

J'ai donc été au spectacle hier. Mais j'en suis vite reparti. Ça n'était pas si mauvais, c'était terriblement ennuyeux. À vous dire le vrai, c'étaient des professionnels dans le civil mais de quatrième ordre. Ils venaient en costume de griveton moins la veste (pantalon kaki de golf, à la dernière mode militaire, chemise molle kaki, cravate kaki) pas fardés, ça faisait terne. Et ils ont joué l'inévitable *Asile de nuit* de Max Maurey, plus quelques chansons et quelques airs de jazz. Nous étions serrés comme des harengs dans une salle minuscule. Comme Pieter a manqué tourner de l'œil rapport à la chaleur et que j'étais debout, nous sommes partis à l'entracte et je suis allé me coucher vers dix heures, bien satisfait.

Aujourd'hui j'ai bien travaillé. J'ai refait tout le passage sur la mort de Lola et des bricoles. Ce qu'il y a de charmant c'est que je refais ceci ou cela suivant mon humeur ; si quelque chose ne va pas, je prends autre chose. C'est plaisant et j'aurai fini dans deux mois. À ce moment-là, je vous enverrai le manuscrit recommandé, vous le relirez et le porterez à Brice Parain s'il va bien. C'est surprenant de penser que ce gros pavé va être terminé. À midi une lettre de vous, rien de Tania. C'est le 3e jour de silence. Je suis assez serein mais tout de même je voudrais être sûr que c'est veulerie ou sinistre et qu'elle n'a rien découvert. Vous pensez bien n'est-ce pas que Z. vous battrait froid si elle pouvait supposer une supercherie ? À la radio j'ai appris avec ce drôle d'enthousiasme que je blâme, puisqu'il s'agit de la vie des autres, la victoire anglaise de Narvik (sept destroyers allemands anéantis) puis déjeuner, travail, échecs avec Pieter. Le lieutenant Z. est venu m'emprunter un livre et me demander des renseignements sur Nietzsche. Il se parfume et se teint en rouge les ongles de pied mais il ne se lave pas. Moi je ne me lave pas non plus mais je ne me parfume pas, aussi étais-je honnêtement indigné. D'autant qu'il est parti avec un plongeon de vieille bigote et sans me serrer la main. On parle de notre départ, nous irions à quelques kilomètres d'ici peut-être en caserne, mais je m'en fous, il y aura toujours un bureau pour nous. Ça serait pour cette semaine. Ce soir nous avons été à la Rose écouter les nouvelles de la Radio — mais il n'y avait rien de neuf et me voilà, je vous écris.

Mon petit, envoyez-moi du sou, ils le réclament discrètement ici. Il n'y a plus à avoir peur pour les traitements, c'était une interprétation perfide d'un journal de droite à propos d'un vote qui a *mis en minorité* une proposition de les réduire. Vaille que vaille ça ira bien jusqu'à la fin de la guerre. J'ai reçu une lettre de Duhamel, je vous l'envoie pour que vous riiez un peu : le contenu est sans intérêt mais la signature vaut son pesant d'or. L'écriture tient le milieu entre celle d'une ordonnance de médecin et celle du court billet de grand homme.

À demain, mon doux petit, ma petite fleur. J'embrasse vos petites joues, votre petite bouche, vos yeux et je vous serre tout fort dans mes bras. Vous êtes l'unique charmant Castor.

À Simone de Beauvoir

Lundi 15 avril

Mon charmant Castor

Il n'y avait pas de lettre de vous aujourd'hui. Je me réjouissais pourtant de lire qu'enfin vous aviez reçu la première des miennes et puis pas du tout. Mais je ne suis pas bien inquiet de vous et puis je me sens si uni avec vous que je peux bien pour un petit jour me passer de lettres. Je suis tout entier et tout le temps en contact avec vous autre doux petit. Tout le temps que je travaille mon roman, vous êtes présente comme un sévère petit censeur et c'est *pour vous* que je corrige, beaucoup plus encore que quand j'invente — et cela se conçoit car les corrections sont sur des imperfections que vous m'avez dénoncées et c'est à vous satisfaire en tant que petit juge que je vise. Je crois que je travaille vite et bien, tous ces temps. Mais vous jugerez bientôt. Et le reste du temps je vous sens si proche de mon cœur, oh, mon charmant Castor. Je voudrais que vous ayez reçu quelqu'une de mes lettres avant de vous enliser dans le morose et que le déclic, comme vous disiez, ait joué à temps.

À part ça que vous dirai-je de neuf ? Ce matin je suis allé écouter la T.S.F. à la Rose (je ne prends plus de petits pains : juste un café noir parce que je n'ai plus du tout de sou) et les nouvelles étaient bonnes. Je crois à présent, avec beaucoup d'autres, que la fin de la guerre est plus proche qu'on n'osait l'espérer (ce qui ne veut pas dire, hélas, demain ni dans trois mois). Après ça travail jusqu'à midi. Déjeuner au Lion d'Or avec Pieter, de plus en plus sympathique et, pour un peu, attendrissant. Nous avons longuement parlé des jambes d'une serveuse et ensuite des jambes des femmes en général. Puis nous sommes revenus et je l'ai battu quatre fois contre une aux échecs. Après quoi de nouveau échecs, puis, comme je suis de garde, je suis resté seul ici et ils ont été entendre la Radio à la Rose, j'en ai profité pour travailler encore une heure. J'ai fini *Le Temps du mépris* qui est profondément abject. Vraiment à mille lieues au-dessous de *La Condition humaine,* je ne sais ce qui lui a pris d'écrire ça. Mais il y a vraiment d'assez bons passages dans *La Condition humaine* et j'approuve bien fort son antipsychologisme (explication par en bas) d'une totale imperméabilité à autrui : il n'y a qu'un seul et même personnage (lui, Malraux) en diverses « situations » — et (explication par en haut) de l'idée que la réalité humaine est une totalité définie par son être-dans-le-monde. Il est vraiment bien proche de nous. Au point de dire que « l'homme veut être Dieu ».

J'ai reçu une lettre tout aimable de T. et *Liens* le nouveau journal de Saens, Dumartin, Tchimoutchine, etc. Ils ont vraiment fait des progrès depuis le *Trait d'union* et ce n'est pas si mal. Je leur écrirai. Voulez-vous m'acheter (le 1er mai) *Quatre mois* : c'est le journal de Chamson. J'en ai lu des extraits dans *L'Œuvre* et ça a l'air infâme. Mais il faut bien se documenter.

Mon doux petit, voilà une lettre bien austère. Ma vie ne l'est pourtant pas du tout. C'est celle du travailleur serein. Depuis que je suis revenu, que je vous ai si bien vue et retrouvée et que je vois ce roman se terminer, j'ai une profonde paix de l'âme. Je suis vraiment heureux. Vous savez, ce roman, c'est une étape dans ma vie. Et j'avais si peur de ne jamais le finir. Eh bien, à présent, je commence à sentir que ça y est presque. Encore deux mois ou trois, et je n'aurai plus besoin de m'accrocher. Je me reposerai quelque temps et puis je commencerai *Septembre.*

Je vous aime de toutes mes forces, mon doux petit, ma chère petite fleur. Vous êtes bien les trois quarts de ma sérénité. Vous êtes si douce et si tendre, ma petite fleur. Vous savez, cette fois-ci, vous avez été bien assez gentille et vous m'avez tout bien expliqué comme vous m'aimez.

À Simone de Beauvoir

Mardi 16 avril

Mon charmant Castor

Il est dix heures. J'ai sagement travaillé tout le jour et Grener m'a donné un bon peu de kirsch « fait à la maison » dans mon quart. C'est délectable. À présent il dort et ronfle et moi je vous écris ; j'aime bien vous écrire en ce moment, c'est tout poétique. Je n'écrirai qu'à vous. En vérité, ça ne m'amuse d'écrire qu'à vous. Je viens de relire mes corrections et il y en a qui vont bien et d'autres qui sont à retravailler. J'en suis à la conversation Mathieu-Daniel de la fin. Je m'y plonge jusqu'au cou et je crois qu'elle sera bonne mais elle est difficile. J'ai retrouvé tout le goût que j'avais l'an dernier pour mon factum, ça m'obsède tout le jour. Ça, vous et la Norvège : thèmes principaux. La Norvège, entendez que je ne m'attendris pas sur le sort de ce pays envahi : il était vendu aux Allemands et je le plaindrai une autre fois. Mais je souhaite vivement que les troupes allemandes y reçoivent une bonne dérouillée, car ça hâterait sans doute la fin de la guerre. Pour vous autre, je ne vous ai pas bien fort quittée depuis le retour de permission. Ça m'ennuie que vous ayez l'impression qu'on vous a volé ma permission. Moi, elle me fait courte mais pleine et j'ai des tas de petits souvenirs : Ducottet, le haut du Mahieu, le café de l'École Militaire, le quai du canal de la Villette et ce café de la République où nous tombions tous deux dans nos bottes. Que tout cela me fait plein et plaisant. Attendez ; j'ai encore un souvenir de solitaire : un café des Invalides qui regorgeait d'officiers et où j'attendais l'heure de vous retrouver à l'École Militaire. Je vous aime, mon petit. Alors voilà que votre petit talon vous a lâchée comme au Jardin des Plantes, il y a tantôt dix ans. Ça m'a fait rire. Pour mon cœur, vous êtes bien aussi jeune qu'en ce temps-là, vieille ferraille, et je tiens mille fois plus à vous autre petit.

Mais tout ça c'est un peu des gentillesses de remplissage, parce que je n'ai rien à vous raconter : 7 h 1/2-8 h 1/2 la Rose après avoir balayé. J'avais pensé que je noterais sur mon carnet ceci, que je vous raconte plutôt que de l'y mettre (le carnet est en souffrance) : je balaye avec malice, avec l'impression de faire une excellente farce aux officiers, de leur *faire croire* que j'ai balayé. Et je fignole ma farce avec tant d'amour, que finalement leur bureau est admirablement balayé. Après ça, donc la Rose et Radio. Puis, comme il bruinait pas de sondage. Jusqu'à midi écrit et un échec avec Pieter. Puis déjeuner (je n'y vais plus à partir de demain car je suis sans un et je ne veux pas encore emprunter. J'attends que vous ayez pu trouver du sou, pauvre petite infortunée;) il y avait de la blanquette de veau, que je n'aime guère. Et puis, après ça, travail. Ça m'amuse formidablement de travailler et j'espère que mon travail s'en ressent. Du train dont ça va j'aurai fini le 1er juin. Je lis *L'Espoir* — qui n'est pas bon. Quand vous aurez du sou, ce mois-ci, vous pourrez tout de même m'envoyer le Van Dine *(Meurtre au jardin)* et le Chamson parce que je n'aurai bientôt plus à lire que le *Don Quichotte* qui me fait peur. Puis j'ai mangé deux petits pains et ensuite j'ai été à la Rose, boire un quart de vin et écouter les nouvelles. Puis je suis rentré, j'ai encore travaillé, mangé les dattes de Hantziger, le kugelhof de Klein, bu le schnaps de Grener en fumant les cigarettes de Paul et me voilà qui vous écris. Je regrette que votre dimanche ait été sans lettre, mon doux petit. J'écris pourtant avec la régularité de l'horloge. Je vous aime tant.

Au revoir, vieux chemin battu, vieille ferraille, j'ai une forte, forte envie, ce soir, de vous tenir dans mes bras et d'embrasser tout votre cher petit visage. Je vous aime.

À Simone de Beauvoir

Mercredi 17 avril

Mon charmant Castor

Vous m'envoyez des lettres toutes longues et toutes gentilles et moi je vous envoie de pauvres torchons. Ce n'est pourtant pas l'affection ni la bonne volonté qui manquent, mais la matière, mon pauvre bon petit Castor ! Rien ne se passe ni au-dehors ni dans ma tête. Au-dehors, c'est la Rose, c'est la salle d'école. C'est assez drôle pourtant, cette espèce de phalanstère que nous formons, nous sommes à 10 : trois secrétaires, deux ordonnances, deux chauffeurs, trois sondeurs — et puis les 2 du S.R.A., Naudin et l'adjudant, qui vont et viennent. Tout ce monde se hait, bien entendu mais est uni, par des occupations communes, en petits groupes. Les échecs réunissent Pieter, Hantziger et moi ; la belote Pieter, Grener, Klein et François, etc. Ce soir, c'était plutôt marrant : Grener, Klein, Courcy et Beaujouan jouaient à la belote ; Paul, saisi d'une nouvelle et frénétique passion, voûté, l'œil mauvais, la bouche malheureuse, s'escrimait sur une machine à écrire pour améliorer ses temps ; Pieter et Hantziger jouaient aux échecs et je travaillais à mon roman. Je ne vois pas trop à quoi ça pourrait se comparer (bureau, phalanstère, nursery, hospice des Invalides) pour vous rendre l'étrange impression que ça me faisait. Mais on s'en lasse — je veux dire de chercher là-dedans des impressions fines, car c'est très supportable à vivre — et je n'ouvre même plus mon petit carnet. Car la tête est vide, mon petit. À vrai dire, elle se remplirait si je voulais, j'ai l'impression qu'il suffit d'ouvrir un robinet et en voilà pour six mois. Mais ça ne m'intéresse plus guère : je suis tout pris par le rapetassage de mon roman, je ne fais que ça, je ne songe qu'à ça.

À midi je n'ai pas déjeuné, faute de sou. J'attendais malicieusement le *prêt* qu'on payait le soir. Et le soir, en possession de quinze francs militaires j'ai été manger une paire de saucisses à la Rose en écoutant la T.S.F. Demain je ferai la même chose et, en plus de ça, je prendrai un bain. Après-demain, je me mettrai à la cuisine de la roulante. Ne vous en faites pas pour moi. Si vous pouvez m'envoyer un petit billet de cent francs, ça ira bien. Sinon tant pis. Pour les Acolytes, je tâcherai de leur faire prendre patience jusqu'au 1er mai, après tout, ça n'est pas si loin. Vous n'aurez qu'à m'envoyer un mandat télégraphique dès que vous aurez touché.

Pour ce qui est du traitement, il ne semble pas que ce soit si grave et vous n'aurez pas à rogner sur votre pauvre vie, ma douce petite fleur, j'en aurais le cœur fendu.

Que puis-je vous dire d'autre mon petit ? Que *L'Espoir* non seulement est bien mauvais mais encore qu'il montre une décadence de la pensée de Malraux. *La Condition humaine* avait un autre son. Il dit quelque part, dans *L'Espoir*, d'un anarchiste devenu communiste : « Je suis devenu communiste parce que j'ai vieilli. Quand j'étais anarchiste j'aimais beaucoup plus les personnes. » Ça pourrait s'appliquer à lui, trait pour trait. C'est tant pis pour lui. Je pense que ce sera le sujet de mon article : de *La Condition humaine* à *L'Espoir*. Au fond *L'Espoir* ressemble à un mauvais roman soviétique, vous savez de ces romans où les personnages sont de terre glaise et puent le matérialisme. Mais pour l'instant je n'ai pas le temps d'écrire cet article. Finissons d'abord le roman. J'imagine que je vous le ferai rapporter par Pieter à sa prochaine permission. Il sera sans doute fini à ce moment-là. Je suis tout aise, mon petit, que vous travailliez si bien au vôtre et que le chapitre Xavière-Françoise vous amuse à faire. J'ai pensé, pour moi, que Mathieu ne *s'intéressait* pas assez à Marcelle, qu'on ne sentait pas assez qu'il y tenait. Et pour montrer ça, il ne suffit pas de rendre Marcelle plus intéressante, il faut que lui-même apparaisse plus pris par elle. J'y travaillerai ; il faut que Marcelle soit comme le symbole de toute cette vie de confort intellectuel et moral, où il n'est pas libre. À demain, mon doux petit, mon cher petit. Que vous m'avez attendri, hier, avec votre petit talon rebiqué. Je vous aime si fort, mon amour. Vous êtes mon charmant Castor.

À Simone de Beauvoir

Le jeudi 18 avril

Mon charmant Castor

Je suis complètement abruti ce soir. Hilare mais abruti. Je viens de me faire gagner trois parties d'échecs par Pieter et je suis incapable de travailler, j'ai la tête lourde, je ne sais trop pourquoi. Pourtant j'ai dîné ce soir, j'ai même fort bien mangé une omelette et des pommes de terre pour 10 francs. Pieter m'en a prêté cinq là-dessus et maintenant je n'ai plus que quarante sous pour prendre mon café demain matin. Après... Si vous pouvez m'envoyer cinquante francs, ça sera bien venu, je ferai petit pour aller avec ça jusqu'à la fin du mois. Si vous ne pouvez pas, tant pis, j'attendrai jusqu'au 1er sans grand-peine, j'ai du tabac et il paraît que la roulante est très bonne en ce moment, c'est l'occasion d'en profiter

Et j'ai justement retrouvé du papier en masse et des capsules de stylo. Il n'y a que les livres qui vont bientôt manquer. Si vous avez le Van Dine, envoyez-le. Mais ce ne sont pas les livres qui font ma distraction pour l'instant, c'est le jeu d'échecs. J'y ai formé Pieter qui commence à me battre, ce qui me pique au jeu. De là à jouer dix parties par jour, il n'y a qu'un pas. Je suis redevenu assez bon d'ailleurs et calcule à cinq ou six coups de distance. Ce n'est rien mais ça donne l'impression de posséder l'échiquier, c'est agréable.

À part ça, rien, naturellement. Et T. qui m'écrit aujourd'hui : « Tu ne me dis pas beaucoup de choses sur ta vie. » Ça me casse les pieds mais il va falloir que je lui fasse une lettre pleine de détails. Où chercher le pittoresque ? Une table, une machine à écrire, du papier, des cons autour de moi : voilà. Et puis quelques petits détails militaires : hier on est venu nous réclamer d'urgence tous les pull-overs fournis par l'Armée cet hiver. On les a donnés en râlant. Sur quoi aujourd'hui on nous a convoqués d'urgence aussi pour les reprendre. À cela se passe le temps. J'ai aussi imprimé des numéros avec une machine à numéroter sur des billets de Théâtre aux Armées pour les officiers. C'était pure bénévolence de ma part et à seule fin de faire fonctionner la machine. La Radio a perdu de son intérêt depuis qu'elle n'annonce plus chaque jour un massacre de destroyers, les journaux aussi. Je ne pense absolument plus. Et pourtant je suis tout animé tout le jour — quoique ayant perdu complètement l'illusion de faire la guerre — à cause de mon roman. La grande dernière scène entre Mathieu et Daniel est terminée et je la crois bonne. Bien meilleure en tout cas que ce que j'avais fait en premier lieu. Je vais aborder Marcelle à présent et ça m'amuse fort. J'aurai sûrement fini en juin, si l'on continue à ne rien foutre, ce qui est plus que probable. De notre rappel à Saint-Cyr, pas de nouvelles. Mais la femme de Pieter écrit que c'est en bonne voie. Vous me demandez, mon petit, si je suis toujours barbu. Eh bien jusqu'ici je l'étais bien un peu, mais quand j'ai reçu votre petite lettre, j'ai pensé que vous aimeriez sûrement mieux vous imaginer ma tête tout juste comme elle était quand vous m'avez vu partir et j'ai couru prendre un bain et me raser. Je vous écris en état de totale pureté physique (la morale ne fait pas question). Mais Dieu sait en quel état je serai quand vous recevrez la lettre, car on m'a volé mes lames de rasoir. Tout de même, je vais m'entretenir un peu. Ça me changera d'être propre. Il y a des gestes que je n'osais faire tant mes mains étaient sales : serrer les mains, tendre à une jeune vendeuse de l'argent à plat sur ma paume renversée, etc. Même le salut militaire me remplissait de honte car j'étalais aux yeux de mes supérieurs une paume de charbonnier. Aujourd'hui, je portais haut la tête et poussais la fierté d'être propre jusqu'à l'illusion : je me croyais gandin.

Voilà mon doux petit, ce qu'il y a à dire aujourd'hui. Ce n'est guère. Cette lettre est faite de rien et c'est à vous de redonner le goût de devenir épistolier. Mais rassurez-vous je n'en ferai rien.

Mon doux petit que vos petites journées à vous me font poétique, que vous êtes sage, tantôt au Mahieu, tantôt chez Dupont à Montmartre, tantôt dans mille endroits de Paris et toujours si poétique à mes yeux, avec vos petits papiers, vos copies, votre roman. Je vous aime tant. Je voudrais bien être avec vous autre, vous savez et vous m'emmèneriez dans ce minuscule restaurant de Montmartre qui n'a pas de clients, rue Lepic — et aussi dans le café chantant qui sent les cabinets. Je vous aime de toutes mes forces.

À Simone de Beauvoir

Vendredi 19 avril

Mon charmant Castor

Aujourd'hui je vous tape ma lettre, pour que vous jugiez de mes progrès. Je crois vraiment que ça va aussi vite à présent que quand j'écris à la main. Mais je suis humilié parce que Paul, dont c'est la nouvelle passion, me gratte pour la vitesse. Mais aussi il emploie des méthodes déloyales et absurdes, des méthodes de primaire. Vous allez voir si ça ne le peint pas. Figurez-vous qu'il sait par cœur quelques discours de Jaurès. Cela même est déjà bien étrange, mais soit. Eh bien, il tape ces discours, toujours les mêmes ; il les a d'abord écrits à la plume, montre en main, si j'ose dire, et il a chronométré le temps qu'il a mis. Puis il s'est mis à taper ces mêmes discours et chaque fois il mesure le temps qu'il a passé à ça ; comme il les tape sur des feuilles de dépouillement de sondage, la pièce où nous vivons est remplie d'étranges papiers portant d'un côté une table de vents balistiques et de l'autre la prose enflammée de Jaurès, avec d'ailleurs toujours les mêmes exhortations, puisque Paul copie toujours les mêmes passages.

J'ai reçu, mon doux petit, la lettre funeste où vous m'annoncez la déroute de nos finances. J'ai aussitôt averti les Acolytes qui n'ont trop rien dit. Et du même coup, j'ai négocié un emprunt de cent francs auprès de Pieter. Donc ne vous occupez plus de moi. Les cent francs me permettront de finir agréablement le mois, en mangeant quelquefois à l'ordinaire, et quelquefois pas. D'autant que nous déjeunons à présent à la Rose, qui est moins chère que le Lion d'Or et plus drôle aussi à cause de la T.S.F. et de toutes ces plaisantes petites demi-putains — il faudrait dire en beau langage : demi-castors — qui se font tripoter par les soldats, ont toujours des chagrins d'amour par cinq ou six et versent des larmes dans les consommations qu'elles servent. L'autre jour une grosse quadragénaire s'en est mêlée et son énorme poitrine s'est mise à trembloter et puis elle a éclaté en sanglots en nous servant la soupe. D'ailleurs nous allons bientôt changer de cantonnement. Les projets et rumeurs dont je m'étais fait l'écho, l'autre jour, se sont déjà dissipés en fumée (ces blancs fautifs que vous trouvez un peu partout dans cette lettre, proviennent d'une défectuosité de la machine et non de mon inexpérience). Donc pour l'argent tout ira bien ce mois-ci. Pour le mois prochain je suis un peu atterré. Mais j'ai, vous l'avouerai-je mon petit, un sournois plaisir à vous voir vous débattre à votre tour dans des difficultés financières. Vous vous êtes assez moquée de moi, sans rancune, l'an dernier. Il ne me reste, je crois, qu'à gagner le Prix Populiste, mais je ne sais pas trop ce qu'il faut faire pour ça.

Aujourd'hui fut pareil aux autres jours ; il n'est rien arrivé du tout. Comme je vous l'annonçais hier, j'ai fait une longue lettre à Tania, pour lui expliquer comment il ne m'arrivait rien et comment je n'avais rien à raconter. Puis je me suis couché. J'ai été réveillé au milieu de la nuit, non par un cauchemar mais par le sentiment que j'étais en disposition d'en faire un. J'étais en train de faire un rêve très innocent sur Londres quand j'ai senti du dedans de mon rêve l'atmosphère qui changeait sans qu'il arrivât rien de terrible ; c'était le sens des objets qui avait changé. C'était toujours la nuit à Londres dans des rues désertes, mais par une drôle de contradiction qui faisait louche et inquiétant, cette nuit noire avait quelque chose de la réverbération torride d'un midi de juin. Je me suis prudemment réveillé avant de voir paraître les assassins ou chiens enragés qui devaient être les accompagnements obligés d'un semblable phénomène météorologique. Mais alors je me suis trouvé receler en moi une bulle d'angoisse absolument pure, qui semblait même être localisée dans mon corps. Exactement dans le haut de ma tête à gauche. Ça n'avait rien de métaphysique, ça faisait très physiologique au contraire, mais ce qu'on appelle ordinairement le corps n'y était pas intéressé du tout. On aurait pu croire que ça donnait raison à MM. Dumas et Cannon, touchant leur fameuse sensibilité corticale. Et puis cette angoisse s'est fixée sur le mot : Fou, qui est devenu rapidement intolérable, sans images ni représentations d'aucune sorte. Est-ce que vous connaissez ça ? Sur quoi, tout s'est dissipé, la bulle a crevé et je me suis rendormi. Je vous en parle parce que j'ai cru y voir la preuve que les cauchemars ne proviennent pas du hasard des déroulements d'images, ni d'une disposition générale de la sensibilité, mais qu'ils viennent plutôt de ce que dans le rêve l'affectivité *rêve,* elle aussi ; avec ou sans image, il se forme de petites bulles affectives de rêve sur lesquelles viennent ensuite se fixer des images.

Ce matin, j'ai renâclé sur le chapitre Mathieu-Marcelle, le premier. J'ai des tas d'ennuis ; d'abord, si Marcelle est malade vraiment, ça va compliquer la question de l'accouchement : elle risque d'y laisser sa peau et je n'ai pas besoin de difficultés supplémentaires. Ensuite, jusqu'à quel point son nouveau caractère est-il compatible avec ses petites trahisons ? Tout ça est évidemment affaire de doigté mais c'est bien ennuyeux. J'ai donc travaillé sans trop de goût. Ah oui et puis aussi il y a ça : si elle a vraiment tant envie d'avoir un enfant, sa morosité du premier chapitre est-elle bien explicable ? De soupirs en soupirs et de parties d'échecs en parties d'échecs, à la fin de la journée, tout de même, quelque chose du roman a été fait. Au fond ce qui est à trouver, c'est plutôt le *ton* avec lequel il faut parler de Marcelle. Je suis sur la voie. À part ça, j'ai reçu une charmante petite lettre de vous autre bon petit, qui m'a tout bien plu parce que, question d'argent mise à part, vous semblez plutôt gaillarde. Que vous êtes sage, vous autre cher petit Castor. Et que vous méritez donc votre bonheur. Je vous aime. (Ça me fait drôle de vous écrire ça à la machine.)

À demain mon doux petit ; voilà qu'il est tantôt dix heures. Je vais aller me coucher. Il a fait bien beau aujourd'hui et ce premier jour de printemps m'a un peu fendu le cœur. J'ai pensé aux rues de Paris, aux quais, et j'aurais voulu être avec vous à la terrasse du Café de Flore. Je vous embrasse tendrement sur vos vieilles petites joues.

À Simone de Beauvoir

Le samedi 20 avril

Mon charmant Castor

Vous n'aurez qu'un tout petit mot aujourd'hui : il est minuit et j'ai été au Théâtre aux Armées, le vrai Théâtre aux Armées, un théâtre de « civils » comme disent les soldats. Je comptais en sortir à dix heures et demie pour vous écrire. Mais on était serrés comme des harengs, j'étais debout tout au fond et je n'ai pas pu passer. Je vous écrirai demain un long récit de cette réjouissance qui fut divertissante à plus d'un chef. J'ai reçu une lettre de vous qui m'a bien fort remué mon doux petit, je vous en parlerai aussi demain. Je vous aime de toutes mes forces. Vous êtes mon cher, cher amour.

À Simone de Beauvoir

Dimanche 21 avril

Mon charmant Castor

Je vous ai écrit une bien mauvaise petite lettre, hier et j'en suis un petit peu confus car je sais ce que sont mes lettres pour vous, comme les vôtres pour moi. Mais je tombais de fatigue, j'étais resté debout tout le temps. Tout cher petit j'ai des remords. C'est drôle, mon petit, vous me dites dans votre lettre de ce matin que, en lisant mes lettres, vous ne trouvez pas les vôtres assez gentilles. Eh bien, ma douce petite fleur, voilà huit mois que c'est pareil pour moi, je trouve les vôtres si tendres et si plaisantes que je me sens tout humilié d'écrire mes torchons. Et pourtant je vous aime de toutes mes forces et je me sens bien tendre quand je vous écris. Mais il faudrait que vous soyez à côté de moi, votre petit bras sous le mien. Enfin voilà : ça doit venir de ce que c'est que les mots écrits. Quand on les écrit ils ont l'air de rognures, on a l'impression de les racler sur le sentiment comme des résidus de chair sur un os (toujours le phénomène de quasi-observation, sur lequel vous seriez renseignée, mauvaise, si vous aviez lu mon écrit). Et au contraire quand on les lit, le sens est derrière, c'est de l'observation réelle et ils font tout plein. Il y a, direz-vous, de votre air soupçonneux, encore quelque duperie là-dessous.

Vous m'avez fait mon doux petit un exposé bien flatteur, non plus de mon caractère — nous sommes trop vieux pour ça — mais de mon être-dans-le-monde. Naturellement, ça m'a profondément intimidé parce que cette façon d'être s'historialise à travers des milliers de petites mochetés et déficiences psychologiques et quand on parle de l'un, forcément on pense aux autres. Mais ça fait bien fort de penser qu'on est *ça* pour quelqu'un. Et justement, ça n'a plus rien de nécessaire, c'est bien au-delà du nécessaire mais il faut que ce soit *vous* qui me pensiez comme ça, nul autre au monde ne pourrait le faire.

Pour en finir avec les bâtons rompus, sachez que mardi 23 c'est-à-dire après-demain, le Prix Populiste est décerné. A présent toutes mes petites cuisines de vanité ont disparu, j'ai vraiment et purement fort envie d'avoir le fric, sinon comment vivre en mai ? Ça fait 2 000 francs net. Je ne pense pas que ça amène un lecteur de plus. Lisez les journaux de mercredi — et, s'il n'y a rien car c'est un modeste petit prix, achetez samedi les *Nouvelles littéraires,* car, même au cas d'une issue heureuse, je ne saurai rien avant samedi. Naturellement je les prierai, si c'est moi qui gagne, de vous envoyer le chèque *non barré.* Pourvu que nous gagnions. Il y a René Lefèvre sur les rangs avec *Les Musiciens du ciel* qui me paraît un concurrent dangereux. Peut-être (on a honte de le dire) ma qualité de soldat jouera-t-elle, mais il le fut à l'autre guerre. Il y a aussi Georges Blond : *Prométhée,* qu'on avait poussé pour le Goncourt.

Donc j'ai été hier soir au Théâtre des Armées. Nous y avons tous été à l'A.D. parce que nous avions tous marqué des numéros sur les billets d'entrée avec un bel appareil qui fait ma joie et qu'on a voulu nous récompenser. C'était le vrai Théâtre aux Armées, avec civils et bonnes femmes. Ils doivent faire des tournées de quinze jours environ, et ça doit être éprouvant, parce qu'ils se plaignaient tous dans leurs monologues que la tournée leur eût cassé la voix. Ils n'ont pas couché ici mais à la grande ville voisine et un car les a amenés vers huit heures et remmenés après la réception chez le général vers trois heures du matin. Ils avaient joué tout l'après-midi et ont joué le soir devant une salle absolument comble et enfumée malgré les efforts des officiers et du service de garde pour faire éteindre les cigarettes. Je vous dirai tout de suite que le niveau des attractions et chansons est sensiblement inférieur à celui du Petit Casino à Paris. C'est le dernier dessous. La vedette était Pierrette Madd, une actrice de cinéma et d'opérettes, qui a eu du succès en 1920 et qui a joué vers cette époque Constance Bonacieux dans *Les Trois Mousquetaires*. D'ailleurs c'étaient pour la plupart des gens mûrs. Les femmes étaient, comme on dit ici, des « vieilles réformes ». Et les hommes, contraints d'être dégagés de toute obligation militaire, étaient tous chauves, obèses ou alors déjetés. Un spectacle de pères de famille. Je me suis amené dans cette petite salle carrée, qui servait de cinéma avant-guerre et qui est le Foyer à présent, vers huit heures un quart : la représentation était annoncée pour neuf heures. Les soldats étaient parqués au parterre, les officiers avaient le balcon pour eux tout seuls. C'était déjà tellement plein qu'on n'avait même pas laissé de couloir entre les chaises et qu'il fallait sauter par-dessus les dossiers en prenant son point d'appui sur le dos des occupants. De dossiers en dossiers de dos en dos nous sommes arrivés tout au fond de la salle, non sans nous être fait copieusement injurier. Nous, c'est-à-dire Pieter, Mondange et moi. Mondange est un nouveau, il remplace Mistler parti à l'Armée. Il a 38 ans, il est timide, sympathique, un peu con à voiles mais d'une bonne volonté attendrissante. Il était « fascicule vert » et a été mobilisé il y a trois mois. Il a été envoyé comme S.E.M. (secrétaire d'État-Major) à Mont-de-Marsan où des milliers de secrétaires attendent qu'on les réclame. Un jour un maréchal des logis l'appelle : « J'ai un filon pour toi : secrétaire près de Laon à 150 kilomètres de Paris. Si tu acceptes, tu auras tes vingt-quatre heures par semaine, sûrement. » « Et comment », dit le type. Il accepte, fait six jours de voyage : Bordeaux-Poitiers-Paris-Laon. À Laon on lui dit : « Vous n'êtes pas encore arrivé, il faut aller à Vesoul. » Et à Vesoul on lui dit : « Vous allez en secteur, au front » (c'est-à-dire : chez nous). Les types (ils étaient quatre dans ce cas) deviennent verts et passent la nuit la plus lugubre en chemin de fer; enfin ils débarquent ici et, depuis deux jours, Mondange passe son temps à flairer les bombes et les gaz asphyxiants, tout étonné de voir les maisons encore debout. Ça nous a rendu un peu le sens de notre romanesque de voir ce type-là nous regarder un peu comme des revenants. Et nous avions beau lui dire : « Mais non, tu verras, on est plus peinards qu'à l'arrière », par honnêteté d'esprit, nous étions tous extrêmement flattés quand il nous disait : « Vous êtes des pauvres types ! Ah je vous ai bien plaints, vous n'avez pas eu de chance. » Bref Mondange a déchaîné la stupéfaction générale dans cette salle comble en disant tout d'un coup, avec un geste large qui désignait tous les grivetons : « Une bombe là-dedans ça ferait du dégât. » On le regardait, de l'air de le trouver un peu étrange et il nous a dit : « C'est vrai : vous vous n'y pensez plus, mais moi j'y pense encore. » En fait, à part les dix premiers jours, y avons-nous jamais pensé ? Nous nous sentions vaguement confus, un peu comme je suis quand vous me décrivez mon caractère existentiel. Et on l'appelle « le Bleu » avec une cordialité tendre et un peu vaniteuse. Naturellement Pieter l'a pris en main. Il lui aurait volontiers laissé entendre que notre vie n'était pas sans danger si je n'y avais mis le holà. Mais il est désarmant, le bon Pieter, car il m'a dit ce matin : « Tu vois, je reconnais mes défauts : j'ai essayé de ne pas briller devant Mondange. » Bref nous voilà tout au fond de cette salle, par quarante degrés de chaleur, étouffant, béant comme des carpes, environnés d'odeurs — surtout d'odeurs de vin car la plupart des types étaient saouls. Ils étaient venus faire la queue comme au Théâtre français dès sept heures avec leur bidon et ils buvaient de petits coups, de temps en temps, pour se tenir compagnie. A neuf heures le spectacle a commencé : ouverture : *Blanche-Neige,* sélection, par la musique du régiment. Vous vous rendez compte. Puis chanteurs, chanteuses, diseurs et diseuses, acrobates. J'étais aux anges, dans le fond, et j'ai compris ce que c'était que cette fameuse fraternité dont parlent les bourgeois qui ont fait la guerre de 14. Il est à remarquer en effet que les bourgeois en parlent toujours et expliquent comment les classes n'existaient plus — mon capitaine, par exemple, me fait de beaux discours là-dessus — et votre ancien amant[1] des Équipes Sociales. Mais jamais les ouvriers ni les paysans n'en parlent. Je crois que cette fraternité, c'est le fait de porter le même costume que les autres, de n'être jamais obligé quoi qu'on fasse et où qu'on aille, de payer pour son costume. Je sentais très fort hier soir que nous étions tous habillés pareil et que la première réaction de chacun était un réflexe de sympathie pour le voisin parce qu'il porte le même costume. Et on se sent formidablement aise parce que les gens *ne pensent rien* sur vous. C'est quelque chose que vous pouvez à peine imaginer, ça fait vraiment un formidable changement, en sorte qu'on n'a pas le souci de défendre son individualité physique. On n'a d'individualité qu'intérieure (car ça n'est pas du tout une osmose ou je ne sais quel phénomène collectif) on est simplement déchargé de son corps. Donc il y avait peut-être cinq cents types dans une salle faite pour en contenir deux cents. Et beaucoup étaient venus pour voir « de la femme ». Ce n'est pas qu'il n'y en ait pas ici — ou qu'elles ne soient pas très généreuses d'elles-mêmes ; mais il leur manque depuis leur dernière permission *l'actrice* en tant que représentation symbolique de la femme, qui les guide et sert de thème à leurs désirs. On l'a bien vu quand tout à coup une habilleuse est passée en hâte devant le rideau. C'est un rugissement qui est sorti de leurs poitrines : « Une femme ! Une femme. » Applaudissements et sifflets. C'était marrant, parce qu'enfin ils ne sont pas enfermés dans les forteresses de la ligne Maginot, ils n'ont qu'à tourner le coin de la rue pour en voir. Mais ça c'était *la* femme, encore qu'ils n'aient pu qu'entrevoir un dos et des cheveux châtains. Ils couchent pas mal mais ce qui leur manque, c'est la sanction que l'art donne, en paix, à leurs coucheries. Sur quoi un gros homme est venu annoncer le programme, affectant de ne s'adresser qu'aux troufions, mais louchant vers le général et, à notre égard, discrètement paternel. Il était gras et transparent comme du fromage de tête. Ça ne collait pas trop avec les soldats. Et les soldats n'étaient pas trop sympathiques : ils *boudaient,* parce qu'ils avaient affaire à des civils de l'arrière. Avec les gens d'ici qui vivent de leur vie et qui seraient bombardés comme eux, si ça cognait, ils sont tout à fait simples. Mais là, ils avaient une espèce de négativisme : la résistance du

1. Plaisanterie de Sartre. Il s'agit de Robert Garric dont j'avais suivi les cours à Sainte-Marie-de-Neuilly et qui m'avait fascinée pendant quelques mois.

type qui ne sera pas compris et qui sait qu'il y a un abîme entre l'arrière et lui. Quand le diseur comique, un grand diable chauve avec couronne de cheveux blancs s'est amené et a dit : « Bonjour. Ça va, et vous ? » Un soldat a crié : « Vous n'êtes pas soldat ? » et tout le monde a ri avec satisfaction vengeresse. Ils affectaient aussi de n'envisager les charmes des actrices que du point de vue exclusivement physique. Un voisin disait : « Je lui ferais ci, je lui ferais ça... » et ces détails crus étaient une vengeance. Mais c'était une bouderie superficielle, comme celle de Sorokine, ils voulaient qu'on les aide à en sortir. Et quand ils ont vu une bonne femme-serpent s'extraire d'un dé à jouer minuscule, la glace a fondu. Tout de même on leur a récité quelques poèmes sur eux-mêmes et ils sont restés froids. Par le fait ils étaient infâmes. Il y en avait un qui était censément le conseil d'un ancien de 14 à un bleu de 40. « T'as le cafard ? Bourre ta pipe. » Sur quoi on expliquait que la pipe dissipe les nuées du cafard, en termes choisis. Mais ils auraient pu tout aussi bien choisir ces poèmes comme symboles de ce qu'ils ressentent — tout aussi bien qu'ils choisissent : *Un amour comme le nôtre* de Lucienne Boyer en temps de paix comme symbole de leurs sentiments affectueux. Mais ils ne voulaient pas, ils étaient têtus. Pour le reste, on a fait d'eux ce qu'on a voulu et ils ont chanté tous en chœur chaque fois qu'on leur a demandé. Et ils ont tout trouvé « pas mal », sauf les fortes têtes comme Grener qui ont trouvé ça idiot. Ce qu'il y avait de plus drôle, c'étaient les bonnes femmes, surtout Pierrette Madd, qui menaient la salle tambour battant et se croyaient vaguement des généraux, avec un côté martial et bon enfant. Fort obscènes naturellement et *sûrement* excitées par ce tour de chant exécuté devant un public composé exclusivement d'*hommes* et d'hommes qu'elles s'imaginaient affamés. Pierrette Madd qui est une rombière se trémoussait de façon indécente, se donnait, faisait des allusions au bromure, s'imaginait sentir des regards de loup sur elle (en fait les types étaient calmes. Ce qui les charmait c'était d'avoir un contact avec « l'élégance féminine » en général). Et c'était d'autant plus marrant qu'elle allait après cette plongée dans une violente odeur d'homme, boire le champagne avec d'élégants officiers. Pas d'orchestre, sauf la musique militaire. Toutes les chansons étaient accompagnées par une pianiste minable à laquelle on avait permis, pour qu'elle ait son petit succès personnel, de jouer au début du spectacle un *Prélude* de Chopin, qu'elle a exécuté la tête rentrée dans les épaules à force de sentiment. Ça laissait rêveur, ces cabotins sur le retour, qui certainement ont un vague regain de gloire devant ces applaudissements. Ça ne doit pas faire beau dans leur tête : générosité, attendrissement patriotique et enfin — depuis tant d'années — ces vieilles peaux peuvent ressortir.

Et voilà mon doux petit. Je suis rentré me coucher. Je vous ai écrit.

À demain. Je copierai — je vous en préviens — de longs passages de cette lettre dans ma lettre à T. (tout ce qui concerne le théâtre). Vous m'en excuserez sur ce que je n'ai que ça à raconter et que, si je ne copiais pas, les mêmes mots me viendraient tout de même. Aujourd'hui, rien à signaler.

Ma douce petite fleur, je vous aime de toutes mes forces. Vous êtes mon cher, cher amour. À demain mon doux petit.

À Simone de Beauvoir

Lundi 22 avril

Mon charmant Castor

J'ai reçu une lettre de vous qui m'a touché aux larmes. Hélas, pauvre petit, vous voilà tout courant pour trouver cinquante francs que vous allez m'envoyer. Je ne vous dirai pas hypocritement que je n'en ai plus besoin, ça serait faux et par ailleurs la lettre arriverait quand ils seraient déjà partis. Mais je m'en souviendrai. Mon petit Castor, quand vous me rappellerez le Fomento del Torismo de Palma où j'ai été si attendrissant, je vous rétorquerai par ces cinquante petits francs que vous avez couru pour m'envoyer, le 22 avril 1940, alors que vous étiez si pauvre. Ils me serviront très bien, vous savez. Je réduis mon train de vie, sans extraordinaires compressions à 10 ou 12 francs par jour : un grand bol de café le matin pour 2 francs (sans petits pains) comme ça j'ai tout de même le plaisir du petit déjeuner. Je mange du pain militaire à mon retour au bureau. À midi un plat du jour et un fromage pour sept francs à la Rose (pourboire compris) ou une paire de saucisses et un quart de vin pour cinq francs (Pieter me passe la moitié de ses légumes) et le soir trois petits pains pour 18 sous et encore puis-je aller boire un quart de vin blanc à la Rose et écouter les nouvelles. Je maintiendrai le mois prochain mon train de vie à ce niveau. Je suis tout juste aussi heureux et ça fait d'énormes économies. D'ailleurs le mois prochain il y aura du changement. Nous partons dans une plus grande ville à 20 kilomètres d'ici, célèbre par sa Belle, qu'on montait au Vieux-Colombier. Nous serons dans la caserne des Gardes mobiles. Mais ça n'est pas si déplaisant : il y aura un bureau et un dortoir spécialement réservés aux sondeurs. Donc nous serons seuls. Naturellement toute latitude d'entrer et de sortir comme nous voudrons. Et puis j'imagine que les Gardes mobiles avaient une belle caserne. À l'ordinaire on les soigne. J'ai fini le 1er chapitre Marcelle-Mathieu. Que j'ai besoin de vous, mon petit. Que je voudrais donc avoir votre avis. Finalement vous ne pourrez pas me le donner avant le 15 juin et s'il y a des corrections à faire, ça va retarder énormément. J'ai eu pour la suite plusieurs idées ingénieuses. Demain je m'attaque au grand chapitre Marcelle, le 3 qui est entièrement à refaire.

J'ai reçu une lettre de Bonafé qui m'avoue qu'il est inscrit aux E.O.R. et qui dit qu'il se désinscrira si je le blâme. Je n'aurai garde de le blâmer. Mais je trouve et je lui dirai qu'il a été un peu vite. En laissant la chose sur le terrain concret et sans politique, comment donc s'est-il tant hâté d'être avec de petits intellectuels crevés, lui qui fait profession d'aimer tant les paysans et qui est si bien avec eux à Gaillac ? Ça m'amuse qu'il soit à Gaillac, vous rappelez-vous, mon amour ? Que nous avons donc de souvenirs plaisants (il y avait un parc et nous nous promenions au bord de l'eau et puis une foire où nous avons mangé des gâteaux très sales).

Il fait un temps formidable ici, un temps d'été, tout calme et beau, tout chargé de souvenirs. Ça change la vie et j'ai été faire un petit tour à bicyclette, dans le soir, pour le plaisir de remuer dans cette lumière rousse. J'étais sensible et heureux. Je vous aime.

Et voilà mon doux petit. Je suis calme et heureux, je travaille bien et je vous aime. Je suis tout animé par mon roman et je vous sens un peu bien paisible à Paris, tout va bien.

Je vous embrasse de tout mon cœur, ma chère petite fleur.

À Simone de Beauvoir

Mardi 23 avril

Mon charmant Castor

Une petite lettre tapée pour changer. Ça sera aussi une lettre littéraire, je vous en préviens, car j'ai du souci. Mais je veux d'abord vous remercier de vos cinquante petits francs, que j'ai très bien trouvés ce matin dans votre lettre. Ça m'a remué le cœur, mon doux petit. Vous savez, pendant que vous aviez des remords de ne me rien envoyer, de mon côté, j'avais des remords, de me faire envoyer quelque chose. Vous autres, — et je comprends là-dedans aussi les Z. — quand vous n'avez plus le sou, vous n'avez plus rien à manger. Tandis que moi, j'ai toujours le gîte et le couvert. C'est honteux à moi, pacha, de vous prendre vos pauvres petits sous, d'autant que j'aurais pu, en mettant le respect humain de côté, très bien emprunter à Pieter. Bref, je me suis jugé. Car qui me jugerait si ce n'est moi, quand ma petite conscience morale n'est pas là ? Merci, mon doux petit, merci pour votre pauvre petit sou, il me fera très bien et très commodément jusqu'à la fin du mois.

Pour les tourments littéraires, voici. C'est à propos de Malraux, comme de juste. Il m'agace parce qu'il me ressemble trop : il fait comme un saint Jean-Baptiste dont je serais le Jésus, vous vous rendez compte ? Il écrit dans une scène d'ailleurs exécrable de *L'Espoir* :

« L'âge du fondamental recommence... La raison doit être *fondée à nouveau.* »

Naturellement, c'est ça qu'il aurait voulu faire sentir tout au long de son roman, mais bonsoir. Seulement, du point de vue où je me place à présent, je voudrais aussi que mon roman à moi fasse sentir que nous sommes dans l'âge du fondamental. C'est ça que je pense, vous le savez ; je pense ces jours-ci que c'est seulement à présent qu'on va tirer les conséquences de la perte de la foi. Mais dans ce premier tome du roman, rien de tout cela ne paraît et c'est bien triste. Cela ne vient pas d'un défaut technique, mais bel et bien de l'encrassement où j'étais quand la guerre a éclaté. C'est un ouvrage husserlien et c'est un peu écœurant quand on est devenu zélateur de Heidegger. Aussi mon roman me dégoûte un peu.

J'essaierai de faire passer ce que je pourrai de ça dans le monologue de Mathieu que je dois refaire, mais je crains que l'ensemble ne fasse pas du tout existentiel. Heureusement que c'est fini. Mais j'envie le courage de types comme Kafka, qui pouvaient dire froidement à leurs amis : « Après ma mort, brûlez mes écrits. » Pour moi, si mécontent que j'en sois, il n'est pas question que le factum ne paraisse pas, puisque je l'ai achevé. Et c'est marrant parce que je le laisserai éditer avec un défaut essentiel, au lieu que je ne tolérerais pas qu'il paraisse avec un défaut technique.

Par ailleurs je n'ai quasiment rien fait aujourd'hui parce que je commence un chapitre pour de bon, le chapitre Marcelle et ça c'est bien autre chose que du rafistolage. J'ai été ressaisi par cet écœurement que vous connaissez comme moi. Tous les prétextes m'ont été bons pour déserter le travail y compris celui de me laver qui n'est pas pris en considération à l'ordinaire. Bref, à trois heures de l'après-midi, j'ai abandonné ma tâche et j'ai été me baigner. Après ça je n'ai plus rien fait que jouer aux échecs, sous le prétexte qu'on est plus lucide le matin. Et puis j'ai été à la Rose et là j'ai connu un moment formidablement poétique, existentiel et tout ce que vous voudrez. C'est l'été, mon petit Castor, un drôle d'été poisson d'avril. Les types étaient là en foule, écrasés de chaleur. La salle était obscure, comme quand on ferme les volets en été pour se protéger de la chaleur. Et voilà tout. Non : figurez-vous que, là-bas, comme je mangeais une omelette avec vos pauvres petits sous à une très longue table, le goût campagnard de cette omelette, mêlé à celui de la mie de pain frais, m'a rappelé un très vieux souvenir : le temps où je mangeais le soir par des chaleurs d'été, à Saint-Germain-les-Belles [1], au bout d'une longue table toute pareille, des omelettes de campagne avec une institutrice limousine. Qu'il y a longtemps de ça, ma petite fleur ! J'en ai été tout remué. Je vous aime, mon doux petit Castor, je vous aime de toutes mes forces et ça fait un tout jeune sentiment et en même temps, un vieil amour recuit qui en a long derrière lui. Comme nous étions petits alors, comme nous étions petits.

À demain, mon doux petit. Je vous embrasse de toutes mes forces.

1. Quand Sartre était venu me voir en Limousin pendant l'été 1929, après l'agrégation.

À Simone de Beauvoir

Mercredi 24 avril

Mon charmant Castor

Une pluie de bonnes nouvelles. D'abord nous avons le prix. Ce matin, j'ai acheté six journaux, à la Rose, pour voir les résultats mais pas le moindre petit entrefilet. Sur quoi j'ai adopté l'attitude d'échec noble : « Mais comment donc, mais c'est très bien, je n'ai pas ce prix mais c'est tout naturel, etc. » Revenu à bicyclette, j'ai trouvé Paul en train de gonfler un ballon qui m'a dit : « Félicitations. » Hirsch de la N.R.F. m'avait envoyé un télégramme : « Heureux de vous féliciter succès. Amitiés dévouées. » Mais je n'ai pas encore de confirmation officielle. Ça m'a laissé très froid, sinon que nous aurons du pain le mois prochain, mon doux petit. Je ne sais pourquoi ; peut-être m'étais-je trop sophistiqué à propos de ce prix, peut-être mon attitude d'échec noble m'a-t-elle gêné. Et puis c'est mon caractère : les bonheurs que j'espère et qui m'arrivent me donnent cent fois moins de plaisir que de désagrément s'ils ne m'arrivent pas. Il n'y a pas que dans les histoires sentimentales que c'est ainsi. D'ailleurs j'ai tout de suite été épinglé comme un insecte sur un bouchon par un souci perçant du genre « respect humain » : fallait-il remercier et qui ? les 17, comme me le conseille Pieter — ou un seul (Thérive par exemple) en le priant de remercier les autres en mon nom ? Qu'en pensez-vous ? De toute façon, vous aurez le temps de me donner votre avis car, de toute façon, je n'écrirai pas avant d'avoir reçu la notification officielle. Je ne connais rien des modalités de paiement du chèque.

Autre nouvelle : les permissions sont rétablies aujourd'hui. On parle officieusement mais sérieusement de commencer le 3e tour le 1er mai pour nous. En ce cas, je serais là, fin juin, même si Saint-Cyr ne me rappelle pas.

Enfin — mais ceci est tout personnel — je viens d'avoir un petit succès d'amour-propre qui est loin de me laisser insensible : vous savez que je fais six ou sept parties d'échecs par jour. J'ai fait de gros progrès et je me suis timidement enhardi à faire dire au champion d'ici que j'aimerais qu'il joue avec moi, histoire de me donner une leçon. N'exagérons pas, ce n'est pas le champion : c'est le champion en second. Le champion numéro 1 est à la poste et c'est un international quant à la classe. Mais le mien l'a battu une fois. Il s'amène et dit : « ce soir à huit heures et demie si tu veux. Amène ton échiquier parce que je ferai deux parties à la fois. » Et il m'explique qu'il joue trois et quatre parties à la fois. Sur quoi, avisant l'échiquier, il me dit : « On en fait une en vitesse pour se tâter. » On s'installe et écoutez-moi bien, ma petite fleur : *je le bats.* Mais ce n'est rien : c'est un peu un coup de surprise. Mais ce que j'ai constaté c'est que le type ne joue pas d'une façon très différente de la mienne. Peut-être est-il plus réfléchi, plus combinard mais il n'a pas cette science mystérieuse et infuse des échecs dont j'avais appréhension et curiosité. J'ai fait une connerie — pas trop évidente mais que j'ai repérée tout de suite après l'avoir faite — et il ne s'en est pas aperçu. Si je le bats encore ce soir, je vous jure que je demanderai au champion de jouer avec moi. Vous vous rendez compte : ce mec-là joue depuis l'âge de 14 ans ses six parties par jour ! Il était vexé comme un pou, il est parti, beau joueur, en me disant : « Bravo ! »

Voilà tout pour les bonnes nouvelles. A part ça le lieutenant Z à qui j'avais prêté le *Journal* de Jules Renard m'a tenu la jambe pendant une heure, mystérieux et doctoral, pour m'expliquer que Renard était un tendre. Puis un autre lieutenant, universitaire, qui rôdait autour de nous, hier, pendant que je faisais le sondage, est venu me demander de lui prêter mes ouvrages philosophiques. Donc voulez-vous, mon doux petit, *envoyer par la poste au reçu de cette lettre deux exemplaires de L'Imaginaire.*

Ce matin, il y avait une courte petite lettre de vous autre, en représailles de mon mot de samedi. Mais si vous êtes juste vous m'enverrez un paquet en retour de mon énorme lettre de dimanche. Vous êtes vache avec Sorokine, mon petit. Ne râlez pas, je ne me mêle de rien mais je pense que ça a dû lui faire un coup de ne pas passer la nuit auprès de vous. Une lettre de T. Ça m'agace, mon petit : je suis *jaloux* de cette petite personne ; elle écrit tous les jours et des lettres extrêmement gentilles. Mais la lunaire entreprend de lui refiler Dominguez, dont elle a assez comme amant et qu'elle voudrait garder comme ami. Dominguez la fait venir chez lui sous prétexte de lui apprendre à peindre et naturellement il lui expose son caractère. Et elle est obscurément flattée. Ça n'est rien, si vous voulez et il n'en arrivera rien mais ça m'est déplaisant. Pas fort déplaisant, ça ne m'a pas gâché l'après-midi, ni énervé — mais je n'aime pas beaucoup ça. Et, c'est toujours pareil, avant, quand elle m'écrivait ses charmantes petites lettres toutes bien intentionnées, je n'avais que le contentement d'être tranquille. Je ne sais pas bien aimer les gens. Sauf vous autre. Oh, alors, avec vous autre, c'est bien différent, mon petit. Du moins, de ce point de vue, il y aura ça dans ma vie, que j'aurai aimé une personne de toutes mes forces, sans passionnel et sans merveilleux mais *du dedans.* Mais il fallait que ce fût vous, mon amour, quelqu'un qui soit si étroitement mêlé à moi qu'on ne reconnaît plus le sien du mien. Je vous aime.

À demain. Je vous embrasse tout tendrement, ma petite fleur.

Pieter à qui j'ai dit : « Je suis si fier d'avoir torché le type que je vais l'écrire à mon amie », m'a dit : « Tu permets que j'ajoute quelques lignes pour dire qu'il n'y a pas de quoi être fier et que le type est une crêpe ? » Je lui ai dit : « Vas-y » en lui tendant un papier et il a répondu : « Non. Je me ferais encore critiquer pour le style. »

Marcelle prend tournure (le genre vieille cynique dure).

À Simone de Beauvoir

Jeudi 25 avril

Mon charmant Castor

Après le Théâtre aux Armées, voici la Justice aux Armées. J'ai été ce matin — et à vrai dire en me faisant un peu tirer l'oreille — à une audience du Tribunal militaire. Ils ont dépêché quatre affaires en trois heures et je suis arrivé au milieu, vers dix heures, pour la troisième affaire. C'était dans une salle du Tribunal civil. Peu d'assistance, le piquet de garde, casque en tête, baïonnette au canon et puis une douzaine de grivetons derrière, dont j'étais. Six jurés, colonel, commandant, etc., jusqu'au simple soldat (parce qu'il faut un juré du grade de l'inculpé) et en plus un commissaire du gouvernement, capitaine faisant fonction de procureur, un greffier et un avocat. Tout ça le casque à portée de la main. Le casque fait fonction de toque de magistrat. Le colonel après les délibérations rentre casqué et ôte son casque pour lire la sentence. Le colonel zozotait et n'avait pas l'air vache. Un commandant silencieux, à ses côtés, paraissait terrible et gastralgique. Au coin le procureur, un gros moustachu à lorgnon, à la lèvre humide, refaisait sa provision de colère. Je voyais l'inculpé de dos, un soldat. Il était cycliste à dix kilomètres des lignes et sa fonction était de porter des plis au commandant des batteries installées à 10 kilomètres de là. Inculpation : désertion devant l'ennemi. C'est la plus grave. Il avait une maîtresse enceinte dans une ville proche (c'est agaçant de ne pas pouvoir mettre les noms, ça oblige à des périphrases comme dans la poésie du XVIIIe siècle) et il vivait avec elle avant la guerre. Parti dès septembre il voulait l'épouser, mais les formalités traînaient, les papiers attendaient à la mairie de la ville en question. Un jour, sur un coup de noir et dûment saoul, le 7 janvier exactement, il part avec sa bécane, arrive à la ville, va chercher sa maîtresse et passe dix jours avec elle sans trop se montrer. Tout de même il allait au restaurant assez souvent, ayant pas mal d'argent. Un beau jour il rencontre un soldat de son régiment qui lui dit : « Rentre. Tu vas te faire baiser. » « Bon », dit-il. Et il rentre. On voudrait savoir ce qu'il se passait dans sa tête pendant qu'il était là-bas à X. avec sa fiancée, qu'il savait que chaque jour aggravait son cas et qu'il restait à traîner. Mais le Tribunal ne s'en est pas soucié. Le colonel l'a interrogé paternellement, avec l'unique souci de détruire sa défense — d'ailleurs idiote en effet ; le type disait : « Je suis allé là-bas pour chercher mes papiers, je voulais me marier. » Il disait ça d'une voix basse et inintelligible, on le faisait hausser le ton de temps en temps. À quoi on lui répondait : 1° si vous alliez chercher les papiers, c'était inutile de rester dix jours avec votre maîtresse — 2° vous savez pourtant bien qu'on peut se marier par procuration et sans quitter son poste. — Irréfutable. Oui, mais qu'avait-il dans la tête ? Je ne voyais que ses cheveux noirs et de temps en temps un grand nez rouge. À la fin il s'est mis à sangloter. Audition d'un témoin : le lieutenant qui l'avait porté déserteur. Officier en bois, terriblement intimidé, qui s'arrachait difficilement quelques bribes de phrase. Il a tout de même dit que l'accusé était bon soldat jusque-là, quand il n'avait pas bu. Le procureur a fait un bref réquisitoire, l'atmosphère était à l'indulgence. Mais c'est marrant de voir un gros homme secoué par une colère sur mesure. Entre les coups il était paterne et gai, il plaisantait avec les avocats, mais quand il prenait la parole, les yeux lui sortaient de la tête. Et c'était d'autant plus marrant qu'il acceptait les circonstances atténuantes et qu'il était le premier à demander le minimum de peine. C'est que la colère, chez eux, je l'ai compris, est un *art.* Elle est sincère mais il faut savoir la doser, ouvrir les soupapes avec soin et progressivité. Et il faut faire peur, c'est une danse de sorcier. Il faut se fermer aux arguments modérateurs, jouer l'aveugle, le sourd, prendre l'air buté d'une idole. Le comble, ç'a été quand, après avoir dûment prévenu le Tribunal que le général différerait sûrement l'application de la peine jusqu'à l'après-guerre (ce qui équivaut pratiquement à un sursis car, si le type est correct, on la lui effacera à la paix) il a ébauché symboliquement le geste de se mettre à genoux et a dit : « Je vous *supplie,* Messieurs les Jurés, je vous *supplie* de ne pas lui accorder le sursis. » Ce manque de conviction se traduisait non par de la bonté ou une mimique d'indulgence mais par une sorte de veulerie dans sa colère, elle avait tout le temps l'air de foutre le camp et il bafouillait un peu — ce qui est d'autant plus réjouissant que, pour la dernière affaire, où il ne demandait pas l'indulgence, il a parlé d'abondance et sans faute. Tout ceci se passait dans une étrange lumière bleue due aux papiers de cette couleur qui tapissaient les fenêtres, à cause des avions. L'avocat s'est levé. C'était une avocate, amie de la famille de l'accusé. Une blonde sur le retour, l'air alsacien comme il n'est pas permis et qu'on aurait très bien vue servant des choucroutes avec un grand nœud sur la tête à « l'Alsace à Paris ». Elle était marrante, seule en face de ces imposants militaires casqués, avec la garde aux baïonnettes derrière elle. Elle remplaçait un cousin du type, avocat aussi, mais mobilisé, qui n'avait pas pu venir. Elle a commencé un petit discours assez habile et scolastique sur la notion de « désertion en face de l'ennemi ». Il y a en effet deux désertions : la désertion à l'intérieur, si le type, par exemple, ne rentre pas à temps de permission pendant que son unité est ici ou là — et la désertion en face de l'ennemi quand il abandonne son poste au front. Et c'était amusant parce que ça montre bien comment la guerre moderne vide de leur contenu des notions aussi simples que celle de *désertion*. Le type avait-il déserté face à l'ennemi ou non ? En 1830 c'était simple : désertion quand on se battait = désertion face à l'ennemi. Mais là : le régiment était en ligne. Oui. Mais il n'avait pas tiré ni reçu un coup de canon. Ensuite, étant donné la disposition en profondeur des unités, lui était à dix kilomètres des lignes dans une petite ville *non évacuée*. Exactement en somme comme je suis ici. En somme il était *lui* en arrière et pourtant il appartenait à une unité combattante. « Ni géographiquement, ni militairement, ni psychologiquement il n'a déserté », a-t-elle dit. À quoi le procureur a répondu mollement : « La distance ne fait rien à l'affaire. Dans l'aviation, on est porté déserteur à 100 km de l'ennemi. » Nouvel assouplissement de la notion de désertion dû à ce que l'unité de distance varie selon l'arme. Et il s'est attiré cette réponse assez fine : « Alors un type de la D.C.A. de Nevers ou de Tours devrait *toujours* être porté déserteur devant l'ennemi, car rien ne garantit que le jour même des avions ennemis ne survoleront pas cette partie du territoire. » Effondrement complet de la notion de désertion. Toujours le même truc : les anciens concepts de guerre ne collent plus, sauf dans un minimum de cas particuliers, exactement comme la géométrie à 3 dimensions est un cas particulier de la géométrie à 4 dimensions : celui où l'une des quatre dimensions = 0. Mais, ensuite, elle s'est lancée dans un exposé précieux pour moi mais très maladroit du caractère de l'accusé : « Messieurs, je réclame toute votre indulgence. Cet homme a reçu une très mauvaise éducation ; il a toujours eu trop d'argent, il n'a aucune volonté et aucun sens du devoir. » Elle ne se rendait pas compte que ces « excuses » peuvent valoir aux yeux de tribunaux civils où l'on prend l'homme *comme il est* et où on explique son acte à partir de son histoire. Mais qu'elles étaient des circonstances aggravantes pour un tribunal militaire qui prend l'homme *comme il doit être* (qu'ils disent) c'est-à-dire à partir d'un minimum d'*exigences*. Autrement dit, la notion de soldat est ambiguë : c'est à la fois un fait et un idéal. Aussi les juges, si bien disposés qu'ils fussent, fronçaient les sourcils. Il eût mieux valu s'en tenir à leur exposer qu'il était un *bon* soldat. Bref le type a vécu entre des parents qui ne s'entendaient pas. Le père, riche commerçant, n'était que faiblesse pour lui et n'avait pas le temps de l'élever. La mère se saoulait. À 14 ans il a volé tout l'argent qu'il a pu et s'est enfui à Paris où il est resté six ans, fréquentant « des gens peu recommandables ». Le père est mort et il n'est pas revenu pour l'enterrement : « Voyez comme il est faible », disait l'avocate, sans se douter qu'elle scandalisait tous ces pères enterrables qui jugeaient. Puis il est rentré en Alsace, s'est mis en ménage avec cette bonne femme, une forte gaillarde qui le tenait mais ne pouvait pas l'empêcher de se saouler. Le type sanglotait toujours, pendant ce bel exposé. Naturellement il avait demandé la veille à s'engager dans les Corps francs, ils demandent tous ça, la veille de l'audience. L'avocate parlait épais, elle était alsacienne et savait assez mal le français, ça chantait lourd dans sa bouche. Au reste on était profondément convaincus que tout cela, procureur, avocate, n'avait aucune importance. La décision était prise. Sur quoi elle s'est rassise, on a demandé au type s'il avait quelque chose à dire pour sa défense et il a simplement dit en chialant encore un peu mais d'une voix assez ferme qu'il souhaitait se réhabiliter. Le Tribunal est sorti, est revenu casqué pendant que la Garde présentait les armes et le colonel a lu la sentence en ânonnant et zozotant plus qu'il n'est permis : le type a ramassé un an de prison, sans sursis. Il ne le fera pas, évidemment. Les soldats de l'auditoire ne trouvaient pas ça trop vache. Ils disaient : « C'est un couillon » ou bien « Il a fait le con » et la personnalité de ce type effondré et pleurant n'était même pas en jeu ; c'était marrant que ce type ait pu *compter* pour son père, par exemple, qui l'adorait, pour sa bonne femme, etc. Aussi marrant que lorsqu'on pense que le corps nu d'un type au conseil de révision, a pu troubler une bonne femme, être aimé en détail. Ça donne une impression de gros un type vu de loin comme ça et à travers ce milieu réfringent qu'est un tribunal. Il faut un effort pour penser qu'il a une *condition humaine* et ça explique sans l'excuser l'imperméabilité des juges et des politiques.

J'ai vu ici à midi un ordonnance de l'A.D. qui était dans son régiment avant de venir ici. Il a ajouté quelques détails : le type en fait — le Tribunal l'ignorait ou n'a pas retenu le fait — allait *tous les soirs* en vélo retrouver sa bonne femme à la ville et il revenait le matin. Ses copains le couvraient. Et puis un soir il est parti comme tous les soirs et il est resté dix jours sans revenir. Pendant quatre jours les copains l'ont couvert, faisant le travail à sa place. Le quatrième jour il y a eu un appel et c'est là qu'il a été fait. Mais les copains ont dit qu'il était parti le matin même. Le 10ᵉ jour, quand il est revenu, ils le guettaient, ils lui ont dit : « Tu n'es porté déserteur que pour six jours. On t'a couvert, ne nous donne pas. » Il était noir, il a dit : « Oh je m'en fous ! » et il a fort bien avoué au colonel qu'il était resté dix jours absent. Ça lui est beaucoup reproché parmi les soldats parce que les copains ont fait de la tôle à cause de ça. L'ordonnance a baissé la voix et a demandé : « Et... on n'a pas parlé de sa bonne femme ? » « Non. On l'a mise hors de cause. » « Ah ? Bon. Parce qu'elle n'était pas très catholique. » « Pourquoi ? » « J'en ai entendu parler... Elle faisait une drôle de propagande politique. Et puis je te le demande, moi, qu'est-ce qu'ils ont pu faire dix jours durant ? » J'ai demandé : « Qu'est-ce qu'il était politiquement ? » Mais l'ordonnance s'est fermé et je n'ai rien pu savoir. Voilà l'histoire, mon petit. Il y a eu aussi un autre procès curieux et amusant, mais rendez-vous compte : où irais-je si je commençais à vous le raconter. Demain peut-être, car en somme, demain il ne m'arrivera rien.

Je connais un soldat plaisant et râleur, un Parisien avec un terrible accent traînant, un doigt de moins à la main gauche (tout un doigt pas une phalange). Je lui ai dit : « T'es tout de même du service armé ? » « Oui. Et je te le dis, mon vieux est pas né d'hier, il s'est remué. Rien à faire. » « Mais pourquoi ? » « On est rouge à Ivry, alors ils nous salent pour nous faire les pieds. » Je le vois au café. Il me méprise avec cordialité, parce que je suis d'un Q.G. Lui est de la Biffe. Je lui ai dit hier : « Tu viens au Tribunal, demain ? » Il m'a dit : « Ah non ! Voir la Justice des hommes... ? Ça m'écœure, mon pote. »

Ça n'est pas écœurant, c'est gris poussière.

Sachez, mon petit doux, qu'après mon beau chant de gloire d'hier, mon adversaire-champion m'a torché trois fois aux échecs. Mais patience : tout n'est pas dit. Le bon Pieter écumait, il me flanquait des coups de pied sous la table, à la fin il m'a dit : « Faut plus que tu joues, tu joues comme un manche, ce soir : je sais pas bien jouer, mais je prends ta place. » Et il s'est fait battre aussi, héroïquement, pour me permettre de reprendre mes esprits. Mais quand ils ont été repris, il était dix heures et demie et le type nous a mis à la porte.

Et voilà mon doux petit. *Le Journal* annonce qu'un prix de *5000* francs a été attribué à M. J.-P. Sartre auteur de *La Rangée.* — J'ai peur que ce ne soient *deux erreurs* en si peu de mots.

Nous partons dans trois ou quatre jours. Pour notre résidence d'hiver. Il paraît qu'elle est charmante au printemps. Je suis charmé de m'y retrouver. Nous serons encore à l'hôtel Bellevue. Considérez cela comme une *bonne* nouvelle.

Au revoir, mon doux, mon cher petit. Je vous aime.

À Simone de Beauvoir

Le vendredi 26 avril

Mon charmant Castor

C'est une journée sans histoire, comme je le prévoyais hier. Un assez beau temps frais, des heures douces et vides. J'ai été à la Rose et j'ai appris par la radio que les Alliés s'étaient fait dérouiller en Norvège. — C'est d'ailleurs sans importance, c'est l'ensemble des opérations qui importe et non les succès ou insuccès locaux. J'ai lu les journaux et vu dans *L'Époque* que le Prix populiste m'avait été dévolu par neuf voix. La phrase est telle d'ailleurs qu'il est impossible de savoir si c'est par neuf voix de majorité — ce qui m'en ferait 13 — ou par neuf voix en tout et pour tout. De toute façon, j'ai trouvé le joint : Duhamel est président du Jury et je vais lui écrire une lettre qui vaudra pour tous. Ça me répugne un peu d'écrire à ce type mais je ne le remercierai absolument pas *personnellement* (d'autant qu'il est vraisemblable qu'il n'a pas voté pour moi, Paulhan dit qu'il m'est tout à fait hostile). Je le remercierai *pour le jury populiste* et en tant que Président. N'est-ce pas ce qu'il faut? J'attends toujours d'ailleurs une notification officielle. Je n'avais au courrier de ce matin que votre lettre et celle de T.

Après la Rose, sondage et puis travail. J'attendais cet après-midi le champion des champions aux échecs (le *vrai* champion) mais il doit nous trouver trop petits garçons et ne s'est pas dérangé. J'ai donc assez longuement travaillé et j'aurai bientôt fini le chapitre de Marcelle. Je crois que son caractère est meilleur. En ce sens que je le fais moins fouillé et plus pathétique. En somme la première Marcelle c'était un rôle de composition avec traits de caractère comiques. À présent Marcelle c'est plutôt une situation : une femme malade, vieillie, qui se sent ratée, qui est obligée de rester chez elle à cause de sa santé, qui jalouse un peu Mathieu parce qu'il est bien portant et qui veut — sans féminisme, simplement par réaction contre sa condition de femme et de malade — ne pas se laisser dominer — et surtout qui désire passionnément un lardon pour donner un sens à sa vie, mais qui est prise au piège parce qu'ils ont convenu depuis longtemps qu'ils le feraient passer s'il y en avait un. En plus de ça elle se dégoûte elle-même parce qu'elle est malade, qu'elle sait qu'elle n'a pas de grâce, etc. Et surtout parce que sa vie est absurde. Elle est, elle aussi, à sa manière, *noire,* mais ce n'est pas une apparence. Et puis elle est nouée : elle ne peut pas parler d'elle-même. Et elle aime beaucoup Daniel parce que Daniel est le seul qui parvienne à la faire s'intéresser à elle-même. Il me semble qu'avec le pathétique de la situation, ce caractère plutôt *typique* que particulier doit suffire. Qu'en pensez-vous ? Vous me direz sans doute qu'il faut voir. Et puis je maintiens un bout de conversation avec la mère mais leurs rapports sont très différents (je ne sais pas au juste ce qu'ils seront, ça n'est pas parfait mais en tout cas ça sera très court : six ou sept pages). Et le chapitre en tout n'en aura pas beaucoup plus de dix. Ça va-t-il ? Seulement alors je mets deux conversations téléphoniques Marcelle-Mathieu dans le cours du roman pour la rappeler (j'en ai déjà fait une) et puis, dans le chapitre Ier, j'insiste sur les rapports Marcelle-Mathieu (ils se sont mis sur le plan de se dire tout mais il a construit tout seul sa lucidité, parce qu'il y était porté sans se rendre compte qu'elle ne le suivait pas). Ça va rétablir un peu les choses. Mais je suis content que ce roman soit fini : je ne l'écrirais plus comme ça. Vous m'avez frappé l'autre jour, mon petit, en disant que vous aviez vu comme mon désir de penser le monde à moi tout seul s'*historialisait* à travers toute ma vie. Et ça m'a peu frappé, vous l'oserai-je dire, en ce qui me concerne (on est modeste) mais frappé comme ce qui manquait à Mathieu. Il ne s'historialise pas. J'entends bien : 1° qu'il est pris en période de crise — 2° que c'est dans les volumes suivants qu'il s'historialisera. Mais justement c'est la conception générale du livre qui est en question. Au fond il faut prendre les héros depuis l'enfance — ou user de trucs. Les vôtres s'historialisent plus que les miens.

A propos des vôtres, je suis si content mon doux petit, que vous puissiez bientôt remettre 400 pages au bon Brice Parain. Voulez-vous que je lui écrive de mon côté ? N'oubliez pas qu'il est soldat (cycliste à Paris) et qu'on ne peut le voir je crois qu'entre 5 et 9 et le dimanche. Si vous fouillez dans le monceau de lettres que je vous ai rapportées, vous devez certainement y trouver son adresse militaire. Sinon écrivez par la *N.R.F.* Vous n'y perdrez qu'un jour.

Ce soir j'ai encore un peu travaillé. Figurez-vous que j'ai un peu repris le carnet. Uniquement pour marquer, à propos de Malraux, que les catégories cardinales de l'éthique sont : *être, avoir* et *faire.* Et que des liens dialectiques subtils existent entre eux. Exemple : Malraux ; il faut choisir entre *être* et *faire* — Rougemont à propos de Don Juan : il *n'était* pas assez pour *avoir.* De loin en loin je glisse une petite note. Mais il y a peut-être dix pages d'écrites depuis le retour de permission. Mais c'est fort bien. Je prends trois mois de vacances : j'achève le roman. Et puis après je reprendrai le carnet. Je serai tout neuf pour le reprendre et les XV déjà écrits seront du passé. C'est marrant comme on vit plus naturel quand on n'a pas un carnet derrière soi, comme les incidents s'anéantissent dès qu'on les a vécus et comme au fond, en un sens, l'authenticité est affaire de journal intime (ne croyez pas, tout de même, que je crache dessus).

Voilà mon petit, quatre pages faites de rien comme *Bérénice.* J'aurais pu vous raconter le second procès d'hier, ça aurait mieux valu, mais ça sent un peu le refroidi pour moi.

Écoutez bien, petite fleur. Quand vous toucherez le sou du lycée, il faudra d'urgence m'envoyer quinze cents francs. C'est juste puisque j'en dois 1 000 à Pieter et Paul et qu'il m'en faut cinq cents pour vivre. Et puis, voici un livre à ajouter à la liste de ceux que je vous ai déjà demandés (il y a huit jours environ) : *Guillaume II* de Maurice Muret. J'aimerais voir ça, après celui de Ludwig. J'ai bien besoin de livres, mon petit. Je languis sur *L'Espoir,* qui est plein d'idées mais bien ennuyeux. Il lui manque un rien, à ce type, mais Bon Dieu que ça lui manque.

Mon doux petit, ça m'a bien plu de vous écrire. Plus encore qu'hier, parce que hier c'était de l'anecdotique et, au fond, je n'aime jamais tant vous écrire que quand je n'ai rien à vous dire. C'est du vice, direz-vous. Non, mais ça me rappelle nos bâtons rompus, ça me donne l'impression que je vous parle. Je vous aime tant. Je vous disais que je serais à Paris le 15 juillet parce que l'on va rétablir les permissions et que le 3e tour commence officiellement le 15 mai. Comme il faut à peu près deux mois avant de partir, concluez.

A demain, mon doux petit. Je vous aime de toutes mes forces.

À Simone de Beauvoir

Samedi 27 avril

Mon charmant Castor

Un petit coup de machine à écrire pour varier. C'est aussi que je vais écrire à la main des lettres officielles de remerciement pour le prix. J'ai reçu une lettre très aimable du directeur de la revue qui raque : *Les Cahiers de Paris.* Et hélas aussi *Les Cahiers de Paris,* n° de mars. Le lauréat du prix de Poésie populiste y avait donné de ses vers. Si je suis l'égal en prose de ce poète couronné, je vous jure que je me consacrerai à l'Industrie dès le retour de la paix. Et la Revue elle-même est terrifiante. On dirait une revue de pharmaciens mécènes qui payent pour se faire imprimer, comme Church, mais rien qu'avec des Church. Il n'y manque que des réclames pour les suppositoires Midy. Ça m'a un peu attristé parce qu'enfin je suis compromis, et la politesse exige que moi aussi, lauréat de prose, je donne quelques rogatons à la Revue qui me file le sou. Soit.

En attendant, dans cette lettre si aimable, M. Picard ne me souffle pas mot du sou. Cela viendra en son temps, j'espère, mais en quel temps ? Bref nous avons quatre mille francs d'*espoirs* en comptant vos heures de supplément.

A part ça, je n'ai absolument rien à vous dire, sinon que je vous aime de toutes mes forces, ma petite fleur. Nous sommes toujours en instance de départ pour l'hôtel Bellevue et un peu agités. Ça me charme. J'aurai ma chambre où je pourrai m'enfermer quand je voudrai et puis on retrouvera cet endroit après qu'il eut été habité trois mois par d'autres rongeurs, je suis curieux de voir en quel état ils l'auront laissé. Et puis nous retrouverons Charlotte qui disait en février en nous voyant partir : « Hélas je ne verrai plus mes beaux petits aviateurs. » Je lui ferai un doigt de cour platonique, si vous croyez que c'est compatible avec l'authenticité. Elle était honnête et nous sommes un peu anxieux de savoir ce que la Division Bordelaise qui nous a succédé en aura fait.

J'ai travaillé tout le jour et puis vers la fin de la journée, je suis allé me faire torcher par le champion d'échecs. Le travail marche bien. Je crois que Marcelle sortira. En tout cas j'imagine qu'on comprendra que Mathieu y tienne : c'est sa vertu. Malgré elle. Ce soir, à la Rose, il y avait une dizaine d'Anglais de l'Infanterie navale, qui sont cantonnés à quelques kilomètres d'ici. Tous saouls, ne sachant pas un mot de français et charmants. Et les soldats français étaient assez plaisants avec eux. Ils les protégeaient un peu et leur expliquaient des choses que les autres ne comprenaient absolument pas ; et en même temps ils étaient émerveillés comme des enfants parce que c'étaient des Anglais. Un des Anglais était à notre table. Il vantait les mérites de notre bordeaux. « Oui, a dit un soldat français, mais aussi le lendemain... » Et il a fait mine d'avoir d'intolérables maux de tête. « No ! » a dit l'Anglais. Et il a sorti de sa poche, d'un air merveilleux, une petite boîte d'aspirine. Tout le monde a été charmé y compris les serveuses et on s'est fait passer de main en main la boîte d'aspirine en disant : « Ça, c'est bien l'humour anglais. » Nous sommes revenus et avons trouvé Paul absorbé dans une partie d'échecs avec Courcy. Lui aussi il a un complexe d'identification haineuse par rapport à moi. La dactylo, les échecs, il apprend tout, quinze jours après que je m'y suis mis. Mais c'est simplement parce qu'il est licencié et que je suis agrégé. Hier, sur un point de détail typographique, nous avons discuté : j'avais tort et il avait raison. Il s'est peint sur son visage un tel air de béatitude que les secrétaires, qui n'ont pourtant pas le sens des visages, s'en sont récriés.

Voilà mon doux petit. Quelle maigre petite moisson. Mais je ne peux pas mieux faire, à moins d'inventer. D'ailleurs vous avez eu de grandes lettres ces jours derniers. Je vous aime mon cher amour, je vous aime de tout mon cœur. Je voudrais tant vous voir. Je suis impatient de savoir ce que Brice Parain dira de votre petit roman. A demain. Je vous embrasse de toutes mes forces.

P.-S. : Nous partirons sans doute mardi. Peut-être n'aurez vous pas de lettre ce jour-là.

À Simone de Beauvoir

Dimanche 28 avril

Mon charmant Castor

Encore une journée sans histoire. J'ai travaillé et j'ai joué aux échecs. Ce matin je me suis enhardi à faire deux parties *à la fois* et je les ai gagnées toutes deux. Ce soir, par contre Hantziger m'a battu sans effort trois fois de suite. Vous étiez très raisonnable, petit juge, dans votre lettre. Comment était-ce déjà ? Quelque chose comme ça : ou bien votre champion est un champion pour de vrai et vous ne le battez pas. Ou bien vous le battez et ce n'est pas un champion. A la vérité, mon cher petit, il *n'est pas* un champion et il *me bat.* J'ai infiniment flatté Pieter en lui lisant le petit passage de votre lettre qui le concerne. Du coup il vous appelait aujourd'hui « Mademoiselle de Beauvoir » — au lieu de dire « ton amie » comme de coutume. Il pense, lui aussi, qu'il n'y a pas lieu d'être fier. En fait j'ai battu ce type une fois et par surprise. Depuis, c'est la piquette pour moi à tous les coups. Je ne veux pas quitter le chapitre des échecs sans mentionner une réflexion surprenante de Mondange, le nouveau secrétaire, qui est bien brave mais pas très fort de la tête. Il a appris péniblement, ces jours-ci, la marche des pièces et les rudiments et il regarde nos parties avec intérêt. Ce matin, lorsque j'ai joué mes deux parties à la fois contre Hantziger et Pieter, j'ai dit : « Donnez-moi les blancs, je mérite bien ça. » Ils ont dit : « Oui, tu mérites bien ça. » Et Mondange étonné : « Quel avantage, ça te donne, les blancs ? Pourtant ils *sont plus visibles.* » Je trouve ça assez grand.

Je me suis réjoui de votre petite lettre, touchant Brice Parain. Alors il dit que c'est pris, en somme ? Il n'en doute pas une seconde. Vous allez pouvoir, après vous être comparée à Claire Francillon, vous comparer tout votre saoul, dans vos heures de morosité, à Marie-Anne Comnène, qui est la grande femme-auteur de la *N.R.F.* et qui a écrit un *Grasca* qui est bien aussi long que votre roman. Ça me charmerait tant mon petit de voir un gros volume « Simone de Beauvoir — et le titre ». Quel titre ? Ça n'a aucune importance, la *N.R.F.* vous le trouvera. Ils trouvent toujours le titre du premier roman qu'on fait. À propos : aimeriez-vous que j'intitule (mais vous allez crier. Figurez-vous que j'ai l'air sournois et confus et que je vous regarde de coin). Aimeriez-vous que j'intitule la série complète des Mathieu : « La grandeur. » Je sais c'est folie et billevesée. Mais donnez-moi tout de même votre avis sans trop m'engueuler. Car finalement il s'agira plutôt de l'authenticité que de la liberté proprement dite. Envoyez-moi ce petit entrefilet de *Paris-Midi* : ici on ne reçoit jamais *Paris-Midi*.

J'ai reçu une lettre de Léon Lemonnier, du Jury populiste, qui va m'envoyer les 2 000 francs. Pieter dit qu'il ne voudra jamais vous les envoyer à vous. Je vais donc me les faire envoyer et je vous les renverrai aussitôt. Avec le jeu des envois et renvois comptez sur l'argent pour le 10 environ. Il me dit : je vous enverrai l'argent par chèque postal ou virement sur votre C.P. si vous en avez un. Naturellement je n'en ai pas. Ce sera donc un chèque postal. Mais ôtez-moi d'un doute : un chèque postal, ça se touche immédiatement, n'est-ce pas ?

Marcelle avance, je crois qu'elle sera émouvante et un peu répugnante. Il me semble que c'est assez bon mais j'ai fait une telle erreur avec le Prologue, que je n'ose plus jurer de rien. Ça ne me vaut rien d'être loin de vous, petit conseilleur. J'ai eu une idée de simplification en tout cas : la mère ne saura rien. Pourquoi tant compliquer à tort et à travers. Et d'ailleurs la mère apparaîtra à peine en fin de chapitre. Je me suis donné des nausées hier soir, à force de décrire celles de Marcelle. Je tirais ma langue en arrière et j'avançais les lèvres, pour bien voir le mouvement.

Pour Saint-Cyr, mon petit, eh bien les affaires de Pieter semblent en excellente voie (il faut compter trois mois pour un rappel. C'est lent). Seulement il est impossible de savoir si les affaires de Pieter sont *nos* affaires ou seulement les siennes. Ni lui, ni sa femme ne le savent. Si vous voulez avoir le cœur net sur la question, allez la voir 255 rue des Pyrénées. Il y a un sénateur dans le coup.

Voilà tout, mon petit. Tania ne m'écrit plus depuis quatre jours, j'ai fait une rupture intérieure et je n'écris plus non plus. En sorte que je ne connais pas cette histoire de couple qui l'a prise pour une Américaine. Racontez-la moi en deux mots, si vous voulez bien.

Vous me demandez une liste de livres : voici :

Samuel Pepys : *Journal*
Muret : *Guillaume II*

Kierkegaard : *Journal d'un séducteur*
G. Blin : *Baudelaire*
2 *Imaginaires*
Chamson : Journal de guerre (*Quatre mois* est le titre, je crois. Flammarion)
Charles Braibant : *Lumière bleue* (Journal de la guerre, 24 août-15 décembre 39).

C'est tout ce que je vois pour le moment. Mais avec mon roman et *quatre* sondages par jour, ça me fera sûrement un mois. Ah oui :
le Van Dine : *Meurtre au jardin*
et puis voyez si l'Empreinte a sorti du bon ce mois-ci, j'aimerais un ou deux romans policiers.

À demain, vous que j'aime. Vos petites lettres sont des charmes pour moi, ça me rend tout Paris et notre petite vie que j'aimais tant et vous autre. Vous vivez toujours *pour moi,* vous savez. Je suis au Flore avec vous, ou encore au Sacré-Cœur, comme l'autre soir (sûrement que nous irons, je m'en réjouis). Vous êtes ma petite fleur. Je vous aime.

À Simone de Beauvoir

Lundi 29 avril

Mon charmant Castor

Ça y est, on part demain matin. Branle-bas à quatre heures et demie du matin, on empile les bagages jusqu'à cinq heures et demie — c'est un vrai déménagement avec meubles et tout. Puis à six heures et demie on part. Nous sommes assez contents, vraiment. La salle d'école d'où je vous écris est un véritable champ de bataille, les tables ont disparu et il y a, à la place, des colis, caisses, paquets qui s'entassent les uns et les autres. On a été faire ses adieux à la ville, mais déjà on entend à tous les coins de rue des « Adieu, té » avec l'accent bordelais, on voit des petits noirauds gras aux joues bleues au lieu des grands gaillards blonds qui y traînaient d'ordinaire (nous sommes une division mi-alsacienne, mi-parisienne) et la ville ne nous appartient plus. Les Bordelais se baladent le nez au vent dans cette ville qu'ils ne connaissent pas ; curieux, ils regardent avec concupiscence tous ces objets dont nous sommes quasi écœurés à force de familiarité ; ils sont encore timides avec la rousse de la Rose et ils ne savent pas que le grand phoque blond qui sert les dîners s'appelle Anna. Et puis ils sont tous à moitié saouls parce qu'ils reviennent de secteur et qu'ils n'ont pas vu de café ni de femmes depuis tantôt trois mois. Ça nous étonne et puis nous sentons que la ville n'est plus à nous, ils vont s'habituer petit à petit, pincer sournoisement puis ouvertement le derrière de la rousse et puis, pour finir, ils seront chez eux. Moi j'ai déjà dans les yeux le paysage qu'on voit de l'hôtel Bellevue et ça me fait poétique. Et puis voici la saison des moustiques et je suis bien content d'y couper.

À part ça mon petit savez-vous bien que je n'ai pas reçu de lettre de vous aujourd'hui ? Il y en avait une immense de Tania qui me raconte tout au long l'histoire du couple qui l'a prise pour une Américaine. Ainsi ne me la racontez pas, si ce n'est déjà fait. Et puis un mot amer de Catinaud qui me demande pourquoi je ne lui écris pas. Et c'était tout. C'est un vrai petit vide. D'autant que demain nous aurons les lettres fort en retard, à cause du déplacement. Mais j'en aurai deux.

Nous ferons 4 sondages par jour : 8 h 11 h 16 h 21 h, et nous ne sommes que trois, ça fait du travail mais j'aurai tout de même mes cinq ou six heures de libres par jour pour faire mon roman. On réduira sur les échecs qui finissaient par devenir hallucinants ; vous savez c'est comme une rengaine dont on ne peut plus se débarrasser pendant une journée entière. Aujourd'hui j'en ai fait *neuf* parties (parce que cet après-midi mon roman était emballé). J'en suis saturé. Plus de petits déjeuners, plus de T.S.F. mais c'est tant mieux. Ça sera la campagne. Seulement il me faut quelques livres pour être tout à fait heureux.

Voilà mon petit. De fil en aiguille j'ai complètement supprimé la mère de Marcelle, elle n'a plus de rôle du tout, par le fait, puisqu'on ne lui dit rien. Ça fera un chapitre ramassé mais j'espère qu'il portera (8 pages). Il est fini. À présent je vais travailler le 3e chapitre (Mathieu-Sarah-Brunet) et ça m'amuse bien davantage.

Mon doux petit je vous aime tant, c'est un vrai petit manque d'être sans lettre. Mais on sait qu'elle voyage quelque part, petite irréprochable, on se réjouit à l'avance d'en avoir deux demain. Je vous aime, je vous embrasse de toutes mes forces sur vos vieilles petites joues, je voudrais tant vous voir et vous prendre dans mes bras.

À Simone de Beauvoir

Mardi 30 avril

Mon charmant Castor

Me voilà installé hôtel Bellevue, après un voyage sans histoire. Pourquoi c'est une bonne nouvelle ? Oh, c'est sans mystère : c'est par exemple, imaginez, parce que j'ai une chambre à moi tout seul où je peux me tenir toute la journée. Aujourd'hui je n'y ai guère fait que sommeiller parce que j'avais peu dormi cette nuit, mais, vous savez, c'est formidable d'avoir quatre murs autour de soi et puis rien que soi-même dedans. Voilà huit mois que ça ne m'est pas arrivé. C'est une coquette petite chambre, avec papier jaspé, un lit, une petite table, un pot à eau et une cuvette, une table de nuit et un vase à fleurs. Je suis aux anges. J'ai tout de même écrit un tout petit peu dans la journée, pour le plaisir de me sentir travailler seul. Eh bien c'est formidable ; quelle déperdition nerveuse ça représentait, l'obligation constante d'établir un barrage entre les cris et rumeurs des types et mon travail. Là c'est charmant et j'ai eu plusieurs petites inventions heureuses.

On est donc partis à sept heures en car, après avoir coltiné des caisses depuis cinq heures. J'avais une vague petite crise de foie, pas douloureuse mais un peu inquiétante qui est passée à présent. On est arrivé à 8 heures et de nouveau on a coltiné des caisses toute la matinée, puis je me suis rasé fin et lavé pour me présenter dans mon beau à Charlotte ; je n'avais pas encore ma chambre, je ne l'ai eue qu'à la fin de la matinée, j'exultais. Les fenêtres donnent sur le Parc de l'Établissement thermal. C'est marrant de retrouver verdoyante et sentant le vert à plein nez cette campagne que j'avais laissée sous la neige. Je sens plus fort que jamais dans ma vie ce que c'est que les saisons. Ça me frappe. Il n'est pas d'âge pour découvrir les vérités premières.

On a donc été chez Charlotte. Mais là, déception amère : elle nous a à peine souri — au lieu de cet empressement joyeux que nous escomptions — et puis elle était très moche avec les traits tirés et la bouche amère. Nous avons supposé qu'elle avait laissé quelque Bordelais emporter son cœur et, pour nous martyriser davantage, nous avons été jusqu'à penser que c'était un sondeur qui, bénéficiant de l'estime que nous avions su lui inspirer pour ce corps militaire, avait transformé cette estime en sentiment plus tendre à son profit. Mais, aux dernières nouvelles, c'est qu'elle a depuis trois jours une terrible rage de dents et n'a pas fermé l'œil de trois nuits.

Je suis revenu vers deux heures, j'ai fait deux parties d'échecs, commencé un peu mon roman (je n'étais pas de service) et j'ai somnolé sur mon lit. Pieter m'a réveillé en m'apportant deux lettres de vous, une longue et une petite, ça m'a tout charmé. Mon petit, 1 200 francs suffiront car je prélèverai ce qu'il faudra sur l'argent du Prix populiste et je vous renverrai le reste. Comptez sur *1 600* francs que vous recevrez vers le 5 ou le 6. Je vous enverrai bientôt aussi le *Journal* de Jules Renard. Pour le *Dostoïevski* j'hésite : je l'avais promis à T. mais si je le donne à T. quand l'aurez-vous ? Peut-être le mieux serait de vous l'envoyer, que vous le lisiez vite et le lui passiez ensuite. Naturellement il faudra acheter le *Journal* de Kafka dès qu'il paraîtra.

Voilà tout pour aujourd'hui, mon cher petit. C'est bien peu développé mais je tombe de sommeil. Ah oui : voulez-vous m'envoyer d'*urgence* deux paquets d'enveloppes et deux ou trois blocs de papier semblable à celui-ci car on ne peut guère s'approvisionner ici et je n'ai presque plus rien, je ne sais même pas comment je pourrai attendre jusqu'à l'arrivée de votre envoi. Quand le Kafka paraîtra il faudra y joindre *Crainte et tremblement*[1] et le *Traité du désespoir*[1].

Mon cher amour, ma douce petite fleur, je vous aime de toutes mes forces. À demain, je vous embrasse sur tout votre cher visage.

1. De Kierkegaard.

À Simone de Beauvoir

1er mai

Mon charmant Castor

Je vous écris de bonne heure, aujourd'hui, il n'est pas six heures. C'est que je viens de finir le retapage du chapitre III et que je le dactylographierai ce soir à neuf heures, après le sondage. J'avance à pas de géant. Si ça continue comme ça, j'aurai fini certainement le 1er juin. Pieter vous l'apportera en arrivant à Paris pour sa permission et il faudra tout de suite le donner à Parain pour qu'il le donne à Gallimard et à Paulhan. Non sans l'avoir relu toutefois. Et critiqué. Pour les critiques, elles seront sans doute de deux sortes : d'une part les mots à supprimer — ou passages. Vous savez il y en a toujours. Celles-là, vous pouvez y donner suite de vous-même. Vous avez un blanc-seing pour raturer, biffer, rayer, tout ce que vous voudrez. Et puis celles plus conséquentes et vagues sur les passages qui « ne vont pas ». Celles-là, voici : vous serez gentille de les consigner tout au long par écrit et de me les envoyer et je ferai les corrections sur les épreuves pour gagner du temps, car s'il fallait attendre mon passage à Paris puis remporter à nouveau le manuscrit, le corriger et le renvoyer, nous n'en finirions plus. Par ce moyen le livre doit pouvoir paraître en octobre et sans doute être publié en feuilleton par la *N.R.F.* dès juillet ou août. Je n'ai plus qu'une cinquantaine de pages à faire ou refaire : le chapitre Mathieu-Daniel — le chapitre Daniel-Marcelle — le chapitre Marcelle seule — le chapitre Marcelle-Mathieu. Voilà pour le mois de mai.

J'ai reçu l'articulet de *Paris-Midi,* c'est *Lit tout* qui me l'a envoyé pour m'allécher. Mais il ne doit pas se faire beaucoup de clients s'il procède avec tous les abonnés éventuels comme avec moi, c'est-à-dire s'il envoie par paquets et toujours en vue d'allécher les articles les plus amusants ou les plus rares aux non-abonnés. Je m'accommoderais fort bien que toute ma vie *Lit tout* m'envoie ainsi les curiosités de la presse. L'article est marrant. Mais qui l'a écrit? Qui peut connaître d'existence des Carnets? Chonez? Ça m'a diverti.

Ici il y a du remue-ménage pour les chambres ; on veut loger des sous-officiers et je crains bien que je ne sois finalement obligé de partager celle de Pieter. Ça me fendrait absolument l'âme, j'étais si heureux dans celle-ci. Je ne suis pas directement attaqué, mais Pieter, pour avoir voulu être trop malin et garder la chambre à deux lits pour lui tout seul, risque de se voir éjecter et remplacer par deux sous-officiers. Auquel cas il me demanderait de revenir chez lui pour qu'il puisse garder sa chambre (c'est encore plus compliqué que ça et il y a eu des engueulades entre adjudant et sergent-radio mais c'est tout à fait dénué d'intérêt. Ce qui importe seulement c'est que nous risquons de nous retrouver dans cette chambre à deux lits). Je me défendrai comme un beau diable, n'ayez crainte. C'est curieux d'ailleurs comme je suis devenu — moi qui étais M. Plume [1] dans la vie civile — resquilleur et féroce dans la vie militaire. Ils ont tous un peu peur de moi et j'en joue.

À part ça qu'ai-je fait ? Des sondages — mais à présent on nous a mis le téléphone dans notre petit bureau et c'est plaisant, on les téléphone aux batteries sans avoir à se déranger. Nous ne quittons plus nos locaux. Je vous écris de ma chambre sur une table en demi-lune, la fenêtre ouverte sur le parc de l'Établissement thermal ; je vois des arbres verts, gris et violets et je vois passer autos et motos et puis j'entends des pas et des voix, c'est extrêmement plaisant. Priez Dieu, mon doux petit, priez Dieu pour que je conserve tout ça ! Il est vrai que, lorsque cette lettre vous arrivera, mon sort sera réglé. Mais alors, à présent, je vous jure que c'est une drôle de vie : avec ce téléphone et ces chambrettes, ça devient absolument monacal ; on ne voit plus un officier, ni un soldat, on se voit à peine les uns les autres. Et puis, seul élément mondain : le déjeuner chez Charlotte. Elle était plus aimable aujourd'hui et m'a dit d'un ton boudeur : « Vous regrettez Brumath hein ? Parce qu'il y a des femmes à Brumath. » Il y avait un petit avantage à prendre, mais Pieter a voulu faire le gros galant et a tout gâché.

Ah ! je voulais vous dire : comme vous êtes dures avec cette sourde-muette [2], ma petite fleur, vous et Sorokine. Ça fait tout à fait

1. Personnage de Michaux.
2. Une élève sourde et idiot qui me poursuivait. Elle a été internée peu après.

dur et cruel les passages de vos lettres où vous parlez d'elle — quand on est un tendre, on en a le cœur remué.

Rien d'autre. Il paraît que les événements de Norvège sont mauvais. Mais c'est Paul, le sourdiau pessimiste, qui l'a entendu à la Radio. J'attends les journaux de demain. Ce serait fort mal fait.

Et quoi d'autre, mon doux petit? Rien plus. Que j'aime vos petites lettres, mon amour et que j'en ai besoin. Je vous aime. Moi aussi bien souvent j'ai si fort besoin de vous voir que je pense que ça n'est pas possible que je ne vous voie pas bientôt. Mais je me raisonne tout aussitôt. Eh non, ma petite fleur. Guère avant le 15 juillet, je le crains. Et les histoires de Saint-Cyr m'ont l'air un peu bien en sommeil. Seulement je pense qu'au 15 juillet nous quitterons ce séjour monacal pour aller au grand repos et que là vous pourrez me voir.

À demain mon cher amour. À présent je vais écrire à Catinaud. Pas à T. qui ne m'écrit pas. Envoyez-moi bien des livres.

Je vous embrasse sur vos petites joues.

À Simone de Beauvoir

Jeudi 2 mai

Mon charmant Castor

Ne soyez pas trop rebutée par ce papier : j'attends votre envoi pour user à nouveau de papier à lettres humain. Ceci c'est l'*ancienne* feuille de dépouillement de sondage. À présent nous en avons de plus belles et chacune a un petit graphique individuel.

Mon cher petit il y avait beaucoup de petits bonheurs pour moi, aujourd'hui. Ce matin d'abord un petit bonheur d'argent : la *N.R.F.* a fini par payer mon article sur Giraudoux : 500 francs. Donc vous aurez *intégralement* les 2 000 francs et vous pourrez finir le mois. Je vous renverrai aussi les 300 francs que vous comptez m'envoyer, s'ils sont déjà partis. Tout s'arrange et vous n'aurez pas cette misérable petite fin de mois que vous avez eue en avril, pauvre petite fleur — et qui me fendait le cœur. C'étaient des « J'ai 14 sous en poche », « J'ai dîné d'un gâteau de riz ». Non, mon petit : pas ce mois-ci, ce mois-ci ce sera le bifteck et la bonne petite toulouse Esaü du Dôme. J'aime tant quand vous me parlez des plats « succulents » ou « délectables » que vous mangez. Ce qui, plus que le reste, m'a tiré les larmes c'est un jour où vous disiez que vous vous étiez *gobergée* chez vos parents. Et quand on sait ce qu'est la cuisine de votre mère, il faut bien qu'on pense que vous étiez une malheureuse petite affamée. Second petit bonheur : votre lettre de mardi, si tendre, mon cher amour, si tendre et si émouvante. Eh mon petit que j'ai « deuil à votre martyre et joie à votre amour, mon gentil Castour ». Je pense comme vous que c'est bien long jusqu'au 15 juillet. Mais, ensuite, s'il n'est plus question de Saint-Cyr, au moins est-il *sûr* que nous irons au grand repos. Et vous pourrez sûrement vous arranger pour venir un grand moment. Mon petit, vous autre aussi vous êtes mon univers. Je ne pense pas qu'on puisse être plus unis, plus profondément et de plus de façons que nous le sommes. Nous avons eu de la chance. Troisième petit bonheur : les livres. J'ai commencé tout de suite le Muret, il est moins intelligent et plus sottement partial que Ludwig mais il raconte des histoires qui ne se trouvent pas dans l'autre et ainsi j'aurai une excellente connaissance de Guillaume II. Lisez-vous celui de Ludwig ? Il faut le faire. Je vous renverrai le Muret en son temps. Ce soir j'allumerai ma bougie sur ma table de nuit et je commencerai le Van Dine. Pourquoi une bougie, puisque j'ai l'électricité ? Parce que ça me plaît de lire avant de m'endormir à la bougie, ça fait intime et campagnard.

Vous savez vous avez bien tort de vous attendrir sur mon sort, mon petit. Je suis privé de vous et ça c'est du deuil. Mais pas plus que vous ne l'êtes de moi, ça se vaut. Et pour le reste, d'abord, je crois que je suis le type du monde à souffrir le moins de tous ces petits vides (manque de distractions, de conversation, etc.) parce que j'ai le sang froid et puis j'ai toujours cultivé une petite poésie de reclus à la Silvio Pellico (il s'attendrissait sur une fleur, je crois, qu'il voyait dans la cour de la prison). Et puis en outre, c'est formidable ce qu'on est bien ici. D'abord — touchons du bois — je crois que je vais garder ma chambre. Un seul aléa : les officiers s'étaient réservé les belles chambres de l'Établissement thermal et nous avaient laissé cet hôtel de second ordre. Mais il se trouve qu'il y a des punaises dans leur palace et ils se grattent toute la journée. Nous avons peur qu'ils ne commencent à loucher vers nos chambres, plus rustiques mais sans punaises. Alors nous feignons quand ils passent en se grattant, de nous gratter aussi. Et puis vous savez, le printemps entre partout. Vous seriez attendrie de voir les soldats devisant par petits groupes dans les charmilles, assis sur le haut d'un perron, dans un bosquet avec cette patience méditative que vous admiriez chez les Arabes. Ça me touche et m'enchante et je suis *heureux*. Et puis mon roman m'amuse. J'ai travaillé aujourd'hui le fameux monologue de Mathieu, quand il sort de chez Sarah. Je vais essayer de « l'historialiser » un peu. J'ai des idées.

Aujourd'hui je me suis levé à 6 heures et j'ai écrit à Magnane. Après ça sondage puis de 8 à 10 bon travail. De 10 à 11 sondage. De 11 à 12 travail. À 12 heures, déjeuner chez Charlotte. Au retour — 1 h 30 vos lettres et puis on m'avise d'un colis chez le vaguemestre. J'y vais et, en cours de route, je rencontre le type des échecs qui m'emmène faire une partie et me bat. Au retour j'ai travaillé. À 3 heures sondage. De 4 à 8 : travail et tapage à la machine. À 8 heures j'ai dîné de confiture et de fromage en lisant le Muret puis, bref sondage et il est neuf heures, je vous écris. Demain c'est mon jour de vacances, je n'ai qu'à chercher le café et la cuistance. J'ai douze heures de travail, d'échecs et de lecture. À demain, mon cher petit, ma petite fleur, je voudrais tant que vous sentiez comme je vous aime. S'il y a une justice cette lettre vous touchera plus encore que celle de dimanche, parce que je suis tout perclus de bons sentiments pour vous.

J'embrasse longtemps votre chère petite tête.

Nippert le petit chacal protestant se fait le plat valet des sous-offs qui le traitent comme une ordure qu'il est. Hier le sergent Courcy lui dit : « Nippert, va chercher mon linge chez la blanchisseuse. » Il se lève et se dispose docilement à y aller. Alors Mondange, sans intention d'ailleurs : « Tiens ça me fait penser que j'ai aussi du linge à y chercher. » Nippert se tourne prestement vers lui et lui dit avec haine : « Ah mais ! je ne suis pas le nègre *de tout le monde.* »

A Simone de Beauvoir

Vendredi 3 mai

Mon charmant Castor

Pour moi, ici, ce fut le jour ordinaire, j'étais « de repos ». C'est-à-dire que j'allais chercher le jus et la becquetance, un point c'est tout. J'en ai profité pour bien avancer mon travail et puis aussi, par paresse hélas, pour avancer la lecture du Van Dine qui est excellent. À part ça rien de neuf. J'ai reçu une lettre délirante d'enthousiasme d'un certain Marcel Berger, membre du Prix populiste : « Céline ne fait que bégayer auprès de vous, etc. » *Seulement* j'ai appris d'un autre membre du Jury que ce délirant admirateur n'avait pas été fichu d'arriver à l'heure à la réunion et s'était amené quand le vote était fait et paraphé. Si j'avais eu besoin d'une voix, j'étais foutu. Je vais néanmoins lui répondre aimablement. Une lettre du caissier du Prix qui me demande pour leur revue — c'était fatal — un papier. Il m'explique modestement qu'il ne veut qu'un rogaton, vu que la revue ne paye pas : « Peut-être pourriez-vous donner un fragment abandonné ou un fragment d'un livre en cours... » Je vais leur donner le passage de *L'Âge de raison* sur le bombardement de Valence. C'est le seul qu'on puisse couper. Une lettre digne enfin, du docteur Catesson qui me demande pourquoi je ne lui réponds pas (c'est le docteur qui a écrit sur Van Gogh et sur *Le Néant*). J'ai répondu.

À demain, mon doux petit, ma petite fleur, ma pure petite fleur. Je vous aime avec toutes mes forces. Ça ne se voit pas dans cette lettre raisonneuse mais c'est vrai et *senti*.

À Simone de Beauvoir

Samedi 4 mai

Mon charmant Castor

Quand donc est-ce que je vous ai envoyé une si petite lettre ? Mardi soir sans doute mais je ne me rappelais pas qu'elle fût si petite. Je regrette. Vous autre m'écrivez si longuement et si gentiment.

Heureusement que *Lit tout* m'a envoyé l'entrefilet de *Paris-Midi.* Pour Sorokine, je trouve comme vous son instabilité assez agaçante mais vous devez considérer qu'il y a des tas de gestes tendres qu'un homme même bien né peut se permettre dans un dancing avec une femme et qu'une femme avec une femme doit s'interdire. Ça doit faire un peu agaçant pour elle. N'empêche qu'elle vous aime à la hussarde, cette histoire me fait rire, mon cher petit. Que vous êtes donc gentille et plaisante au milieu de tout ça, petite trop aimée. Pas trop pour vos mérites, bien sûr, mais pour ce que vous en voudriez.

Aujourd'hui vie monacale, super monacale. Pieter, qui n'est pourtant pas sensible aux atmosphères, m'a dit : « Il était moche, ce samedi. » J'ai dit : « Pourquoi ? » et il a dit : « J' sais pas » avec un geste vague vers le ciel. Et Hantz était tout accablé (Hantz c'est Hantziger). Il est resté tout l'après-midi sur le perron à regarder le parc thermal de ses gros yeux roses et il a été manger matin et soir au restaurant pour se consoler. Mais j'ai été assez insensible à cette tristesse. Je vois bien ce que c'était : le temps était mou (Altostratus ridé, cumulus de beau temps, vent d'ouest, ciel 9/10 couverts, visibilité : 20 à 50 km. 16°C — Pression : 740 mm [3]) et gris avec un ciel sombre même pas menaçant, le genre irrémédiable. Les types ne savaient pas quoi faire de leur peau. Moi je savais fort bien que faire de la mienne. J'ai travaillé et j'ai eu l'excellente surprise après avoir tapé comme ça, pour voir sur un texte plus net, cinq pages informes de brouillon, de les trouver bonnes et définitives. Demain je finis le monologue de Mathieu que j'ai fait résolument existentiel. En somme il partira du point où Roquentin s'était arrêté. Par ordre : ce matin lever, petit déjeuner, sondage. Deux heures de travail, sondage, une heure de travail, déjeuner chez Charlotte. Il y a tout de même je ne sais quoi d'impalpable et de tendre entre Charlotte et moi : elle a ri de la gorge en me voyant arriver, qui marchais d'un pas rapide avec mon masque à gaz en bandoulière (un officieux imbécile m'avait dit qu'une nouvelle ordonnance très sévère nous imposait le port du masque). Mais je ne crois pas que ça ira jamais plus loin. J'ai quelques souvenirs comme ça, d'idylles hyper-platoniques par les yeux. Vous rappelez-vous cette fille de la Bibliothèque du Havre qui m'émouvait parce qu'elle vous ressemblait un peu ? Après ça travail puis vers quatre heures, j'ai tout de même été chercher à la ville le papier sur lequel je vous écris parce que j'étais las d'user les feuilles de dépouillement balistique pour ma correspondance et mes écrits littéraires. J'ai sondé puis tapé, mais, pendant que je tapais, ma sécheresse un peu morose m'a présenté la réputation littéraire sous un jour extrêmement désolé. Mais j'en étais content parce que, malgré ça j'avais de l'entrain à taper et à écrire, pour le roman lui-même, pour le gros volume que ce sera. J'ai dîné d'un bout de pain et d'un morceau de chocolat et puis j'ai fait un échec ou deux et me voilà. Attendez : Paul revient, je l'entends, je vais aller le railler. Je vous dirai pourquoi tout à l'heure. Voilà, c'est fait : je l'ai raillé et par surcroît j'ai bu un petit coup de vin. Mais je ne vous raconterai pas pourquoi parce que, à la réflexion, ça vous emmerderait extrêmement. En gros voilà : il ne voulait pas, par dignité, prendre ses repas avec les secrétaires. J'ai dit en sous-main aux secrétaires de l'y convier, ce qu'ils ont fait. Il va donc à présent dîner en bas. J'ai feint une surprise énorme, ai demandé des explications et l'ai raillé d'avoir changé d'avis.

Voilà tout, mon petit, mon cher petit. Je voudrais bien fort être avec vous en ce moment, au petit café Rey, par exemple, tout juste avant de nous aller coucher, commentant tout tendrement les événements de la journée. Je vous aime tant, mon petit. J'ai eu un petit moment de faiblesse aujourd'hui parce que j'étais si loin de vous.

À demain, mon cher petit, j'embrasse tout votre petit visage et je vous serre dans mes bras.

À Simone de Beauvoir

Le dimanche 5 mai

Mon charmant Castor

Je devrais vous écrire sur votre beau papier qui est arrivé aujourd'hui mais j'ai acheté hier ce vilain petit rayé et il faut bien que je le finisse, par économie. Merci aussi pour les livres. *Baudelaire* a l'air intéressant — Pepys aussi mais je viens de lire

Chamson, infâme et grandiloquent et le Braibant semble dénué d'intérêt. Par contre je trouve que *Solitude en commun*[1], que je vous renverrai mon doux petit, avec le *Dostoïevski* (Pieter le lit en ce moment, ce sera pour mardi ou mercredi) a retrouvé un peu du charme de *Nymphe au cœur fidèle.* Pas tout le charme : le sujet est moins plaisant — mais tout de même j'étais tout charmé ce matin au restaurant, en le lisant.

Je ne vous raconterai pas ma vie aujourd'hui parce qu'elle n'existe guère (échecs, sondages, travail). Demain je vous dirai un mot des lettres que j'ai reçues et de mon travail. À présent je vais me coucher, car je suis mystérieusement un peu fatigué ce soir. Mal au crâne un peu, je ne sais pourquoi.

Mon petit, ma douce petite fleur, je voudrais bien que vous ne vous fassiez pas trop de souci. Je n'aime pas du tout, du tout quand vous êtes malheureuse. J'embrasse votre petite bouche et vos petits yeux, mon petit.

À Simone de Beauvoir

Lundi 6 mai

Mon charmant Castor

Vous n'aurez pas une bien longue lettre aujourd'hui — et je n'écris qu'à vous — parce que je suis un peu bien dolent : je ne sais pourquoi cette nuit toutes les coliques et tranchées du monde se sont abattues sur moi (sans doute ai-je pris froid au ventre) et je me suis réveillé à quatre heures du matin avec la fièvre — une très petite fièvre qui a été en s'atténuant à mesure que la journée s'avançait mais qui m'a laissé abruti et dolent. Demain je serai guéri après une bonne nuit. Qu'est-ce que j'ai fait ? Eh bien je suis resté sur le lit presque tout le jour, et tantôt je lisais et tantôt je fermais les yeux et il y a un tas de souvenirs qui sont revenus, des souvenirs avec vous autre. Notamment quand nous sommes descendus sur Bourg-Madame en car, cet été. Eh mon doux petit, que je vous aimais donc, tout cet après-midi, comme j'aurais eu

1. De Margaret Kennedy.

besoin de vous voir et de vous prendre dans mes bras, comme il fait tout de suite précieux et poétique le moindre souvenir d'un moment passé avec vous. J'avais la *grande tendresse,* mon doux petit, et n'allez pas croire que c'est parce que j'étais diminué. J'ai retrouvé aussi de vieux souvenirs qui ne vous concernent pas : comment était la chambre de ma grand-mère, rue Saint-Jacques, etc. Vous savez comme c'est plaisant d'être étendu dolent sur un lit en plein jour et de s'endormir à moitié en plein jour. Mais figurez-vous qu'il n'y avait pas de lettre de vous. Juste un mot de ma mère et un autre de M. Durry (vous rappelez-vous ce bonhomme ?), qui me félicite assez intempestivement de mon article sur Giraudoux. Je dis assez intempestivement parce que voilà deux mois qu'il est paru et que Durry m'explique qu'il ne « peut pas résister, etc. ». Un mot de Nizan qui s'est fait verser dans l'armée anglaise ça lui va si bien.

Et voilà, mon cher amour, j'ai bien perdu mon temps aujourd'hui touchant le factum : le monologue de Mathieu n'était pas bon, il aurait fallu le recommencer, mais j'étais trop bête. Je vais m'y mettre demain, il n'y a pas beaucoup de travail au fond. J'aime toujours assez *Solitude en commun.* Vers le milieu c'est moins plaisant mais c'est formidable comme elle fait sentir à la fois l'évolution de toute une famille et chacun des petits destins individuels qui la composent. Elle a du métier et de la grâce. Quelquefois, c'est un peu facile, voilà tout.

Voilà mon petit, la vie du malade. Je ne suis point allé voir Charlotte et je suis très vexé car Paul y est allé à ma place et elle l'a pris pour moi. A présent il est neuf heures et je vais me coucher pour de bon. Il fait un peu froid ici en ce moment.

Mon doux petit Castor, ma petite fleur, je voudrais que vous sentiez avec quelle tendresse j'ai écrit cette piteuse petite lettre et quel *besoin* j'ai de vous. Je vous aime tant, mon doux petit. Je voudrais tant vous voir arriver clopin-clopant et vous serrer dans mes bras.

À Simone de Beauvoir

Mardi 7 mai

Mon charmant Castor

Je suis tout guéri, sauf quelques petites crampes, et j'ai reçu deux lettres de vous. Voilà bien du bonheur. Car c'est un bonheur que d'être guéri, on se retrouve à sa place et puis on a des joies simples. J'ai été content tout le jour. Que vous êtes dures, vous autres deux harpies avec la pauvre petite Nony qui, pour n'être pas muette comme je le croyais, n'en est pas moins sourde et bossue — ça vous me l'avez dit — et moitié folle. Par contre naturellement vous êtes charmante l'une pour l'autre, comme tous les bourreaux. Votre petite Sorokine a l'air bien plaisante.

Elle est bien belle votre photo, vous savez, et elle m'a bien ému. Mon cher petit, que je regrette de ne pas voir ce beau petit manteau qui a l'air de vous aller si bien. Mais je le verrai peut-être. Ou bien alors nous l'emporterons à l'hôtel Mistral, s'il est passé de saison, et vous le mettrez une fois dans notre chambre pour moi tout seul. C'est la première fois depuis onze ans de mariage que vous aurez un bel affutiau que je n'aurai pas du tout vu.

Aujourd'hui c'était calme plat et béatitude de convalescent. J'ai fini le monologue de Mathieu. Il n'a pas de grâce mais il est solide et il pose sans trop de lourdeur les questions essentielles, je crois que tout le roman en sera éclairé. Pour la grâce, que voulez-vous, tant pis. J'ai mangé — ça m'a fait plaisir après quarante-huit heures — j'ai fait des échecs et des sondages et surtout j'ai senti béatement la santé de mon corps. J'ai reçu une aimable petite lettre de T. je vais tout de même lui écrire — pas ce soir mais demain matin aux aurores (je me lèverai à 6 heures).

Pour vos argents je ne comprends pas bien. Vous disiez que ça irait, avec les 2 000 francs du Prix. Je les ai touchés aujourd'hui, je les enverrai demain. Mais un conseil : *sauf en cas* de sommation dernière avant saisie (je ne sais plus comment cela s'appelle : commandement, je crois) ne payez pas les impôts. À votre place, j'attendrais paisiblement la fin de ce mois et j'en enverrais la moitié. Si vous avez le moindre scrupule *écrivez* que vous enverrez la moitié à la fin du mois et ils toléreront ça très bien. Avec ça vous devez être sortie d'affaire.

Mon cher petit, vous ne savez pas combien je vous aime. Ou plutôt si vous le savez très bien en général mais ce que vous ne savez pas c'est combien je vous aime là, en cet instant — et quand cette lettre vous l'apprendra ça sera déjà deux jours après. J'aimerais tant que vous soyez dans mes bras et que vous puissiez le lire sur mon visage. J'aimerais tant voir le vieux petit vôtre et l'embrasser. Je vous aime.

À Simone de Beauvoir

Mercredi 8 mai

Mon charmant Castor

Écoutez donc, à propos de roman, je suis tout anxieux de savoir que le Parain gâteau (j'ai écrit ça pour m'agacer et ça vous agacera prodigieusement, je m'en réjouis) va vous dire. Mon doux petit, comme je voudrais qu'il soit tout enthousiaste. Voyez comme c'est sot : je vous écris ça comme si ça n'était pas encore fait mais en fait ça a déjà eu lieu hier et c'est seulement votre lettre qui ne m'est pas encore parvenue. Et si vous avez eu une petite déception, comme ça va vous faire refroidi ce que vous lirez là. Mais je suis sûr qu'il n'y a pas eu de déception : il est *excellent* votre petit roman et cela doit apparaître même aux yeux d'un con et il n'est pas si con, il est plutôt fendu, avec deux folies assez distinctes : le langage et les générations. Aux jours de festivité il fait la synthèse mais je crois que votre roman ne pouvait pas lui en fournir l'occasion.

À demain, ma petite fleur. Ici, rien à signaler. Si : Charlotte en aime un autre, je crois. Elle a ri et a poussé du coude une copine en me regardant (ce qui, mon Dieu, pourrait bien n'être pas du tout flatteur surtout que j'ai un pied de crasse sur les joues et que je marche sur ma barbe) mais à lui, un joli petit chasseur, elle a donné du muguet.

Je vous aime mon charmant petit, vous êtes mon cher amour.

À Simone de Beauvoir

[Jeudi 9 mai]

Mon charmant Castor

Je suis un peu penaud, touchant T. parce qu'elle m'écrit des lettres charmantes et désolées *malgré mon silence,* ce qu'elle n'a jamais fait. Celle d'aujourd'hui tirait les larmes : « Recommence à m'écrire, je fais tout pour être méritante. J'essaie de faire tous les jours du travail même quand ça m'emmerde et c'est dur comme tout. J'ai tout le temps peur de retomber. » Je serai fondant ce soir (car je vous écris à cinq heures de l'après-midi — il fait un beau petit soleil chaud et mes fenêtres sont ouvertes. Je suis tout heureux et tout aise).

Mon petit je vous aime tant. Quand il vous arrive une histoire, j'en ai des battements de cœur. J'étais si impatient de savoir ce que Parain dirait. En somme c'est du bon : il trouve que les passages essentiels sont de la meilleure qualité — il est sûr que ça sera pris (si la 2e partie vaut la 1re ce qui ne peut faire de doute puisqu'il n'y a plus besoin de présentation ni rien). C'est tout ce qu'on peut lui demander. Il y a des longueurs, eh bien soit — même s'il y en a plus que je n'en voyais — on coupera ; vous non plus vous n'auriez pas voulu que je coupe les 50 premières pages de *La Nausée* et cependant à l'usage ça s'est révélé un bon conseil. Quant au procès de tendance, ça me laisse absolument froid. D'abord il n'a pas compris le sujet. Ensuite ça m'amuse qu'il traite la répétition générale de poussiéreuse (ou peut-être l'autre répétition, je ne sais, peu importe). Sans doute que la réunion surréaliste de *Gilles* ne lui paraît pas poussiéreuse ? Il n'aime pas ce milieu, c'est un fait. S'il faisait de la politique il pourrait essayer de le brider ou de le détruire mais enfin il est lecteur, ce milieu existe, votre roman le décrit et il n'a rien à dire. Évidemment on pouvait écrire un roman sur un père, une mère et une fille. En province, à Lons-le-Saunier. Seulement ç'aurait été un autre roman. Ne vous en occupez absolument pas. Son jugement reflète ici ses goûts personnels et même pas ceux de la maison Gallimard. Et je suis persuadé qu'il ne se serait pas permis ce procès de tendance s'il n'avait une espèce d'affection pour vous. Ça s'adresse je pense à la femme que vous êtes beaucoup plus qu'au roman. Avec une inconnue il aurait été plus impartial. Je vais lui écrire un petit mot.

Quoi de neuf ? Rien : journée *libre* aujourd'hui. J'ai été chercher le café à 7 heures du matin. À 4 heures j'ai cherché un supplément de tabac que nous touchions cet après-midi et c'est tout. Le reste du temps j'ai travaillé. Le chapitre Boris-Ivich est retapé et il est bon, je crois. Peut-être a-t-il un peu perdu cette prétention au langage toutounier[1] qu'il affichait primitivement mais il est davantage en situation et il me semble — ça s'est fait presque malgré moi — qu'on sent tout le temps qu'Ivich en a long dans la tête au sujet de Mathieu. À part ça j'ai reçu et lu l'*Éloge de l'imprudence.* Mon petit pour la première fois de ma vie je vous donne tort et raison à Biennefeld. Ça vient je crois de ce que vous avez discuté le livre sans l'avoir lu, comme je fais souvent. En fait je ne sais ce qu'est Jouhandeau et je ne veux pas savoir si on peut vouloir le Mal — ce sont d'autres questions (sur ce dernier point, je suis d'accord avec vous c'est très compliqué) mais il est exact que dans le livre lui-même Jouhandeau commence par définir Bien et Mal les valeurs et anti-valeurs de la morale courante puis il y substitue sa propre morale sans décorer ses valeurs propres au nom du Bien ni ses anti-valeurs au nom du Mal, de sorte qu'en effet, refusant la morale admise (au nom de *son* Bien) et obéissant aux anti-valeurs sociales, il peut dire qu'il recherche le Mal et refuse le Bien. Ça se complique parce qu'il y a Dieu. Mais on voit si bien ce qu'il veut dire. Tout ça ce sont des mots. Ou plutôt il y a là une hardiesse du cœur qui devrait amener à un renversement des valeurs et à une nouvelle table, mais sans la hardiesse d'esprit qui serait nécessaire à l'établissement de cette table. Maintenant je ne sais pas du tout ce qui s'est dit entre vous à ce sujet et peut-être est-ce sur la question générale que vous avez discuté. En revanche elle a curieusement tort quand elle prétend qu'aucun grand peintre n'a jamais peint de nature morte. Au fond je vois ce que c'est : c'est le pont-aux-ânes des gens qui confondent la magnificence du sujet avec le tableau. Ça reste un drôle de réalisme avec classification des objets du monde en objets qui « valent la peine » d'être peints et objets qui n'en valent pas la peine. C'est le primitif distinguant les objets qu'on peut nommer et les innommables, c'est l'idée du

1. Allusion au roman de Colette : *Le Toutounier.*

Cou et de la Crasse effrayant Socrate. Seulement B. étant intellectuelle et abstraite devrait au contraire aller à fond dans l'autre sens, c'est-à-dire déclarer a priori que le sujet n'importe pas. Mais voilà, ça m'avait frappé chez Proust à propos d'Albertine, on n'a pas le même âge pour tout : elle a trente ans pour le bridge, vingt ans pour la philosophie, treize ans pour la peinture. Il y a des cloisons. Chez Aron aussi il y avait des cloisons. Il était quinquagénaire pour tout mais ça ne faisait pas un seul quinquagénaire, il fallait additionner tous ces cinquante ans pour obtenir son âge véritable. Je me demande si ça n'est pas un défaut d'intellectuel juif et en tout cas ça explique le manque d'authenticité car l'authenticité c'est d'être le même à travers toutes les situations, un projet unique.

Voilà bien des considérants mon doux petit. Et oiseuses. Je m'arrête. Je vous aime de toutes mes forces et je vous embrasse sur vos chères petites joues. J'aime bien votre petite photo, vous savez.

Un peu d'espoir pour Saint-Cyr. Mais on ne sait plus quand.
Il faudra m'envoyer les 2 *Imaginaires* mon petit, vous avez oublié. Et voulez-vous y joindre le livre de Claude Mauriac sur Jouhandeau ; il y a le mot Enfer, dedans.

À Simone de Beauvoir

Vendredi 10 mai

Mon charmant Castor

Comme je sens fort votre tendresse et comme ça me désole qu'elle soit en même temps un peu douloureuse. Je voudrais tant vous voir, mon petit, qui passez de l'angoisse d'Abraham aux peines de l'absence. Petit qui vit trop fort, petit qui brûle la chandelle par les deux bouts, je vous aime. J'aimerais tant tenir votre petite personne dans mes bras et vous embrasser tout bien, avec tout le temps de le faire, et puis après ça on parlerait tout au long. Donc voilà qu'à présent vous vous sentez « vue du dehors » et ça vous angoisse. Là aussi il y a du synchronisme entre nous et en recevant votre lettre qui me racontait votre entrevue avec Brice

Parain, j'étais agacé parce que je me sentais *aussi* visé. Dans mon roman aussi Mathieu et les autres ont ce parler « lâché » philosophique, argotique, tout ce que vous voudrez, qui au fond est le nôtre. Mais d'abord ça n'a pas de sens de dire que c'est le parler Montparnasse, d'abord parce que nous ne fréquentons personne à Montparnasse avec qui nous puissions forger en commun un langage, ensuite parce que Montparnasse a autant de langages que de petits groupes et qu'il n'y a plus grand-chose de commun entre le langage des Boubous et consorts, celui du Mage et celui de la lunaire par exemple ou, j'imagine, de Youki, enfin parce que notre langage remonte à beaucoup plus loin. Mais il est vrai que ce langage c'est *nous*. Il y a évidemment en lui quelque chose de nos origines bourgeoises. Vous avez été une petite fille de famille, j'ai été un petit garçon de famille « libérale ». Et puis là-dessus s'est broché l'argot des étudiants et de Normale, pour moi et puis ce langage « secret » du même type que nous avons construit d'abord Nizan et moi, puis Maheu, Guille et moi, puis cette dame, Guille et moi. Là-dessus vous êtes venue, je vous ai apporté tout ça et nous l'avons refondu ensemble et enfin Z. y a glissé la mignardise les « je veux tout bien, etc. » ou plutôt nous l'avons teinté de mignardise pour nous en servir avec elle. Et voilà : ça a donné ça. Et il est certain que le côté « argot d'étudiant » qui domine — car ce n'est ni un argot de profession, ni un argot de famille — a pu demeurer chez nous autres parce que nous sommes en effet des « séparés ». J'ai écrit en long et en large dans mon carnet comment démocratie, fonctionnarisme, centralisation, joints à mon genre d'orgueil et à ma profession d'intellectuel et d'écrivain ont fait de moi un tout fermé et sans racines. Et vous autre, en vivant notre vie — vous autre parisienne, fonctionnaire comme moi, vous êtes aussi très séparée, surtout si en plus vous êtes, comme vous dites, enfermée dans notre monde et habituée à vous contenter de *mes* jugements sur vous, comme des Tables de la Loi (c'est aussi le cas pour moi). Tout cela est parfaitement exact et je comprends que ça horripile Sorok. qui a évidemment un langage herbe folle qu'elle s'est fait toute seule et qui doit aussi avoir une singulière histoire d'émigrée, de sans-patrie et quasi de sans-foyer — surtout d'ailleurs pour elle qui est si jalouse par tout ce qu'il y a en lui, malgré nous, de sous-entendus et d'allusions. Elle l'analyse très mal d'ailleurs, d'après ce que vous en dites — mais elle ne *peut* pas bien l'analyser parce qu'elle fait ça à travers le sien. Seulement que voulez-vous que nous y fassions ? À notre âge — et avec cette volonté appliquée que nous avons mise à nous forger cet instrument, ce symbole de nos rapports à nous deux — vraiment notre langage *c'est nous.* Il faut donc nous prendre comme nous sommes ou alors si nous ne sommes pas comme il faut, nous changer du dedans et le langage suivra. Nous avons été trop conscients des mots dont nous nous servions (vous rappelez-vous ces discussions interminables sur « dégotter » que nous repoussions, « des fois » avec votre sœur, etc.) bannissant les uns, acceptant les autres, pour que ces mots ne reflètent pas quelque chose de nous. Par exemple si Françoise disait à Élisabeth : « Tu as de la peine » ou « Tu as des ennuis » ou « Tu as du chagrin » ou « Ça ne va pas » ou même « Tu es embêtée » au lieu de « Tu es emmerdée » ça serait une autre Françoise. « Tu es emmerdée » chez vous autre — et chez moi — c'est « chaude sympathie avec jeu intérieur ». La grossièreté est là pour cacher et symboliser à la fois le trémolo de la tendresse. Et puis on jette ça, net devant soi par brutalité, sans bavures. C'est tout à fait con de dire avec Parain que c'est « lâché » ; c'est au contraire la préciosité du brutal avec influence indéniable du pathétique des romans américains. Alors voilà, ça représente le genre de sympathie pour autrui que nous jouons. C'est en même temps un appel à l'objectivité : Tu es emmerdée : tu es assurée de ma chaude sympathie mais je t'en prie, ne te déballe pas, joue intérieur toi aussi, etc. Or, ce qui arrive c'est que nous nous sommes *mis* dans nos romans. Dans votre premier [1], que Parain a lu, il y avait des bonnes femmes qui n'étaient pas du tout *vous* et puis vous autre (et déjà quelque chose de ce style perçait : le *rond* qui est une de nos manières favorites de nous exprimer) mais toute petite. Pour moi Roquentin ne parlait guère dans *La Nausée* — et dans *Le Mur* il n'y avait que des salauds, des cons ou des gens du dehors. Mais dans ce roman comme dans le mien, nous nous étalons, nous parlons de nous, de nos petites histoires, du genre de gens que nous aimons, alors qu'est-ce que vous voulez, nous sommes sans défense : les gens pourront penser sur nous ce qu'ils voudront, parler d'argot intellectuel, de snobisme, de Montparnasse, etc. Nous n'avons qu'à laisser faire. Quant à changer quoi

1. *Quand prime le spirituel.*

que ce soit gardez-vous-en. Je sais : on dira — mon beau-père dirait et peut-être même cette dame — que ce langage est artificiel et qu'il y a là une affectation de grossièreté. Mais si vous écriviez : « Tu as des soucis ? » ou « Ça ne va pas ? » personne ne dirait que c'est artificiel et ça le serait bien davantage. Bien davantage *par rapport* à Françoise et à Pierre, et à Mathieu, c'est-à-dire par rapport à nous. Les gens qui nous demandent de changer sont des gens qui ont la superstition du langage écrit (comme B. a une haine superstitieuse des natures mortes) et qui croient qu'en écrivant on doit transposer. Mais nous pensons vous et moi qu'on *doit écrire comme on parle*. En conséquence il n'y a qu'à écrire comme vous écrivez et à nous laisser juges. Voilà ce que je pense, mon cher petit — et je crois vraiment que j'ai raison. Pour vos lettres, par ailleurs, je trouve Sorokine une petite sotte — je n'en connais pas de plus charmante, de plus libres et de plus spontanées. Et ce n'est pas seulement mon avis, vous le savez bien, mon doux petit.

Donc aujourd'hui, invasion de la Belgique et de la Hollande. Nous l'avons appris par un vague bruit ce matin et puis ça s'est confirmé par les Radios de nos voisins. Ils nous ont aimablement offert d'ailleurs de venir écouter chez eux toutes les heures si nous voulons. Mais nous n'y avons été qu'à midi et à 7 heures, comme chez la Rousse il y a quinze jours. L'impression produite ici est curieuse et bien différente de celle qui régnait lors de l'attaque de la Norvège : ce serait presque un soulagement. L'impression de toucher du réel — même sinistre — après huit mois de guerre « pourrie ». Comme dit Goebbels, l'impression qu'enfin *c'est* la guerre. Pour nous d'ailleurs cela ne représente pas grand changement sinon qu'on nous force à nous promener partout en casque de peur des éclats de D.C.A., ordonnance qui tombera en désuétude d'ici une huitaine, vraisemblablement. Que savez-vous de Bost ? C'est le seul souci que j'ai. Est-il dans le Nord ou dans l'Est ? Et comment êtes-vous, vous autre, à Paris ? Dans l'agitation, le sinistre ou dans cette heureuse indifférence que vous avez parfois ? En tout cas ce n'est plus la même guerre à présent.

Par ailleurs la journée a été pour moi toute de travail paisible ; j'ai fait au brouillon la fureur de Daniel après son entretien avec Boris et la moitié du chapitre Marcelle-Daniel. À présent, je vais travailler là-dessus, j'en ai pour une bonne huitaine et ça me fait plaisir de rester huit jours sans taper à la machine, je commençais à en avoir marre. Et voilà tout pour aujourd'hui, mon petit. À présent je vais faire un sondage et puis j'écrirai à T. et puis je m'irai coucher. Je suis tout guéri et je me porte comme un charme. Mais je ne mange *absolument plus* le soir, pour maigrir (ça fait quatre jours que je procède ainsi).

Je vous aime, mon doux, mon cher petit. Je vous aime *passionnément* et si je me permets de l'écrire, c'est que c'est vrai, ici.

À Simone de Beauvoir

Dimanche 12 mai

Mon charmant Castor

Je me demande si vous êtes bien en Auvergne, avec tout ce charivari. Votre ministre, Sarraut, a fait une circulaire enjoignant « aux membres du personnel enseignant de ne pas s'éloigner de leur résidence ». Ça me ferait deuil mon petit, il fait si beau et ça vous ferait tant de bien d'aller vous promener un peu avec vos petites jambes. Je le saurai sans doute aujourd'hui.

Mon petit j'étais très énervé, hier : j'ai reçu une lettre totalement affolée de Tania qu'on va radiographier. « Mon Dieu, écrit-elle, que je voudrais que tu viennes, que tu viennes à tout prix. » C'est facile à dire mais elle ne voudrait tout de même pas que je déserte. Tout de même ça m'est *très* désagréable de la savoir affolée comme peut s'affoler une Z. devant la maladie — et cette fois peut-être pour de bonnes raisons (je ne la crois pas très atteinte mais elle peut avoir une petite lésion) et complètement seule. Ça m'a secoué aussi, du point de vue de l'authenticité, qu'elle s'adresse à moi immédiatement (bien qu'elle n'ait pas reçu de lettre de moi) comme si c'était *naturel*. Ça m'a fait lourd et puis juste, en même temps : j'en ai pris la charge, mais je reviens aux angoisses d'Abraham de ma permission. Et puis je suis inquiet de sa maladie. Elle ne m'en dit rien, qu'en savez-vous, mon petit ? C'est drôle, elle devient de plus en plus « mon enfant », comme Z. l'a été un temps pour vous. Cette fois, j'en ai assez de la laisser tomber chaque fois qu'elle a besoin de moi avec de bonnes paroles. Je viens de lui écrire que si elle veut et si les délais ne sont pas trop longs, j'étais prêt à l'épouser pour avoir trois jours de permission. Je pense que ça ne vous sera pas agréable ; bien que ce soit purement symbolique, ça fait « engagé jusqu'au cou ». Moi ça me déplaît très fort, pas tant à cause de ça, qu'à cause de ma famille à qui je dois le cacher et qui l'apprendrait sûrement un jour. Mais je vous l'ai dit et j'y suis décidé : je veux faire tout ce que je peux pour T. à partir de maintenant. En compensation, je prendrai tout de même une petite journée pour vous voir. Si sa maladie n'est pas grave et si elle est rassurée, je m'excuserai sur ce qu'on ne donne plus de permission de mariage depuis l'histoire de la Hollande ou sur ce que les délais sont trop longs et qu'alors ça ne vaut pas la peine. D'ailleurs je crois sérieusement que ça doit demander au moins un mois et demi. Et dans ce cas le projet tombe à l'eau de toute façon. Que pensez-vous ? Me blâmez-vous ?

Vous devez être agacée, avec les permissions supprimées à nouveau (on a même rappelé les permissionnaires). Hier c'était une drôle de journée d'attente, on avait un ciel de ouate grise au-dessus de la tête, l'air était aqueux et il faisait très chaud, un vrai temps de printemps, sève et bourgeons. Le matin les avions avaient laissé tomber une bombe sur une ville à 15 km d'ici, ça s'est su tout de suite, à 6 heures et demie, alerte, la D.C.A. tonnait ; de ma fenêtre j'ai vu la chasse, le petit moustique qui brillait de temps en temps et puis que le ciel submergeait de nouveau et puis les grands panaches blancs qui lui couraient après — sans l'atteindre d'ailleurs. La bombe n'a fait aucun dégât, je crois. Puis c'est là que le ciel s'est couvert. « Au point de vue » des événements, attente : un lieutenant nous a annoncé vers midi qu'une grande bataille était engagée dans le Luxembourg entre Français et Allemands mais nous n'en avons eu aucune confirmation. Les nouvelles étaient rares. Là-dessus la lettre de T. Vous devez imaginer dans quel drôle de dépaysement ça me mettait. J'ai tout de même assez bien travaillé mais il faut que je reprenne tout le monologue de Daniel. J'ai écrit à T. et puis je me suis couché, j'ai mis le réveil à 6 heures et je vous écris, mon doux petit. Il fait un temps charmant et je suis inexplicablement rasséréné — sans doute parce qu'il fait beau et que c'est le matin. Et puis c'est mon jour de repos aujourd'hui. Il est six heures 45, je vais monter sur ma bicyclette, un bidon en bandoulière et je vais aller chercher « le Jus » et des petits pains chez la boulangère.

Au revoir mon doux petit. À demain — ou plutôt à ce soir, car je vous écrirai ce soir. Je vous aime de toutes mes forces, mon charmant Castor, mon amour.

À Simone de Beauvoir

Dimanche 12 mai
Soir

Mon charmant Castor

Vous m'avez envoyé une bien pauvre petite lettre bien angoissée, mon cher amour. Que vous dire ? Qu'ici l'angoisse n'existe pas du tout et qu'on dit : « C'est la guerre, il fallait bien que ça éclate. » Mais ça ne vous rassurera pas du tout. Que peut-être avec de la chance, ça décidera de la guerre ? Ça oui, ça peut vous donner un peu d'espoir. Mais il faut s'entendre : derrière les frontières belges et hollandaises il y a des lignes Siegfried allemandes. Donc au mieux nous pouvons espérer arrêter les Allemands sur leur frontière mais non pénétrer chez eux. Seulement cela leur donnerait un front immense à défendre et ce serait d'autant mieux car leurs réserves en hommes ne sont pas inépuisables et leurs réserves en matériel sont loin de l'être. Où est Bost au juste en ce moment ? Vous ne me le dites pas. Fait-il partie de l'armée du Nord ? Il ne me semble pas. Il a été, s'il m'en souvient bien, au front d'Alsace ? Dans ce cas il y a tout de même bien peu de chances pour qu'on l'envoie là-bas. Pensez, il y avait à la frontière belge une armée tout entière et toute prête. Je suis tout de même content de ne pas vous savoir à Clermont-Ferrand — vous savez qu'on a bombardé là-bas. Finalement Paris semble mieux défendu et plus difficilement accessible, mais je commence à m'inquiéter pour vous autre. Si jamais je lisais : « Des bombes sont tombées sur Paris, vingt victimes » malgré le nombre infime de chances pour que vous soyez dedans, je ne vivrais plus. Comment allez-vous passer ces quatre petits jours, mon petit ? Le plus sage aurait été d'aller à La Pouèze. Mais je comprends que vous vous sentiez « plus près » en restant à Paris. Les Parisiens sont consternés — je le sais aussi par Pieter : sa femme qui faisait cinq mille francs par jour de chiffre d'affaires n'a *pas fait un sou* le 10 mai, c'est vous dire. Ici les gens sont très calmes sauf quelques pessimistes de carrière qui voient déjà les Allemands à Paris. Je crois que les types ont oublié leur vie civile. Moi en tout cas, je l'ai oubliée, je le pensais ce matin. Entendez-moi, je n'ai oublié *personne* des gens à qui je tenais mais la guerre ne les fait pas perdre, il y a simplement des rapports neufs entre les gens qui sont des rapports de guerre, une autre manière de se voir, de penser les uns aux autres, plus de méditations, plus de pompe dans les revoirs, plus de patience dans les attentes, plus de solennité, un sens des hiérarchies plus net, etc. Eh bien, ces rapports-là, maintenant j'y suis tellement habitué que je vois le monde à travers eux. Je ne sais plus ce que c'est que de *vivre* avec les gens qu'on aime et ça ne me paraît pas non plus naturel : ce qui est naturel, c'est qu'on les voie pompeusement et avec un peu de frénésie de temps en temps et puis qu'on pense tout le temps à eux de loin. Je limite mes souhaits à avoir plus souvent des permissions. Et encore, cela même est impossible puisque, comme vous le savez, elles sont pour le quart d'heure supprimées.

Je pense que c'est cet oubli total de la paix qui aide à supporter la guerre. À présent des bombes tomberaient autour de moi que j'aurais, certes, une peur abominable mais comme devant un cataclysme *naturel.* Et c'est pour ça aussi et non par manque d'imagination que ces grands massacres qui se préparent dans le Nord nous émeuvent si peu. Je me rappelle l'impression sinistre et sacrée que j'ai eue quand j'ai lu dans un journal du 3 ou du 4 septembre : le premier sang français a coulé. C'était encore l'émoi du civil. À présent, il n'en a pas coulé beaucoup, Dieu soit loué, mais on s'est habitué à l'idée qu'il est fait pour couler. Ça n'est plus ce sacrilège du début. Je comprends la peine que les types de 14 ont eue à redevenir civils — et pourtant il n'y a que huit mois que nous sommes là-dedans et, jusqu'ici, c'était une quasi-guerre.

J'ai eu mon jour de repos et j'ai travaillé. Mais il me semble que je fais de l'artificiel et tout à coups de ficelle. C'est, je crois, que le vivant de ce roman est fini, je sais trop ce que je veux dire et ça ne m'intéresse plus beaucoup, ce sont des raccords simplement. Il est temps qu'il finisse et d'ailleurs avant un mois il sera fini. Mais je serai tout bête après, sans doute. Je reprendrai mes carnets et puis, après quelque repos, j'ai envie de travailler un livre de philo sur le

Néant. Ça m'amuserait assez. Peut-être en ferai-je une thèse. J'ai lu *Lumière bleue* de Braibant. Le type est infâme, un gros type du Nord, satisfait, radical, l'attendrissement facile, le contentement de lui-même papelard (il se nomme lui-même « poète » parce qu'il a écrit des romans et quand on lui réquisitionne sa maison de campagne il déplore de ne pas vivre dans une cité qui eût mis une affiche sur ses murs : « Ici poète, militaires s'abstenir ») familial en diable, Français comme quatre, mais c'est quand même amusant parce que ça montre Paris de septembre à décembre. Vous, ça ne vous amuserait pas mais moi je n'ai pas vu ça. J'ai reçu deux lettres de T. une le soir même du jour où elle m'avait écrit ses angoisses. Elle venait de recevoir ma lettre d'engueulade qui, contrairement à ce que je redoutais — j'étais plein de remords — a eu l'effet d'un coup de fouet. Elle s'est cabrée dans sa petite dignité et du coup sa santé est passée au second plan. Elle écrit : « Je regrette amèrement ce stupide billet que je t'ai envoyé cet après-midi. C'est de la panique et de la nervosité de ma part. Je ne sais pas attendre. Dans tous les cas je suis loin d'être morte. » Je ne m'y trompe pas, ça veut dire : « Je venais chercher du secours auprès de toi. Mais c'est bien tu n'en es pas digne. Eh bien ça n'est rien du tout, mais non, je ne suis pas malade. » Mais ce qui est mieux c'est que le lendemain, toute réconciliée avec moi — et très plaisamment — elle me parle de tout et ne fait qu'une vague allusion à ses maux. Je vais freiner durement pour le mariage, car elle est capable de dire : « Je vais bien mais épouse-moi tout de même, on se verra trois jours. » Cependant informez-vous très exactement de sa santé. Vous pouvez le faire *officiellement*, j'ai dit que je vous en avisais à toutes fins utiles. Je dois vous dire que je suis étonné devant T. Il y a eu chez elle une bonne volonté touchante et en somme, l'un dans l'autre, pendant ces huit mois de guerre elle a été parfaite. Il est vrai, c'est toujours la même chose, que l'autre a été parfaite avec vous et que je suis aussi *vous* pour T.

À part ça, mon doux petit rien de neuf. Il est dix heures du soir et je vous écris. J'écrirai demain matin à 6 heures à mes parents et à T. J'ai déjeuné chez Charlotte et fait des échecs. Je ne m'ennuie pas le moins du monde et je suis heureux de vivre, et je suis *intéressé* par les événements. Je voudrais tant vous passer un peu de sérénité. Il est vrai que je la perdrais complètement si Paris était bombardé. Mon doux petit, je vous aime tant. Si je pouvais vous revoir une couple de jours, rien qu'une couple de jours, je serais aux anges. À demain mon petit, je vous embrasse de toutes mes forces, petit charme tout, petit tout charme, tout petit charme.

Je vous enverrai le sou et les livres demain à 1 heure 1/2, je voulais y aller aujourd'hui et puis j'ai oublié. Par ailleurs, j'aimerais bien que vous m'envoyiez, vous autre petit :

1° des *livres* (je ne vais plus en avoir — avez-vous une liste? Avez-vous lu le Pepys ? C'est charmant, je vous l'enverrai quand je l'aurai fini).

2° deux paquets de capsules d'encre à stylo — bleu ou bleu-noir peu importe — mais pas bleu des mers du Sud.

3° encore du papier (mais ça ça peut attendre encore un bout de temps, tandis que le reste est pressé).

Merci, doux petit.

À Simone de Beauvoir

Lundi 13 mai

Mon charmant Castor

Un jour sans lettres, aujourd'hui. Juste une, une petite, de ma mère. J'imagine que la poste va subir quelques retards ces temps-ci. Ici, à droite et à gauche de notre secteur, ça tonne sans arrêt, coups sourds et denses de chez nous (on dit « un qui part ») éclatements plus secs et précédés d'un sifflement (on dit « ça arrive ») des obus tirés par les Allemands. À présent c'est une basse continue et ça fait *objet,* je veux dire que ça se dresse au bout du paysage comme une ligne faite d'arbres individuels mais fondus qui barreraient l'horizon. On l'écoute *quand on veut* c'est-à-dire que, de temps en temps on lève un doigt et on dit « ça part » ou bien « ça arrive ». Le reste du temps on vit comme si de rien n'était. À côté de ça, naturellement, il y a les avions. De l'aube à 10 heures du matin, aujourd'hui, les déchirures sèches de la D.C.A. et le crépitement des mitrailleuses couvrent la basse de la canonnade et puis de temps en temps il y a un beau ronflement plein, beaucoup plus régulier que celui d'une auto : c'est l'avion. Et quand on a de la chance on peut le voir. Nous avons eu beaucoup de chance ce matin puisqu'il y en a un qui est venu faire un grand virage très bas au-dessus de nous, à mille mètres, un beau noir, poursuivi par les petites éclaboussures crémeuses des obus. Tout le monde était dehors le nez en l'air, les cuisiniers, les officiers, nous autres sondeurs, le chauffeur du colonel. Mais Pieter qui venait de gonfler un ballon et qui restait là, tête levée, son beau ballon rouge à la main, a pris peur soudain et a dit : « Je vais *vous* faire repérer, avec mon ballon » sur quoi il a caleté dans l'escalier et il est entré dans la maison, comme le jour des vaches. Cependant, à 10 mètres de nous, d'un nid de mitrailleuses anti-aériennes qui nous est bien familier, car jour après jour les types désœuvrés venaient voir nos sondages et nous leur passions des ballons, sont sortis la petite fumée crépitante et le feu que nous attendions, sur quoi l'avion s'est enfui, une mitrailleuse s'est enrayée et n'a pu tirer que deux coups, l'autre mitrailleuse a poursuivi l'avion d'une salve et nous nous sommes écriés déçus : « Raté ! » Mais, cependant, le cuisinier de la roulante, deux cents mètres plus loin, qui, oubliant de servir le café à Paul, regardait l'avion à la lorgnette a crié « il brûle » et a juré avoir vu une flamme rousse sortir de la carlingue. Paul a nié. À midi nous apprenions qu'il était tombé en flammes à dix kilomètres d'ici. Reste à savoir si ce sont *nos* mitrailleurs qui l'ont eu. C'est une question d'amour-propre. On suppose que non, mais plutôt par probité d'esprit. Des cinq occupants deux sont tués, deux sont pris, le cinquième est en fuite. Voilà mes plaisirs. Mais vous ne sauriez croire comme ça fait *naturel,* au sens décevant de « curiosité naturelle ». Vous vous rappelez comme je vous avais mise en garde un jour que vous vouliez voir en Catalogne une très grande quantité de sel gemme et tout ce que nous avions dit alors sur les curiosités naturelles ? Eh bien, cela vaut pour ici. Je ne saurais vous expliquer : à lire ce que j'ai écrit, vous allez nous croire au spectacle et cependant cela participe à l'hésitation, à la contingence et à la lenteur de ce printemps et de l'herbe qui nous entoure.

Ici, cependant, grand remue-ménage. Toute une partie de l'A.D. part s'enfermer avec des gens de l'I.D. et du Q.G. dans un souterrain plus près des lignes, à quinze kilomètres d'ici : c'était prévu dès que ça sentirait un peu le roussi. Un capitaine de chez nous part avec le colonel et le général, un lieutenant et deux secrétaires. Nous, nous restons ici avec le capitaine Munier — ou peut-être irons-nous nous installer dans une petite ferme des environs. Donc *aucun accroissement de danger* (c.a.d. danger nul : tous les avions qui passent au-dessus de nos têtes ne songent absolument pas à nous, ils ont fort à faire ailleurs). Mais ce qui était gonflant c'était le moment où on a choisi les secrétaires qui partaient. Hantziger était volontaire. Restait à trouver l'autre. Il y avait le choix entre Nippert et Mondange. Nippert, la petite vermine protestante, Mondange, ce brave nouveau qui s'est amené du fin fond des Landes où il était bien paisible, croyant trouver une planque et tombant en secteur. Il brille par la modestie et la charité et toutes les vertus de la violette mais à coup sûr pas par le courage. Chacun a commencé à protester, Nippert disant qu'il a des hémorroïdes et des enfants (les hémorroïdes venaient en premier lieu, ça lui va si bien d'avoir des hémorroïdes) et Mondange disant qu'il est d'une classe plus ancienne. Finalement Courcy a dit : « Eh bien, tirons au sort. » Il fallait voir la tête de Nippert pendant qu'on tirait au sort. Il avait défait son col et s'était assis sur une chaise, vert, la gorge si serrée qu'il ne pouvait parler. Le sort a désigné Mondange, qui part ce soir — et Nippert est resté encore plus de cinq minutes les bras ballants, sur sa chaise, sans pouvoir parler. Il a fini par dire d'une voix étranglée : « C'est juste. » L'adjudant part aussi. Il disait la semaine dernière en entendant la canonnade : « La voix du canon m'appelle. » Mais ses lèvres ont tremblé drôlement toute la matinée. En fait ils ne craignent rien. On tire assez près d'eux et un obus est tombé à 80 mètres de leur blockhaus, mais ils sont à dix mètres sous terre. Ce qu'il y a plutôt, c'est la vie qu'ils vont mener : interdiction expresse de sortir à la lumière, odeur infecte, lampes à pétrole pour tout éclairage, 100 types empilés là-dedans. Je bénis le ciel d'être sondeur, c'est-à-dire de faire un travail qui exige l'air libre. Avec mon asthme, je n'y aurais pas tenu. Voilà les nouvelles, mon cher petit. À part ça, j'ai très bien travaillé ce matin et surtout cet après-midi (scène Marcelle-Daniel) ; cette fois c'était du frais, du neuf, ça ne sentait pas les ficelles et ça coulait de source, ça m'amusait. Je voudrais bien recevoir une lettre de vous, mon amour, vous m'inquiétiez un peu hier soir.

Je vous aime *passionnément* (toujours au sens plein du terme). Je ne le dirai plus car le mot m'agace, mais souvenez-vous-en bien, mon doux petit, ma petite fleur. Je vous embrasse tendrement sur vos petites joues.

On voit bien que c'est la guerre qui commence. Ma mère met en post-scriptum à sa lettre : « *JO* (souligné par elle) t'embrasse. »
Envoyez vite des livres, ma petite fleur.

À Simone de Beauvoir

Mardi 14 mai

Mon charmant Castor

Aujourd'hui j'ai eu deux petites lettres de vous autre et elles contenaient des surprises. Il y avait dans l'une le sonnet de la folle et dans l'autre la lettre de votre sœur. La lettre de Poupette m'a bien intéressé, elle a fait un drôle de voyage et ça fait tout romanesque ces trois compagnons de route, le gros monsieur, le douanier et le soldat. Ça a l'air sinistre, l'Espagne.

Écoutez petit Castor, voici qui est de première importance, pendant que j'y pense — et ça m'oblige à écrire un peu à tout le monde, c'est assommant. À partir du *20* on nous change de secteur postal. Ils font ça de temps en temps. Donc la lettre que vous écrirez le 20 doit être adressée ainsi :

Soldat Sartre
Sondage — État-Major A.D.
Secteur *14459* (quatorze mille quatre cent cinquante-neuf)

J'ai envoyé l'argent ce matin par mandat-carte, vous l'aurez donc après-demain 17 ou au plus tard le 18. Hélas mon petit, juste après ça j'ai reçu vos petites lettres qui criaient misère; vous allez avoir encore un jour ou deux de crève-la-faim par ma négligence. Mais je croyais de bonne foi que vous n'en aviez pas besoin avant le 20. Excusez-moi, mon charmant Castor — ça me fend le cœur quand vous êtes un petit sans-le-sou. Je n'ai envoyé que 1 950 francs pour pouvoir finir le mois sans rien emprunter à Pieter.

Je suis aise de vous savoir moins anxieuse, mon petit. Pour les nouvelles, eh bien, elles ne sont ni bonnes ni mauvaises. Au mieux on pourra tenir la ligne Liège-Anvers et probablement Liège tombera mais c'est en somme prévu. Si ce n'est pas ainsi, tant mieux. De toute façon ils ont l'avantage de l'initiative. *À la longue* la bataille doit, il me semble, tourner à notre avantage. Lisez les chroniques de Pierrefeu dans *L'Œuvre,* c'est encore ce qu'il y a de mieux. Ce que je peux vous dire de plus rassurant c'est qu'il y a une chance à présent pour que la guerre soit finie avant l'hiver 41. Mais déjà tout ce que je vous dis là sentira le vieux quand vous recevrez cette lettre. C'est agaçant ce décalage entre les moments de tension publique ou privée.

Pour ma part, mon doux petit, je ne suis plus guère qu'un travailleur de roman. Je ne fais que ça et je vais avoir fini. Eh mon Dieu, quel vide après ! Je crois que la scène Daniel-Marcelle sera bonne, je l'aurai terminée demain. Je ne fais que ça car je n'ai plus rien à lire et puis j'ai un peu dormi cette après-midi, je ne sais pourquoi. J'ai été dîner par exception chez Charlotte, ce soir ; au retour il faisait un temps extraordinaire de douceur calme avec un beau ciel pâle et puis tous les sons lointains de la campagne et puis une puissante odeur de vert, seulement on entendait dans un village voisin, dont on voit le clocher de la route, la sirène d'alarme. Ça faisait étrange et ça rendait toute cette calme campagne doucement vénéneuse, un peu comme un bonbon acidulé. C'est le désert ici, la moitié au moins des types sont partis pour cette cave méphitique. Il paraît que ça pue et que c'est humide ; le chauffeur du colonel qui est revenu prendre ses affaires ce matin dit qu'ils ont fait un drôle de nez en arrivant : il y a 95 marches à descendre sous terre, ils ont l'électricité trois heures par jour. Le reste du temps, c'est la lampe à pétrole. Interdiction de sortir. Tous les officiers mangent ensemble dans une pièce — tous les soldats ensemble dans une autre — la même cuisine pour officiers et pour soldats. C'est le seul avantage : elle est bonne. Mais nous, nous sommes toujours ici et nous y resterons. Ce départ donne à ces jours-ci un petit goût de fin de vacances, vous savez, quand quelques obstinés restent dans les hôtels vides et que les trois quarts des villégiaturants sont déjà partis. Les officiers sont désœuvrés dans des fauteuils, il n'y a plus que deux secrétaires et nous sommes entièrement seuls dans notre annexe, nous autres sondeurs. Je n'ai pas grand-peur des bombardements pour vous, jusqu'à nouvel ordre : ils ne bombardent pas les civils, ils bombardent des objectifs militaires (essentiellement champs d'aviation) *sans se soucier* d'épargner des civils. La différence n'est pas mince car elle exclut tout bombardement de Paris. Ils ne se soucient pas des représailles dans ce domaine.

Mon doux petit que ça m'ennuie de penser que vous vous agitez dans votre petite tête (et je vous comprends si bien, vous savez). Je voudrais tant *parler* avec vous de tout cela. Hélas ! Les permissions sont supprimées et le demeureront sans aucun doute tant que la grande bataille n'aura pas eu d'issue. Prenez patience, mon petit, prenez bien patience. Je vous aime si fort et je suis si uni à vous. À demain, petite fleur, je vous embrasse de toutes mes forces. Je vous aime.

À Simone de Beauvoir

Jeudi 16 mai
S.P. 14.459 (à partir du 20)

Mon charmant Castor

Pas de lettre de vous aujourd'hui ni de personne. Le courrier avait d'ailleurs un grand retard, sans doute parce que les bombardements aériens ont détruit une partie de la voie ferrée entre Nancy et Lunéville. Les journaux n'arrivent plus qu'à quatre heures, la Radio des officiers marchait mal, de sorte que j'ai passé le jour entier coupé du monde. À vrai dire ça ne m'a pas trop changé. On se sent ici isolé et impuissant tout comme si on était civil : quelque part dans le Nord se décide non seulement la destinée du pays mais la mienne propre et la vôtre ; mais moi je suis ici, à sonder paisiblement quatre fois par jour, je ne cours aucun danger, je ne sers à rien ; il faut se faire une âme qui corresponde à cet état : on se barre, on attend avec une sorte de résignation profonde. C'est curieux d'ailleurs le nombre de mentalités différentes que la guerre peut exiger : ce ne serait pas du tout la même manière de voir le monde si j'étais personnellement soumis à des bombardements et il y aurait une autre manière de prendre sur moi — et une autre encore si j'étais aviateur ou des Corps francs. Mais là, on ne peut guère me demander qu'une espèce d'obstination à cultiver mon jardin, ce que je fais. J'ai bien avancé. L'entretien Daniel-Marcelle sera fini demain à midi. Il ne me reste plus que la scène Mathieu-Daniel que vous m'avez fait ajouter, plus la dernière scène Mathieu-Marcelle et enfin un chapitre de dix pages sur Marcelle attendant le coup de téléphone de Daniel. Et je me suis donné encore un mois pour faire tout cela. Je lis peu — ce *Baudelaire* qui est infâme, avec des grâces universitaires à la Brichot pour ne rien dire; mais qui vaut encore un peu mieux que le Porché. Le Pepys qui me charme et que je vous enverrai et puis, tout de même, *Tandis que j'agonise* que j'ai retrouvé et que je n'avais jamais lu, mauvais que je suis. Comme distraction, naturellement, on nous offre tous les jours des chasses d'avions. Mais la D.C.A. les rate toujours; on voit ses petites fumées stupides dans le ciel qui courent vainement derrière l'avion, c'est agaçant au possible et nous finissons par ne même plus nous déranger (ça arrive sept à huit fois par jour). Ce qui est beau c'est le bruit, le beau bruit régulier du moteur qui a l'air d'enfler dans le ciel et de décrire une parabole à partir de l'horizon et puis les crachements de la D.C.A. qui brodent là-dessus et parfois la toux d'une mitrailleuse. Ça remplit la journée. Des parachutistes étant tombés dans les environs on a émis la prétention de nous faire sortir avec des fusils mais cette prétention s'est heurtée à notre résistance passive. Il n'y a qu'un Breton, fils de commandant et soldat-secrétaire de l'I.D., qui crève de frousse, se rue dans les caves quand il entend un avion et se promène gravement sur les routes, son fusil sous le bras, il a l'air de chasser. Il ne semble plus question d'évacuer la 2e zone et nous pourrons encore déjeuner quelque temps chez Charlotte. On a de temps en temps des nouvelles des enterrés de l'A.D. : ils semblent s'accommoder de leur sort, ils ont l'électricité plus longtemps, à présent, ils ne se plaignent que de l'humidité. Si quelque chose peut vous rassurer, ma petite fleur, sur mon sort personnel sachez que l'ennemi a attaqué l'autre nuit dans notre secteur — assez fort pour que nous ayons les honneurs du communiqué — et que nous ne nous en sommes *absolument* pas aperçus, pas plus que vous autre dans votre petit lit. Nous n'avons même pas entendu le canon. C'est vous dire que nous sommes encore loin des opérations.

De temps en temps je suis tout animé par l'envie de reprendre mon carnet. Finalement je l'ai tenu pendant les mortes-eaux de la guerre et lâché au bon moment. Mais je préfère finir au plus vite le roman et puis on n'en parlera plus. Je comptais vous le renvoyer par Pieter. Mais hélas ! qui sait quand partira Pieter. Ce troisième tour devait commencer le 25 mai. Dans dix jours, par le fait. Je crains qu'il ne faille attendre longtemps. Pauvre petit Bist, c'est pour lui surtout que ça fend le cœur. Il faut tout de même ne pas trop se désespérer : il n'est pas question évidemment de rétablir les permissions tant que durera la « bataille de la Meuse ». Mais il ne se peut pas non plus que cette bataille dure indéfiniment avec cette intensité. Je sais bien qu'on cite Verdun, qui dura six mois ; mais ici les conditions sont tout autres. Ou ils perceront — je ne le crois pas du tout — et nous sommes foutus. Ou ils s'arrêteront pour souffler et la guerre de positions recommencera. Alors on verra sans doute timidement réapparaître les permissionnaires. Il faut patienter et surtout se dire que cela prouve que l'Allemagne veut en finir avant l'hiver. Il y a donc bien des chances pour que nous ne voyions pas ces interminables trois et quatre ans de guerre qu'on prévoyait d'abord. Mon cher petit, je voudrais tant que vous ne soyez pas trop anxieuse et que vous preniez patience. Je n'aime pas trop être sans lettre de vous.

D'autres événements point. Sauf une panne d'électricité, le soir, qui nous a contraints à développer le sondage à la bougie — et un froid vif et soudain qui nous a transis jusqu'aux os : du vent ce soir et huit degrés. On avait moins froid cet hiver parce que le froid nous poursuit jusque dans les chambres. Heureusement la mienne est la plus chaude.

Mon doux petit, j'ai toujours des petits souvenirs par pelletées de notre douce vie d'autrefois. L'état de guerre développe le sens de la rumination et c'est bien vrai qu'on devient plus profond. Dans ses sentiments en tout cas. Le dévidage muet des souvenirs se renouvelle quotidiennement. Aujourd'hui c'était Sienne avec votre petit bras sous le mien. Vous rappelez-vous comme nous nous moquions de M. Suarès. Hier c'était l'Espagne à cause du papier à lettres de Poupette. C'est ça qui est plaisant et anormal dans notre état méditatif, le moindre petit fait tombe comme dans une mare et après ce sont des ronds concentriques et des ronds concentriques, qui vont s'affaiblissant mais de plus larges en plus larges. Et toujours vous êtes là-dedans. Ma vie est remplie de vous, mon amour.

A demain, petit Castor. Je vous aime de toutes mes forces.

À Simone de Beauvoir

Vendredi 17 mai

Mon charmant Castor

Aujourd'hui ni lettres ni journaux. Il n'y avait pas du tout de courrier, le train annoncé pour 8 heures du matin n'était pas entré en gare de la grande ville où on va chercher les lettres à 8 heures du soir. Voilà donc deux jours que je suis coupé du monde. Ajoutez à cela des nouvelles de T.S.F. qui déjà confuses et tronquées par elles-mêmes le sont encore davantage du fait qu'elles sont écoutées l'oreille collée à des postes (Radio des officiers). On entend des bribes, tantôt « Grand succès » tantôt « situation désespérée » et on ne sait souvent *ni* qui parle (Radio Stuttgart, Radio italienne, Radio anglaise ?) ni de quoi on parle. Naturellement il y a aussi les bruits qui circulent de bouche en bouche — bruits en général défaitistes à cause de cette longue attente. Et puis les types du Nord qui se désolent parce qu'ils sont, eux, sans nouvelles depuis quatre ou cinq jours de leur famille. Ce qu'il y a de curieux c'est que les mandats leur parviennent encore mais non les lettres. J'en conclus que la Censure a fait un vaste coup de filet sur toutes les lettres du Nord et tout arrêté. Temps gris et froid, gouttes de pluie, 8 degrés le matin et le soir. Ça fait, à ne rien vous cacher, un ensemble absolument sinistre. Avec bien entendu l'accompagnement constant du canon. Il est évident que c'est *ça* la guerre — pour les plus favorisés du moins qui n'en souffrent pas dans leur corps : l'attente, l'absence totale de nouvelles et les faux bruits. Le robuste optimisme de Pieter en était durement éprouvé. Le mien aussi, ce soir. Pieter était charmant. Il a dit tout d'un coup : « Mais si c'était *eux* qui gagnaient. *On ne pense jamais à ça.* » Ça le peint. Et puis, reprenant tout d'un coup son optimisme : « Oh ! mais de toute façon ils ne traiteraient pas la France comme la Pologne : ça serait vivable. » Ce qui m'avait déconfit, c'est toujours ces bribes de nouvelles entendues à travers les postes. La Radio italienne annonçait — ou du moins j'avais cru le comprendre que — « les Allemands avaient percé la ligne Maginot sur *cent* kilomètres ». Comme on les signalait aux environs de Rethel, ça m'avait donné un léger frisson bien que ce fût assez peu vraisemblable. En fait il s'agit d'une poche près de Sedan, celle dont on parle depuis avant-hier. La guerre de 14 a prouvé qu'on pouvait vivre longtemps avec de semblables hernies. Ce soir nous sommes un peu rassérénés, nous avons interrogé le capitaine Munier, possesseur dudit poste de radio, et nous savons d'une façon claire — aussi claire que les communiqués le permettent — de quoi il retourne. Naturellement Paul est le plus serein. Il s'indigne gaiement sur les défauts d'organisation de l'armée française et, se jugeant au sein d'une catastrophe à sa mesure, il bêche paisiblement son petit arpent au jardin ou bien il tapote à la machine en émettant de temps à autre son petit chant de schizophrène. Au milieu de tout ça, je travaille, j'ai fini le chapitre Daniel-Marcelle mais il faudra que je le refasse une fois après l'avoir laissé reposer car il est « complexe » comme dirait Gégé. Et puis la vie quotidienne : sondages, Charlotte, échecs. Nous marquons à présent au jour le jour nos victoires et nos défaites. J'ai battu Pieter 9 fois pendant qu'il me battait 2 fois. Un peu de nervosité est dans l'air et nous nous sommes âprement reproché nos défauts ce matin. Je lui ai dit pour la centième fois : « Le fond de ton caractère c'est que tu es une grosse mouche à merde, bourdonnante et maladroite. » Et il m'a dit pour la centième fois : « Tu es dur pour les autres, Sartre, très dur, mais très indulgent pour toi-même. » Mais l'après-midi, nous étions réconciliés. Le téléphone étant supprimé en bas, il n'y aura pas non plus de téléphonistes. Nous monterons donc la garde une nuit sur cinq mais ça consiste essentiellement à dormir. Tandis que les malheureux de l'I.D. la montent, par la fantaisie de leur capitaine, debout avec un fusil chargé à côté d'eux. Ils se distrayent en écoutant le jazz à la T.S.F. Je ne sais si vous appréciez le charme de la scène : un type dans une salle à manger d'hôtel évacué, son fusil chargé sur la table et qui écoute *J'attendrai* chanté par Tino Rossi.

Et voilà tout mon petit. Je crains que vous ne soyez vous aussi, angoissée et nerveuse. Je voudrais bien que mes lettres n'aient pas le retard des vôtres car c'est bien déplaisant. Surtout pour vous autre qui pouvez vous faire des idées. Mais que voulez-vous ? Nous sommes dans le plein de la guerre. Nous allons passer à présent notre plus mauvais temps. Cela ne durera pas toujours, mon cher petit. Sûrement pas. Je vous aime de toutes mes forces. En ce moment, la guerre a exaspéré le sens de la hiérarchie au point qu'il n'y a que vous seule au monde qui comptez pour moi ; je ne pense plus jamais qu'à vous seule.

Je vous embrasse sur vos petites joues.

À Simone de Beauvoir

Samedi 18 mai

Mon charmant Castor

Aujourd'hui il faisait beau et puis j'ai reçu deux lettres de vous autre et puis je ne dirai pas que les nouvelles étaient meilleures, non — mais enfin il y avait des nouvelles : j'ai vu sur une grande carte, dans le bureau des officiers des petits drapeaux qui marquaient le front. Je suis donc un peu rasséréné. Mais que vos lettres étaient sombres, ma petite fleur, elles m'ont fendu l'âme. Mon Dieu comme je voudrais vous voir, ne fût-ce qu'une heure et parler avec vous et vous prendre dans mes bras, ça fait tellement angoissant de vous sentir là-bas, absolument seule, et, pour tout potage, des lettres obstinément paisibles de moi qui arrivent trois jours après avoir été écrites. Par-dessus le marché je sais que vous recevrez toutes celles-ci avec du retard. Renseignements pris, ce n'est pas les effets d'un bombardement qui retardent les trains c'est la nécessité d'envoyer dans le Nord de longs convois d'hommes et de munitions. Donc ce qui retarde vos lettres doit également retarder les miennes. J'espère qu'un rythme va être pris : le train attendu hier à 7 heures du matin est arrivé cette nuit à trois heures. 20 heures de retard. J'espère que ce décalage de 20 heures va subsister. En ce cas vous n'auriez eu qu'un jour de mécompte. Mon petit je sens comme vous la tentation de perdre mon destin dans un immense destin collectif et de l'y diluer mais je crois que c'est une tentation qu'il faut repousser. Ce qu'on sent formidablement et qu'il est précieux de sentir c'est combien la destinée d'un pays est quelque chose d'individuel et d'unique — comme pour une personne — et de borné par la mort — comme pour les personnes (je ne veux pas dire par là que nous perdrons la guerre, mais il suffit que nous *risquions* de la perdre) — et combien nos destinées à nous sont *en situation* dans cette destinée périssable du pays. Mais ça ne fait rien, le pays est une situation et puis il y a des millions d'êtres libres et pour chacun la victoire ou la défaite sera une histoire individuelle, la mort du pays en serait une comme aussi bien un retour à une paix en sécurité. C'est pourquoi, mon cher petit, je pense à *votre* destin et au mien et je ne puis m'empêcher de penser que c'est celui-là et non un autre que nous vivrons jusqu'au bout. Je ne suis absolument pas séparé de vous, au contraire, je n'ai jamais été si uni à vous et nous le serons de toute façon, mon amour, dans le bon comme dans le mauvais. Je vous aime. Ne prenez pas tout ceci pour le fond du pessimisme. Je le pense seulement à propos de *possibilités,* parce qu'elles sont plus sensibles et plus vivantes aujourd'hui mais au fond cela devrait se penser dès le début de la guerre et même, en somme, toujours.

Aujourd'hui donc, c'était beau temps, il faisait plus chaud et c'était jour de repos. J'ai travaillé, fini un chapitre. Cela absorbe tout de même, on peut se plonger là-dedans, seulement j'ai peur qu'il n'y ait une certaine sorte d'inventivité, dans les *mots* surtout, qui soit barrée par le souci. Déjeuner chez Charlotte. L'après-midi j'ai joué aux échecs et puis j'ai pris un bain. Les Acolytes parlaient sur les événements. « Je voudrais être plus vieux de quinze jours », disait Pieter, incorrigible optimiste et Paul lui a répondu superbement : « Qui sait si dans quinze jours tu ne souhaiterais pas d'être plus vieux de vingt ans. » Ce soir j'ai entendu Paul Reynaud à la T.S.F. et puis voilà, je vous écris. Deux lettres de T. qui n'est, semble-t-il, pas si malade. Dans ces conditions, je crois inutile de l'épouser, je vais lui écrire que cela n'avancerait à rien.

À demain, mon doux petit, ma petite fleur, je voudrais que vous sentiez combien je vous aime et avec quelle force je tiens à vous de tout mon être. Nous sommes *inséparables.*

À Simone de Beauvoir

Dimanche 19 mai

Mon charmant Castor

Je viens d'apprendre que les Allemands sont à Laon et je suis terriblement anxieux pour vous. Qu'allez-vous faire ? Va-t-on évacuer Paris ? Je veux encore croire à un redressement de la situation, mais je crains que la Marne ne soit pas deux fois possible. Elle venait d'une lourde erreur de Von Kluck et j'imagine qu'ils sont instruits de cette erreur et ne la commettront pas deux fois. Mon petit cette lettre arrivera bien tard — dans trois jours. Où seront-ils à ce moment-là ? S'il est encore temps, je vous conjure de partir. Renvoyez les 2 Zazoulich à Laigle et vous, si vous le pouvez, si le gouvernement (ce qu'il ne fera sûrement pas) n'exige pas que les universitaires restent à Paris ou suivent leur lycée en province, *partez à La Pouèze chez cette dame.* Faites-le pour moi, mon amour, ma petite fleur. Songez combien il serait atroce pour moi de savoir Paris bombardé, assiégé ou investi et de vous savoir *dedans* sans aucune nouvelle de vous et seule, terriblement seule. Je ne vois que cette dame qui puisse vous recueillir. Allez-y, ce sera mon seul réconfort. À mon avis vous devriez expédier immédiatement les deux Z. à Laigle. Je vais écrire dans ce sens à T. Même si vous êtes obligée de rester quelques jours encore à cause de votre métier, envoyez-les là-bas. N'oubliez pas que vous risquez de *n'avoir plus d'argent* pour partir. Je souhaite que vous ayez enfin reçu mon mandat. Chez cette dame vous n'aurez pas besoin d'argent, elle vous nourrira et vous en prêtera un peu. Je suis désespéré à l'idée que la lettre que vous m'écrirez aujourd'hui mettra trois jours à me parvenir. Mon petit, mon doux petit, je tiens à vous du plus profond de mes moelles, ça me fait déchirant de vous savoir là-bas *absolument seule.* Jamais je n'ai senti si douloureusement combien je tenais à vous. Je ne crains que pour

* Voyez en fin de lettre des considérations plus optimistes.
** Emmenez Sorokine si vous ne voulez pas l'abandonner.

vous et, quoi qu'il arrive, si je vous retrouve — et c'est sûr, à la condition que vous partiez à temps — la vie sera encore vivable.

Voilà : ici ce sont les douches écossaises. À huit heures j'entends la T.S.F. on nous dit que la poussée des Allemands s'est ralentie. À midi le lieutenant Ullrich qui a entendu la T.S.F. dit : « On commence à les freiner. » À 1 heure et demie après avoir déjeuné avec insouciance chez Charlotte, on rentre et on rencontre un radio affolé : « On vient d'entendre la T.S.F., ils sont à Laon. » Sur quoi Paul déclare : « Allons, c'est fini. Souhaitons que nous soyons allemands le plus vite possible. » Nous l'avons un peu engueulé et puis voilà, je vous écris. Je ne puis rien vous dire sur la situation, je ne la connais pas : j'ai des journaux de l'avant-veille et je ne vois que la carte des officiers avec le ruban et les épingles et la poche qui enfle, qui enfle démesurément. Bientôt cette carte ne suffira plus, il en faudra une deuxième. Vous savez certainement mieux que moi ce qu'il en est, à l'heure qu'il est. Je suis sûr que vous serez raisonnable. Je ne pense pas du tout la partie perdue. Mais je pense qu'il faut que vous soyez prudente. À l'heure qu'il est vous êtes plus exposée que moi. Et puis je crois que cette dame est la seule personne qui puisse vous faire quelque bien si les choses tournent au tragique — ce qu'il faut tout de même envisager, même si l'on n'y croit pas.

Mon doux petit, je n'ai rien de plus à vous dire, sinon que je vous aime aussi fort qu'il est possible et que vous êtes mon cher, mon unique amour. Quand j'envisage — par pure probité d'esprit, soyez-en sûre — une vie où il ne me serait plus possible d'écrire, de publier ce que j'écris et où nous aurions beaucoup de privations matérielles, si je pense que cette vie je la mènerais avec vous, il me semble que je pourrais encore y trouver du bonheur.

À demain, mon cher amour.

Je rajoute ceci — deux heures plus tard. Même au pis (Paris occupé) la guerre n'est pas perdue. C'est la flotte qui fait le blocus et les Allemands n'ont pas de flotte. Tant que nous aurons une armée intacte (celle de l'Alsace) une flotte aérienne et que les Anglais pourront faire le blocus, nous ne sommes nullement perdus et il demeure bien des raisons d'espérer. On ne défait pas les « millions d'hommes » dont parle Romains comme une armée de métier — et on n'occupe pas un *empire* avec une flotte et d'immenses ressources coloniales comme la Hollande. Seulement Paris peut être occupé (vous savez que Joffre envisageait en 14 de se battre sur le Massif central) et c'est pour cela qu'il vous faut partir aussi vite que vous le pourrez. Je vous aime.

À Simone de Beauvoir

20 mai

Mon charmant Castor

Je vous écris la fenêtre ouverte, il est huit heures et demie du soir, il fait encore très clair et je n'ai pas encore allumé, c'est un beau jour tout doux, tout campagnard. Comme disait Pieter avant-hier : « On a des regrets par un temps comme ça. » « Eh, lui ai-je dit, où serais-tu donc, un dimanche d'été, par un temps pareil ? » « À la campagne. » « Eh bien tu y es. » « Oui mais je n'y serais pas avec de vieux cons comme toi. » Cela vaut aussi bien pour moi ce soir, avec cette différence que je ne serais pas à la campagne, si c'était la paix. Je serais à la terrasse du Flore, avec vous autre, je mangerais des œufs brouillés sur toast et nous tendrions l'oreille pour surprendre les propos de Sonia, de Prévert et d'Agnès Capri. Vous savez, je dis ça sans mélancolie, je commence à avoir tout à fait perdu le « sens de la paix », sans avoir gagné en compensation le sens de la guerre. Aujourd'hui j'étais paisible et désœuvré, sans beaucoup d'anxiété parce que ce bombardement ne semble pas avoir fait du tout de victimes dans le Paris central où vous êtes. Je n'ai pas beaucoup travaillé, juste mis sur pied le chapitre où Marcelle attend le coup de téléphone de Daniel — et j'ai peu joué aux échecs, parce que Paul et Pieter ont fait preuve d'une paresse subite. Pieter est emmerdé par ce bombardement de Paris, ça a produit un doux petit effondrement plaintif et caressant, comme toujours, au fond de lui-même, il avait dans les yeux une tendresse insondable, il se léchait les lèvres et puis, dans l'après-midi, il s'est jeté sur son lit et a dormi trois heures. Je comprends qu'il soit emmerdé, d'ailleurs : on vient de faire une petite opération à sa femme et elle est au lit, c'est embêtant d'être dans l'impotence s'il y a lieu d'évacuer et puis, naturellement depuis le 15 mai, son commerce ne fait plus un sou, les femmes n'ont pas le cœur d'acheter des chapeaux. En compensation beaucoup de réfugiées sont venues acheter des bas dans son autre magasin. Paul a pris avec sérénité ce bombardement — celui de Nancy l'avait effrayé davantage. « Question de clocher », dit philosophiquement Pieter. Mais lui ne jouait pas aux échecs parce qu'il avait entrepris de laver son uniforme. On l'a vu toute la journée qui battait le linge sur une grande planche ruisselante d'eau, il y mettait un acharnement féroce. Ce que voyant, ce matin j'ai pris la bicyclette et j'ai été faire un tour jusqu'au village voisin à 2 km. C'est toute une expédition parce qu'à présent les routes sont gardées par des patrouilles, barrées par des palissades de rondins aux entrées de village, etc. Mais il ne m'est rien arrivé et j'ai eu de fraîches petites impressions de campagne. En particulier une cigogne débusquée je ne sais d'où a fait du rase-mottes juste au-dessus de ma tête, ses larges ailes déployées en planeur, c'était superbe et ridicule mais c'est frappant ce que les vraies cigognes ressemblent aux cigognes de bois qu'on vend dans les magasins de souvenirs d'Alsace, à croire que la nature, une fois de plus, a imité l'art. De quoi rire. J'ai mis pied à terre ; Civette, le héros qui veut venger son père naturel (vous ai-je raconté ça ?) a mis également pied à terre (il venait en sens inverse) et nous avons regardé longtemps cet animal. Puis je suis rentré et j'ai un peu traîné, je ne sais plus trop ce que j'ai fait, c'est un de ces moments où on est trop large pour soi, on a trop d'étoffe ; sans être triste on a un doux petit écœurement de soi-même, j'en ai souvent dans le civil, beaucoup plus rarement dans le militaire. J'ai fini par lire *Don Quichotte* qui est vraiment excellent et me fait parfois *rire,* ce qui est prodigieux car si l'admiration est rétrospective, le rire ne l'est pas du tout. Et puis c'est extrêmement poétique, il y a un moment où ils soupent avec des chevriers, et boivent du vin d'une outre dans une corne qu'ils se font passer à la ronde, et puis Sancho s'endort et Don Quichotte veille toute la nuit, c'est plaisant au possible. L'après-midi il y avait deux lettres de vous, toutes rassérénées mais ça faisait un peu périmé, d'une façon légèrement angoissante parce qu'il y avait eu hier qui invalidait en quelque sorte tout ce que vous me disiez. Tout de même c'était bien satisfaisant d'avoir tant de pages à lire de vous.

J'attends avec impatience la lettre de demain. Pourvu qu'il y en ait une : vous avez maintenant l'habitude d'ajouter un mot le soir. C'est *ça* qui est une « mauvaise méthode » petite misérable, je reçois à présent une lettre sur trois avec un jour de retard. Il y avait aussi une aimable lettre de Tania et une lettre de ma mère qui fait ce qu'elle peut la pauvre et qui s'occupe dans une œuvre à réapparier les familles dispersées par l'évacuation. Je conviens que c'est du travail utile. On compare des fiches qui vous viennent je ne sais d'où et on finit par trouver des noms semblables : le mari est à Limoges, la femme à Perpignan. Mais au bout d'une journée de travail, bien souvent, elle n'a réussi aucun réassortiment.

Après ça, serein à mon tour, j'ai fait un échec avec Paul et je l'ai battu, puis j'ai relu mon roman d'un bout à l'autre. Avec satisfaction ; non que je le trouve bon ni mauvais, je n'en suis plus là : c'est un fait que j'accepte sans commentaire. Mais je n'ai plus beaucoup de corrections de détail à refaire sur mes corrections. Il sera véritablement fini dans une dizaine de jours à moins que d'ici là on ne nous apprenne la prise de Paris. J'imagine en effet que ce doit être une drôle de vie larvaire qu'on mène à Paris tout ce temps. Les gens vont s'enfuir à nouveau après ce bombardement.

Mon petit aux dernières nouvelles (New York 21.40) je viens d'apprendre le *vrai* bilan du bombardement : 1 000 personnes atteintes en gros. L'angoisse me reprend. Non qu'il y ait aucune chance que vous soyez là-dedans, puisqu'il semble à peu près établi que les Allemands visaient — mais très négligemment — des objectifs militaires. Donc aux bords de Paris, pas dans le centre. Mais ça me rend vivant le danger réel que vous courriez si ça se reproduisait. Mon amour, laissez-vous bien évacuer si on vous le propose. Soyez sage et vertueuse, je vous en prie. Comment nous réjouirions-nous ensemble de la paix, qui finira bien par revenir, si vous aviez une de vos petites jambes en moins ou peut-être toute la tête ?

Je vous aime, mon doux petit, ma petite fleur. Ma pensée ne vous quitte guère. Sauf quand je joue aux échecs. Je vous serre tout fort dans mes bras.

Si je ne parle jamais de *Marat* c'est que j'ai quelque répugnance à le lire. C'est d'un Américain et j'ai le plus grand mépris pour la Science américaine.

Je me suis avisé que le sujet de mon roman c'était la servitude et la grandeur de l'homme démocratique. Je ne manquerai pas de le signaler dans ma prière d'insérer pour donner un fumet d'actualité à cet ouvrage qui pourrait paraître trop pacifique.

À Simone de Beauvoir

Jeudi 23 mai

Mon charmant Castor

Pas de courrier aujourd'hui. Mais il ne faut pas se plaindre : ce sont les lettres du Nord qui sont arrivées; il y a de pauvres types qui attendaient des nouvelles depuis neuf jours. Paul dont la femme est par là-bas, dans une région d'ailleurs bien abritée par la ligne Maginot, en a reçu sept d'un coup. Pour les nouvelles, elles ne sont ni bonnes ni mauvaises : confuses. Les Allemands sont à Abbeville et vers Boulogne mais les troupes alliées qui descendent de Belgique ont repris Arras et tiennent les faubourgs de Cambrai; je ne crains plus guère que l'armée de Belgique soit coupée dans sa retraite puisqu'elle est maintenant en contact avec des troupes allemandes forcément peu nombreuses dans le Nord. N'empêche qu'on a encore froid dans le dos et que la douche écossaise continue. Il n'y a guère qu'à attendre. Mais c'est assez irritant d'attendre *ici*, sans rien faire que ces innocents sondages quatre fois le jour. Mais la journée a été gaie dans l'ensemble. C'est vers six heures que les nouvelles nous ont un peu assombris — beaucoup moins qu'avant-hier. Il faisait beau et doux, j'ai joué aux échecs, un peu lu un roman policier que j'avais rapporté hier de mon pèlerinage et aussi un peu travaillé. Mais je suis moins pressé, actuellement, pour terminer le factum, car, fût-il terminé, je ne saurais pas l'envoyer, les colis sont supprimés dans les deux sens. Je fais des vœux, mon doux petit, pour que vous ayez eu le temps d'envoyer livres et capsules d'encre à stylo mais je n'y crois pas trop. Tant pis. De toute façon ça sera rétabli quelque jour et j'ai encore des bricoles à lire, la fin de plusieurs de ces livres que je mâchonne et recrache sans les avaler, ce que vous me reprochez souvent. Ça m'apprendra à finir les livres.

Nous quittons Charlotte et Morsbronn demain. Mais rassurez-vous, c'est pour aller à quatre kilomètres d'ici dans un autre village où nous serons tout aussi confortablement. Ça nous laisse tout à fait froids, ça nous amuserait plutôt parce que ça fera du changement. Il y a d'ailleurs dans le village une coopérative militaire où on pourra s'approvisionner. Et, le village n'étant pas évacué, on aura tout de même un restaurant. Ce départ a des causes obscures : ce matin ordre d'évacuer les civils, puis contrordre ont été donnés successivement ici. Sur quoi deux cars se sont amenés et on a enfourné dedans une grande quantité de civils suspects d'espionnage, dont le secrétaire de mairie et une infirmière qui couchait avec un radio, mon voisin de chambre. Sur quoi enfin on nous fait partir pour ce nouveau village où nous retrouverons les secrétaires et tous les officiers revenus de leur blockhaus.

Nouvelle douche écossaise : juste au moment où je vous écris, un radio nous a appelés et donné les derniers communiqués ; nous tenons Amiens et Cambrai et l'armée de Belgique quoique encore coupée n'a plus que trente kilomètres à faire pour couper les Allemands à son tour. Ça finit bien une journée bien commencée mais c'est étrange vraiment de suivre ainsi de trois heures en trois heures une bataille qui dure non plus vingt-quatre heures comme autrefois mais des jours et des jours avec des alternatives diverses de succès et d'insuccès.

Mon doux petit, avec tout ça je suis toujours avec vous. Comme je voudrais être avec vous pour partager tout ça. Je vous aime de toutes mes forces, mon doux, mon cher petit, ma petite fleur. Je vous embrasse sur vos douces petites joues, vous êtes mon amour.

Sorokine m'agace à s'acharner après moi et à m'appeler Crevette. Dites-lui donc que je l'emmerde.

À Simone de Beauvoir

Vendredi 24 mai

Mon charmant Castor

Aujourd'hui, journée sans histoire. Les courriers semblent à peu près normalement rétablis, après l'afflux des réfugiés et les transports de troupes. J'ai eu votre lettre de mercredi, aujourd'hui. Et les journaux d'hier. Mais votre lettre de mardi et les journaux d'avant-hier me manquent. Votre petite lettre était bien désespérée mon doux petit, ma petite fleur, elle m'a fendu le cœur. Ça fait absolument sinistre de vous imaginer, courant dans Paris, avec ce mal de tête d'angoisse et ces battements de cœur et cette nervosité. Mon doux petit, j'espère que vous êtes moins sinistre, aujourd'hui : hier les nouvelles étaient meilleures, aujourd'hui elles sont stationnaires. Ne faites pas trop attention aux noms des villes quand on vous dit : les Allemands « sont » à Boulogne ou à Abbeville. Il est très vrai que ce sont seulement des raids qui n'auraient de conséquence que si l'infanterie et la grosse artillerie pouvaient suivre, ce qu'elles sont loin de pouvoir faire dans tous les cas. Ce qu'on peut dire c'est que nous engageons aujourd'hui seulement une bataille, dans des conditions beaucoup moins favorables qu'elles n'auraient pu l'être si des fautes stupides n'avaient été commises, mais qui n'ont rien de tragique. Avec aussi une certaine infériorité de matériel, compensée par la pénurie d'essence des Allemands. Il ne faut pas s'imaginer l'armée de Belgique coupée de l'armée du Nord : d'abord la situation est si enchevêtrée que nous encerclons les Allemands qui nous encerclent. Ensuite les deux armées alliées sont séparées en fait — entre Saint-Quentin et Cambrai — par une trentaine de kilomètres — précisément la région où se déroule le gros de la bataille. À présent il faut attendre et ne pas trop s'angoisser, mon amour : c'est autre chose qui commence — autre chose que ce qui vient de se passer pendant ces dix jours et cette fois c'est la vraie bataille.

Je comprends admirablement les lâchetés dont vous me parlez : la disposition à accueillir le moindre canard optimiste, la plus petite raison de confiance et la moins fondée. Mais vraiment que voulez-vous faire? Ce qui détraque la machine c'est que tout se passe en dehors de vous. Vous êtes absolument passive, ce qui n'est pas une attitude humaine devant le danger. Tout cela disparaîtrait si vous aviez vous-même à décider. C'est ainsi que j'ai vu ce soir, redescendus des lignes depuis le matin, tout vagues et mous et sonnés par les nouvelles de la semaine qui venaient seulement de leur être annoncées, prêts à toutes ces petites compromissions, des hommes qui venaient de tenir huit jours sous des bombardements intenses et précis, qui étaient restés quatre jours sans manger, sauf de temps en temps une sardine sur du pain et qui avaient, entre autres, essuyé sans broncher un bombardement de *cinquante heures*. C'est que ce sont deux attitudes tellement différentes. Pour ma part, j'ai été un peu protégé de ces compromissions, non par ma nature qui m'y porterait je crois, mais par le fait que les bruits propagés jusqu'ici ont été *uniformément pessimistes,* jusqu'à ces derniers jours. Le travail intérieur n'était pas le même ; il fallait ravauder, rapetasser, boucher chaque fissure, dire à chaque coup : ça doit être une cravate (le mot qui signifie à la fois tuyau et canard) comme cet officier de passage à l'A.D. qui m'entendit annoncer la prise de Saint-Quentin par les Allemands à un secrétaire et qui vint sur moi, pâle et nerveux : « Où avez-vous entendu ça ? C'est un bobard ? » « Je l'ai entendu à la radio, mon capitaine. » « Ah ! Oh là là ! » et puis avec un mouvement du menton : « Bah ! Ça devait être à la radio allemande. » Et puis il a descendu l'escalier en courant pour m'ôter le temps de lui répondre que c'était le communiqué français diffusé par un poste français. C'est plutôt ce genre de trucs-là que j'ai pratiqué moi-même pendant huit jours, regardant dix fois les endroits de la carte, mesurant avec un crayon les avances allemandes pour les minimiser, etc. Un de mes exercices favoris était de convaincre le pessimiste Paul que les choses n'allaient pas si mal. J'y employais toute ma mauvaise foi et ma dialectique, pour pouvoir me dire ensuite : « Puisque, pessimiste comme il est, il convient après l'exposé des faits que la situation n'est pas si mauvaise, etc. » Mais tout ça n'empêchait pas une vraie angoisse heideggérienne, sans nervosité. T. m'écrit : « C'est formidable ce que les gens me font punaises écrasées, en ce moment. Toi seul es une personne. » Eh bien, c'était ça que je sentais : cette contradiction — qui est, naturellement, la condition humaine — d'être à la fois totalement une personne libre et maîtresse de ses désirs et aussi, totalement, une punaise écrasée. Pendant un jour ou deux, je n'envisageais plus la question que dans le futur très lointain : comment vivre *après* — et ça me donnait des sueurs froides. Je lis justement *Hitler m'a dit,* j'ai lu un article sur le dépeuplement systématique que les Allemands pratiquent en Pologne (dans la *Revue de Paris* du 1er mai. À lire si vous le trouvez à la bibliothèque de Camille-Sée) et ça n'était pas à dilater le cœur. Mais depuis deux ou trois jours c'est bien différent. Je suis nettement paisible en profondeur, avec des à-coups de nervosité quasi rétrospective. Ici il y a eu beaucoup d'accablement. Paul et Pieter ont été sympathiques et corrects et d'autres ne l'ont pas été du tout mais je ne peux guère vous en parler. Je vais reprendre mon carnet dans quelques jours et je raconterai tout minutieusement. Il y a beaucoup plus à dire que je n'en dis ici.

Aujourd'hui fut très neutre, j'étais au repos, jusqu'à demain midi je ne sonderai pas. J'ai lu — un roman policier de l'Empreinte qui n'a pas l'air si mauvais, un article sur les méthodes de propagande russes en Bessarabie — et j'ai travaillé ; j'achève le chapitre Mathieu-Daniel (quand Daniel avoue qu'il voit Marcelle en secret). Il y avait des types intéressants chez Charlotte : ils revenaient des lignes où ils avaient subi d'intenses bombardements. J'ai revu notamment l'observateur Civette, ce joli jeune homme mou qui est parti en même temps que moi à ma dernière permission. Son observatoire a été copieusement arrosé et il voyait de là les Allemands arrosés par notre artillerie, d'après des indications qu'il donnait. Je lui ai dit en plaisantant : « Tu as beaucoup de morts sur la conscience » et il m'a répondu : « Avec joie, mon vieux. Je les accepte avec joie. » En voilà un qui a été vraiment grisé par cette vie qu'il menait là-bas. Il n'est plus du tout si joli, il est tout plein d'orgueil farouche quand il considère d'ici ce qu'il a enduré là-bas (un tir d'une précision parfaite et si nettement dirigé sur leur observatoire que, de plusieurs avis, c'est miracle qu'ils en aient réchappé). Je l'ai laissé hurlant aux oreilles d'un gros Juif paisible qui protestait doucement en mangeant de la confiture : « L'instinct de conservation, mon vieux, ça ne devrait pas exister ! » « Eh ! disait l'autre, tu ne peux rien y faire, c'est plus fort que toi. »

Et voilà pour aujourd'hui, ma douce petite fleur. Bien que le danger immédiat soit tout à fait conjuré vous avez bien fait de renvoyer les Z. Je regrette seulement que Tania n'ait pas pris le temps de se faire faire sa radio. N'allez-vous pas vous trouver complètement seule ? Il est vrai que vous aurez Sorokine qui certainement doit souhaiter en son cœur que Paris soit investi pour pouvoir vous avoir à elle toute seule. Elle sera évidemment charmante puisqu'elle n'aura aucun motif de jalousie, je souhaite bien fort que vous puissiez vous raccrocher à elle.

Ma petite fleur je vous aime tant. Je suis vraiment tout retourné de vous imaginer là-bas, dans les angoisses. Je voudrais tant que vous retrouviez un peu de paix. Je vous aime.

À Simone de Beauvoir

Samedi 25 mai

Mon charmant Castor

J'ai reçu de vous une bonne petite lettre toute rassérénée aujourd'hui. Ça fait plaisir. Et de fait, nous autres nous sommes si bien rassérénés (sans aucun optimisme) que nous négligeons même d'écouter la T.S.F. sauf à midi. Ça a l'air de stationner un peu ; il était temps. Vous devez recommencer à travailler et vous sentir un peu gaillarde. Mon doux petit, ma petite fleur, comme je voudrais qu'un peu de paix descende dans votre petite âme passionnée. Je vous imagine si bien rongeant vos petits poings, pauvre charmant Castor.

Pour les Z. c'est grand dommage qu'elles ne partent pas, surtout si T. se fait fourrer au bloc tous les jours. Mais qu'y faire ? Je vais suivre scrupuleusement vos instructions, lui dire de partir dès que vous jugerez qu'il y aura du danger et lui enjoindre d'être de toute façon à Laigle pour le 1er juillet. Je regrette un peu qu'elle n'ait pas reçu cette lettre que j'ai eu la sottise d'envoyer rue Vavin, parce que je lui expliquais qu'il était impossible de se marier et il va falloir que je trouve un biais pour le lui réexpliquer. Mais vous ne pouviez pas faire autrement. Elle aurait été folle si elle avait pensé que vous aviez lu sa lettre et ça me serait retombé sur le dos. On accusera donc la poste, qui est d'ailleurs fort irrégulière, puisque je n'ai pas encore reçu votre lettre de mardi. Je regrette bien que vous ayez devant vous un mois si chargé financièrement. Et puis comment va-t-on faire si T. ne peut pas avoir de laissez-passer ? Je lui ai écrit hier de tâcher d'en avoir un et de partir avant le 1er juin si on le lui refuse. Sinon elle moisira à Paris indéfiniment. Mais que fera-t-elle ? Vous la connaissez.

Ici c'est le remue-ménage. Les espions d'abord. Il y en a partout, on les arrête par grappes et puis on les fusille un peu de-ci de-là. Il n'est pas rare qu'on dise : « Tu sais, le chef de gare de..., tu l'as bien vu, l'autre jour en passant? Eh bien il est fusillé. » Etc. Chacun a vu un espion, a été sur le point de le saisir et puis naturellement l'espion s'est échappé. Mais le fait est qu'il y en a et sans doute leur existence n'est-elle pas étrangère à de bizarres remaniements qui se font dans notre division. J'imagine que la Censure n'en laisserait pas passer davantage, aussi vous dirai-je seulement que nous nous en allons. Dans trois ou quatre jours seulement. Pas bien loin d'ici. Mais ce sera tout de même un remue-ménage. En attendant, bien que toujours ici, nous ne sommes plus « en secteur ». Cela se traduit pour nous par une liberté totale. A partir de ce soir 19 heures nous n'avons plus de sondage à faire jusqu'à notre départ. Je vais donc travailler consciencieusement. La journée a été plaisante, calme et vide. D'abord sondages, puis déjeuner chez Charlotte puis j'ai lu un peu du roman policier et puis j'ai travaillé et puis ce soir il y a eu des conciliabules de toute sorte sur les espions et notre futur déplacement, on chuchotait dans tous les coins en se priant très sérieusement de ne rapporter à personne les bribes de renseignements acquis. Le bruit courait aussi que le général Gamelin s'était suicidé, mais la T.S.F. vient justement de le démentir.

Et voilà, mon cher petit, voilà tout pour aujourd'hui, une lettre sans histoire, d'homme heureux. Je voudrais bien en recevoir une de vous toute pareille.

A présent, je vais me coucher et je lirai une brève histoire de la Norvège, pour me mettre au fait, à la lueur des bougies. Et demain, rien à faire, c'est rudement plaisant.

A demain mon doux petit, je vous embrasse de toutes mes forces, je suis tout le temps préoccupé de vous, ma chère petite Castor.

Surveillez un peu les journaux pour voir quand on autorisera de nouveau les paquets pour les militaires, j'imagine que ça ne va pas tarder puisque la poste est redevenue normale et alors vous m'enverrez mes livres et des *capsules d'encre à stylo.*

26 mai

Mon charmant Castor·

Je reçois vos petites lettres bien à l'heure à présent. Hier vers deux heures j'avais celle de vendredi, c'est bien agréable. D'autant qu'elle était beaucoup plus gaie, vous aviez repris votre petite vie. Depuis vendredi les nouvelles ne sont pas mauvaises et je pense que vous avez eu trois jours de tranquillité. Mon doux petit, comme j'aime mieux vous savoir satisfaite, c'est un désastre pour moi quand vous n'êtes pas heureuse. Vous m'avez grandement surpris en m'énumérant les livres que vous m'allez envoyer : j'ai demandé un Fabre-Luce, moi ? Il faut que je sois fou. Je tiens les 2 Fabre-Luce, pour des cons. Et puis, mon amour, surtout ne m'envoyez pas *du* Verlaine : je voudrais *le* Verlaine de la Pléiade (poésies complètes) ou rien du tout. Et puis joignez-y *Le Soulier de satin* de Claudel, que j'ai plus envie de lire que le reste. Vous avez le temps, hélas, puisque les colis ne sont toujours pas rétablis.

La petite histoire que vous me racontez sur la grosse blonde horrible qui a dit à Sorokine de lire *La Nausée* m'a diverti et m'aurait diverti davantage encore, mon amour, si je n'étais persuadé de bonne foi que Sorokine l'a inventée tout entière. Cette fille ment souvent pour vous amuser. Et puis il y a du louche dans l'histoire. La fin surtout où elle dit : « Savez-vous ce qu'il lui a fait ? » hoche la tête et se tait, sent la perversité impubère de Sorokine à vingt lieues. Enfin voilà ce que je crois. Quant à la femme lunaire, la voilà bien machiavélique à cette heure. Quel est son but et pourquoi passe-t-elle son temps à médire de nous avec T., à faire la papelarde avec elle, à lui rendre de réels services et puis, alors qu'on les croit au mieux, à venir déblatérer devant vous contre elle ? Mais vous ne m'avez jamais dit *comment* la femme lunaire a lu mes lettres. Est-ce en fouillant chez T. ? Parlez-moi un peu d'elle et expliquez-moi sa psychologie et surtout ceci : puisqu'elle vous prend pour un mauvais larron, acharnée à la perte des gens et qui lui est hostile, pourquoi vient-elle vous dévoiler ses plans sur T. (la faire rester pour lui faire les pieds) ? Cette expression de « lui faire les pieds », c'est exactement, vous rappelez-vous, celle qu'elle a employée quand elle croyait que T. s'était fait rosser par un type l'an dernier. « Ça lui fera les pieds. » Il y a là-dedans une supériorité de femme qui a roulé sur une candidate à rouler comme elle, mais il me semble aussi un peu de cruauté résultant d'un complexe d'infériorité. J'imagine que la lunaire ayant tant de raisons de se croire mieux que T. bute constamment sur cette grâce injuste qu'est la « classe » de T. et s'en irrite et, de ce fait, aime surtout voir T. affolée, humiliée et déjetée. Déjà T. me disait naïvement : Elle n'est jamais si gentille avec moi que quand je suis saoule et vomissante. Ça va avec un sentiment vaguement piège et très irritable, il me semble. Voilà du moins ce que je peux entrevoir dans cette âme obscure. J'ai écrit hier huit pages à T., je l'ai engueulée pour ses hésitations à quitter Paris, je lui ai remontré qu'elle n'était pas courageuse du tout, qu'elle avait peur du sang et des morts et qu'en conséquence elle ne serait qu'un piaillement affolé s'il y avait du danger. Je lui ai renouvelé mes exhortations : 1° de se faire faire une carte de circulation ; 2° de partir avant le 1er juin si cette carte lui était refusée ; 3° de partir en tout cas dès que vous le lui diriez.

Pour ma journée, mon cher petit, elle fut sans trop d'histoires. Nous n'avons donc plus de sondages, ça nous déroute un peu d'être rentiers. On erre, on joue aux échecs, j'ai un peu travaillé mais il y avait tout de même un élan qui a été arrêté, je ne fais pas grand-chose tous ces jours-ci, je joue aux échecs et je lis surtout. Il faisait lourd et orageux et je me suis mis sur mon lit, l'après-midi pour lire un roman policier qui n'est pas mauvais : *Mort à marée basse.* L'espionnite sévit toujours par ici. Le bruit court que les gens les plus inattendus ont été fusillés et tout à l'heure, vers onze heures du soir, comme je descendais l'escalier pour uriner, le sergent Naudin m'a pris par le bras et dit : « Viens voir les lumières. » Il était seul depuis une heure sur un talus et il regardait « les » lumières. J'ai vu en effet un point brillant paraître et disparaître au loin dans le brouillard. Il m'a dit : « Voilà trois jours que je " les " guette. Elles durent toute la nuit, tu sais. » Il a encore regardé un bout de temps et puis il m'a dit : « C'est du morse. »

Et voilà, mon doux petit. Toujours pas de nouvelles de notre départ, le bruit court que nous tiendrions un secteur *extrêmement* calme à côté d'ici.

Je vous aime, ma petite fleur, je suis tout revigoré de vous savoir rassurée. Vous êtes mon cher amour, je vous embrasse sur votre cher petit visage.

À Simone de Beauvoir

Lundi 27 mai

Mon charmant Castor

Les nouvelles ne sont pas très bonnes aujourd'hui mais vous ne les saurez que demain, je les ai apprises par la radio américaine il y a une heure : on se bat à Calais et Hénin est encerclé. Mais tout de même c'est moins mauvais qu'au pire d'il y a huit jours : même si l'armée de Belgique, encerclée, devait finalement se rendre, nous avons un front continu de Montmédy à la mer qui ne cesse de se renforcer — et les Allemands auront bien perdu autant en hommes et matériel qu'ils prendraient aux Alliés par la capture de cette armée. Reste d'ailleurs que nous n'en sommes pas là. Il semble qu'il y ait relativement peu de Français dans cette armée : surtout des Belges (600 000 environ), le corps expéditionnaire britannique en bonne partie (2 à 300 000 h.) et peut-être 100 000 Français. C'est l'armée belge d'active qui est là-bas. Une armée de réserve d'un million de Belges va se constituer en France. Pierlot l'a annoncé officiellement. Je pense que Weygand songe essentiellement à réorganiser et à fortifier son front. Il y a dû avoir d'étranges déroutes au début. Ma mère m'écrit que le fils de son voisin de palier est arrivé poussiéreux et épuisé avec simplement son vêtement militaire. Il cherchait partout son unité. Et aujourd'hui le frère d'un soldat d'ici, nous venons de l'apprendre, est apparu brusquement à Rambouillet, revenant de *Belgique* où il était dans les tout premiers jours. Il a dû s'en passer d'effroyables et ça ne sera pas une petite affaire de tout réorganiser. Mais il me semble que la situation est loin d'être désespérée. Elle s'aggrave chaque jour pour l'armée de Belgique et s'améliore chaque jour pour l'armée du Nord. N'empêche que nous allons avoir encore de sales moments en perspective.

En ce qui me concerne, j'ai eu mon petit bonheur aujourd'hui : *trois* lettres de vous. En fait surtout trois enveloppes — parce qu'une des lettres c'était Poupette qui l'avait écrite. Une autre datait de mardi 21, je ne l'avais jamais eue. J'ai eu aussi celle de T. datée de ce jour-là. Tout aimable et qui m'a fait regretter la lettre très dure que je lui ai envoyée ce matin. Mais surtout il y avait *vos* lettres, plus sereines ; vous travaillez, vous reprenez un peu de plaisir à la vie, ça compte tellement pour moi et je *sais* à présent, au jour le jour, par la radio les jours où vous serez un peu paisible. Par exemple tout aujourd'hui. J'aurai demain et après-demain des lettres un peu sereines. Seulement c'est un peu l'espoir de l'autruche car peut-être vous serez de nouveau angoissée, après-demain quand je les recevrai et pourtant je ne veux tenir compte que d'elles, comme si elles étaient l'émanation de votre présent au lieu de m'apporter un petit fragment de passé déjà mort.

Pour moi j'ai mené ma sage petite vie, j'ai battu tout mon monde aux échecs, Pieter, Paul, Hantziger et je me suis fait battre par le champion. J'ai aussi résolu un petit problème d'échecs de l'Empreinte et reconstitué une partie de maître d'après les renseignements donnés par cette même Empreinte. Quand les colis seront de nouveau autorisés, il faudra m'envoyer un petit traité d'échecs, je veux me perfectionner. J'ai aussi écrit mon roman et ça a bien marché. Je viens de relire ça avec satisfaction, bien que mon esprit fût critique. Ajoutez à cela les informations : B.B.C. à 6 heures 1/4, Radio P.T.T. à 7 heures 1/2, New York à 21 heures et Radio-Paris à 21 heures 30. Nous avons des cartes, comme les vieux messieurs du café du Commerce et nous commentons entre les informations. J'ai aussi tapé dix pages à la machine. Ce roman, à travers tant d'avatars, la paix, la « drôle de guerre » et la vraie guerre s'achemine doucement vers sa fin. Il y a des moments où ça me fait, comme à vous, maniaque et obstiné de l'écrire, quand les types crèvent comme des mouches dans le Nord et quand le destin de toute l'Europe est en jeu, mais que puis-je faire ? Et puis c'est *mon* destin, mon étroit destin individuel et aucun grand épouvantail collectif ne doit me faire renoncer à mon destin. J'ai donc continué tous ces jours-ci, sauf dans les moments (vers le 18 et 19) où vraiment j'étais trop sombre pour écrire. Je ne lui vois toujours pas d'avenir. Je m'y intéresse au présent. Penser qu'il sera publié ou toute chose analogue, que des gens le liront, c'est à cent lieues de mon esprit. Non, mais voilà : il faut qu'il soit fini aux environs du 15 juin. C'est tout. C'est son seul avenir. Après, ça ne dépend plus de moi. Par force, me voilà assez pur quand j'écris — je n'ai plus ces petites vanités et ces petits espoirs d'auteur dont je ne pouvais me défendre l'an dernier. Je suis aussi pur que lorsque j'écrivais *La Nausée* ou les premières nouvelles du *Mur,* tout à fait inconnu et sans savoir même si on me prendrait mes livres. Mais c'est encore autre chose, ça fait plus « existentiel » et plus sombre, c'est tout de même *contre* la faillite de la démocratie et de la liberté, contre la défaite des Alliés — symboliquement — que je fais l'acte d'écrire. Faisant jusqu'au bout « comme si » tout devait être rétabli.

A part ça, mon doux petit, rien de bien neuf. A quel propos ai-je donc pensé à vous avec tant d'amour ? Que ça m'a tourné le cœur. Attendez. C'était à propos de voyage, naturellement — des endroits me reviennent comme ça par la tête et puis vous êtes là-dedans et ça me donne une envie formidable de vous serrer dans mes bras. Je ne sais plus ce que c'était. En tout cas, ma petite fleur, vous ne pouvez pas savoir comme je suis *humide* quand je pense à vous. Vous aussi mon petit, vous êtes ma chair et mon sang, ma peau et mes os, ma moelle, tout ce que vous voudrez. Gardez-vous bien sagement pour moi, mon doux Castor. Pas de nouvelles de notre départ. C'est imminent, je suppose, mais enfin ça n'est certainement pas pour demain car nous le saurions déjà. En tout cas nous n'irons pas loin. Peut-être même serons-nous au repos ou en deuxième position. Donc n'ayez *aucune inquiétude* pour moi.

A demain, ma petite fleur. Je vous embrasse avec toute ma tendresse.

À Simone de Beauvoir

[28 mai]

Le début manque.

Vous vous rappelez le fameux C.S.A.K. et l'attentat de l'Étoile ? Le type a été impliqué dedans et inquiété. C'est un cas. Un long type triste et laid avec un nez interminable et sinueux et l'air malchanceux, buté dans un orgueil sombre, aigre et terriblement nerveux, en pleine angoisse en ce moment parce que sa mère habite à 30 kilomètres de Rethel et qu'elle est infirme. Il n'a pas de nouvelles depuis huit jours. Il dort une heure la nuit, se gorge d'inquiétude, en remet, dit « les Allemands sont aux portes de Paris, c'est la politicaillerie qui nous a perdus, nous sommes foutus », écoute des postes qui parlent des langues qu'il ne comprend pas, sursaute de terreur comme un lièvre quand il entend des mots hollandais qu'il interprète à contresens (le speaker disait à peu près : d'esten van Cambrai — et il a sauté : « à l'ouest de Cambrai, ils ont dépassé Cambrai ! ») et déclare : « Mon frère qui est capitaine au grand état-major voulait me faire revenir près de lui mais quand j'ai vu que ça cognait j'ai demandé à rester ici. Je ne pourrais pas supporter de ne pas être au front comme les autres. » A quoi le bon Pieter lui a rétorqué : « Oui seulement tu as choisi de rester sur un front où ça ne cogne pas. » Et voilà pourtant le genre de mensonges dont il se consume à petit feu, tout à fait comme un paranoïaque. Je suis enchanté : je m'imaginais bien que les types du C.S.A.K. — pas les chefs mais les autres — devaient être comme ça. Il est radio et, par un échange de bons procédés, nous lui prêtons notre bicyclette pour aller à la ville et il nous appelle pour entendre les communiqués. C'est précieux.

A part ça tout est calme. On nous a pris hier soir pour des espions : nous faisions un sondage de nuit et cela suppose qu'on utilise toutes les trente secondes une lampe de poche pour éclairer le vernier où on lit l'azimut et l'inclinaison. De loin évidemment ça fait une alternance régulière d'obscurité et de petits éclairs lumineux qui peut passer pour une signalisation. Nous avons fait le sondage, réinstallé le théodolite et comme nous rentrions paisiblement le capitaine Lemort, ce capitaine à qui j'ai déjà eu affaire l'hiver dernier à propos de la nourriture, s'est dressé devant nous : « Qui va là ? » a-t-il crié. Nous ne le reconnaissions pas. J'ai dit : « Sondage. » « Quoi ? » « Météo, nous venons de faire un sondage. » « Vos noms ? » « Pieter et Sartre. » « Ah ? Sartre... » et avec le genre ironie douce et terrible : « Mais dites-moi Sartre c'est bien imprudent de vous promener avec une lampe allumée, ça pourrait passer pour des signaux. » Entre-temps je me suis approché de lui et j'ai vu qu'il avait son revolver à la main. Je lui ai dit : « Nous y sommes obligés, pour faire les lectures. » « Ah ! et vous ne pourriez pas lire sans lampe ? » « Non, mon capitaine. » « Ah ! alors vous ne pourriez pas faire ça dans un endroit couvert ? » « Difficilement, mon capitaine. Le ballon se cognerait au plafond. » « Ah ! bon ! » et il nous a laissés partir, décontenancé. Ce matin nous avons raconté ça à nos officiers qui en ont bien ri.

Voilà mon petit. Je suis tout rasséréné et j'imagine qu'à la même heure vous devez tout de même être déchargée d'un poids. Ne vous avisez pas, petite sotte, de craindre pour moi ; je vous dis, je suis une vestale de la ligne Maginot, j'entretiens le feu sacré et c'est tout.

Mon amour, je vous aime extrêmement fort. Je vous l'ai dit dans le pathétique hier soir et je vous le répète ce soir dans la sérénité. Vous êtes mon charmant Castor.

À Simone de Beauvoir

29 mai

Mon charmant Castor,

J'ai été assez secoué en recevant votre lettre : ça fait si scandaleux que ça arrive au pauvre petit Bost. Mais réflexion faite, c'est la meilleure nouvelle possible. Puisqu'il a pu écrire à Z., ça ne doit pas être très grave. Un mois pour que la blessure se ferme, dit-il, un mois pour qu'il se « refasse » en convalescence et puis dix jours de permission, ça fait deux mois et demi de tirés. C'est formidablement précieux dans une guerre éclair. Dites bien tout ça à Z.

Mon petit, je vous aime si fort. Aujourd'hui j'ai mis une capsule dans mon stylo (l'avant-dernière hélas) et ainsi déculotté, il a ressemblé, avec le bout du tube de verre qui dardait, à votre petit stylo infirme. Il n'en a pas fallu plus pour me mettre au bord des larmes d'attendrissement. Il vous ressemble si fort, votre pauvre petit stylo, et puis vous êtes si sage de vous en servir gravement et de l'aimer un peu comme un enfant disgracié. Mon amour, comme je voudrais vous embrasser.

Pour moi, la journée aurait été à peu près sans histoire sans la visite à domicile que m'a faite le petit ignoble Nippert. Il avait apporté le *Nouveau Testament* et m'a fait lire une dizaine de passages prophétiques pour me convaincre que Hitler est la bête nº 1 de l'Apocalypse, celle qui est blessée à mort et guérie et qui prépare la venue de la seconde bête ou Antéchrist. En gros voici ce qui nous attend. Il y aura d'abord le premier avènement du Christ. « Celui que beaucoup de croyants confondent avec le Jugement dernier », m'a-t-il dit avec un rire de pitié. Le Christ ressuscite ceux des Justes qui sont morts et les emmène avec lui. Et les Justes qui sont encore vivants, il les emporte aussi, tout vifs. Quant aux injustes, ils se débrouillent tout seuls sur terre. Ça m'a charmé cette brusque vidange des Justes. Je me suis imaginé ça à la Kafka et j'aurais presque envie d'écrire une nouvelle fantastique là-dessus. Mais le côté fantastique a été éliminé par Nippert qui a demandé un jour à un homme d'une rare compétence : « Mais, en notre siècle scientifique et économique (sic) comment cela pourra-t-il se faire ? » Question charmante pour un croyant car enfin il veut bien qu'aux temps barbares des premiers chrétiens les miracles aient été miraculeux. Mais, en notre siècle des lumières, il veut qu'ils se recouvrent d'un vernis positif. Et le compétent lui a répondu : « Le Seigneur enlèvera les Justes vivants au milieu de nous mais on ne s'en apercevra pas parce qu'on aura l'esprit tourné ailleurs ». Par exemple on pourrait enlever Poupette en ce moment et nous apprendrions dans très longtemps qu'elle a disparu. Après l'avènement du Christ, viendra la Grande Tribulation. Ceux qui tribulent sont les Juifs. Ils seront tous réunis à Jérusalem. (Imaginez la tête que feront les Arabes.) Et, tenez-vous bien, on commencera à les persécuter à titre de *chrétiens.* Car leur malheur les aura tous convertis. Et le Seigneur aura pour eux une certaine dilection : « Parce que, tu comprends, avec leur intelligence et leur esprit commercial s'ils se mettent à vouloir convertir les autres, ils y réussiront mieux que personne. » Après la Grande Tribulation, viendra la première bête. Puis la seconde bête et enfin le Seigneur, les ayant tuées toutes deux d'un souffle, rendra le Jugement dernier. Tout ça se passera en fort peu de temps car, dit toujours Nippert : « Nous sommes au siècle de la vitesse. » Sur la personnalité de Hitler il est incertain : tout semble indiquer qu'il est la première bête. Mais il dit aussi que, sous le règne de la seconde bête, on marquera chacun d'un signe et nul ne pourra faire du commerce ou remplir un emploi, qu'il ne soit marqué. Cette marque de la bête, c'est évidemment la Croix gammée, ce qui laisserait supposer que Hitler est la *seconde* bête. Seulement, d'un autre côté, il est spécifié que tout cela se produira après l'avènement du Christ or l'avènement du Christ n'est pas encore venu. Je lui ai dit : « Qu'en sais-tu ? Si tu supposes qu'il est venu déjà, tout s'éclaire : la Grande Tribulation c'est la persécution des Juifs par les Nazis, la première bête c'est Hitler, la grêle de fer c'est la guerre et la seconde bête c'est Staline. » Il a baissé les yeux, a rougi comme une jeune fille et m'a dit d'un air confit : « Oh ! je sais, moi, que l'avènement du Christ n'est pas encore venu. » « Mais comment le sais-tu ? Car enfin tu me dis toi-même que nous ne nous apercevrons pas de l'enlèvement des Justes. » Il avait toujours les yeux baissés et le sourire intérieur, il m'a dit : « Je le sais. » « Mais enfin pourquoi ? » Alors il a chuchoté : « Parce qu'il m'aurait emmené avec les Justes. »

Ainsi donc j'ai la rare fortune de pouvoir parler quotidiennement avec un type qui a la *certitude* d'être emporté *vivant* au Ciel par le Seigneur. Il ne doit pas y en avoir des masses comme ça, si on écarte les pensionnaires d'asile. Il n'est pas fou le moins du monde et sa certitude ne l'empêche pas d'avoir une peur atroce des bombes, obus, etc. Il paraît qu'il a été fort satisfait de cet entretien et qu'il m'a rangé à dîner au nombre des injustes que le Seigneur sauvera à la onzième heure.

Et voilà mon doux petit. Le reste de la journée ce fut échecs et travail. Figurez-vous que Pieter a battu le champion. Il en bave d'aise. J'ai reçu une lettre de mon beau-père qui contient ces mots : « Je ne te félicite pas de ton bon moral, parce que tu me trouverais injurieux, mais je peux te dire que j'en suis très heureux. » À se taper le cul par terre.

À demain, mon doux petit, ma petite fleur. Je vous aime de toutes mes forces.

À Simone de Beauvoir

Mercredi 29 mai

Mon charmant Castor

Il est six heures du matin. Ce n'est pas du tout un mauvais système de vous écrire le matin car de toute façon — et ceci depuis huit mois — nous avons toujours mis nos lettres à la poste le matin. Car la dernière levée se fait le matin à 7 heures quarante et il n'y a qu'*un* départ de courrier par jour : le matin à huit heures. Le retard de mes lettres venait de l'encombrement des voies de chemin de fer.

Hier on a appris la capitulation de l'armée belge. Nous avions pressenti la veille au soir une fort mauvaise nouvelle pour le lendemain : le communiqué était en retard, les commentaires vagues et inquiétants et j'avais été, pour la première fois, énervé sans angoisse (les mauvais jours précédents, c'était plutôt de l'angoisse sans énervement) au point de très mal dormir. À six heures et demie, le lendemain, on annonce à la radio un discours de Paul Reynaud pour huit heures, ça sentait de plus en plus mauvais. Enfin à huit heures, l'allocution. Vous le dirai-je ça ne m'a *rien* fait. J'étais déjà résigné depuis quelques jours au désastre de cette armée. Entendez-moi : je ne peux pas penser sans horreur au sort du corps expéditionnaire anglais et des divisions françaises qui sont encerclés entre Dunkerque et Calais et l'idée qu'ils étaient là-bas — pour une fois, je sentais la simultanéité — a fait peser un certain sinistre noir sur la journée, analogue à celui que j'ai ressenti, par exemple, le jour de la prise de Barcelone. Mais c'était plutôt dans les choses et dans l'air du temps qu'était le sinistre. Pour moi je pensais que cette capitulation ne peut guère influer sur les suites de la guerre. Tout dépend à présent de la résistance de notre front Aisne-Somme et des possibilités qui nous restent de transformer sur ledit front la guerre de mouvement en guerre de positions. Tout de même nous avons énormément joué aux échecs hier et sans art. J'ai d'ailleurs gagné 5 parties sur huit.

À part ça rien. C'est assez étrange et fort ce qui nous arrive : nos jours sont remplis et prenants, on ne s'ennuie pas un instant; il semble que nous soyons dans une *aventure* mais notre vie personnelle est réduite au végétatif : manger, dormir — travailler un peu aussi et rien ne distingue de ce point de vue un jour de l'autre. C'est un drôle d'état; je ne crois pas d'ailleurs qu'il me soit possible de pousser plus loin le sens du collectif. Pour vous autre c'est assez différent parce que vous avez encore une vie, avec des histoires, des affections, des colères, des discussions. Ça fait plus mêlé. Mais moi, à présent que je suis rassuré sur votre sort et celui de T. (vous avez raison il faut la faire partir) je n'ai vraiment plus que des soucis collectifs.

J'ai travaillé et assez bien, hier. Naturellement pas de sondages, ce qui contribue encore davantage à rendre absurde cette vie que nous menons ici. J'ai eu une très mince petite lettre de vous, je comprends si bien, mon petit, que vous n'ayez guère envie d'en mettre long, faute d'expansion du cœur.

Que vous dire de plus, mon doux petit. Moi aussi je manque un peu d'expansion du cœur. Mais je ne vous ai jamais aimée si fort, j'en aurais presque les larmes aux yeux quand je pense à vous autre. À demain, mon petit, je vous embrasse de toutes mes forces.

Ce qui me frappe dans tout ça c'est l'espèce de chance historique de l'hitlérisme, qu'on dirait que les États *méritent* par une sorte de désagrégation profonde et irrémédiable.

À Simone de Beauvoir

Jeudi 30 mai

Mon charmant Castor

Je suis tout anxieux de vous autre, vous allez tomber malade si vous vous donnez tant de souci, je vous imagine si bien, marchant à grands pas, toute bouleversée, toute nouée avec une ville de cauchemar tout autour de vous. J'espérais, comme vous avez dû le voir par ma lettre d'hier, que vous seriez plus réconfortée aujourd'hui mais c'est presque pis. Ce qui est vrai c'est que d'ici deux mois *ou bien* les Allemands seront à Paris et la guerre sera finie (ce que je ne crois pas du tout) *ou bien* nos positions de la Somme et de l'Aisne auront tenu et ce sera pour un assez long temps la guerre de positions. Car ne l'oubliez pas, ils commencent à tirer la langue, ils ont perdu des centaines de milliers d'hommes, 2 000 chars sur 5 000 et 2 000 avions. C'est d'ici au 1er juillet que cette bataille-ci va se décider. Elle ne se dessine pas mal pour nous, d'ailleurs, c'est-à-dire que ce sera sans doute pour les Allemands ce trois-quarts de succès mortellement coûteux dont ils ne voulaient à aucun prix. Dépenser sans compter les hommes et le matériel pour aboutir à avoir un front plus vulnérable que la ligne Siegfried, ça n'est certainement pas ce qu'ils voulaient. Je suis donc depuis deux ou trois jours assez optimiste — et salement soulagé, touchant Bost. J'aurais horreur qu'il lui arrive vraiment du mal. J'ai mis mon réveil à six heures pour lui écrire demain matin (car T. ne m'écrit plus et suivant une loi du talion tacitement admise, je ne lui écris pas non plus). Il y a un seul point noir : l'Italie. Ça serait embêtant si elle entrait en guerre. Très embêtant. Mais enfin ça n'aggraverait pas formidablement la situation. Je vous le dis à l'avance pour que vous ne vous affoliez pas trop quand ça arrivera, car on peut maintenant prévoir les mauvaises nouvelles à deux jours près. Les bonnes, s'il y en a, auront ce charme de plus d'être inattendues.

Par exemple ne vous avisez pas de vous inquiéter pour moi, c'est trop de générosité. Je ne suis pas plus en danger que si j'étais garde-voie à Romorantin. *Vous,* à Paris, vous êtes plus en danger que moi. Je le regrette, j'aimerais être intéressant moi aussi, mais je dois à la vérité de vous dire ça : on m'a, en somme, retiré prudemment de la circulation, à la déclaration de la guerre, pour éviter que je ne prenne du mal. Et ça durera.

Aujourd'hui rien de neuf : sept parties d'échecs, les journaux, les lettres, une de vous autre, et puis d'assez bon travail. Et naturellement la radio sept ou huit fois dans le jour. J'ai décidément une petite touche avec Charlotte. Aujourd'hui Nippert est allé déjeuner au restaurant parce que l'ordinaire était immangeable. Il était avec Paul, Mondange et Courcy, il me tournait le dos. Je me trouvais avoir encore son *Nouveau Testament* qu'il m'avait prêté. J'ai eu l'idée, comme il a peur de la femme, de prier Charlotte de le lui rapporter en le remerciant comme s'il le lui avait prêté. En même temps je correspondais par clin d'œil avec les trois gaillards qui se sont exclamés de scandale quand elle le lui a rendu : « Comment tu te sers de la Bible pour séduire les femmes, etc. » Ç'a été un beau scandale, il était tout rouge et puis Charlotte est revenue à la charge sur mes exhortations, elle est allée lui passer la main dans les cheveux et lui a servi un verre de schnaps (il ne boit jamais d'alcool) en lui disant : « C'est ma tournée. » Tout ceci était accompagné de mille gentillesses et fadaises entre Charlotte et moi. Il n'en résultera rien mais je ne suis pas peu fier car elle est difficile et très courue et si vous me voyiez, mon Castor, vous seriez étonnée que je puisse éveiller autre chose que la dérision et l'horreur. Ma saleté est devenue légendaire, mais, me disait Paul, elle est acceptée par tout le monde « presque avec tendresse ». Ce sont là ses propres paroles. J'aurais bien tort de me gêner. Seul le bon Pieter me gourmande et me dit : « Non décidément tu es trop cra-cra. » Et quand je lui demande de me prêter certains objets usuels tels que ciseaux pour les ongles, etc., il me répond : « Quand tu te seras lavé. »

Voilà, mon doux petit. Je ne m'ennuie pas et ma vie n'est pas si austère que vous ne le pensez. D'abord j'ai été pris pour les échecs d'une de ces passions sèches et maniaques qui me saisissent parfois et que vous haïssez. Ensuite cette bataille dans laquelle nous sommes plongés par radio a quelque chose de sinistrement passionnant. Et puis j'ai encore des livres : je lis Samuel Pepys au compte-gouttes et je trouverai chez la tabaquine d'ici deux ou trois Empreinte que je n'ai pas lues.

Mon amour, j'attends demain avec impatience, j'espère que j'aurai une petite lettre un peu rassérénée. Je vous aime de toutes mes forces et je suis tout avec vous.

Je vous embrasse sur vos chères petites joues.

J'ai peur que Nizan, qui s'était « habilement » fait verser dans le corps expéditionnaire anglais, ne soit en Belgique[1].

À Simone de Beauvoir

31 mai

Mon charmant Castor

Ça sera une toute courte petite lettre aujourd'hui. Ce n'est pas le cœur qui fait défaut, mais la matière. Hier il n'y avait pas de lettres, pas de mauvaises nouvelles — ni de bonnes, pas de travail. La journée m'a paru un peu longue — mais à peine : surtout de 4 à 7 ; au contraire de 7 à 10 ça a passé comme un rêve. J'ai tout de même un peu travaillé, mais mon roman me dégoûte à présent, j'en vois toutes les ficelles, toutes les répétitions, tous les défauts. Et puis je n'ai plus rien à dire, tous ces chapitres sont des chevilles. Il faut qu'ils soient là pour l'histoire mais ils n'apportent pas grand-

1. Il y était en effet et a été abattu par une balle allemande.

chose de neuf. J'ai pensé ceci : je le châtierai tant que je pourrai ; puis je vous l'enverrai. (Il paraît que *nous autres* nous pouvons envoyer les colis mais non les recevoir.) Si ça va, vous corrigerez les fautes et ôterez les scories. Si vous jugez que c'est encore trop imparfait, vous ne le leur portez pas. Vous le garderez par-devers vous jusqu'à la fin de la guerre, je commencerai l'autre et on publiera les deux ensemble, après une correction générale. Qu'en pensez-vous ? Vous allez crier sous la responsabilité.

Ça m'ennuie de ne pas avoir eu de lettre de vous. Je vous avais laissée hier en bien triste état, pauvre petit Castor, j'aimerais tant penser que vous êtes gaillarde. J'ai écrit à Bost hier. Vous allez encore recevoir un coup : la déclaration de guerre de l'Italie — c'est imminent, semble-t-il. Il se peut encore qu'elle hésite au dernier moment (Roosevelt fait pression sur Mussolini), il se peut aussi qu'elle se borne à une grande manœuvre diplomatique. Mais de toute façon ça sera, je pense, le dernier coup, on aura touché le fond. Après ça, il n'y aura plus qu'à attendre les bonnes nouvelles, elles finiront bien par venir.

Mon doux petit, je n'ai plus rien du tout à vous dire : j'ai fait des échecs — gagné, perdu ; surtout gagné. J'ai fini le chapitre Mathieu-Daniel et puis, pris d'un besoin subit de *parler,* j'ai fait une heure de conversation aux Acolytes surpris et flattés. Et me voilà.

Mon amour, je vous aime de toutes mes forces, je pense sans cesse à vous, vous êtes une petite plaie douloureuse à mon cœur depuis que je vous sens si triste. Je vous serre dans mes bras, ma petite fleur.

À Simone de Beauvoir

Ier juin

Mon charmant Castor

J'ai reçu de vous aujourd'hui une lettre beaucoup plus gaillarde et je suis tout rasséréné. Je suis tout rassuré aussi de savoir que le Fabre-Luce n'est autre que Lucas-Dubreton ; j'avais eu peur de vous avoir demandé je ne sais quel ouvrage dans un moment d'aberration et je me désavouais de toutes mes forces. Dites, mon petit Castor, j'y pensais hier, après avoir reçu votre lettre, que sont devenus mes carnets? Sont-ils quelque part dans la terre en morceaux[1]? S'ils sont perdus, ma foi tant pis, que voulez-vous, c'est qu'ils ne devaient pas voir le jour, je n'en serai pas bien malheureux. Mais si par hasard ils étaient saufs, j'aimerais le savoir. Ce que je regretterais, ce serait plutôt mes derniers trucs philosophiques, que mes élucubrations sur moi-même. Mais au fond il doit y en avoir pas mal dans les carnets qui sont restés chez vous et je pourrai me débrouiller. Ne vous inquiétez pas trop pour ça.

J'ai fort peu travaillé hier. Réflexion faite, je garde la démarche de Mathieu pour le prêt des fonctionnaires, mais resserrée : 8 pages au lieu de 18, parce que ça ne fait pas mal, après la conversation Daniel-Mathieu où on a envisagé sérieusement qu'il épouse Marcelle, de voir tout d'un coup ce type se précipiter chez un usurier pour lui demander l'argent, sans commentaire aucun. Je crois que j'ai raison. Mais vous jugerez. Il m'est venu une idée : mon dernier volume se passera tout entier *pendant une permission* de Mathieu. Qu'en pensez-vous ? Il y en aura bien assez d'autres pour décrire la guerre proprement dite.

À part ça, j'ai joué aux échecs mais excessivement mal, je me suis fait battre six fois et ne suis parvenu qu'à arracher un match nul à Pieter. À cette occasion je me suis brouillé avec Hantziger, qui n'a pas un jeu correct et j'ai pris sur moi de défendre à mes Acolytes de jouer avec lui. Ils ont obéi, Paul en rechignant un peu, car dit-il : « En somme nous usons de la force. » Et je lui ai dit : « Oui, mais c'est la force *morale.* » Ainsi exerçons-nous un blocus sur Hantziger qui ne peut plus du tout jouer aux échecs et paraît très éprouvé. Je veux qu'il vienne sur les genoux me déclarer qu'il regrette les incorrections de son jeu (on retrouve son fou noir sur une case blanche quand il estime qu'il y pourrait rendre de plus grands services, ou bien sa tour se déplace soudain en diagonale. Nous appelons les parties d'échecs que nous jouons avec lui : du pancrace).

Et puis c'est tout. Rien aux informations; il semble qu'on

1. Ceux que j'avais prêtés à Bost pendant sa dernière permission (trois ou quatre) ont disparu quand il a été blessé et évacué. Mais il en est resté plusieurs, qui ont été édités.

sauvera la majeure partie de l'armée Blanchard, c'est vraiment un tour de force. Une nouvelle encore ambiguë aujourd'hui, la démission de Gafenco, ministre des Affaires étrangères en Roumanie. Ici les esprits sont revenus au calme et la vie fort quotidiennement se poursuit. Déjà nous écoutons moins la T.S.F. : le matin à 6 h 1/2 — à midi et demi et le soir à 7 heures. Et encore hier à sept heures je ne l'ai pas écoutée. Nous sommes toujours très en froid avec Munier à l'occasion d'incidents que je ne vous ai pas relatés, par prudence, et qui visent naturellement les « responsabilités ».

Savez-vous la besogne que j'ai faite hier ? J'ai cherché des mots ou combinaisons de mots de 10 lettres, tels que la même lettre ne soit pas deux fois contenue dedans. Par exemple « vertugadin » — c'était pour leur « chiffre ». J'en ai trouvé assez rapidement 33 (Doux baiser — Jambon cuit — Vénus à Milo — etc.). C'est un jeu amusant.

Et voilà, mon cher petit. Je suis toujours tout lié à vous, je vous sens tout contre moi et vous peuplez mes journées, vous êtes là, plus que jamais. Je vous aime de toutes mes forces. Moi aussi j'ai des tas de fois dans la journée d'humbles petits désirs tout particuliers et sans histoires d'être près de vous et de vous embrasser sur vos petites joues.

Je vous aime.

À Simone de Beauvoir

Dimanche 2 juin

Mon charmant Castor

Cette fois-ci c'était une tout à fait bonne lettre, toute gaillarde. Attention à la déclaration de guerre de l'Italie, mon petit. Ça immine, mais ne vous laissez pas démonter par ça et puis je veux croire que c'est notre dernière tuile pour le moment. J'aime tant retrouver l'écho de votre sérénité dans vos lettres et puis aussi les petits échos mondains de votre vie. Sorokine, Zaz., Gégé : quand on ne vous entend plus parler d'elles, c'est que ça ne va plus du tout. Mais là, oui très bien, il y avait eu de grandes explications avec Sorok, petite trop aimée, et puis Zaz. avait exposé son âme.

Savez-vous pourquoi T. ne m'écrit plus depuis six jours ? J'ai ma petite historiette printanière (à la guerre c'est permis) avec Charlotte. Oh ! ça n'est rien du tout, que du platonique et plein de réserve et c'est comme ça que ça m'amuse. Il n'y aura jamais que des mines et des regards. Elle est sage et je suis authentique. Mais je chemine lentement dans ses bonnes grâces. Et je m'amuse à persuader Pieter que c'est lui qui progresse. Il finit par le croire un peu, tout en protestant bonnement et il m'a dit aujourd'hui : « Non mon vieux, si je trompe ma femme, je ne dis pas, ça sera question de viande mais affaire de sentiment non. Je veux lui rester fidèle sentimentalement. » Il faut bien vous représenter les choses : elle est au comptoir avec sa grosse belle-sœur et nous sommes à l'autre bout de la salle, devant une table. Elle ne bouge pas de son comptoir ni nous de notre table, tout se passe de l'un à l'autre, à travers toute la salle et au milieu d'un charivari infernal. Ça dure une heure à peu près, chaque jour, le temps du déjeuner. Et puis, tout de même, de temps en temps, quand elle sert le schnaps à la table voisine, elle vient faire un aparté à la nôtre. C'est tout mais ça distrait un peu et ça coupe la journée, il y a « l'heure de Charlotte ».

À part ça, j'ai un peu travaillé aujourd'hui. Peu mais plutôt assez bien. Sur *L'Angoisse d'Abraham,* car il faut bien en arriver là. Je crois qu'après un jour ou deux ça sera au point mais c'est assez difficile, il faut faire comprendre que, si l'on est libre, on est libre de choisir non seulement ses actes mais son Bien, quoique, par ailleurs (Kafka, Kierkegaard) le Bien ne soit pas arbitraire et quoiqu'on soit toujours coupable en le choisissant. Comme l'exemple est précis : épouser ou non Marcelle, ça sera tout de même assez clair et pas trop philosophique.

Quoi encore ? J'ai plutôt gagné aux échecs, aujourd'hui. Mais nous restons avec dignité sur nos positions Hantziger et moi. Toutefois il flanche un peu, il viendra à résipiscence d'ici un jour ou deux. Les Acolytes sont un peu éberlués que je leur aie interdit de jouer avec Hantziger, ils se rendent compte que je les mène. Mais, l'un dans l'autre, ça ne leur déplaît pas. J'ai commencé sérieusement *Don Quichotte* et j'en ai lu cent pages. Eh bien c'est très amusant, savez-vous. Il n'en faudrait pas trop mais je pense que trois ou quatre cents pages sur 800, ça doit être charmant. Il y a d'ailleurs une manière de raconter toute moderne, qui n'est pas trop gâchée par la grandiloquence ironique du style. J'ai donc encore un peu à lire et puis il y a, à ce que j'ai vu, une ou deux Empreinte chez la tabaquine, j'en achèterai quand j'aurai reçu votre argent.

Cette fois-ci c'est bien tout, mon petit. Nous sommes tout à fait sereins à présent mais avec un je ne sais quoi de flottant et de lunaire qui vient certainement de ces coups durs des derniers temps. Enfin, l'un dans l'autre, ça va nettement mieux que la semaine dernière.

Mon petit, ma petite fleur, je suis tout aussi uni à vous dans la sérénité et la bonace que dans les catastrophes, vous savez et j'aime mieux ça. Je vous aime de toutes mes forces et je vous embrasse sur vos chères vieilles petites joues. Je vous aime.

À Simone de Beauvoir

Lundi 3 juin

Mon charmant Castor

Ce coup-ci je suis inquiet pour vous, je ne croyais pas que cela dût jamais venir et voilà. Ce soir le bruit a couru que Paris était bombardé, je n'y ai d'abord pas cru, d'autant que les Allemands avaient jeté des tracts : « Nous ne voulons pas bombarder Paris, nous voulons y entrer. » Mais la T.S.F. française parlait d'une alerte de 2 heures à 3 heures sur la région parisienne avec bombes lancées, sans aucun renseignement précis. Là-dessus Londres en dit un peu plus à 20 heures et enfin à 10 heures du soir l'adjudant revient, déclarant qu'un type a entendu la radio de New York : 1 000 bombes jetées, 80 incendies allumés, 40 morts, 150 blessés. À vrai dire il y a des contradictions. Il serait surprenant que 1 000 bombes n'aient allumé que 80 incendies. Mais enfin il y a de quoi vous tourner le cœur, je suis profondément angoissé. Ça n'est pas le même genre d'angoisse que les jours précédents quand votre sort même était en question. C'est moins dur parce que, si vraiment il y a eu 200 personnes atteintes ça fait environ une chance sur 15 000 pour que vous ayez été dedans, c'est-à-dire pratiquement zéro. Mais n'empêche, j'ai rudement peur, mon petit. Et puis je pense que ça a pu vous sonner les nerfs. Il est vrai, me dis-je pour me rassurer, que vous l'avez peut-être appris comme moi par ouï-dire, si rien ne s'est passé dans votre quartier. Vous aurez entendu les bruits familiers de la D.C.A. et puis quelques éclatements plus forts et puis vous aurez appris quelques heures plus tard que de vraies bombes ont été jetées. Mais ce n'est pas sûr, vous avez pu aussi être tout près d'un des éclatements. Et puis ce n'est pas tant ce bombardement-ci qui me fait peur que les autres, ceux qui vont bientôt venir. Mon cher petit, soyez bien raisonnable, allez dans les abris, c'est encore le mieux. Et puis dès qu'il vous sera possible de partir, allez faire un petit tour à Angers chez cette dame. Heureusement vous n'avez plus bien longtemps à rester à Paris, les vacances vont bientôt venir. Mon amour, c'est infiniment plus désagréable de craindre le danger pour une autre personne que d'être soi-même en danger. Il y a toute chance pour que vous soyez gaillarde et moi ça me sonne un petit peu. J'attends votre lettre avec impatience mais je ne l'aurai pas avant après-demain. Faites partir d'urgence les Zazoulich, naturellement, sans vous soucier de leurs mouvements de menton : il faut les mettre dans un train, un point c'est tout. Je n'écrivais plus à T. (loi du talion) mais je vais reprendre la plume et lui enjoindre de décamper sur-le-champ; j'espère d'ailleurs qu'elle sera partie quand ma lettre arrivera à Paris.

Je vous écris de la salle des secrétaires, en bas, la grande salle vitrée — véranda. Elle est très obscure, deux lampes seulement sont allumées. Les souris courent comme chez elles, on les voit qui grimpent après le manche à balai, qui grignotent les caisses sans se soucier de nous. Pieter et Naudin les regardent, il n'y a qu'eux ici ; Pieter, un peu sonné, lui aussi, attend qu'il soit 22 h 30 pour avoir les dernières nouvelles à la radio, mais il est vraisemblable que la T.S.F. gardera la consigne de discrétion qu'elle a observée jusqu'ici. On va avoir selon toute évidence encore plusieurs mois assez durs à passer.

À part ça, rien. C'était une journée plutôt heureuse et sans histoire jusqu'à ce soir. J'ai été me baigner et je me suis rasé, histoire de rire. Chacun me trouvait rajeuni de vingt ans. J'ai joué aux échecs et j'ai battu une fois sur trois le champion, j'ai été vain comme porc — mais il me rend tout de même un cavalier. Je ne l'ai pas battu par surprise mais par ruse et action concertée. Il m'a dit

— ce qui est charmant : « Mes félicitations » quand il a été mat. J'ai déjeuné chez Charlotte, sans histoires ni sentiments : elle était occupée, il y avait grand monde et ça m'était sorti de la tête. Et puis après j'ai encore fait des échecs et j'ai travaillé sagement jusqu'au soir, puis je suis venu ici, parce que c'est mon tour de garde et j'attends que tout le monde soit parti pour me coucher. La dernière fois que j'ai couché ici, les Allemands venaient de prendre Abbeville. Aujourd'hui Paris est bombardé : cette véranda me porte la poisse. Paul m'a subrepticement réconcilié avec Hantziger. Nous étions à deux tables voisines et il a crié : « Allons, allons ! Embrassez-vous ! » Hantz a fini par me tendre la main et je l'ai prise en disant : « Sacré couillon ! » ce dont il s'est tenu pour satisfait.

À demain, mon cher amour, gardez-vous bien. Je vous aime de toutes mes forces et je ne sais pas ce que je deviendrais s'il vous arrivait du mal. Je vous embrasse sur tout votre petit visage.

À Simone de Beauvoir

Mercredi 5 juin

Mon charmant Castor

Donc vous n'êtes pas morte. C'était même bien étrange votre lettre, où l'alerte tenait une toute petite place — pas plus que les alertes précédentes — et qui ne savait rien encore, qui trouvait ça, somme toute, amusant, prétexte pour voir les gens dans l'hôtel de Bienenfeld et pour écouter des disques plus longtemps. Vous n'avez dû apprendre que le soir ou le lendemain par les journaux qu'il y avait neuf cents victimes, vous étiez pour les nouvelles à la même distance que moi. Presque toutes les lettres sont comme ça, ici, sauf celle de ma mère qui a vu sauter l'usine Citroën et celle d'une vieille femme qui habite du côté de la porte de Versailles et qui savait que des bombes avaient été jetées sur le lycée Michelet, Vanves et la foire de Paris. Je m'explique à présent ce « merveilleux sang-froid » dont a fait preuve la population parisienne : dans 90 % des cas c'était de l'ignorance. Je suis — je ne sais trop pourquoi — un peu plus rassuré en ce qui vous concerne. D'abord il y a eu votre lettre et puis enfin malgré tout, malgré une certaine négligence à laisser tomber les bombes au petit bonheur, c'étaient tout de même des objectifs militaires qui ont servi de prétexte.

Mon doux petit, il ne faut pas du tout être si confuse pour mes carnets. Vous n'imaginez pas de quelle gaieté de cœur j'envisagerais leur perte. Finalement le plus important m'est tout de même resté dans la tête, c'est le Néant — et ça sera plutôt l'objet d'un livre. Pour ce qui concerne la guerre, beaucoup d'observations sont périmées. Reste mon caractère. Mais ça n'est pas perdu non plus. Et puis que voulez-vous ? On vit tellement coupé de l'avenir — surtout d'un avenir littéraire — en ce moment, ça fait si vain, des petits carnets. Je les regretterai peut-être un jour, comme je regrette cette nouvelle que j'ai perdue dans les Causses : poétiquement. Mais à l'heure qu'il est je ne les regrette pas du tout. Simplement j'aimerais savoir s'ils existent encore, au cas où je continuerais ce petit travail après avoir terminé mon roman.

Nippert vous a amusée et j'en suis fort aise mais il faut se garder de le prendre pour un visionnaire ou pour un type étrange. Le plus étrange c'est qu'il n'est pas étrange du tout. C'est un plat petit coquin aux basses pensées bigotes qui peut à la fois croire que le Seigneur l'enlèvera de terre avec les Justes et suer de peur lorsqu'il est question pour lui de passer huit jours dans un abri bétonné à 10 kilomètres des lignes. En fait c'est du *social* ces étranges billevesées qu'il a dans la tête. Ce sont ces sociétés de recherches bibliques, les Bibelforschungen, qui l'en ont farci. Ça se greffe sur un rigorisme un peu cuistre et malveillant de peine-à-jouir protestant qui est beaucoup plus sa véritable nature.

Il n'y a pas grand-chose à dire de moi, mon doux petit. Il fait beau, j'ai un peu travaillé, fini de relire mon factum et un peu joué aux échecs. Je suis obligé de lutter contre une paresse saisonnière. Vous savez qu'au printemps je ne fais jamais grand-chose. J'ai hâte que ce roman soit fini. Le capitaine Munier a marqué son hostilité envers nous en recommandant à Courcy d'empêcher que nul autre que les secrétaires n'use désormais des machines à écrire. Ça m'est égal, il y aura au pis une trentaine de pages manuscrites sur 650. Et d'ailleurs les nuits où je serai de garde, qui donc pourrait m'empêcher de taper si je le veux ? Mais c'est un petit manque, comme dirait Olga. Rien de T. aujourd'hui, c'était le jour où elle devait savoir les résultats de la radio. Seraient-ils mauvais ? Vous devez le savoir. Ce serait embêtant, dans les circonstances présentes, si elle avait quelque chose ; je ne vois pas comment on pourrait la faire soigner.

Les Allemands ont repris l'offensive. On l'a su dès le matin par la radio. Ça laisse présager de nouveaux coups durs et des jours sombres comme ceux de mai. Mais on commence à en prendre l'habitude. On n'a eu aucune autre nouvelle et on en a profité pour se cuirasser en perspective des mauvaises qui peuvent venir demain. Le champion d'échecs Keuris est venu jouer, il m'a battu mais il s'en est fallu d'un rien que je ne le possède. À présent je le mets à chaque coup en difficulté : j'ai fait de gros progrès. Il m'a apporté deux livres. Ses lectures sont surprenantes. La dernière fois c'était *Le Pape* (un historique de la Papauté m'eût intéressé mais c'était du pur laïus). Cette fois-ci c'est la vie privée d'Abdul-Hamid. Il y a aussi la vie de Law. Ça c'est plus amusant mais c'est fait par un cochon qui l'a romancée avec descriptions mignardes et dialogues galants. On le lira tout de même.

Et voilà tout, mon cher petit. Avec cette vie de loisir, je dors assez peu la nuit (de 11 heures 1/2 à 6 heures) et je fais assez souvent une petite sieste l'après-midi. C'est tout à fait voluptueux de dormir en plein jour.

Mon amour, je vous embrasse de toutes mes forces. Je sais que vous êtes valide, que vous êtes sereine, que M. Bienenfeld le cas échéant mettrait son auto à votre disposition, tout cela contribue énormément à ma sérénité personnelle. Je n'aime pas du tout quand vous n'êtes pas heureuse, ma petite fleur. Je vous aime.

Je n'ai pas encore reçu mon sou mensuel. L'avez-vous envoyé, mon petit ? Sinon faites-le vite, je vis depuis cinq jours aux crochets du bon Pieter. Le bon Pieter, j'oubliais de vous le dire, est aux prises avec un tragique dilemme : il tient à sa femme mais il tient aussi à son magasin dont il vient d'apprendre que contrairement à ce qu'il pensait, il fait des affaires d'or. Or si sa femme quitte Paris, il faut fermer boutique. Il essaye de son mieux de se persuader que le danger n'est pas si grave. « Et puis là-bas (à Perpignan près de son fils) l'inactivité la rongerait », m'a-t-il dit avec un air sournois qui était à peindre.

À Simone de Beauvoir

7 juin

Mon charmant Castor

Vos lettres respirent la santé et la gaieté ça fait plaisir. Ici nous sommes de plus en plus inutiles et croupis, mais fort sereins et nous écoutons les nouvelles avec espoir en souhaitant que les autres « tiennent » pour nous. Ça n'a pas l'air trop, trop mauvais en ce moment, mais ce n'est que le début. Je crois que ça n'existait pas en 14 toute cette partie d'armée pourrie qui continue sa drôle de guerre, pendant que l'autre fait la guerre pour de bon. J'ai été ce matin à 2 kilomètres des lignes, c'est-à-dire dans une région qui en 14-18 devait trembler comme la terre au Japon et retentir sans arrêt d'immenses coups sourds — quand les obus ne vous pleuvaient pas sur la tête. Il s'agissait de récupérer du matériel météorologique et on nous avait emmenés tous trois en camion, comme « experts » — en fait, pour nous occuper j'imagine. Un régiment de notre division s'était installé dans les bois autour d'un village et un poste de dépannage s'étant établi dans une maison du village (évacué) y avait trouvé une caisse mystérieuse contenant un théodolite, des ballons-sondes, des lampions, des graphiques O.N.M., bref tout le matériel d'un poste de sondage. Après avoir longuement délibéré (huit jours, par le fait) les responsables décidèrent d'aviser l'état-major de notre division. Et celui-ci — c'est-à-dire nous autres — tout avide dès qu'il s'agit de mettre la main sur quelque chose s'était hâté d'envoyer un camion et des hommes pour prendre possession de la caisse. Notez que nous n'en avions absolument pas besoin, étant largement pourvus du nécessaire. Paul se désolait, même, pensant que ça ferait une caisse de plus à trimballer dans notre vie nomade. Bref à huit heures et demie nous sommes partis avec un lieutenant géant, cossard et sympathique, entièrement chauve, nommé Munot. Il était sur le siège, à côté du chauffeur — nous dans le fond du camion mais Pieter, toujours soucieux de confort, avait pris trois chaises dans l'hôtel et les avait portées dans le camion. De loin ça faisait beaucoup plus surréaliste qu'un parapluie et une machine à coudre sur une table de dissection, ces trois chaises coquettes au soleil, au fond d'un camion avachi et poussiéreux. Et j'imagine que quand nous étions dessus, ça devait faire plutôt comique. Pour achever de donner du goût à l'expédition le chauffeur qu'on nous avait donné — celui qui pissait sur un linge pour nettoyer les vitres, cet hiver — fort expert en photographie, ne sait absolument pas conduire ; il a déjà bousillé un homme et deux voitures. Nous voilà partis en cet équipage ; nous avons traversé des villages qui suaient la richesse avec des enfants grouillants, de belles filles, des vignes et du houblon, puis tout d'un coup un village tous volets fermés encore fort propret, avec sur toutes les portes un écriteau : « Peine de mort pour le pillard. » Puis enfin un dernier village, tout mort aussi, encore propret mais avec des tas d'égratignures sur les murs, faites par les balles. Mais ç'avait dû être une journée sans lendemain, car vous n'imaginez pas le calme de cette riche bourgade, avec des jardinets peignés qui avaient l'air encore entretenus, des rues et ruelles toutes propres, une grande usine déserte au fond et naturellement un beau ciel pur par-dessus. C'était là qu'on allait chercher la caisse et le lieutenant nous a appris incidemment qu'on était à deux kilomètres des lignes. Ça faisait une fois de plus guerre à la Kafka, avec ce front insaisissable et muet, qu'on appelle « ligne » comme pour mieux montrer son abstraction, qui n'est pas plus perceptible quand on s'en approche jusqu'à le toucher qu'à dix ou vingt kilomètres. Ça faisait bien étrange de penser, en regardant ces soldats qui se livraient à des besognes de caserne, nettoyage, balayage de la cour, épluchage des patates, paresseux et lents comme des anciens au service militaire, à tous les jeunes types qui, au même moment, sous le même soleil se faisaient casser la gueule dans un vrai paysage de guerre. Quant à l'histoire de la caisse, elle s'est achevée mystérieusement, comme elle avait commencé, car en arrivant on nous a dit : « Ah ! vous venez pour la caisse ? Eh bien une voiture est venue la chercher. » « Mais quelle voiture ? » « Une voiture... » ont-ils dit vaguement. Et comme le lieutenant insistait, ils lui ont dit agacés : « Vous savez, nous, ça ne nous regarde pas. » Ce qui était parfaitement juste. Voilà donc une caisse de la météo qui est restée pour le moins trois à quatre mois enterrée là sans qu'on puisse savoir qui l'y a laissée et puis, peu de jours après sa découverte, une voiture mystérieuse vient et l'emporte. Nous avons regardé un moment le cours rapide d'un petit ruisseau, et puis nous sommes remontés dans le camion, nous

nous sommes rassis sur nos chaises et nous sommes rentrés sans encombre pour midi. De là chez Charlotte, plus aimable, avec qui j'ai eu quelques piques, puis j'ai dormi deux heures, parce qu'il faisait lourd, et j'ai travaillé. Mais je me suis irrité parce que c'était du mauvais travail, glissant vers la facilité. Ce chapitre est difficile sous son apparente simplicité et il faudra que je m'y remette demain et que je trouve un biais. Il faisait une chaleur torride dans ma chambre et, vers sept heures, nous sommes allés manger deux œufs en plein air, dans la cour du restaurant de Charlotte, qui servait de dancing en temps de paix. Pieter s'était baigné dans un ruisseau pendant que je dormais et j'irai demain, on peut nager un peu. Eh ! mon doux petit, j'espère bien que vous allez un peu nager pendant ces grandes vacances qui viennent. Qu'allez-vous faire ? Ça n'est pas possible que vous ne rouliez pas déjà des projets dans votre petite tête. Après dîner, échecs : une partie avec Paul que j'ai gagnée, deux parties avec Hantziger, un match nul et une victoire. Et voilà, je vous écris. Je prévoyais un peu, vous l'avez vu, cette disproportion énorme qu'il y a eu entre les mots imprimés « bombardement de Paris » et la façon dont tous les gens qui n'ont pas été directement bombardés ont vécu la chose. N'empêche qu'il faut être prudente, ma petite fleur, et sagement descendre dans les abris tout le temps qu'il faudra. Vous avez vu qu'un chef d'îlot a été tué ? Les autres doivent être gonflés d'importance.

À demain, mon doux Castor, mon amour. Je vous embrasse de toutes mes forces.

À Simone de Beauvoir

8 juin

Mon charmant Castor

N'auriez-vous pas, par hasard, envoyé distraitement mon sou à l'ancien secteur, le 108 ? Pieter a reçu hier un mandat envoyé de Paris lundi et nous voilà tantôt de 7, moi je n'ai rien reçu. Qu'en est-il mon doux petit ? Écoutez, envoyez toujours 100 francs par mandat télégraphique, je suis las d'emprunter sou par sou à Pieter. Mais de toute façon, ne vous inquiétez pas, je ne meurs pas de faim. J'imagine qu'on va faire un bon mois de juin, cette fois-ci. Les Z. étant à Laigle, ça va vous dégrever. Qu'en sera-t-il ? J'aime bien quand vous avez du sou. Vous êtes si touchante, mon petit, avec votre petit plaisir modeste de musique. Vous allez devenir bien savante, vous m'expliquerez tout et vos idées sur la musique romantique quand nous nous reverrons. Quand ça sera, je ne sais pas. Nous allons avoir un mois de juin assez chaud, j'imagine. Enfin les nouvelles sont plutôt bonnes. Vous savez, je commence à me sentir un peu comme un vieillard quand j'apprends que « nos vaillants soldats tiennent » et que je me réjouis parce qu'ils ont stoppé les Allemands sur tel ou tel point. Finalement je me sens « protégé » comme vous pourriez, vous, le sentir. C'est assez déplaisant mais qu'y faire ?

Aujourd'hui je suis assez à l'aise. Les Z. à Laigle, les nouvelles convenables, Bost hors de danger, vous autre sereine, tout mon petit monde est sauf. J'ai appris de T. et de vous que la radio avait été rassurante, tout va bien, mais que de remue-ménage depuis le 5 mai. Et ça vous tombait sur la tête jour après jour. Il y a eu un jour ou deux où j'étais bien sinistre et puis je me suis blindé peu à peu. Tout de même aujourd'hui on se regardait en louchant un peu quand on attendait l'allocution de Reynaud parce qu'il a la spécialité d'annoncer les coups durs, comme Proust avait celle de veiller les morts. Mais il a menti à sa réputation. À part ça rien, une lourde, lourde chaleur qui n'a pas cessé depuis le petit matin et qui a absolument cuit ma chambre. Un beau ciel pur, un monde fort supportable. Je *m'amuse* en écrivant la dernière entrevue et grande scène entre Mathieu et Marcelle ; il y a longtemps qu'il ne m'était pas arrivé de prendre plaisir à ce que j'écrivais. Échecs : j'ai battu tout le monde sauf le champion. Mon idylle avec Charlotte a pris fin, et nous nous regardons en chiens de faïence, je ne sais pas exactement pourquoi. Il y a une « bande » qui est venue tout brouiller : ils sont grossiers et entreprenants avec elle et elle en a peur — et d'autre part ils déjeunent souvent avec nous, elle croit que nous avons partie liée. Tant pis. Je lis *La Vie de Law* par un con mais c'est extrêmement amusant — et puis, de temps en temps, *Don Quichotte*. La vertu des livres classiques se connaît après, à ce qu'ils *marquent* la période pendant laquelle on les a lus. Ainsi en janvier il y a eu la période Shakespeare. Et maintenant c'est la période *Don Quichotte*. Tout naturellement, sans qu'on y pense plus qu'aux autres, ni qu'ils vous émeuvent plus que les autres, mais plutôt parce qu'ils sont presque des phénomènes naturels à force d'être recuits, ça fait un accompagnement aux journées comme la pluie et le vent.

Je ne sais si cette Alice Masson était belge mais elle en avait bien l'air. Tâchez de savoir si elle est vraiment partie pour l'Amérique comme elle prétendait devoir le faire en mai dernier — auquel cas elle serait revenue récemment — ou si elle s'est foutue de moi. D'après ses dires, elle ne serait pas du tout si riche qu'on ne le dit et elle se préoccupait vivement de trouver un métier à New York. Ça m'a fait un drôle d'effet de lire ça, ça m'a rappelé par le biais d'un événement insignifiant toute ma vie de l'an dernier d'une façon bien sensible et ça m'a énervé cinq minutes.

Et voilà tout, mon cher petit, ma petite fleur, absolument tout, sinon que je vous aime de toutes mes forces et que j'ai eu des tas de petites erlebnis pour vous, comme si vous étiez là. J'ai pensé comme vous aviez fait des vœux devant un palmier à Marrakech pour que j'aie le prix Goncourt et ça m'aurait bien tiré les larmes. Mon Dieu que vous étiez donc gentille et que nous nous entendions bien. Je vous embrasse de toutes mes forces.

À Simone de Beauvoir

Samedi 8 juin
soir

Mon charmant Castor

Les nouvelles ont l'air un peu meilleures, ce soir. L'Italie hésite et les Allemands piétinent sur la Somme. J'ai eu aussi un petit renseignement optimiste « de très haut lieu » que la Censure m'interdit de vous communiquer. Vous vous demanderez d'où me vient ce renseignement, c'est le hasard. En tout cas, ça a tout de même une autre gueule, en ce moment, qu'il y a seulement quinze jours. Et puis je trouve astucieux le dispositif en profondeur de Weygand, ce que la Suisse appelle le « front élastique », c'est le meilleur moyen d'user l'attaque sans perdre trop d'hommes. Ça fait vraiment un effort pour « penser la guerre » comme dit

Reynaud — pour faire une « bataille dirigée » comme dit Weygand lui-même.

J'ai été extrêmement intéressé par la lettre de Bost. Ce qui m'a frappé surtout c'est que le défilé des soldats en déroute ait duré *vingt-quatre heures.* Ça devait être vraiment un désastre. Ce qu'il dit des fortifications de Sedan m'a été confirmé par beaucoup de types du Nord et de l'Est qui ne comprennent pas qu'elles aient cédé en trois jours, même en faisant toute la part possible à l'impéritie et à la malchance. De là, ici, une journée anxieuse mais calme. Ce que vous m'écrivez sur cette étrangeté qu'il y aurait à ce que le pire se réalise, je l'ai senti bien vivement pendant deux ou trois jours entre le 18 et le 20. J'ai vraiment vécu le pire, je m'y suis *préparé.* J'étais hanté surtout par cette idée que c'était *possible* et que tous nos barrages idéologiques qui nous servaient à penser les Allemands comme totalement fous et abjects ne pouvaient avoir aucun poids contre cette nécessité historique qui les remiserait au rang des vieilles lunes si les Allemands étaient vainqueurs : au lieu de servir à penser le réel, nos idéologies deviendraient objets périmés de pensée historique. Aussi me lâchaient-elles un peu et je n'avais pour me raccrocher que l'authenticité pure et simple. Elle me donnait d'ailleurs d'étranges conseils, que je vous dirai de vive voix et qu'on peut ranger parmi les tentations. Au bout de deux ou trois jours, sans que la situation se fût nettement améliorée, j'étais blindé, c'est-à-dire que le pire avait perdu son caractère étrange, il était devenu un possible normal, comme la mort, intégré parmi *mes* possibilités. Il y est si bien intégré, aujourd'hui, que tout espoir me paraît insolent. Je n'en suis plus à espérer *positivement* que nous gagnerons la guerre (je ne pense pas non plus que nous la perdrons : je ne pense rien, l'avenir reste barré), je me borne à caresser l'espoir négatif que nous ne perdrons pas cette bataille. Vous me direz que l'un ne va pas sans l'autre. Et c'est vrai, car si nous ne perdons pas cette bataille, nous sommes bien près de gagner la guerre. Seulement c'est un brin logique et je vous dis comment je suis, sentimentalement. Quand cette lettre vous arrivera, d'ailleurs, elle sera bien désuète. On pourra se laisser aller à un véritable optimisme ou bien au contraire on sera plongé dans le pessimisme le plus noir. Je comprends bien aussi de quelle totale liberté désemparée vous jouissez en ce moment. Vous savez, mon cher petit, si c'est pratiquement possible, il *faut absolument* que vous emmeniez Sorokine avec vous en cas d'évacuation. Tant pis pour la malédiction de la mère. Je ne songe pas du tout à l'affection qu'elle vous porte, mais vous pouvez faire tant en l'emmenant : vous la sauvez de la pagaye d'une évacuation forcée, du manque total d'argent et puis elle sera avec vous et sinon elle resterait peut-être des mois sans pouvoir donner ni recevoir des nouvelles. Prenez-la avec vous et si ça nous coûte un peu de sou, tant pis, que voulez-vous. Et puis surtout nous sommes des privilégiés et ça fera la seule aide concrète que je comprenne et admette : l'aide complète à un individu — alors que ma mère s'épuise dans l'aide partielle à plusieurs (je ne dis pas qu'il n'en faille pas aussi). Voilà ce que je pense sur la question.

Ça m'a bien diverti que Bost appelle en toute simplicité de cœur les Allemands « Boches ». Combien de fois ne m'a-t-il pas dit qu'il détestait ce genre de surnom. Mais c'est tellement naturel. Je m'en garde à peu près, pour moi, mais vous savez que de temps à autre je ne résiste pas à l'envie de les appeler Fritz ou Fridolins, il y a certaines phrases qui l'exigent.

Pour moi, ce fut une journée sans histoire mais dans le plaisant. D'abord un grand lavage et rasage parce que j'avais envie de me faire photographier. Je veux des témoignages de mon actuelle sveltesse, obtenue en jeûnant totalement le soir. Trois petits pains le matin, à midi déjeuner complet, souvent sans viande et le soir rien. Rien du tout — cinq fois par semaine, les deux autres fois une couple d'œufs chez Charlotte. Ça me réussit très bien. Je me suis donc fait photographier par Paul, chez Charlotte. Je lui avais apporté du chocolat et elle en a été touchée, elle a rosi et elle m'a dit : « Comme il est beau, comme il est bien rasé ! » Et puis un peu après, comme je sifflais : « Vous sifflez bien. » Ceci représente le paroxysme de l'idylle. Pieter lui-même en a été frappé. Bien entendu nul autre mot, ni regard, ni sourire n'a été échangé entre nous le reste du temps. Et voici : aujourd'hui j'ai bien travaillé, j'ai repris mon chapitre Marcelle-Mathieu et je crois lui avoir donné le ton que je veux. Il faudra fignoler mais l'essentiel est placé. Toujours pas d'argent, mon petit Castor, qu'est-ce que cela veut donc dire ? Pour moi, je crois que vous avez, dans toutes ces émotions, tout simplement oublié de m'en envoyer. Car j'ai reçu des prospectus envoyés à l'ancien secteur 108, les 2 et 3 juin. Donc si vous aviez fait une erreur, le mandat serait tout de même arrivé.

Si vous avez l'âme pure, ça vaut le coup de réclamer à la poste, car si vous avez été payée le 30 comme je suppose, ça fait déjà dix jours que le mandat est parti.

Donc cette après-midi j'ai travaillé, lu un peu *Madame Bovary* — c'est *laid;* et puis je suis allé prendre un verre avec Pieter vers cinq heures. Mais Charlotte n'était pas là. Ensuite échecs avec Paul, échecs avec Hantziger. Quatre victoires dont deux sur beaux coups profonds. J'ai de la volupté à *toucher* les pièces à présent, c'est signe de progrès, j'ai une espèce de familiarité sensuelle avec ces bouts de bois. Tout d'un coup, il m'est revenu que, lorsque j'avais seize ans, je faisais des parties d'échecs avec Chadel dans tous les cafés du Quartier latin, en buvant des chocolats (mais oui) où je trempais des croissants. Ça m'a diverti. Chadel doit être tué à la guerre, à l'heure qu'il est. Et voilà, je vous écris. Pourquoi donc, mon cher petit, cette histoire de cigogne vous a-t-elle tant émue ? Je n'y étais pour rien : j'avais vu une cigogne et elle avait l'air en bois mais tout le mérite en revient à elle. En tout cas, quelle que soit la raison de votre attendrissement, sachez qu'il était bien fait et que ça me fait tout plaisant et chaud quand je lis dans une de vos lettres que vous m'avez bien retrouvé dans une des miennes. Pour moi je vous sens bien fort dans les vôtres et vous me faites romanesque, ma petite fleur. C'est vrai, vous avez une drôle de vie à laquelle vous ne repenserez pas sans satisfaction, plus tard, si tout tourne bien. Avez-vous lu dans la *N.R.F.* de mai ce que Bernanos écrit sur les soldats de 14-18 (les 10 premières pages de l'article. Il y a des choses excellentes).

À demain. Je n'avais pas grand-chose à vous dire et puis voilà, c'est une longue lettre parce que c'est si plaisant de faire ces bâtons rompus, j'ai un peu l'impression que vous êtes là. Je vous aime.

À Simone de Beauvoir

9 juin

Mon charmant Castor

J'ai reçu de vous aujourd'hui une petite lettre toute poétique, elle me raconte comment vous avez passé le petit matin au Dôme, à lire les journaux sans consommer. Ça m'a charmé. Pour le sou, mon petit : voilà. La lettre s'est bel et bien perdue. C'était au moment où je me plaignais que vos lettres n'arrivent qu'avec un jour de retard parce que vous les écriviez dans la nuit. Je me rappelle qu'une a manqué et j'en attendais deux le lendemain et une seule est venue, puis encore un jour sans lettre et cette fois deux lettres à la fois. Je me suis embrouillé dans les comptes et j'ai cru que je m'étais trompé, que j'avais mon content comptant. Je me rappelle l'espèce de petite déception que j'ai éprouvée comme lorsqu'on trouve moins d'argent qu'on ne croyait dans son porte-monnaie mais qu'on pense : « Le coup est régulier, j'avais dû mal compter. » Ce qui augmentait ma conviction c'est que je regarde la date *sur l'enveloppe* et non sur la lettre. Or il y a des lettres timbrées du 30-31-1er et 2. Mais aujourd'hui en regardant les dates mises par vous j'ai vu que la lettre du vendredi 31 manquait. Donc je ne l'ai *jamais reçue* et la faute en est à la poste. Il faut que vous réclamiez. À présent, qu'avez-vous dans la tête, ma petite fleur, pour m'envoyer des mandats dans les lettres ? Après, je suis obligé de courir après le vaguemestre pour les toucher et puis vous voyez, ils risquent de se perdre. Votre système était jusqu'ici de m'envoyer des mandats-cartes que le vaguemestre vient vous payer à domicile et c'était beaucoup plus commode. Surtout à présent où la poste s'est transportée dans une localité voisine où je n'ai pas le droit d'aller. Donc je pense qu'il suffira que vous réclamiez à la poste, talon en main, ils feront les démarches, apprendront du vaguemestre que je n'ai pas touché le mandat n° X et vous le rembourseront après avoir fait opposition dessus. C'est vous seule qui pouvez faire ça. Je vais vous envoyer des livres demain. Je vous enverrai *Dostoïevski* et Samuel Pepys et puis je verrai si j'ai encore autre chose.

Hier donc, on était tout à l'optimisme. Mais les nouvelles d'hier soir et de ce matin (apprises à la radio à 6 h 30 ce matin et à 11 heures 30) sans être alarmantes à proprement parler ne rassurent pas. Les Allemands ont traversé l'Aisne, ils ont avancé du côté de Noyon, ils attaquent en Argonne, ils ont 60 divisions dans la bataille. Nous cependant nous manquons de toute cette armée que nous avons envoyée en Belgique et qui ne sera utilisable que dans quelque temps, nous avons aussi à reformer les troupes qui ont lâché à Sedan — et puis aussi nous manquons de matériel. Tout ça n'est pas propre à dilater le cœur. Je suis honteux, figurez-vous. J'ai fait l'important à mon corps défendant dans ma lettre d'hier en vous parlant d'un renseignement mystérieux et rassurant mais j'ai été un important ridicule. À vrai dire la faute n'en est pas à moi. Un soldat aux ordres directs du général a vu sur sa table un communiqué personnel du *général Weygand* affirmant que les Allemands n'ont plus de réserves de fer et de carburant que pour six semaines et que, si on tient jusque-là, c'est partie gagnée. Il est venu nous raconter ça, mystérieusement et nous a suppliés de ne pas le mettre dans nos lettres parce que, si c'était ouvert, ça risquait de lui coûter gros, etc. C'est un demi-timbré j'imagine. Bref Pieter et moi nous avons promis et avons tenu parole. Très étonnés d'ailleurs qu'une nouvelle si réconfortante ne soit pas communiquée aux soldats. Et puis, pour finir, on a lu la note en question au rapport, cet après-midi. Paul, que nous avions informé avec mystère, se gausse.

Il est six heures du soir et je vous écris, ayant bien travaillé et fini le dernier brouillon du chapitre Marcelle-Mathieu, il n'est plus à reprendre qu'une fois. Il me semble que Marcelle est vivante à présent, ingrate, raisonnable et pourtant sournoise, passionnée, boudeuse, malade, sérieuse, belle et sans grâce, orgueilleuse à la façon de ma grand-mère, dans le négatif. Vous recevrez bientôt le manuscrit mais je tremble un peu de le confier à la poste. J'ai un peu lu *Pour s'amuser en ménage,* de Max et Alex Fischer, trouvé au cabinet, où il servait au dernier usage et à peu près intact, moins trois feuilles déjà utilisées. Qu'ai-je fait d'autre ? J'ai déjeuné, mais sans rapports avec Charlotte. Nous sommes tous soucieux, avec une espèce d'angoisse chronique et muette qui serre le cœur toute la journée, sans qu'il soit nécessaire pour cela de penser aux événements.

Quoi d'autre ? Le champion d'échecs m'a foutu ses trois déculottées quotidiennes en un temps record ; le chauffeur de la poste m'a rapporté de la ville un paquet de cartouches d'encre à stylo bleu-noir (ça n'a l'air de rien, mais ça me fait plaisir) et enfin j'ai un peu écrit sur mon carnet. Quelques pages sur le Néant, encore. Voilà tout, cette fois, mon cher petit, absolument tout.

Mon petit, je vous aime de toutes mes forces. Je suis heureux que les bachots commencent demain : dans huit ou dix jours vous serez entièrement libre. C'est agréable pour vous et, aussi, rassurant, pour le cas possible d'évacuation. Je suis plein de petites erlebnis et tout attendri et je voudrais tant me promener avec vous, n'importe où. Mais ça viendra bien un jour. Je vous embrasse aussi fort et aussi tendrement que possible, petit tout charme, petit charme tout, tout petit charme.

À Simone de Beauvoir

10 juin

Mon charmant Castor

Juste un petit mot aujourd'hui : nous déménageons mais j'ai peur que la poste ne parte avant nous, c'est pourquoi je vous écris en hâte. Nous n'allons pas bien loin — à onze kilomètres d'ici, dans une assez grande ville évacuée. Je ne sais trop où on nous mettra. Les nouvelles ne sont pas bien bonnes. Abandon de Narvik, déclaration de guerre de l'Italie — et puis un mot inquiétant de la radio de 18 h 30 : la bataille qui fait rage « au nord de Paris ». Y a-t-il eu donc un si important recul ? Jusqu'à Compiègne ? Nous le saurons sans doute à 19 heures 45. Ainsi, de jour en jour, on a des nouvelles plus pénibles. J'ai tout de même bien travaillé aujourd'hui, le chapitre Mathieu-Marcelle est terminé. Et à part ça rien du tout. Je pense que nous regretterons un peu notre hôtel Bellevue. Je vous aime formidablement, mon petit, en ce moment, vous êtes toute présente à mon angoisse, je suis avec vous.

Je vous embrasse sur tout votre cher petit visage.

À Simone de Beauvoir

[Après le 10 juin]

Mon charmant Castor

C'est probablement l'armistice demain et la paix bientôt. Ça nous met dans un drôle d'état de désespoir et de soulagement à la fois. Dieu m'est témoin que j'aurais sacrifié gaiement quatre ans de ma vie pour éviter cette paix-là. Et plus encore. Mais voilà, elle est venue et déjà on songe : comment y vivre ? Je pense que la vie y sera possible, mon cher amour, si nous avons bien de la volonté et du courage et qu'elle y sera possible sans lâcheté (mais avec des tas d'humiliations tout de même). Seulement je pense aussi que je vais vous revoir bientôt. Dans quinze jours, dans un mois peut-être — et pour longtemps. Et ça me donne, malgré moi, une espèce de joie.

Ici c'est la retraite. Une retraite lente et paresseuse mais une retraite tout de même. On se débine par étapes, pour éviter d'être coupés par les Allemands qui sont à Saint-Dizier. Les officiers restent arrogants pour le principe, mais le cœur n'y est plus. Les chasseurs jetaient à la volée leurs souliers de rechange sur la route, pour se décharger un peu. La route était jonchée de souliers. Des avions allemands survolaient paresseusement aussi notre convoi qui était une proie facile. Mais ils ne lâchaient pas de bombes. On sentait que c'était la fin. Pour nous, on nous a tout simplement oubliés, nous autres sondeurs — à Haguenau où nous étions depuis trois jours. « Levez-vous à 6 heures, nous avait dit notre capitaine. Vous ne partirez qu'au second départ, à 6 h 30. » À 6 h 30 nous étions dans la cour du collège de garçons mais le camion n'est pas revenu, ils avaient décidé au dernier moment qu'il n'y aurait qu'un seul départ. Nous avons erré dans la ville évacuée, pris un solide petit déjeuner et puis nous avons arrêté de justesse un camion qui nous a conduits à 5 kilomètres du village où nous devions aller, non sans que le malchanceux Paul ait eu le pied à moitié écrasé par un poids de fonte qui lui est tombé dessus à un virage. Ici c'est la pagaye la plus complète. Les types ont appris par la radio que nous étions à la veille de l'armistice (personne n'a confiance dans l'Amérique) ils sont assez sympathiques, ils plaisantent mais, comme dit Pieter, ils « en ont gros sur la patate ». Pieter lui-même se tient bien mais il est vert, parce que Juif. On revient vers le centre, je suppose, à petites étapes, pour éviter l'encerclement. Le général marche dans les rues, voûté et grommelant. Mais j'ai l'impression que les officiers ne se rendent pas tout à fait compte. Ça viendra. Nous avons déjeuné d'une façon charmante dans une cour de ferme où une jeune idiote tuait des poulets infirmes en les précipitant par terre de toutes ses forces. Et puis, à présent, nous sommes vagues. La Radio suisse vient d'annoncer que les premiers éléments allemands sont entrés à Paris. Ça me serre un peu le cœur quoique je sois résigné à ça depuis trois jours.

Je vous aime de toutes mes forces. Avec vous, mon amour, la vie sera encore possible. Et bientôt je vais vous revoir. Saluez cette dame bien affectueusement de ma part.

À Simone de Beauvoir

28 juin

Mon charmant Castor

Je vais très bien et je vous reverrai bientôt. Rentrez à Paris et attendez-moi sagement.

Je vous aime de toutes mes forces.

À Simone de Beauvoir

2 juillet

Jean-Paul Sartre
20ᵉ Train
16ᵉ groupe
Camp de prisonniers
de passage numéro 1
Baccarat

Mon charmant Castor

Je suis prisonnier et fort bien traité, je peux travailler un peu et je ne m'ennuie pas trop et puis je pense que d'ici peu je vais pouvoir vous revoir. J'en ai tant envie, mon doux petit Castor. Écoutez, vous pouvez m'écrire : Soldat Jean-Paul Sartre 20ᵉ Train — Camp de prisonniers de passage *Numéro 1* — Baccarat. Si vous êtes encore à La Pouèze, le mieux sera, dans une huitaine, de retourner à Paris et de m'y attendre. Écrivez-moi bien vite et racontez-moi tout ce qui vous est arrivé. Je vous aime de toutes mes forces, je ne pense qu'à vous revoir. Saluez pour moi cette dame et ce monsieur.

Je vous serre dans mes bras et j'embrasse vos pauvres vieilles petites joues, mon amour.

Envoyez vite un colis de *mangeaille* car on maigrit un peu ici. J'ai la ligne mais je ne veux pas qu'elle s'incurve dans le concave.

À Simone de Beauvoir[1]

2 juillet

Jean-Paul Sartre
20e Train
16e Groupe
Camp de prisonniers
de passage n° 1
Baccarat

Mon charmant Castor

Je suis prisonnier et fort bien traité, je peux travailler un peu et je ne m'ennuie pas trop et puis je pense que je vais bientôt vous revoir. Je vous aime tant mon doux petit, mais j'ai peur que vous ne vous rongiez, sans nouvelles. Écrivez-moi.

Soldat Jean-Paul Sartre. 20e Train. 16e Groupe. Camp de prisonniers de passage numéro 1 — Baccarat. Envoyez-moi un colis de *mangeaille* car on maigrit un peu, ici.

Je vous aime de toutes mes forces et je vous embrasse sur vos chères vieilles petites joues.

À Simone de Beauvoir

8 juillet

Mon amour

Je suis prisonnier et pas du tout malheureux. J'espère être rentré avant la fin du mois. Écrivez-moi.

1. Sartre avait envoyé la même lettre à La Pouèze et à Paris

Camp de prisonniers de passage numéro 1 — 9e Compagnie. Baccarat.

Je vous aime de toutes mes forces.

À SIMONE DE BEAUVOIR

8 juillet

Mon charmant Castor

Je suis prisonnier depuis le 21 juin, jour de mon anniversaire. Mais ne vous inquiétez pas : je suis fort bien traité, en excellente santé et tous les membres en parfaite intégrité. Si j'écris au crayon, ce n'est pas qu'une balle ait brisé mon stylo, c'est que je l'ai perdu hier. Je suis présentement couché à l'ombre d'une toile de tente et, en somme, ma captivité se borne à faire du camping. J'ai le grand espoir de vous revoir bientôt et tout va bien pour moi. Pieter et Paul sont naturellement prisonniers avec moi.

Je vous aime de toutes mes forces.

À SIMONE DE BEAUVOIR

22 juillet

Mon charmant Castor

Je suis toujours sans lettre de vous et je ne sais pas si vous avez reçu les miennes, c'est pourquoi je profite d'une occasion pour vous récrire que je suis prisonnier ou plutôt « détenu » c'est-à-dire traité avec égard et avec l'espoir de la libération prochaine. Je voudrais que vous sachiez que je ne suis pas du tout malheureux et que j'envisage le présent et même l'avenir avec sérénité. Mon doux petit, tant que nous serons tous les deux nous pourrons vivre. Je vous aime. Vous pouvez m'écrire à *Baccarat* (Meurthe-et-Moselle). Camp de prisonniers numéro 1. 9e Compagnie.

Je vous aime de toutes mes forces, j'ai peur que vous ne soyez très inquiète. Pourvu que vous n'ayez pas quitté La Pouèze. Je vous serre dans mes bras, mon doux petit Castor.

À Simone de Beauvoir[1]

22 juillet

Mon charmant Castor

Je suis toujours sans lettre de vous et je ne sais pas si vous avez reçu les miennes. C'est pourquoi je profite d'une occasion pour vous réécrire que je suis prisonnier ou plutôt, dit-on, « détenu » c'est-à-dire traité avec égard et avec l'espoir de la libération prochaine. Je voudrais que vous sachiez que j'envisage le présent et même l'avenir avec sérénité. Mon doux petit, tant que nous serons tous les deux nous pourrons vivre. Je vous aime. Vous pouvez m'écrire à *Baccarat* (Meurthe-et-Moselle). Camp de prisonniers n° 1.

Je vous aime de toutes mes forces, j'ai peur que vous ne soyez très inquiète. Pourvu que vous n'ayez pas quitté La Pouèze. Je vous serre dans mes bras, mon doux petit Castor.

J'ai commencé à écrire un traité de métaphysique : *L'Être et le Néant.*

À Simone de Beauvoir

23 juillet

Mon charmant Castor

Hier le courrier de Paris est brusquement arrivé, avec une abondance obscène de diarrhée, 4 000 lettres pour Baccarat et ça faisait débâcle intestinale et il y en avait *sept* de vous pour moi. Ça m'a fait formidable, mon amour, ma vie a été changée. Je suis si

1. Sartre avait envoyé la même lettre à La Pouèze et à Paris.

heureux de penser que vous êtes en sûreté et que vous savez que j'existe et que je vous reviendrai. Je vous aime, il me semble que je reprends une sorte de consistance profonde depuis que je suis en contact avec vous. Je vais vous écrire tous les jours, la difficulté vient de ce que je suis obligé de passer par la poste civile, parce qu'ils n'acceptent à présent que les cartes ouvertes à la poste du camp (*venant* des prisonniers naturellement — en sens inverse les plus gros volumes sont acceptés et pas une de vos lettres n'a été censurée). Il faut donc ruser, passer par les visiteurs civils. Ne vous étonnez donc pas qu'il y ait des jours sans lettres. D'ailleurs j'imagine que vous en recevrez plusieurs à la fois et par à-coups. Mon doux petit, je vais vite vous rassurer sur moi. Ça m'a fait si fort de vous imaginer sage et relativement tranquille que je veux me hâter de vous donner de bonnes nouvelles. Je ne suis *absolument pas* malheureux. J'ai passé par divers états : l'intérêt le plus vif, l'abrutissement somnolent qui fait passer les heures comme un rêve, joint à une légère faiblesse physique, due, au début, à une insuffisance d'alimentation. À l'heure qu'il est la nourriture est normale, j'ai repris toutes mes forces, j'ai quelques livres, j'écris un ouvrage de métaphysique *L'Être et le Néant* et je finis mon roman. Il y a bien de l'impatience et, des fois, des tendresses à vous mouiller les yeux, qui sont au fond de moi, mais tout ça ne revient *jamais* complètement à la surface. Je ne suis ni stoïque ni authentique mais verrouillé, cadenassé comme un malade de Freud, sans effort aucun. Et le temps passe comme pour les convalescents et nous avons des accès de gaieté absolument puérils, comme les potteux de de Roulet. Pour mon avenir, je suis toujours du même incorrigible optimisme, qui n'est pas légèreté, soyez-en sûre, car du 25 mai au 20 juin j'ai eu le temps de tout envisager. Je suis persuadé que nous vivrons, mon amour et je n'ai pas du tout renoncé à mon destin. J'essaierai même de publier Mathieu — tout ça pour beaucoup doit être une question de doigté. Mais je ne puis évidemment développer la question ici. Ce dont je souffrirais le plus, ici — mais sans en souffrir — c'est d'avoir perdu la grâce et l'humidité du cœur. J'offre à qui veut le voir le visage que j'ai quand je me promène avec mon beau-père, avec en plus une barbe de cinq semaines. La barbe c'est une obstination personnelle, car ici il y a des coiffeurs et on peut s'attifer en gandin. À propos, pourquoi m'imaginez-vous la tête rase ? Tous les ports de cheveux sont autorisés ici et les miens inclinent à ressembler à ceux de Jeanne d'Arc. Mais si j'ai perdu cette grâce du dedans que j'avais encore à Morsbronn, ça n'est pas par la faute de l'internement qui est tout à fait doux, mais à cause de mon entourage français, qui est ce que vous pouvez imaginer : bêtise, bassesse, jalousie, espiègleries stupides, coprophilie, etc. J'ai pris quelque autorité sur ceux qui m'entourent d'ailleurs, mais cela ôte toute envie de rire. Pour la vie, voici : nous avons l'entière liberté de faire tout ce que nous voulons dans une immense caserne et à l'intérieur d'une grande enceinte. Le café à 6 heures du matin (5 heures allemandes) — c'est de l'orge torréfiée — le ravitaillement à 11 heures : pain allemand (1 pour 4) — soupe à l'orge ou aux choux ou au lard — et la soupe de 5 heures coupent la journée. Depuis quelques jours à 6 heures appel, on se range par colonnes dans la cour. À 10 heures coucher. Entre-temps on peut faire exactement ce qu'on veut : lire, se promener, se laver, écrire, etc. Quand il fait beau, vous pourriez voir dans la cour des vingtaines de prisonniers entièrement nus qui se brunissent au soleil, étendus sur une couverture, ça fait très plage. Seulement quoi qu'on fasse, on le fait par millier d'hommes. L'unité d'action est le millier d'hommes. Vous ne pouvez pas imaginer une atmosphère sociale plus dense et plus chargée. Naturellement tout ça est extrêmement intéressant. Surtout au début. J'ai tout noté sur mon carnet, car nous n'avons pas été pris tout simplement à Morsbronn, mon doux petit ; il y a eu une débâcle de 10 jours qui nous a amenés aux environs d'Épinal et qui est certainement une des histoires les plus curieuses de toutes celles que j'ai lues ou entendu raconter. J'ai tout noté sur mes carnets, que je continue à tenir, même ici, quand il y a quelque chose à dire.

Pour la libération, voici : j'étais un peu trop optimiste dans la lettre que vous avez reçue, mais tout de même je crois bien que je serai avec vous avant le 1er septembre. Il est très fortement question de nous libérer. On fait une distinction très nette entre les prisonniers faits avant le 20 (début des pourparlers pour l'armistice) et ceux faits après. Et je ne crois pas du tout que les Allemands tiennent tant à nous garder, ils ont bien d'autres chats à fouetter. Seulement j'imagine que le gouvernement français, lui, n'est pas si pressé de nous revoir et pour bien des raisons, entre autres il faut que tous les évacués soient rentrés, c'est le plus urgent. Ensuite il faut qu'il y ait de la réembauche sinon ça fera des centaines de milliers de sans-travail du jour au lendemain. Il faut que les chemins de fer et les transports soient réorganisés, que la force motrice soit revenue dans les usines, etc. Tout ça se fait progressivement et les nouvelles de chaque jour donnent un peu plus d'espoir. *Depuis aujourd'hui nous sommes sans tabac. Voulez-vous, mon doux petit, m'envoyer deux paquets — pas par la poste, par la Croix-Rouge, 12 rue Newton, près de l'Étoile, allez-y vous-même. 1° un paquet de mangeaille et 2° un paquet de livres* (le Louis-Philippe, le Verlaine, *L'Imaginaire*) *et de tabac.* Vous serez aussi douce que possible. Si l'on ne veut en accepter qu'un envoyez *d'abord* livres et tabac et la mangeaille le lendemain.

Mon doux petit, j'en ai très long à vous raconter mais je commencerai demain. Paul et Pieter sont prisonniers avec moi naturellement. Nous sommes six, soudés par le malheur, un livreur-camionneur nommé Beaujouan, un conducteur de métro nommé Civette, un contrôleur des contributions indirectes nommé Longepierre et puis Paul, Pieter et moi. À partir de demain, je ferai le récit quotidien.

Mon amour, je vous aime de toutes mes forces ; je vous l'ai toujours dit, tant que nous serons nous autres deux, je saurai encore fort bien être heureux. Ça m'a rendu la joie de recevoir vos lettres. Je vous aime avec toute l'humidité qui me manquait pour me plaindre, vous êtes ma vie, mon doux petit, toute ma vie. À demain.

Envoyez *surtout* dans la mangeaille du pain d'épice et du chocolat.

Ne dites pas à Z. que vous avez reçu de longues lettres de moi, ni surtout que je vous écris tous les jours car je n'ai envoyé à T. que deux ou trois brefs petits mots qui sont demeurés sans réponse. À vous j'ai écrit *cinq* fois et vous n'avez reçu qu'une lettre.

À Simone de Beauvoir

28 juillet

Mon charmant Castor

Vous devez trouver, mon pauvre petit, que je ne suis pas assez gentil et que je ne vous écris pas assez souvent. Mais écoutez il n'y a pas de ma faute : on ne nous autorise à écrire officiellement que des cartes ouvertes à raison de 2 par semaine le mercredi et le samedi. Il faut donc pour vous écrire un peu longuement que je passe par la poste civile et cela demande de la ruse et des occasions. Vous n'aurez donc pas, mon amour, votre petite lettre quotidienne. Et pourtant j'aurais tant envie de vous écrire, je pense si fort à vous et je vous aime tant, mon doux petit. Elle me fait si poétique, cette drôle de vie que vous menez à Paris pour le présent, habitant rue Denfert-Rochereau, ce qui me rappelle tout un charmant passé, si vieux, où nous n'étions encore que deux petits espoirs, et dans ce Paris qui me fait un peu cimetière. Écrivez-moi bien, mon charmant Castor, voilà six jours que je n'ai plus rien de vous (après 9 lettres, la dernière du 19) et j'ai tellement peur que vous ne vous lassiez de m'écrire, ne sachant si je reçois vos lettres. Je n'ai toujours rien de mes parents et ça m'inquiète un peu parce que peu à peu tous les types d'ici reçoivent des lettres de chez eux et moi pas. Il est vrai que Saint-Sauveur est un trou perdu. Je souhaite bien fort qu'ils n'aient pas fui devant l'avance allemande et qu'ils n'aient pas été se réfugier dans la zone non occupée parce que c'est le diable pour en revenir. Et puis ça m'embête que ma pauvre mère reste si longtemps sans nouvelles de moi. Seulement je suis rayonnant de penser que tout notre petit monde a été épargné, de Bost à Sorokine en passant par cette dame; que deviendra-t-il? c'est une autre affaire mais enfin il est là. J'imagine d'ailleurs que nous vivrons tous *ensemble* la suite et que nous allons avoir, mon petit, de très lourds fardeaux dans un temps dur. Mais ça ne me décourage aucunement et j'ai l'intention d'être aussi dur que le temps lui-même. Je suis intéressé par l'avenir et plein d'espoir. Ce que vous me dites sur l'universel et le particulier m'a intéressé mais je ne pense pas comme ça, c'est trop contemplatif. Je voudrais tant vous voir et vous parler de tout ça. Enfin sachez que j'attends de voir ce nouveau monde avec une formidable curiosité et une espèce de joie.

Mon sort s'est beaucoup amélioré ici (il n'était pas du tout mauvais) depuis que j'écris. Je suis tout entier pris par *l'Être et le Néant* et j'attends, comme à Morsbronn, chaque soir le matin suivant avec goût parce que le matin suivant ça sera un chapitre sur la négation ou sur le pour-soi. Mais il y a des trucs que je pensais et qui sont dans les carnets. Je les ai oubliés. Je me réjouis de penser qu'ils sont peut-être sauvés.

On nous a regroupés différemment : par professions et je fais partie des professions libérales. Je suis tombé sur un petit type à lunettes et l'air très « Café de Flore » qui est en effet un pilier du Flore, connaît Leiris, Caillois, etc., est déplacé ici comme un pou dans la soupe et est venu me demander si j'étais un parent de l'écrivain. Je lui ai dit qu'il n'y avait que moi qui écrive dans la famille et il a répondu : « Je vous admire. » Il est là, en face de moi en ce moment, l'air sage, il lit *La Revue des Deux Mondes*. C'est le genre crevette et ça m'agace de trouver le Flore ici. J'étais habitué aux faces terreuses des agriculteurs aux longs pets gémissants, je m'entendais bien avec eux. Lui est surréaliste. Mais il est discret et inodore. Deux autres types ont ouvert la porte et sont venus me regarder avec curiosité. Du coup je me suis rasé et lavé, ce que je fais très rarement ici, malgré le danger d'attraper des totos (il y a une centaine de types qui en ont). Ça a fait sensation dans la cour.

Il semble que la libération soit commencée — pas ici, dans d'autres camps (on dit en Seine, Seine-et-Marne, etc., mais naturellement ce sont des on-dit). Il y aurait une petite étude sociologique à faire sur les « cravates » ici. C'est quelque chose d'extraordinaire tant pour la richesse, la précision que pour la vitesse de propagation. Elles ont leurs rythmes. Elles tendent d'ailleurs à s'annuler à chaque instant, c'est-à-dire qu'une cravate optimiste est aussitôt compensée par une cravate pessimiste et d'autant plus pessimiste que l'autre était plus optimiste. Il y a des heures où l'on « va aux cravates » c'est-à-dire où l'on descend dans la cour. Il faudra que je vous parle de cette société complète et extraordinaire qu'est un camp de prisonniers. Bref il est seulement très vraisemblable, à l'heure qu'il est, que la libération ait commencé. J'ai bon espoir. Prenez le mal en patience, mon cher petit, certainement je serai de retour avant la Paix. J'avais fait des calculs trop optimistes dans ma première lettre mais si vous comptez ferme du 1er au 15 septembre vous ne vous tromperez guère. Mais qu'est-ce qu'un mois ou un mois et demi, quand on pouvait craindre trois ans il y a encore deux mois ? Et nous ne nous quitterons plus et nous *serons heureux.* Car c'est plutôt le bonheur qui nous restera, mon cher petit.

Voilà des commissions :

Je vous ai priée dans une carte d'aller 12 rue Newton à la Croix-Rouge américaine qui transmet les colis. Je voudrais 2 paquets :

1) tabac — chocolat — pain d'épice (en assez grande quantité parce que nous partageons tout) ;

2) livres : Verlaine — Claudel — Louis-Philippe.

Je voudrais aussi un mandat. Demandez à la poste si c'est faisable. Ça dépend du sou que vous avez. Si vous êtes riche, cinq cents francs car j'ai des dettes, sinon ce que vous pourrez à partir de cinquante francs.

Mon cher amour, vous avez bien raison de dire que notre amour en a vu de toutes les couleurs. Mais il est plus solide et plus tendre que jamais, mon cher petit. La preuve est faite qu'il résiste à tout. Je vous aime, je pense à vous tout le temps, sans impatience avec une certitude tendre et forte de vous revoir bientôt et pour toujours

À Simone de Beauvoir

29 juillet

Mon charmant Castor

Hélas ! vous vous lassez de m'écrire dans le noir, vous n'avez pas encore reçu mes lettres et la dernière des vôtres était bien incertaine et bien désespérée. Hélas ! mon pauvre bon petit Castor, ça m'a tourné le cœur, hier, de recevoir celle du 24 juillet, où j'ai lu que vous aviez tant besoin de moi. Moi aussi, charme de ma vie, j'ai besoin de vous, tant besoin. Voilà des jours et des mois que je n'ai pas eu un moment d'abandon ou de tendresse ou seulement d'amitié vis-à-vis de ceux qui m'entourent et de moi-même. Je ne suis nullement malheureux, j'ai même des tas de moments agréables mais je suis dur comme un caillou. Pour que je fonde en eau, c'est vous, tendre petit Castor, vous seule qu'il faudrait que je retrouve. Si je vous retrouve, je retrouve mon bonheur et je *me* retrouve. Mon petit, cela va bientôt venir, et nous serons si heureux tous les deux. Peut-être sera-ce encore les vacances et l'été et nous nous promènerons ensemble dans ce Paris, votre petit bras sous le mien, ce Paris si changé que j'ai tant envie de revoir.

À propos, vous dites qu'à l'Économat ils ont été *secs* avec vous ? En ces temps de révocation, ce n'est pas rassurant. Tous les fonctionnaires ici tremblent dans leur culotte. Donnez quelques précisions : *qui* avez-vous vu et qu'a-t-on dit ? Pour moi, je n'ai pas de grande crainte d'ailleurs, je suis sans reproches et soldat. Mais sait-on jamais ?

Les nouvelles des familles commencent d'arriver ici. Elles ne sont pas toujours gaies. Il y en a qui apprennent la mort d'un enfant, d'autres que leur maison s'est effondrée. Pour moi, je suis toujours sans aucune nouvelle de mes parents, je ne sais pas ce qu'ils ont pu fabriquer. Autre chose ; il y a des trains pour Baccarat et on peut nous faire des visites mais je n'ose vous dire de venir : le trajet durait *16 heures* aux dernières nouvelles et on ne peut nous voir que 20 minutes à la fois, dans un parloir. En admettant que je vous voie matin et soir, ça ferait 32 heures de voyage en deux jours (car vous avez vos cours et on ne vous laisserait d'ailleurs pas rester ici) pour me voir 40 minutes en public. Et, par-dessus le marché, il arrive fréquemment des incidents qui font suspendre les visites pour un jour. Si vous jouez de malchance vous pourriez vous casser le nez. Décidez vous-même, mon petit. Naturellement, je n'ai pas de plus cher désir que celui de vous voir mais vingt minutes... ? Vous me direz : et 3 heures l'Acropole ? Faites à votre gré, je vous ai prévenue. Mais *ne manquez pas de cours* en ce moment, j'apprends des tas d'histoires désagréables à ce sujet. Il faudrait venir un dimanche.

J'étais d'une saleté repoussante, par goût et quasi-mysticisme, je répugnais. Mais voyez ce que c'est : je n'ai pas pu supporter d'être vu en cet état par un type du Flore, un joli petit intellectuel qui, à part des noms de livres, n'a rien dans la tête. Je me suis lavé et rasé dès qu'il m'a reconnu. À présent, je me lave tous les jours.

Le bruit court que la libération est commencée dans les camps des environs de Paris. Est-ce vrai ? On dit aussi que nous serions tous libérés ici dans un mois. En attendant officiers et sous-officiers d'active prisonniers partent pour l'Allemagne mais je crois que c'est plutôt bon que mauvais.

Mon doux petit il faut vous mettre en quête de la *Psyché,* la reprendre et la garder jalousement ; je vais en avoir grand besoin.

Quelle sage petite vie vous menez, mon cher amour, elle tire les larmes. Ne vous disputez pas trop avec Sorok. Ce que vous me dites de Toulouse, de Dullin, m'en a complètement dégoûté. Je veux vous voir seule et longtemps. La seule chose que nous ferons c'est d'aller passer quelques jours chez cette dame à La Pouèze. Elle, j'aurais fort envie de la voir. Si vous savez quelque chose de Nizan, Guille, Maheu, Aron, etc., écrivez-le-moi.

À demain, mon cher, cher petit Castor, je vous aime de toutes mes forces, vous êtes mon petit absolu.

À Simone de Beauvoir

3 août

Mon charmant Castor

Je profite de quelqu'un qui rentre à Paris pour vous faire un petit mot. Il sera court parce que ces occasions vous sont révélées à la dernière minute et il faut se hâter d'en profiter. Encore une lettre de vous hier ; comme elles me remuent mon doux petit, comme je sens votre amour ; ce qui m'agace c'est que je vous écris tout le temps et que vous ne recevez toujours rien. Mon petit, je voudrais tant que vous receviez mes lettres, que vous sachiez que je vous lis. Écoutez, mon doux petit, vos lettres à vous m'ont changé la vie, je suis tout heureux et paisible, j'attends patiemment.

Ici grand remue-ménage. Nous étions 7 000 et 4 000 types vont partir. En Allemagne disent les uns — pour être libérés disent les autres. Je crois tout simplement qu'ils vont dans d'autres camps. En tout cas, je reste ici. Et ça commence à sentir bon. On réclame déjà certains fonctionnaires (S.N.C.F.) qui partent aujourd'hui, ça pourrait bien venir sous peu. Le camp est en ébullition, cravates et faux bruits courent à toute la vitesse de leurs petites pattes, ça distrait. J'écris toujours mon ouvrage philosophique et puis j'ai trouvé un joueur d'échecs de ma force (bon en somme) ça remplit les jours. Mon admirateur du Flore est un con. C'est affligeant mais c'est comme ça. Pieter est très abîmé et je ne le vois guère, mais j'ai trouvé deux Méridionaux, Pomé et Commetton qui me charment absolument. Je suis entouré de contrôleurs des indirectes. Je vis dans une grande pièce claire, j'ai des livres (je lis *Les Temps modernes* d'Albert Malet, ouvrage pour la classe de quatrième) et il fait beau. Bref je suis de bonne humeur et le travail rend bien. Mon petit, si seulement je pouvais vous voir, je serais tout heureux. Je vous aime.

Écoutez, vous m'amusez avec Sorok. C'est une gaillarde. Elle prête à rire et elle est sympathique. Je n'ai de tendresse que pour vous seule mon petit, le reste du monde n'existe plus. Que vos lettres sont sages. Les dernières étaient presque sereines, vous êtes toujours la vraie perfection, vous faites, pensez et dites toujours ce qu'il faut quand il le faut.

À demain ou à quelqu'un de ces jours mon doux petit. Vous rappelez-vous ? Il y a un an nous étions à Marseille et c'était peut-être le jour de la course de taureaux. Je vous aime. Si quelque chose aura valu dans ma vie, c'est certainement tout ce qui vous concerne.

Conseillez à ma mère, si vous la voyez, d'aller voir Monod, c'est important.

À Simone de Beauvoir

12 août

Mon charmant Castor

Je ne peux vous écrire que ce tout petit mot en remerciement de vos grandes lettres. Pourtant, mon doux petit, j'aimerais bien fort pouvoir vous parler longuement, mais ce sera bientôt j'espère, il y a beaucoup d'espoir. Sûrement vous me verrez un jour apparaître derrière la statue de Balzac. Peut-être aurai-je un « bleu » et une casquette. Tout va toujours très bien ici, je lis du Paul Bourget (c'était la lecture favorite des gardes mobiles dont nous occupons la caserne) et je travaille toujours mon livre de philo (76 pages d'écrites, ça prend tournure). En ce moment les scouts routiers donnent une représentation dans la cour. Vous voyez que rien ne nous manque. Mais je voudrais bien fort sentir votre petit bras contre le mien et me promener avec vous. *Ne venez pas* si vous aviez l'intention de venir. Il est possible que nous partions d'ici. Je vous aime.

À Simone de Beauvoir

Mon charmant Castor

J'ai reçu *neuf* lettres de vous en deux jours, ça m'a changé la vie. Écrivez mon doux petit, écrivez tant que vous pourrez. Je vous écrirai le plus souvent possible mais on ne nous permet que les cartes ouvertes et vous voyez qu'il n'y a plus beaucoup de place. Pourtant j'aurais bien des histoires à vous raconter. Pour l'instant sachez que je suis fort bien installé dans un appartement de gardes mobiles mais sans meubles, juste ces quatre murs avec des fleurs tropicales sur le papier mural. Nous couchons à quinze sur le parquet et vivons principalement dans la position couchée, je lis couché, j'écris couché et je me figure être un ancien Romain. Par ailleurs nous sommes libres de nous promener dans une vaste enceinte et ce n'est que la pluie continuelle qui nous en empêche ; je ne m'ennuie pas, je suis tout à fait serein. Écoutez, mon doux petit : il faut m'envoyer un paquet de livres (Verlaine, Louis-Philippe, Claudel, etc.) et *de tabac* et un paquet de mangeaille (chocolat et pain d'épice surtout) par la Croix-Rouge américaine 12, rue Newton. Je vous embrasse de toutes mes forces.

À Simone de Beauvoir

Début illisible.

et d'où l'on a une vue superbe. Ma situation s'est nettement améliorée depuis Baccarat. J'ai un lit, une chambre (pour 3) une table, une armoire, une chaise, je suis interprète à l'infirmerie. J'ai commencé un nouveau travail qui me passionne et je fais tous les matins une demi-heure de culture physique — et tous les mardis des conférences devant un public presque exclusivement composé de curés (en collaboration avec un dominicain). J'ai une drôle de vie, étrange et plaisante, très pleine. Je ne renonce pas aux disciples. Nous sommes tout à fait bien traités et d'ailleurs les Sanitaires dont je fais partie comme infirmier, ne sont pas considérés ici comme prisonniers mais comme neutres. Mais mon doux petit que vous me manquez. Et puis j'ai peur que vous ne vous rongiez, faute de savoir où je suis. Écrivez-moi. Dites à mes parents que vous avez reçu une *carte*. Je vous aime.

À Simone de Beauvoir

26 octobre

Mon charmant Castor

Toujours sans lettre de vous, je me demande si mes cartes vous sont arrivées. Je suis dans un camp au sommet d'une colline, j'ai d'abord été infirmier, puis je suis « artiste » je fais des pièces que je mets en scène et qu'on joue le dimanche. Mes meilleurs amis sont un jésuite et un dominicain, je suis aussi bien que possible. Mon amour c'est notre onzième anniversaire je me sens tout près de vous. Je vous aime.

À Simone de Beauvoir

Mon charmant Castor, voilà de toutes petites pattes de mouche parce que je ne peux pas embarrasser la poste avec ma prose et il faut aussi que j'écrive à T. qui n'a rien reçu de moi et à ma mère. Vous découperez sagement en suivant les traits et vous donnerez à chacune ce qui lui revient. Que je vous aime donc, mon doux petit. Vous savez je reçois toutes vos lettres très bien. Mais ne soyez donc

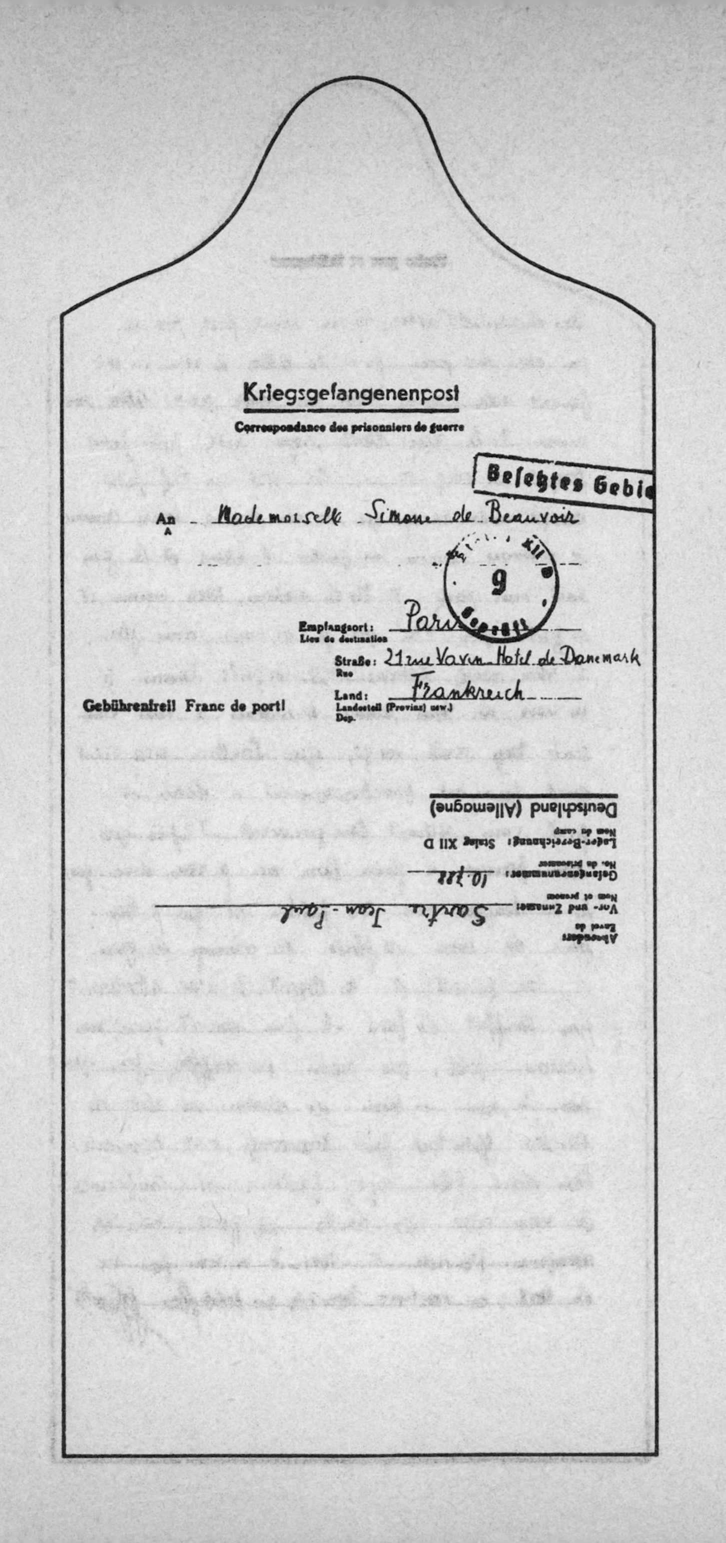

Kriegsgefangenenpost

Correspondance des prisonniers de guerre

Besetztes Gebie

An
A Mademoiselle Simone de Beauvoir

XII D
6
Geprüft

Empfangsort: Paris
Lieu de destination

Straße: 21 rue Vavin Hotel de Danemark
Rue

Land: Frankreich
Landesteil (Provinz) usw.
Dep.

Gebührenfrei! Franc de port!

Absender:
Envoi de

Vor- und Zuname: Sartre Jean-Paul
Nom et prenom

Gefangenennummer: 10.788
No. du prisonnier

Lager-Bezeichnung: Stalag XII D
Nom du camp

Deutschland (Allemagne)

Ecrire gros et lisiblement

Mon charmant Castor. On vous avait fait peur et j'ai été dix jours privé de lettres de vous. Ça me faisait vide. J'aime tant vos chères petites lettres, mon amour. Je les reçois toutes, vous savez, par petits paquets de cinq ou six. Ça fait un bref petit compte rendu analytique je vous permets mais comme je connais comme ma poche les choses et les gens dont vous parlez, je décode autour. Mon amour, il ne faut plus dire que je ne vous aime plus, si vous saviez comme c'est injuste. Jamais je ne vous ai tant aimée. D'ailleurs, si vous vous sentez trop seule, songez que Poulou m'a écrit qu'il passerait prochainement à Paris et qu'il vous verrait longuement. J'espère que cela pourra se faire. Pour moi je vous dirai que je vis toujours avec mes prêtres et que je leur fais des cours de philo en échange de quoi ils me gavent et me logent. Je n'ai absolument pas souffert du froid et j'ai souvent pensé, mon pauvre petit, que vous en souffriez plus que moi. Je suis en train de devenir une sorte de directeur spirituel pour beaucoup, c'est nécessaire. Mon doux petit ayez patience et confiance. Je vous aime de toutes mes forces, vous êtes toujours présente à moi. Je ne suis pas triste du tout, au contraire. Vous êtes mon petit flam

Sartre

pas si modeste. Écrivez un petit mot tous les jours, ça n'est pas défendu. Mon cher petit Castor, mon amour, ça me fait si grand plaisir de recevoir vos petites lettres. Elles sont si petites qu'on est obligé de construire toute une histoire sur un mot, comme quand on fait de l'histoire de France. Mais ça fait poétique et mystérieux, ces contractions d'histoires. Comme quand vous dites : « Bianca épouse un jeune Américain. » Ça m'a fait rire aux larmes. Comme, à part ça, tout ce petit monde est pareil à lui-même, c'est formidable. Et vous, mon petit, comme vous avez l'air sage et comme vous m'aimez fort. Il vous faut prendre patience. Vous me dites dans une lettre que ma libération viendra dans un mois. Je n'y crois pas du tout, je peux sainement apprécier la lenteur de ces choses ; imaginez une poix qui vous colle doucement et qui vous tient par inertie plutôt que pour tout autre raison et qui ne vous lâche pas, mais ça viendra bien tout de même. J'ai tant envie de vous revoir et de me promener avec votre petit bras sous le mien. Mais, mon pauvre bon petit Castor, vous allez être bien déçue : je n'ai pas de nouvelles théories. Simplement des masses d'histoires. Pour les histoires, vous en aurez. Je suis tombé d'abord dans un drôle de milieu : l'aristocratie du camp, l'infirmerie. Il y a aussi la puissante ploutocratie des cuisines et les politiciens ou chefs de baraque. De l'infirmerie j'ai été éjecté par des intrigues et je suis arrivé, visant à éviter le travail des champs pour lequel j'ai, jusqu'à nouvel ordre, peu de dons, dans le milieu inoffensif des artistes, le genre cigales et aussi Racine sous Louis XIV. Beaucoup de courbettes et l'on pense bien. D'ailleurs ils sont sympathiques. Les plus sympathiques que j'aie rencontrés depuis la guerre. Ils ont un vrai petit théâtre où ils jouent devant les quinze cents prisonniers du camp, deux dimanches par mois. Moyennant quoi ils sont payés, peuvent se lever tard le matin, et ne rien foutre de toute la journée. J'habite avec eux dans une grande chambre peuplée de guitares, banjos, flûtes, trompettes accrochées aux murailles, avec un piano sur lequel des Belges jouent toute la journée. Des Belges qui jouent le swing à la manière des pianistes du College Inn, ce qui me fera tout à l'heure l'occasion d'une petite allusion sentie à T. J'écris pour eux des pièces qu'on ne joue jamais, et je suis payé aussi. Par ailleurs ma fréquentation ordinaire ce sont les prêtres. Surtout un jeune vicaire et un novice jésuite, qui d'ailleurs se haïssent, en viennent aux mains à propos de théologie mariale et me font trancher le débat. Je tranche. Je me suis trouvé hier avoir donné tort au Pape Pie IX sur l'Immaculée Conception. Ils hésitent entre Pie IX et moi. Et sachez que j'écris ma première pièce sérieuse et que je m'y donne de toute ma personne (écrivant, mettant en scène et jouant) et c'est sur *la Nativité.* N'ayez crainte, mon doux petit, je ne deviendrai pas comme Ghéon, n'ayant pas commencé comme lui. Mais sachez que j'ai certainement du talent comme auteur dramatique, j'ai fait une scène d'ange annonçant aux bergers la naissance du Christ qui leur a coupé le souffle à tous. Dites-le à Dullin et qu'il y en avait qui avaient les larmes aux yeux. Je me rappelle comme il était quand il mettait en scène et je m'inspire de lui, mais en restant beaucoup plus poli, vu que je ne paye pas mes artistes. Ça sera joué le 24 décembre, en masques, il y aura 60 personnages et ça s'appelle *Bariona,* le fils du Tonnerre. J'ai aussi joué en masque, sur la scène, dimanche dernier, un rôle comique dans une farce. Tout cela m'amuse fort, entre beaucoup d'autres farces plus drôles encore. Je ferai du théâtre, par la suite. Mon amour, je ne m'ennuie pas, je suis fort gai, j'attends sans impatience, résolu, si le ciel ne m'aide pas, à m'aider moi-même. Je fais trois quarts d'heure de gymnastique chaque jour avec des boxeurs et des catcheurs. Depuis la semaine dernière, en plus de ça, je suis chargé d'organiser une sorte d'université populaire ici et ça m'intéresse aussi. Par exemple j'ai des poux mais, comme toutes les curiosités naturelles, les poux m'ont déçu. Ils ne piquent pas, ils frôlent et ne sont remarquables que par leur extraordinaire prolificité. J'ai reçu ma vieille pipe. Merci, ça m'a touché aux larmes, mon doux petit, vous autre, charme de ma vie. Je n'ai pas cessé d'être uni à vous. Mon amour, les prisonniers sont un peu comme les vieillards, ils remâchent en dedans d'eux de vieilles histoires et vous êtes dans toutes. Comme nous avons été heureux, mon doux petit et comme nous le serons encore (mais je ne veux pas du tout de la vie de Tennyson). J'embrasse tout partout votre petit visage et vos vieilles petites joues, je vous aime.

À Simone de Beauvoir

10 décembre

Mon charmant Castor

Je reçois toutes vos lettres et vous ne pouvez savoir tout le plaisir qu'elles me font. Il faut m'écrire encore plus souvent, tous les jours si vous voulez, il n'y a pas de limites fixées. Et ça change tout de recevoir des lettres. Je vous aime mon doux petit. Vos dernières lettres étaient bien tristes. Il faut prendre patience et surtout ne pas mettre de piété à vous ennuyer. Ma petite fleur songez que, lorsque je vous reviendrai, ça sera pour toujours. Et puis songez aussi que je ne suis pas malheureux du tout. Au contraire imaginez ce que ça peut être pour un écrivain de connaître tout son public et d'écrire précisément pour ce public-là — et pour un auteur dramatique de monter et de jouer lui-même ses pièces. J'ai fait un mystère de Noël qui émeut fort paraît-il, au point qu'un des acteurs a envie de pleurer en jouant. Pour moi, je tiens le rôle du roi Mage. J'écris la pièce le matin et nous répétons l'après-midi. Trente personnages. J'ai rencontré ici deux ou trois types qui m'intéressent véritablement et pris contact avec une forme d'art théâtral toute neuve pour laquelle il y a beaucoup à faire. Je lis Heidegger et je ne me suis jamais senti aussi libre. Je vous aime de toutes mes forces, mon doux petit.

À Simone de Beauvoir

Mon charmant Castor. On vous avait fait peur et j'ai été dix jours privé de lettres de vous. Ça me faisait râler. J'aime tant vos chères petites lettres, mon amour. Je les reçois toutes, vous savez, par petits paquets de cinq ou six. Ça fait un bref petit compte rendu analytique de vos journées mais comme je connais comme ma poche les choses et les gens dont vous parlez, je brode autour. Mon amour, il ne faut plus rêver que je ne vous aime plus, si vous saviez comme c'est injuste. Jamais je ne vous ai tant aimée.

D'ailleurs, si vous vous sentez trop seule, songez que Poulou m'a écrit qu'il passerait prochainement à Paris et qu'il vous verrait longuement. J'espère que cela pourra se faire. Pour moi je vous dirai que je vis toujours avec mes prêtres et que je leur fais des cours de philo en échange de quoi ils me gavent et me logent. Je n'ai absolument pas souffert du froid et j'ai souvent pensé, mon pauvre petit, que vous en souffriez plus que moi. Je suis en train de devenir une sorte de directeur spirituel pour beaucoup, c'est nécessaire. Mon doux petit, ayez patience et confiance. Je vous aime de toutes mes forces, vous êtes toujours présente à moi. Je ne suis pas sec du tout, au contraire, vous êtes ma petite fleur.

À Simone de Beauvoir

Mon charmant Castor. Comme vos chères petites lettres sont tristes depuis quelque temps. Je vous en prie, ne vous laissez pas aller au découragement et pensez que je vais bientôt vous revenir mon amour. Ne vous *sentez* pas trop seule même intellectuellement. Je suis sûr que ce n'est qu'une apparence. Songez que je vous aime, que je n'ai pas changé du tout et que nous sommes réunis en tout, mon petit. Et puis il est permis d'être plein d'espoir. Sachez qu'ici, pas une minute je n'ai désespéré ni ne me suis désolé. Je prends de plus en plus d'intérêt à ce que je fais. Surtout ne croyez pas que j'aie froid ou que je sois en mauvaise condition physique. Au contraire, nous avons autant de charbon qu'il faut et j'ai souvent pensé, mon pauvre petit, que vous aviez beaucoup plus froid que moi, cet hiver. Je ne manque de rien et puis les curés m'ont adopté et me gavent. Quant au retour il est proche puisque, comme vous savez, on rapatrie les civils en ce moment. J'ai repris Heidegger qu'un curé de Saint-Étienne a acheté et je fais trois heures de cours sur lui par jour. La Censure m'a rendu tous mes écrits, mon roman, mon ouvrage philosophique et mes notes. Ça me charme, comme bien vous pensez. J'ai d'ailleurs peu le temps de lire, tant je fais de choses. Ne vous inquiétez pas pour Tania. Elle a reçu depuis de mes lettres et la chose s'est arrangée. Mon petit je vous aime toujours aussi solidement et profondément. Je vis avec vous. Saluez le petit Bost.

À SIMONE DE BEAUVOIR

Mon charmant Castor. Encore un petit mot bien que je n'aie vraiment rien à vous dire. En fait il y aurait énormément seulement il faudrait pouvoir écrire tous les jours et c'est impossible. Mais je n'oublie rien et je vous raconterai tout quand je serai rentré. D'ailleurs mon amour n'allez pas imaginer que je vive quoi que ce soit qui me sépare de vous et qui vous donne plus tard un retard à rattraper. Vous verrez quand nous nous reverrons comme nous serons de plain-pied, bien que vous puissiez être surprise de mes nouveaux projets. Vous vous rappelez ce que je vous disais sur ce qui doit arriver dans la maturité d'un écrivain. Eh bien voilà que cela m'arrive, avec de bons motifs (mobiles). Vous verrez comme ça sera passionnant pour *nous* quand je reviendrai. Mon doux petit votre pensée ne me quitte pas et toute cette vie intéressante que je mène ici, c'est avec vous que je la mène. Nous ne sommes pas séparés. Il y a eu libération des incurables ici et il y en a un, ami de Nizan, qui doit aller vous voir et vous donner des mes nouvelles. Pour moi, présentement, j'ai à mettre sur pied une nouvelle théorie du Temps. Cela marche. Au revoir mon doux petit, à bientôt. Je vous aime.

1941

À Simone de Beauvoir

[Février]

Mon charmant Castor. Je ne reçois plus vos douces petites lettres. Voilà une lettre-réponse à remplir. Mais vous savez, ne croyez pas ce qu'on dit et continuez à m'écrire sur papier ordinaire avec enveloppe. Ces lettres-ci ont seulement la priorité sur les autres. Ne vous laissez pas déconcerter par les employés des P.T.T. Par exemple il ne faut plus m'envoyer d'argent. D'abord parce que, je l'espère, les civils vont être prochainement libérés. Mais même si nous restions encore un peu ici *gardez tout votre argent,* je n'ai besoin de rien. Vous verrez bientôt Marc Bénard, un infirmier très plaisant qui vient d'être libéré. Je vous raconterai par le menu tout ce que je pense et fais, au point que je n'aurai plus rien à vous dire en rentrant. Ne publiez pas cette visite. En attendant le départ je me suis remis à la philosophie et je construis laborieusement une théorie de la Temporalité. Dame, ça n'est plus si facile à faire que de la Phénoménologie, où tout coulait de source. Mais ça vient. Ça me plaît d'avoir tout de même une théorie philosophique à vous exposer. Je vous aime.

À Simone de Beauvoir

2 mars

Mon charmant Castor. Avez-vous vu Bénard ? Soyez une tombe pour ce qu'il vous dira sauf à Bost et mettez-le au travail, ce petit Bost. Essayez encore de m'écrire des lettres, celles de mes parents sont acceptées. Je suis toujours en instance de départ. Mon doux petit, il faut être joyeuse. Je crois que vous avez toutes raisons de l'être. Je vous aime de toutes mes forces et très joyeusement pour ma part.

À Simone de Beauvoir

9 mars

Mon charmant Castor. Encore un tout petit peu de patience. Les premiers convois de civils commencent à partir, je pense être des suivants. Je vous aime. T. m'écrit qu'elle suit un traitement (ou va le suivre) qui lui coûtera 3 000 francs. Voulez-vous voir si la *N.R.F.* n'a pas quelque chose comme cela à me donner, pour la vente de *L'Imaginaire*. Vous le donneriez à T. Il fait beau et j'ai fait toute une théorie de la Temporalité (200 pages). Comme je voudrais être près de vous.

À Simone de Beauvoir

[Milieu mars]

Mon charmant Castor. Nous partons tout à l'heure pour la France où on nous groupera dans un camp de triage d'où nous serons expédiés vers nos domiciles respectifs. L'opération prendra *au maximum* une quinzaine de jours. Nous sommes aujourd'hui vendredi. Quand vous recevrez cette lettre, je serai bien près d'arriver. Ne parlez pas de mon arrivée car je veux vous consacrer entièrement les premiers temps. (Sauf au petit Bost, naturellement, que je me réjouis de revoir.) J'ai reçu votre carte et je suis content que vous ayez vu Billiet. C'est un autre que je voulais vous envoyer, infirmier, mais finalement ils sont revenus ici. Ici il fait beau et comme vous pensez bien, l'humeur est bonne. Tous mes souvenirs de Paris commencent à se dégeler un à un mais prudemment. Mon doux petit est-il possible que je vous revoie bientôt et que je retrouve votre petit sourire et vos vieilles petites joues ? Je vous aime tant mon cher petit. Quand vous recevrez ce mot, prenez soin de rester en contact avec l'Hôtel du Danemark car j'y téléphonerai dès l'arrivée pour vous donner rendez-vous. Je vous embrasse de toutes mes forces.

À Simone de Beauvoir[1]

Mon charmant Castor

Je suis toujours là, on ne m'a pas kidnappé et je vous aime toujours de toutes mes forces, tout juste comme dimanche soir au Luxembourg, quand on s'est quittés. Je ne sais si jamais j'ai connu la tentation que vous m'avez dite, en tout cas je n'en ai jamais été plus loin qu'aujourd'hui.

Voici une très bonne nouvelle, ma petite fleur, qui va faire claquer de joie vos petits os : la *N.R.F.* nous devait 12 855 francs ; j'ai dit : douze mille huit cent cinquante-cinq francs. Dépensez, dépensez, mon doux petit, tout votre sou. Il est dommage que vous n'en ayez pas pris davantage. Je n'ose vous en envoyer, je ne le toucherai que samedi. Du coup toutes les difficultés sont aplanies.

J'ai vu Parain, Gallimard et Queneau. Très étonnés que je ne fasse rien paraître. Louches vis-à-vis d'eux-mêmes, je vous expliquerai. Ils savaient sur moi, d'ailleurs, des choses qui m'ont renversé. Je vous raconterai. J'ai vu Merleau-Ponty et Wagner[2].

1. Sartre était revenu à Paris.
2. Professeur de lettres, ancien camarade de Sartre eau-frère de Merleau-Ponty.

Cavaillès [1] marche avec nous et il y a bien eu un manuscrit de moi en forme de journal (un carnet ?) trouvé sur une voie de chemin de fer et qu'il tient à ma disposition.

Mes rapports avec T. sont parfaits. Elle est absolument charmante avec moi, dans le genre propriétaire ; je me sens un chat ou un pékinois très aimé, ce qui est plutôt gonflant. J'ai bien de la tendresse pour elle, car elle est touchante et plaisante mais le merveilleux Zazoulich s'est effondré avec 1938. Mouloudji sort souvent avec nous le soir car il n'a pas le sou et se fait entretenir avec simplicité. Il ne semble plus me haïr et j'ai de la sympathie pour lui. J'ai perdu votre livre sur Hegel.

Je connais l'histoire de T., je vous la raconterai, c'est innocent et dangereux pour elle mais sans aucune conséquence à présent. J'ai décidé de lui faire abandonner la peinture qu'elle hait et de lui faire travailler le théâtre. Je vous en parlerai. Excusez-moi de faire un bout de lettre si sec, elle est partie pour un quart d'heure et j'écris l'œil fixé sur la porte car il ne faut absolument pas qu'elle voie cette lettre. Mon doux petit, sa sécheresse ne correspond pas du tout à l'état de mon cœur, je revois votre cher petit visage et j'ai tant envie de vous retrouver. Amusez-vous bien, mon petit. Je vous aime de toutes mes forces.

1. Professeur de philosophie, qui joua un grand rôle dans la Résistance et fut fusillé.

1942

À Simone Jolivet

Mardi

Chère Toulouse

Arnaud m'a appris hier la mort de ta mère. Nous n'avions pas eu souvent l'occasion de parler d'elle ces derniers temps, mais je me rappelle vivement ce qu'elle était pour toi il y a quelques années et je crains que ce n'ait été pour toi un coup très dur. J'aimerais te voir, mais je ne sais si tu ne préfères pas la solitude en ce moment. Envoie-moi un mot à l'hôtel de Paris — ou un coup de téléphone — et j'irai chez toi au jour et à l'heure qui te conviendront, pour te rappeler, mieux que par une lettre, que je partage sincèrement et profondément tout ce qui t'arrive, le mauvais comme le bon.

En toute amitié.

1943

À Simone de Beauvoir

Samedi [été]

Mon charmant Castor

Que vous voilà loin. Vous me manquez, cher petit. C'est bien fade un Paris où vous n'êtes pas là pour voir en même temps que moi ce que je vois. Je pense tout le temps que vous vous amusez, pour me consoler. Mais votre genre d'amusement n'est pas de ceux dont je puisse me réjouir ; c'est comme si j'essayais de me délecter en pensée en imaginant que vous mangez un bon petit plat de moules à la sauce tomate.

Ici il y a des hauts et des bas. Mais le fond de sagesse est inaltéré. Naturellement ce qui fait le bonheur des uns fait le malheur des autres : elle dit que ce sont des vacances bousillées. Elle est tout le temps par les routes, et si je la vois cinq minutes, il faut lui seriner son texte, ce qui ne m'ennuie pas.

La bonne nouvelle c'est que le scénario[1] va sans doute être pris. Après une sotte nuit blanche passée chez Zuorro, la fatigue m'avait tourné au sombre et je m'étais dégoûté de cette histoire qui n'en finissait pas ; je me suis couché, battu et refusé par avance. Mais le vendredi matin les 9 heures de sommeil m'avaient rendu gaillard et j'ai lu mon historiette avec une aisance que troublait seule la crainte de montrer des trous larges comme des couchers de soleil à mes chaussettes ; mes souliers étaient étoilés de vieilles taches de

1. Le scénario de *Les jeux sont faits*.

savon blanc et de dentifrice et voisinaient avec d'admirables chaussures en cuir brut, qui appartenaient à Delannoy[1]. J'ai lu ce que j'avais fait — la moitié à peu près de ce qu'il y avait à faire — et j'ai bafouillé un peu en racontant la suite, vu que je ne sais pas trop ce qui viendra. Il y a eu ce froid silence qui m'avait déconcerté la première fois et puis Giraudoux m'a fait quelques critiques qui se résumaient à celle-ci : que le caractère des personnages n'était pas assez sorti et qu'il s'agissait à présent de forcer un peu sur le psychologique. Mais tout aussitôt Borderie[2] a protesté : il trouvait tout bien, lui, et s'arrangeait d'ailleurs pour ne pas très bien comprendre quoiqu'il n'y eût rien du tout à comprendre. C'est qu'il a de petits schèmes pittoresques dans l'esprit et il voudrait y assimiler ce qu'il entend. Il m'a dit : « La femme est une indigne, n'est-ce pas, c'est une femme complètement perdue ? » J'ai dit : « C'est selon. » Prudemment, car je voulais le fric mais Giraudoux et Delange[3] (qui ne veut pas que sa coccinelle joue une roulure) sont intervenus pour rectifier. Alors il a dit avec un soupir : « C'est dommage : ce serait si amusant, un homme qui se relève à cause d'une femme qui est une roulure. » Voilà de l'ironie amère pour pilules Pink. C'est son niveau. Mais Delannoy semble content, quoique réclamant lui aussi des considérants psychologiques. Il voudrait tourner le film. On a discuté sur les interprètes possibles, ce qui est bon signe ; on m'a complimenté sans réserve. Inexplica blement c'est le mort sur l'autobus qui a séduit. Bref on me demande de le finir le plus vite possible (mettons pour vendredi) et je crois qu'on me le prendra. Un seul ennui c'est que l'argent qui me sera alors remis (37 500 francs j'espère) ne pourra guère être touché avant le 17 ou le 18. Le temps qu'ils établissent chèque et contrat — le temps que le chèque soit endossé par la poste, nous voilà peut-être au 20. Mais si cela est, je taperai mes parents contre un chèque postal, qu'ils pourront toucher le 20. Ne vous inquiétez pas. Je n'ai pas encore parlé de « Mon associé M. Smith ». Je compte le faire vendredi.

Grenier[4] demande votre manuscrit[5]. Je vais le lui envoyer en lui

1. Le metteur en scène présumé de *Typhus*, voir note p. 834.
2. Le producteur.
3. Journaliste, directeur de *Comédia*, influent dans les milieux du cinéma.
4. Jean Grenier, philosophe et lecteur chez Gallimard.
5. *Pyrrhus et Cinéas*.

demandant de le rapporter à la *N.R.F.* où Parain le trouvera en août à son retour. J'ai porté vos épreuves[1] chez Festy[2]. Mais qu'elles sont *mal corrigées,* mon petit. Je me suis amusé à en relire cent pages et j'ai trouvé d'assez nombreuses erreurs que j'ai corrigées au fur et à mesure. Enfin, le scénario est pris, n'ayez crainte : vous n'aurez besoin d'aucun travail l'an prochain, nous vivrons pénardement.

Je me suis fait engueuler à propos de votre malle par le concierge de l'hôtel. Il m'a dit, comme je lui annonçais, la bouche enfarinée, que j'avais tout emporté et que la chambre était prête pour emménagement : « Et la malle, nom de Dieu ! qu'est-ce que vous croyez que je vais en foutre de la malle. Mlle de Beauvoir ne m'a pas donné un sou de pourboire de toute l'année, ça n'est pas moi qui vais la descendre. » Je suis parti incertain. Bost n'est pas là, je ne puis la descendre seul et l'emmener seul à la Louisiane. Que faire ? Si je pince Bost demain, j'y retournerai avec lui.

Tout ça n'est qu'un petit mot à l'emporte-pièce, mon amour, pour vous dire que je vous aime et que le scénario se dessine bien. J'écrirai mieux tous ces jours, je peindrai les états d'âme et les atmosphères. Il est cinq heures, c'est samedi, je suis en haut du Flore, le soleil entre par la fenêtre, Tania répète au Lancry. Ce soir nous voyons Mavroïdès[3].

À demain ou après-demain mon amour, mon charmant Castor, je vous embrasse sur votre belle figure bronzée.

À Simone de Beauvoi

Jeudi 8 [été]

Mon charmant Castor

J'ai bien du temps pour vous écrire. Je devais aller voir jouer Tania au théâtre de Lancry (c'est sa troisième représentation, elle n'a pas voulu que j'assiste aux précédentes) ; mais le cruel veilleur

1. *L'Invitée.*
2. Chef de fabrication chez Gallimard.
3. Comédienne, amie de Tania.

de nuit à qui vous m'avez adressé refuse de se charger de louer ma place. Merleau-Ponty s'est proposé : il part avec moi et s'arrête non pas à Uzerche mais à Montauban. Nous voyagerons ensemble. Seulement je ne peux plus mettre la main dessus et c'est pourtant urgent. Je suis donc revenu m'établir en permanence au Flore où il passera certainement, puisque j'ai sa carte d'identité et je l'attendrai jusqu'à onze heures, avec de rapides petits sauts chez lui, 188 bd Saint-Germain. Sinon, eh bien je me lèverai demain à cinq heures et c'est moi qui ferai la queue pour les billets. J'ai grand-hâte de vous voir, mon doux, mon cher petit et j'ai grande envie de me balader avec vous, *même* à bicyclette. Vous me manquez bien.

Delange, qui est décidément une perle, m'a dit ce matin qu'il allait vous trouver quelque chose : 12 sketches radiophoniques à raison d'un par mois à arranger pour l'année prochaine (on vous fournit l'idée, vous faites le dialogue — ça dure 10 minutes) qui vous seraient payés de 1 500 à 2 000 balles. Ce serait déjà fort beau. Ça vous prendrait bien quatre heures par mois. J'ai accepté pour vous d'enthousiasme. Il va en parler demain au directeur de la Radio [1]. Je dîne avec lui et Crommelynck demain soir après la grande épreuve de l'après-midi : le scénario est fin prêt, il n'y a plus qu'à l'adapter. Et pour qu'il soit plus présentable, le même Delange, naturellement, m'a cherché avant-hier au Flore pour me proposer de le faire taper. J'ai accepté et le lui ai livré ce matin. Je ne sais d'ailleurs pas si sa dactylo aura le temps de taper ces 70 pages bien tassées. Il m'a dit qu'il avait revu Borderie qui semble très accroché par le sujet. Donc il y a de fortes chances. Vraiment nous pourrons dire merde à l'Alma Mater.

Dullin demeure confus dans ses discours et projets. Je l'ai eu au téléphone, hier — il est à Férolles — et il avait l'air gêné. Je crois savoir la raison de cette gêne : il aurait décidé — a dit Bonnaud — de monter *Pourceaugnac* dès le 15 août pour la rentrée de septembre et de jouer *Les Mouches* une fois par semaine seulement. Moi je m'en fous. Mais je conseillerai à Olga de refuser : elle touchera 100 francs par semaine et ça l'empêcherait de jouer ailleurs. D'autre part Picard, l'amant dentiste d'Aninat — qui vient d'avoir un contrat pour trois pièces chez Hébertot — a reçu un coup de

1. Radio-Vichy. Le C.N.E. autorisait les émissions en zone libre.

téléphone de Lanier[1], fort déprimé : dans une longue lettre embarrassée, Dullin vient de lui signifier à peu près qu'il ne l'emploierait pas l'année prochaine. C'est insensé, quand on songe que trois jours avant la générale des *Mouches,* Dullin emporté par l'enthousiasme, se retournait sur son fauteuil pour dire de Lanier : « C'est un grand acteur romantique. » Enfin de tout cela j'aurai le cœur net car je vais avec Tania lundi à Férolles. J'y boufferai bien sans aucun doute mais il faudra rendre compte à Toulouse de ses œuvres. Si Dullin n'a pas la conscience tranquille vis-à-vis de moi, ça sera charmant, nous serons tous dans nos petits souliers.

Tania joue donc le rôle de Molly Byrne dans *La Fontaine aux saints*[2]. Ç'a été l'occasion de crises de nerfs et de larmes le jour de la première, quoiqu'elle affirmât n'avoir aucunement le trac et être simplement « très froide » — mais finalement, je crois qu'elle est très bonne, autant que ce rôlet le permet. Les premiers jours de répétitions, j'ai dû faire le barbon bienveillant dans les coulisses ; on m'y a traité avec respect et demandé une pièce : ça ne me rajeunissait pas. Il faut bien se résigner à présent à se ranger du côté des importants. C'est une bien triste petite troupe dans un triste petit théâtre. Ils sont tous excessivement fragiles, un rien les gèle, ils ont leur petit amour-propre, leur dignité fière et humble et, naturellement, ils se haïssent entre eux, malgré quelques enthousiastes tels Chauffard[3], Darbon[4], Delarue[4]. Leccia[4] se plaint qu'on ne la paye pas et qu'elle vient jouer le ventre vide ; Vilar, le grand premier rôle, s'en va parce qu'on lui a manqué d'égards. Cavé, le metteur en scène et chef de troupe, a emprunté à son nom l'argent qu'il perd généreusement chaque soir. Il en est fort triste ; il a d'ailleurs l'air naturellement lugubre et n'a, pour le consoler, que l'amour caché d'une fille laide nommée Odile qui joue les utilités et tient mal l'emploi de régisseuse. Naturellement Tania trouve que ça sent la mort et, vous le savez, rien ne la met en fuite autant que la misère, la mort ou le malheur. Elle se met en veilleuse dès qu'elle arrive au théâtre et il lui faut les feux de la rampe pour lui donner un peu d'excitation. Le théâtre est rue de Lancry, près

1. Qui jouait le rôle d'Oreste dans *Les Mouches.*
2. Une pièce de Synge.
3. Ancien élève de Sartre qui avait finalement opté pour le théâtre.
4. Acteurs, élèves de Dullin.

de la République. Il n'est signalé par rien sinon une pauvre petite pancarte jaune et marron qu'on voit à peine et si étroite que les lettres y sont écrites les unes en dessous les autres. Il est dans la cour d'un immeuble où fut autrefois l'Hôtel des Chambres syndicales. On entre par une porte ordinaire, à peine un peu cochère, on passe un couloir, on franchit une cour, on passe sous des arcades et on arrive dans une salle de cinéma. En général elle est à peu près vide. 80 personnes par soir, à peu près. Ça sent non pas *une* mort mais plusieurs morts successives, à commencer par celle des Chambres syndicales et c'est dans un quartier (la porte Saint-Martin) qui est mort depuis 1830. Tous les soirs vers sept heures nous traînons là, buvant un quart Vittel tantôt au Rognon flambé tantôt au Louis XIV, bars minables qui ne répondent aucunement à leurs noms brillants. Après quoi j'ai soirée libre et je retrouve Tania au Flore ou chez elle vers 10 heures 30. En sorte que je la vois de 12 heures à 19 heures. Elle a un peu protesté au début, je crois même qu'il y a eu une scène violente. Mais sa Sainteté a repris le dessus et il n'est plus question de rien à présent. Tous ces jours-ci je travaillais le matin au scénario (fini ce matin) et puis je voyais quelque Chauffard ou Lescure [1] (ce dernier m'a donné cinquante grammes de tabac blond spécialement envoyé pour moi par un admirateur suisse dans la valise diplomatique) ou bien j'allais acheter des victuailles. Les nouilles ne sont pas sorties mais bien *8* kilos de pommes de terre. Ça m'arrange bien car je n'ai plus de pain. Tania m'en a donné sept cents grammes sur sa carte mais ça ne suffit pas, hélas. L'après-midi je faisais répéter son rôle à Tania, on tourniquait dans sa chambre et puis on allait à pied (mais sans grand plaisir car le temps est lugubre, pluie, ciel gris et tremblotant, froid) au théâtre Lancry. De là je revenais en métro au Flore où j'ai vu Pasche hier soir qui avait de très intéressantes observations de malades à me communiquer et qui m'emmènera l'an prochain en voir avec lui à Sainte-Anne. Avant-hier soir j'ai vu Lescure, demain soir Crommelynck et Delange, samedi je dîne chez Leiris. Dimanche après-midi je vois mes parents, dimanche soir Zuorro sans doute.

Petites nouvelles : Moulou [2] est casé ici, dans une société de

1. Poète et éditeur français qui a publié en Suisse des écrits de résistants français.
2. Mouloudji.

télévision allemande, Biran m'a fait des propositions intéressantes, Oettly prend un théâtre (l'Ambigu) et m'a commandé une pièce — je n'ai dit ni oui ni non — Mme Fiévet est renvoyée de chez Gallimard, mais heureusement Winnifred Moulder demeure; Queneau est venu me proposer de la part de Gallimard de faire un livre avec mes articles critiques mais j'ai dit qu'il n'était pas encore temps; Violette Brochard est à Paris et verra Tania samedi à 2 heures 1/2, nouvelle après-midi libre; Lola n'ira pas voir Sarbakhane [1] et passera les lundis avec Tania dans un camp de nudisme, Tania consent à y aller si elle peut garder sa robe. Et puis, figurez-vous que Zina [2] s'est mis dans la tête d'avoir une histoire avec Chauffard. Elle m'avait même demandé de donner un rendez-vous à Chauffard où il serait venu sans méfiance et elle-même se serait amenée un quart d'heure plus tard avec un air de ne pas avoir l'air et comme pour me faire une commission. Elle se serait assise, aurait brillé une demi-heure sans faire attention à Chauffard et serait partie en lui adressant simplement un regard appuyé. Sur quoi Toulouse survenant aurait invité sous un prétexte Chauffard à venir prendre le café chez elle le même jour. Tania, Zuorro et moi nous serions alors transportés chez Toulouse et y aurions bâfré. Toulouse aurait servi le café, Chauffard se serait amené fidèle au rendez-vous, aurait bu le café, jasé et Zina en le raccompagnant dans l'antichambre lui aurait planté un baiser sur la bouche. Heureusement les circonstances n'ont pas permis à Toulouse de réaliser ce projet surprenant. Elle est partie plus tôt qu'elle ne pensait pour Férolles et l'entrevue est remise à l'année prochaine.

Voilà. Zazoulich a une lettre de vous, plus heureuse que moi qui suis passé en vain hier et avant-hier à la poste. J'irai demain matin et s'il n'y a rien, demain après-midi. J'ai bien envie de revoir votre sale petite écriture.

Au revoir, mon doux petit Castor. Le Ponteau-Merle [3] est venu, il a pris ma carte d'identité et mon sou et il ira sagement faire la queue pour moi demain. Tout est au mieux. J'arriverai en temps

1. Sorokine.
2. L'âme damnée de Toulouse (Simone Jolivet).
3. Merleau-Ponty.

voulu. Je pense que j'écrirai encore un petit mot. Toujours à Clermont-Ferrand ; faites suivre si vous n'êtes pas là.

Je vous embrasse de toutes mes forces, mon charmant Castor que j'aime de tout mon cœur.

À Simone Jolivet

17.7.

Chère Toulouse

J'ai eu les plus grandes difficultés avec ces gens de la Société des Auteurs Dramatiques, ils m'ont demandé un « Pouvoir » enregistré avec ma signature légalisée pour me verser mon argent en mon absence. Pour finir je toucherai l'argent en revenant (je ne suis « admis » que d'avant-hier à cette Société). Je te demande donc, si ça ne te gêne pas, de n'envoyer mon chèque que le 1er août. Tu recevras alors l'intégralité de mon traitement de juillet. Ainsi tout finira bien. (J'ai assez d'argent, par ailleurs.)

J'ai regretté que nous soyons obligés par les horaires de nous quitter si brusquement, l'autre jour. J'aurais voulu te redire la certitude que j'ai de ce que ta mémoire ne se fanera pas. Et puis, en y réfléchissant, je pense aussi que je ne t'ai pas assez dit que je *n'aime pas* le « genre » des histoires démoniaques (le fantastique). Cela aussi peut expliquer que je me sois montré un peu rechigné. Pour moi, c'est tout autre chose que j'attends de toi. De cela aussi nous aurions dû parler mais, si tu le veux bien, nous le ferons à la rentrée.

Nous sommes à Uzerche depuis 2 jours, Castor et moi, nous attendons une bicyclette pour partir vers Brive, Tulle et Clermont-Ferrand. Il fait un temps superbe mais je n'aime pas beaucoup le Limousin.

Amitié.

À SIMONE DE BEAUVOIR

Mercredi [fin 43]

Mon charmant Castor

Il est trois heures vingt-cinq, je suis au Flore, j'écris scrupuleusement. Alors vous voilà metteuse en ondes, qu'est-ce que c'est donc ? Personne n'a pu au juste me raconter l'histoire. Aujourd'hui vous vous en foutez bien des ondes ; vous glissez de haut en bas. J'ai bien pensé à vous, au voyage, à l'arrivée, je me rappelle un tas d'arrivées, le matin — une à Saint-Gervais. Je vous envie tout de même un peu. Amusez-vous bien surtout.

Lundi j'ai eu une Tania sinistre, elle ne sait pas pourquoi « c'est bien la pire peine, de ne savoir pourquoi, sans amour et sans haine, mon cœur a tant de peine » ; larmes, plaintes, mains tordues, longs silences, je me pelais. Pour finir Zuorro est venu cinq minutes apportant un paquet de thé. Cela a plu, a donné assez de forces pour dormir. Hier matin, j'ai travaillé et déjeuné chez les parents. L'après-midi travail de trois à cinq et demie au Flore et puis j'ai accompagné Roy[1], tout à fait fou, chez Morgan. De là chez Tania qui, deux minutes après mon arrivée, sanglotait et gigotait sur son lit en hurlant : « Va téléphoner au théâtre[2] que je n'irai pas jouer. » Je ne sais le motif de cette ondée, j'en sais la cause : elle avait mangé huit cachets d'orthédrine. Un ou deux ça égaie, trois ça rend rêveur, huit, vous imaginez. J'ai refusé de téléphoner et fait quelque bruit. Je l'ai accompagnée pour finir, hurlante, dans le métro où elle pleurait par jets, comme si ses yeux avaient été deux aortes sectionnées. Elle a obtenu de moi que je ne reparaîtrai pas dans la salle de la Cité « car si je te vois, je hurle, je me jette en bas de la scène ». Je n'y tenais pas tant, je suis allé travailler au Flore, bien, jusqu'à 9 heures, mais à 9 heures, Vitsoris et une amie m'ont tenu les jambes solidement. A 9 heures et demie j'étais chez Dullin que j'ai trouvé dans sa loge en Jupiter, froid comme une pluie d'octobre, s'arrachant les mots, se plaignant de sa solitude. J'ai ri et babillé comme si je ne m'apercevais de rien. Je suis parti en promettant de revenir mardi prochain au moment où il commen-

1. Ancien élève de Sartre.
2. Elle tenait un petit rôle dans *Les Mouches*.

çait à se dérider. C'est que Nino Franck[1] rôdait dans les couloirs en demandant la loge d'Olga Dominique[2]. Je l'ai vu, il est très content d'elle, il dit que *ça pourra très bien marcher pour* Typhus[3] et qu'il m'en parlera vendredi. Je vous tiendrai au courant. À 10 heures j'ai vu arriver Tania souriante et gaie, qui avait joué avec âme le rôle de la jeune femme. Je l'ai raccompagnée en métro avec Zazoulich en pleurs parce qu'elle avait (qu'elle disait) mal joué et que Cuny était dans la salle. Ça n'a pas empêché Cuny de venir la trouver dans sa loge pour lui dire qu'il avait le projet de jouer avec elle (mais l'argent manque). Elle m'a prêté une des pipes de Bost parce que j'ai cassé la belle mienne qui faisait tétine. Je suis resté cinq minutes avec Tania, juste le temps qu'elle sanglote un peu sur son sort. « Je vis si confortablement, hi, hi ! sanglotait-elle. Et j'ai tout ce que je veux, hi, hi ! Et j'ai de l'argent et je vais jouer ! Il faut qu'il m'arrive quelque chose de bien horrible pour que je me sente si sinistre en de telles conditions. » Je lui ai flatté un peu le cou et je suis parti. Arrivé à l'hôtel de la Louisiane, pas de clé. L'avez-vous emportée ? La porte restera ouverte, tant pis. J'ai salué les petits[4], et mangé trois petits œufs. J'ai fait la lettre au père Bourla et j'ai dormi comme un dieu. Ce matin, quatre heures au lycée, puis 3 œufs et un paquet de nouilles. J'ai discuté jusqu'à trois heures moins vingt avec les petits qui n'aiment pas *Le Sang des autres,* assez bêtement, je crois. Mais ils sont gentils, je trouve chaque jour mon couvert mis, une écuelle, un bol, une cuiller et un couteau, sur la nappe tigrée, c'est touchant. Et me voilà. Je vais un peu travailler avant la venue de MerliPonte[5].

À bientôt, mon charmant petit. J'écrirai samedi. Descendez, montez, mettez-vous bien en nage. Je vous aime de toutes mes forces et je vous embrasse sur vos bonnes petites joues (elles seront sûrement hâlées au retour, j'ai croisé des gens tout bruns qui revenaient de skier).

Saluez la Bûche[6].

1. Critique de cinéma, influent dans le monde du cinéma.
2. Pseudonyme d'Olga au théâtre.
3. Scénario de Sartre qui fut tourné sans son nom dans une version défigurée.
4. Sorokine et Bourla. Bourla, ancien élève de Sartre, juif, que nous aimions beaucoup, a été abattu par les Allemands.
5. Merleau-Ponty.
6. J'étais aux sports d'hiver, à Morzine, avec des amis et Bost.

1944

À Simone de Beauvoir

[Début 44]

Mon charmant Castor

Si je ne l'avais déjà fait une fois, je vous écrirai dans cette lettre que je l'envoie poste restante et que j'espère que vous l'y viendrez chercher. Mais je pense que vous le ferez sans ça. À vrai dire j'ai bien votre adresse, mais j'ai laissé comme convenu la lettre rue de Seine et ça me ferait perdre du temps d'aller la chercher. Je vous écris du Flore, bien calme ; votre lettre m'a charmé je pense que vous devez être aux anges. Mais aura-t-il neigé ? Et les leçons ? Demain, j'imagine j'en aurai une autre. Ceci, je vous le signale, est ma *troisième* lettre.

Depuis dimanche il y a peu d'événements. Question travail, j'ai fini l'article Parain [1] et me suis remis au roman avec délices. J'en ai déjà écrit quinze pages vous en trouverez cinquante à votre retour, c'est tellement plus amusant que de parler du langage.

Question humeur : j'étais un peu vexé de voir mes scénarios refusés, je suis si habitué aux éloges, à présent, que, lorsqu'on ne m'en fait pas, ça me désoriente. J'ai été d'humeur un peu noire jusqu'à dimanche soir. Le dimanche soir a marqué le paroxysme, car j'ai été dîner sous la pluie chez la bonne femme de Mistler. Quoi de plus horrible. Elle rougit à la fin des repas et son visage déjà laid se décompose effroyablement. Il y avait là deux enfants,

1. *Aller et retour,* paru dans *Situations I.*

une petite fille à tresses et le jeune garçon délicat qui sera plus tard romancier et qui est un peu retardé par la maladie dans ses études. Il y avait aussi Mistler que tout le monde nomme Edgar dans l'intimité et un chat, seul élément plaisant, qui se torche authentiquement le cul, comme un homme, avec du papier hygiénique. Vous allez nier ça, bien entendu, parce que le merveilleux des autres vous irrite et c'est pourtant vrai, à preuve qu'on a dîné au milieu d'un grand bruit de papier froissé, car cette bête s'y reprend à plusieurs fois, n'ayant pas un talent à l'égal de sa bonne volonté. À dîner : une admirable soupe aux choux, une entrecôte, des gâteaux maison et de la confiture. Café et kirsch authentique.

Je suis rentré me coucher chez vous et réveillé d'excellente humeur. J'ai vu Lefèvre-Pontalis [1], toujours décidé à se marier ; je suis allé manger des œufs et des nouilles rue de Seine et puis je suis allé rue de Trévise, voir la répétition [2]. C'est de mieux en mieux. Camus et Tania se détachent et laissent Kéchélévitch sur place. Jeannet sera remercié demain, il est incapable. Peut-être Chauffard prendra-t-il sa place. J'hésite à lui faire abandonner Dullin tant que le théâtre Gallimard n'est pas sûr. Queneau fera sans doute une pièce de théâtre d'un acte pour le lever de rideau. Ça serait bien.

Après la répétition on a été boire du thé au Flore, Tania, Kéchélévitch et moi. Puis retour et foyer jusqu'à minuit. Tania est douce comme un agneau car sa sœur l'a raisonnée : que pensait-elle d'aller courir après Camus ? que voulait-elle de lui ? n'étais-je pas tellement mieux ? et tellement gentil ? Qu'elle prenne garde. D'ailleurs était-ce si amusant de séduire les types ? Elle, Olga, l'avait fait longtemps mais ça ne l'intéressait plus du tout. Tania était ivre de fureur, mais elle a été secouée. D'où mignardises, c'est-à-dire qu'elle a mis des disques au phono et qu'elle a dansé lascivement autour de moi de 7 à 10. J'écoutais les disques. Mardi : travail jusqu'à onze heures. Chauffard et Roy de 11 à 12. Roy est tout à fait fou. Il écoute les histoires de fous avec une avidité gloutonne et tombe dans un abattement silencieux dès qu'il est question d'autre chose. Il va faire un malheur, à moins, ce que

1. Ancien élève de Sartre, devenu un psychanalyste très connu.
2. Il s'agit de *Huis clos*.

j'espère, que sa folie ne soit, comme la mienne autrefois, de se croire fou. En tout cas son visage se décompose lentement et ressemble curieusement à ceux qu'on voit dans les asiles. Il prétend avoir si bien démontré à un de ses amis que les fous avaient *raison,* que cet ami, convaincu, s'est fait enfermer et délire consciencieusement. Tania, agitée et vipérine — une heure en tout dans la journée, de 1 heure à 2 — puis travail, puis prix de la Pléiade et joutes d'esprit, de finesse, de profondeur, de malice, d'ironie. Mouloudji a de fortes chances. On a procédé à un vote à blanc, une sorte d'éliminatoire : si vous aviez à voter, donnez 3 noms dans l'ordre de vos préférences. Nous étions sept. Les 7 ont donné le nom de Mouloudji à une place variable et 4 au premier rang. Donc la majorité. Seulement Éluard, Malraux et Bousquet n'étaient pas là. Pour Malraux on l'aura, si on supprime *Le Maçon* dont le côté pédérastique lui déplaît. Après la réunion, on a parlé avec Camus, Groet et Parain. On va ôter l'Éthique du volume « Philosophie » de l'encyclopédie et en faire un ouvrage à part où nous essaierons (vous, Camus, Merleau, Leiris, moi-même, etc.) de faire un manifeste d'équipe — une prise de position de morale concrète adaptée aux circonstances. Camus qui n'avait rien à faire m'a suivi au Flore où je suis resté avec lui jusqu'à 9 heures. C'est un peu marrant : il est légèrement pincé pour Tania. L'âme russe, que nous avons explorée jusqu'aux doubles tiroirs, lui est encore peu familière. Il parle du « génie » de Tania et de sa « valeur humaine ». Elle cependant marque, en tirant la langue, les « points » qu'elle gagne sur Camus, dans un petit agenda. Ça se présente comme ça :

Dimanche : III Lundi : IIII, etc.

Je suis resté à lire, après son départ. À dix heures je montais chez les petits qui sont dans une agitation extraordinaire à propos de divers trucs que je vous raconterai. J'ai mangé des nouilles chez eux et du chocolat de Bourla et puis, sur les minuit, je me suis couché. Ce matin, quatre heures de cours sans alerte, hélas. L'après-midi, Tania et depuis six heures, travail et lecture de manuscrit. Et je vous écris.

On éteint progressivement les lumières, mon doux petit. Je m'arrête donc. Je vous aime bien fort : une bonne partie de cette petite angoisse des premiers jours venait de votre départ, bon petit compagnon. À présent je m'habitue, mais je me trouve tout idiot d'être seul au Flore, quand j'étais si content d'y babiller avec vous. Adieu, petit, je vous embrasse de toutes mes forces.

Savez-vous que Zazoulich a lu *La Belle Heaulmière* dans votre émission de lundi dernier ?

1945

Pendant son voyage en Amérique Sartre ne m'a écrit que peu de lettres, d'ailleurs perdues. Il n'y avait pas de poste aérienne. Par bateau, les lettres ne parvenaient qu'avec d'immenses retards. Ses reportages au Figaro *et à* Combat, *il les a télégraphiés, aux frais des journaux.*

À Simone de Beauvoir

[Juillet]

Mon charmant Castor

Qui n'est pas si charmant que ça puisqu'il ne m'a pas écrit le moindre petit mot à Cannes. Enfin il y avait une grande lettre ici et vous êtes pardonnée parce que vous avez l'air de vous être bien amusée. Ça me fait rire que vous soyez à Vichy en ce moment — d'ailleurs par le fait vous n'y êtes plus. Je suppose que vous allez vous balader tant et plus dans le Forez et du côté où nous avions été en 41 ? Amusez-vous bien, vous qui n'avez pas perdu votre jeunesse (d'ailleurs je n'ai pas non plus perdu la mienne). J'ai des masses de choses à vous raconter. Voyons d'abord celles qui peuvent vous causer un petit agrément. Le voyage en août à Londres revient sur l'eau. De passage à Paris j'ai trouvé une lettre de M. Massigli qui me remet à l'automne, sans parler de vous. Mais j'ai rencontré Cohen le metteur en scène qui veut faire *Les jeux sont faits ;* il m'a dit qu'une compagnie anglaise veut monter un film sur les atrocités, qu'ils ont d'admirables documents mais qu'ils nagent pour établir une ligne générale ; qu'il leur a dit : Il n'y a qu'un type pour vous faire ça, c'est Sartre. J'ai répondu que j'acceptais à la condition *expresse* que vous fussiez invitée aussi, car vous étiez ma conseillère. Que l'argent importait peu : je serais défrayé de tout là-bas et je pourrai donc vous offrir le séjour. Il dit que c'est son frère qui fait les ordres de mission pour le cinéma et que ça ne fera pas un pli. Il faut seulement que les gars de là-bas acceptent de faire faire leur scénario par un Français. Il me donnera la réponse vers le 10 août et nous partirions vers le 20. Ça reste en l'air mais enfin... J'expédie par le même courrier un mot de Dorian, d'Euraméric qui s'intéresse à votre pièce. Acceptez : il organise des conférences en Amérique du Sud. Voilà le bon. Il n'y a d'ailleurs pas de mauvais.

Pour le reste Tania a été un charme ces derniers jours sauf que la veille de mon départ, elle m'a dit soudain les poings serrés : « Je viens de découvrir qu'il n'y a personne au monde avec qui je m'ennuie plus qu'avec toi. » Mais ce n'était qu'une généralisation hâtive et elle est revenue à une plus juste appréciation. Je n'ai pas fait la queue pour mon billet, un type mystérieux m'a donné *pour rien* une fiche d'admission. Elle était d'ailleurs outrageusement fausse et l'employé a tiqué si fort en me donnant mon billet que je n'ai pas osé la montrer au contrôle. Alors j'ai pris un billet pour Antibes et je suis allé m'installer une heure et demie d'avance sur un banc de la gare avec Tania. Ensuite de quoi j'ai passé 26 heures dans un train bondé, j'étais debout dans le couloir, c'est plutôt pénible. Et puis ils chauffent la locomotive à la limite qui couvre de crasse les voyageurs, je suis arrivé rompu et noir comme un cul de nègre. J'ai tout de même (quoique n'ayant pas mangé de 24 heures) fait la queue aux renseignements de la gare de Lyon pour savoir comment on allait à Saint-Sauveur[1]. Par le fait on n'y allait pas, c'était le plus simple. On pouvait y aller par Auxerre, il y avait une correspondance à Auxerre même (en traversant toute la ville) seulement il fallait une fiche d'admission, donc nouvelle attente et surtout retard de quatre jours. Pour Gien, il n'y a pas besoin de fiche d'admission : on prend l'omnibus de 6.05 du matin, seulement au moment précis où l'on met le pied à Paris dans cet omnibus, l'unique train pour Saint-Sauveur part de Gien. Et

1. Où ses parents avaient une résidence secondaire.

quand on arrive à 9 heures 15, dans cette ville sinistre, il faut y passer 24 heures en attendant le tortillard de 6 heures du lendemain. J'ai tout de même décidé de partir pour Gien mais en pensant que là-bas je me débrouillerais d'une manière ou d'une autre. Seulement après 24 heures de voyage, me lever à 4 h 1/2 c'était un peu dur et j'ai décidé de passer le dimanche à Paris et de repartir le lundi matin seulement. De là je suis passé à l'hôtel. On m'a dit, naturellement : « La clé est chez Mademoiselle Sorokine. » Je suis monté et l'ai trouvée dans les bras du charmant Moffat [1], définitivement installé à Paris jusqu'à son rapatriement et qui ne fait absolument rien que passer les journées avec elle. Il me plaît bien. La malle [2] était arrivée et puis il y avait du courrier : 2 000 francs d'impôts à payer par vous; et puis une lettre de Dolorès, ce qui m'a fait fort grand plaisir. La lettre est de ton très digne, vu qu'elle n'a pas reçu la lettre que je lui ai fait tenir par la Knopf et qu'elle m'écrit en somme pour me dire : pouce, écris-moi. Il faut compenser ça bien sûr par une roideur étudiée, mais on sent de la bonne chaleur comme il faut, par-derrière tout ça. Je lui ai écrit hier soir et je vais continuer d'ici. La malle était en parfait état, vos 6 mètres d'étoffe et vos deux paires de souliers y sont bien. J'ai distribué chocolat et pâté à Sarbakhane, thé à Olga (revenue pour dire un dernier adieu à Bost qui attend son départ d'un jour à l'autre). Ensuite je suis allé toucher de l'argent aux Chèques postaux (1 heure et demie d'attente) puis envoyer un mandat télégraphique à Tania. Vous vous rendez compte : de 2 heures à Cannes à 6 heures à Paris je n'ai guère chômé. Pour ma récompense j'ai été une petite heure tout seul au Pont-Royal, puis j'ai emmené Sorokine dîner, puis j'ai passé la soirée avec Moffat et Sarba [3] au Pont-Royal. C'était une soirée sympathique mais studieuse parce que la différence des langues rend les communications ardues. Vers 10 heures Sorokine donnait des signes d'impatience et je les ai laissés pour aller chez Cheramy [4] où Astruc m'a exposé son âme tout en me remettant un opuscule gonflant qu'il a

1. Jeune officier américain, devenu plus tard scénariste à Hollywood et qui a épousé Sorokine.
2. Que Sartre m'avait envoyée de New York.
3. Sorokine.
4. Restaurant-bar de Saint-Germain-des-Prés.

écrit sur l'Argent. « Vous avez bien de la chance d'être moral », soupirait-il en confessant son arrivisme. Là-dessus je me suis couché. Le dimanche j'ai vu Chauffard, Nathalie Sarraute, Violette Leduc, Vitold, j'ai écrit des lettres, rédigé ma prière d'insérer, puis, sur le soir, j'ai ramené Chauffard, Vitold et Darbon avec son phono chez Sorokine et j'ai joué tous les disques que je rapporte à Duhamel[1]. De là je suis allé chercher mon courrier à l'hôtel Chaplain où j'ai rencontré Olga, dont j'ignorais la présence à Paris et que j'ai invitée avec Bost pour le déjeuner du lendemain. Il faut vous dire que je venais d'être pris d'une fièvre de cheval et de telles souffrances d'estomac que je n'envisageais pas de me lever à 4 heures 1/2 pour reprendre le train. Par le fait, je suis rentré me coucher et j'ai eu une nuit pénible, presque sans sommeil. Le lendemain, encore très abîmé, j'ai vu Cohen à midi, puis Olga et Bost à déjeuner, puis Martin-Chauffier qui nous donnera le 15 septembre une quarantaine de pages sur les camps, ce qui nous oblige à modifier la teneur des numéros de nov. et déc. (car il paraît en livre au mois de janvier). Puis derechef Bost avec qui j'ai passé la soirée (jusqu'à 10 heures). Je suis allé saluer Sorokine et Moffat et j'ai dormi. A 4 heures 1/2 réveil, je suis allé à pied, rucksack sur le dos jusqu'à la gare de Lyon, parce que le métro part du terminus à 5 1/2. J'étais encore un peu faible mais c'était assez plaisant de se balader dans le petit matin. J'ai acheté *Labyrinthe* où André Rousseaux me consacre 4 colonnes pour expliquer que je suis un néo-surréaliste, que je manque d'Amour. Ça tombe bien, moi qui me suis encombré la vie pour en avoir trop. Mais nous ne devons pas parler du même.

Le voyage a été correct, j'ai même été assis 2 heures 1/2 puis debout à partir de Montargis dans un compartiment sans couloir. Enfin Gien. Une ville massacrée, expirante, pas de pain, pas d'autobus, l'auto-stop est une plaisanterie car il n'y a pas d'auto à stopper. J'ai trouvé après pas et démarches une vieille Renault qui m'a fait faire pour 11 000 francs les 55 kilomètres qui me séparaient de Saint-Sauveur. Et me voilà ici, reçu à bras ouverts et menant la vie de château au milieu d'une foule de gens qui me sont parfaitement inconnus mais qui me laissent une liberté totale. Ma mère est bien brave et bien touchante. Naturellement elle était

1. Marcel Duhamel, directeur de la Série Noire.

persuadée que j'étais tué dans l'accident de Saint-Fons (qui s'était produit d'ailleurs la nuit de mon retour à Paris et avait été cause du retard de 4 heures) et avait pleuré toute une nuit. Je crois qu'il lui faut quelques soucis imaginaires. Mais je vous parlerai mieux de la vie ici quand j'y serai plus accoutumé. J'ai été bien aise de trouver ici une lettre de vous, petit bon Castor, je m'ennuyais de ne rien savoir, sauf sur un mauvais petit torchon trouvé chez Soroquin. Je suis heureux de vous savoir roulant sur les routes avec la violence de votre tumultueuse nature. Comment se fait-il que la bicyclette soit bonne ? Sauroquin l'affirme abjecte. Ne cassez pas votre petite gueule.

Au revoir, mon doux petit, je vous embrasse de toutes mes forces. Il me tarde de vous revoir et je me sentais bien seul à Paris sans vous.

Envoyez vite (peut-être télégraphiquement) une adresse si vous voulez que j'aie encore chance de vous atteindre par lettre.

À Simone de Beauvoir

[31 décembre]

Mon charmant Castor

Où êtes-vous ? En Tunisie sûrement et vous vous amusez bien. Nous sommes le 31 décembre et je suis encore sur ce bateau de malheur[1]. Dans l'hypothèse la plus favorable nous débarquerons jeudi 3 dans la journée après 18 jours de voyage. Encore sommes-nous restés 3 jours à nous morfondre à Bordeaux, du vendredi au dimanche et avons-nous failli partir le mardi ou le mercredi. Il faut vous dire qu'un Liberty ship c'est un cargo, pis même un cargo militaire. Imaginez d'autre part qu'il est trop léger pour tenir la mer et qu'à chaque coup de tangage un peu conséquent son hélice sort de l'eau avec un bruit effrayant, ce qui n'est pas pour accroître la vitesse comme vous pensez bien. J'ai mis quelques notes pour vous sur le papier mais comme je ne savais pas au début si je n'en

1. Un « liberty ship » qui l'emmenait à New York.

ferai pas un bout d'article, parce qu'enfin c'est assez savoureux la traversée sur un Liberty ship et ça vaut qu'on en parle, j'ai gardé le ton objectif et n'ai rien dit sur moi. Et puis j'ai abandonné parce qu'on ne *peut pas* écrire en mer. C'est extraordinaire, on a l'impression que le vent et le tangage vous vident la tête. On ne peut rien faire que causer indéfiniment ou regarder indéfiniment la mer où le mouvement des vagues remplace le mouvement des pensées dans la tête. J'ai essayé vingt fois d'écrire mon article sur Matérialisme et Révolutions et chaque fois j'ai été saisi d'un intolérable ennui devant le papier blanc, une sorte de nausée. Je n'ai même pas pu lire : je ne dis même pas Malraux mais les romans policiers que j'ai emportés. On ne s'y prend pas. Certains font un peu d'anglais. D'autres des réussites. Mais surtout on se déplace d'un bout du bateau à l'autre et l'on prend successivement plusieurs positions stables. Le matin lever à 8 h 20 en pyjama pour prendre le petit déjeuner. Puis on traîne, on fait des tours de pont, puis douche, on se rase on s'habille, ça mène jusqu'à midi. A midi déjeuner. Les heures d'après-midi sont plus lentes à tirer, on parle à l'un, puis à l'autre, on regarde les montres : une demi-heure seulement de passée. Enfin à 5 heures on dîne et puis après dîner, échecs ou on monte voir « les dames ». Nous avons acheté du cognac et nous nous saoulons un soir sur deux. Je suis tellement entre ciel et terre que je sais à peine que j'ai quitté Paris et pas du tout que je vais à New York. Je ne pense à rien ni à personne. C'est un état extraordinaire et languide qui se suffit à soi. Heureusement car s'il fallait vivre dans l'impatience ou le regret ces dix-huit jours encombrés par la monotonie de la mer, ce serait à se foutre par-dessus bord. Bref, concevez que je ne suis plus moi du tout et ceux qui me jugent trop « intense » n'ont qu'à voyager avec moi sur un cargo. Par ailleurs je n'ai pas eu le mal de mer et pourtant ils m'ont collé à l'arrière qui saute et danse terriblement. C'est bien une affaire de volonté. Simplement les quatre ou cinq premiers jours, je fumais, mangeais, vivais sur un petit fond douceâtre et nauséeux. Mais ça aussi ça finissait par devenir le goût réel et naturel de l'existence, on ne se rappelait pas qu'il y en eût jamais eu un autre. Après, tout cela a disparu ou bien je m'y suis accoutumé, je ne saurais dire. Vous savez que nous avons eu gros temps et tempête et une avarie en pleine tempête, le capitaine a failli lancer un S.O.S. mais finalement on a pu réparer l'avarie. Ce que vous imaginez bien en Tunisie mais qu'on croirait mal à Paris c'est que nous vivons sur le pont en gentil corps. Dame, c'est les mers du Sud et très particulièrement la mer des Sargasses. Dites à Moulou quand vous rentrerez que j'ai vu des sargasses comme s'il en pleuvait, ça ressemble à des grappes de raisin sec. Je dois être *vraiment* célèbre, pauvre petit Castor, car bien que je ne me sois manifesté que par des étiquettes miteuses sur mes valises, tout le bateau savait qui j'étais, on m'a demandé de faire une conférence sur l'existentialisme et les gens se sont arraché mes livres, qu'ils ont d'ailleurs ignoblement conchiés. Ce sont *tous* des pétinistes et collaborationnistes, plusieurs rêvent d'une bonne dictature en France, ils ont des réflexions à faire dresser les cheveux sur la tête et j'ai quitté la table avec ostentation un jour qu'un sale petit con de Centralien racontait des anecdotes tendant à ridiculiser et à bafouer les types du Vercors. Nous avions oublié cette humanité, petit Castor. Elle est simplement effrayante. Avec cela il faut vivre et parler. Je m'arrange avec un type nommé Riboud qui vit depuis 10 ans en Amérique et va demander sa naturalisation. Il a le sens américain de la démocratie, c'est déjà ça. Il y a en plus un ravissant à chemise bleue rayée de jaune, moustache blonde et béret à pompon, qui est genre rêveur et peintre des dimanches. Je m'entends bien avec lui. Angéli, dont je parle dans mes notes, est un type assez bien, profondément conservateur mais à la manière des marins plutôt que des propriétaires. Ajoutons un médecin nommé Barthélemy, un géant qui bouffe comme quinze, fait le bourru bienfaisant et est profondément malveillant et hypocrite au fond. C'est du pis-aller. Ils se nomment « bureau existentialiste ». Et puis il y a les femmes. La femme du consul du Brésil m'a fait du gringue pendant huit jours. Elle a trente-cinq ans et elle est belle avec ce genre douillet des almées. Stupide d'ailleurs et terriblement coquette, voulant traîner avec soi le capitaine, Angéli, le peintre Baudin et l'écrivain. J'ai rendu pendant huit jours et ceci était bien une preuve de ce vide, de cet ennui entre ciel et mer et surtout de cette existence coupée de tout où on s'aperçoit *engagé* sur ce bateau pour toute la vie et depuis toujours. Il y a eu quelque agitation, des promesses faites, des serrements de mains et puis, la nuit de Noël, je me suis saoulé et je l'ai engueulée. Je ne sais trop ce qui s'est passé mais je me revois dans sa cabine et une petite Cubaine qui couche au-dessus d'elle me disant : « Si j'étais Madame T. je vous donnerais une paire de gifles. » Le reste m'échappe comme toujours quand je me saoule ; sinon que j'ai dormi un bout de temps dans un canot de sauvetage pendant qu'on me cherchait partout. Depuis il y a eu refroidissement, rapprochement, refroidissement mais je suis persuadé qu'elle voulait me retenir comme soupirant n° 2 en donnant des quarts de faveur à Angéli (je ne pense pas qu'elle couche). J'ai donc arrêté net cette histoire stupide qui n'avait ni rime ni raison, m'agitait sans que j'aie la moindre estime pour la personne, ne m'eût, si elle eût bien tourné, causé que des désagréments, était injurieuse pour Dolorès et risquait de se terminer à mon déshonneur ou en tout cas assez pitoyablement. C'est-à-dire que j'ai pris une attitude distante et polie. La dame cependant a noué des nœuds assez tendres avec Angéli et, après avoir fait deux jours de coquetterie pour me rattraper, ne s'occupe plus de moi et file le parfait amour avec lui. C'est le type de l'histoire idiote et inopportune, je n'ai cessé de me regarder avec stupeur comme un insecte. Il faut vraiment que l'air de la mer rende marteau : on passait des soirées entières dans la cabine de cette dame, qui avait toujours un petit pédéraste roulé à ses pieds comme un page. Un type gracieux et curieux d'ailleurs, très brun, très silencieux, qui va à Hollywood pour tenter fortune et qui ne me déplaît pas. Il a vingt ans. Voilà ce qui a rempli le temps. Depuis trois jours je me suis remis à lire par décret et sans trop de goût. Mais surtout voici la fin du voyage qui arrive. Je commence à sentir New York. Les autres aussi. On commence à se raconter des histoires d'Amérique, on a pressenti Riboud pour qu'il nous fasse une conférence sur la vie américaine (initiation des Français). Le frère de Duhamel est ici. C'est le portrait de son célèbre frère mais en falot. Il file l'anecdote à table. Il tient absolument à entrer en rapport avec nous mais nous le fuyons autant que possible.

Voilà, mon charmant Castor. Tout cela bien sûr comporte maint détail qui vous sera conté. Mais voyez le seul fait d'avoir écrit quatre pages et déjà la plume me tombe des mains. Il y a eu du drôle : une nuit on s'est saoulé chez la dame qui m'a fait du plat pendant que je restais sévère. À trois heures du matin, nous rentrions tous chez nous, à l'arrière et là, saoul, un peu sensible aux avances de la dame, je remonte en fermant doucement la porte jusqu'à sa cabine et je frappe : « Je voudrais vous dire deux mots. Voulez-vous sortir avec moi ? » « Oui », dit-elle aimablement. Elle sort sur la passerelle, moi derrière elle et à peine est-elle sur la passerelle que deux types (Baudin et Angéli) surgissent chacun d'un côté d'elle et sans se voir et sans me voir, lui disent en même temps à voix basse : « Je voudrais vous parler. » Alors je me suis démasqué, j'ai dit : « Nous sommes quatre polichinelles » et je suis descendu me coucher en riant les laissant se débrouiller seuls.

J'espère avoir des lettres de vous en arrivant, petit bon. Je suis ennuyé parce que ce voyage est si long que vous recevrez les lettres et télégrammes huit jours après la date que vous comptiez. Par le fait, si nous sommes à New York le 4, nous aurons de la chance. Vous serez déjà depuis quinze jours à Tunis. Amusez-vous bien, mon doux petit, prenez du bon temps. Je vous aime de toutes mes forces et je vous embrasse.

J'ajouterai encore quelques mots d'ici jeudi.

1946

À Simone de Beauvoir

[Janvier]

Mon charmant Castor

Je sais de moins en moins où vous écrire. Vous me dites que vous ne partez qu'en fin janvier. Mais partez-vous ? Il y a des tas de lettres pour vous en Tunisie. Celle-ci je l'envoie en France. Mais faites-vous renvoyer celles de Tunis. Il y avait tout un journal de bord et puis des lettres d'ici.

Vos lettres m'ont ravi l'âme, je suis si heureux que vous vous soyez amusée à Megève. J'ai senti comme vous en lisant les articles de Las Vergnas, qu'un nègre nommé Pélage m'a passés, comme il était étrange et ridicule que tous ces gens continuent à s'occuper de nous quand nous sommes l'un et l'autre dans un autre monde. Je pense comme vous qu'il faut changer de vie. Seule l'existence de ma mère et de Tania m'empêche de partir avec vous travailler n'importe où six mois de l'année. Mais entre ça et le café de Flore quotidien il y a des intermédiaires. Ici, la vie est douce et sans histoire. Je me lève vers 9 heures et n'arrive pas, malgré mes efforts, à être prêt avant 11 (bain, rasage, petit déjeuner) je vais à quelques rendez-vous et je déjeune avec Dolorès ou avec des mecs qui veulent me voir. Après déjeuner je me promène tout seul jusque vers 6 heures dans N.Y. que je connais à présent aussi bien que Paris ; je retrouve Dolorès ici ou là et nous restons ensemble chez elle ou dans un bar tranquille jusqu'à 2 heures du matin. Je bois dur mais sans inconvénient jusqu'ici. Le vendredi soir je monte chez elle et j'y demeure sans sortir jusqu'au dimanche après-midi 4 heures (question portiers). Elle m'appelle le prisonnier. Mais ce vendredi-ci nous allons en week-end chez Jacqueline Breton (mercredi et jeudi : Boston — vendredi à lundi : J. Breton dans le Connecticut). Et à partir de lundi j'ai un demi-appartement dans la 79e Rue, je vous donnerai l'adresse. C'est un ami de Dolorès qui me le cède pour 15 dollars par semaine. Question fric ça va mal, j'en ai assez pour vivre mais pas assez pour les achats. Je vais voir aujourd'hui même une agente littéraire pour qu'elle me place des articles. On fait beaucoup de bruit autour de moi ici mais on ne me demande pas d'articles payés. Et j'ai au bas mot pour 700 dollars d'affaires à rapporter (et sur tout ce que je gagne je dois donner 25 % à l'État). Mes conférences me rapportent seulement 50 dollars chaque, elles me prennent toute la journée, quelquefois la nuit et le lendemain.

D'événements point. Sinon que Dolorès m'aime à faire peur. Par ailleurs elle est absolument charmante et on ne s'engueule jamais. Mais le futur de tout cela est très sombre. Je ne sais comment vous écrire cela sans être mufle pour elle (à cause de la froideur de la chose écrite) et cependant en vous faisant sentir les choses. Je vous en parlerai longuement. (Je ne prends pas de notes quotidiennes parce qu'il n'y a jamais rien.)

Au revoir mon cher amour, mon charmant petit Castor, au revoir. Je suis au mieux avec vous et je vous aime bien fort. Au revoir, petit, je serai si content de vous retrouver.

Je pense revenir vers les tout premiers jours de mars (3 ou 4) en prenant un bateau vers fin février (27-28).

À Simone de Beauvoir

Lundi [février]

Mon charmant Castor

J'attends depuis un mois une lettre de vous et je n'ai rien. Je ne suis pas trop inquiet parce que les lettres mettent beaucoup de temps à arriver et parce que je suis sans nouvelles de ma mère depuis le 10 février. Je ne suppose pas que vous êtes mortes toutes deux. J'imagine que la Tunisie n'est pas favorisée par le régime postal. Seulement ce qui me désole c'est que je me demande si vous avez reçu mes lettres à Tunis. J'ai beaucoup écrit sauf ces derniers quinze jours où je ne savais vraiment plus où vous envoyer mes lettres. Je pense que vous êtes rentrée à présent. Je reviens le 15 mars par avion (je pars le 14 de N.Y.). Je n'avais le choix qu'entre des bateaux de 10 ou 15 jours partant vers le 1er et un avion le 15 (qui avait encore une place). *Or* je n'ai pas trouvé facilement d'articles ni d'argent. C'est seulement à présent que ça se dessine. Mais il faut écrire les articles et faire les achats. Il me faut donc encore quelques jours. Vous aurez perdu votre bouteille de champagne mais je vous l'offrirai avec les 300 000 francs de *Huis clos.* J'irai faire des conférences grassement payées au Canada, en avion (Toronto, Ottawa, Montréal : trois jours 8, 9, 10). Je ne pourrai pas recevoir Sorokine[1]. Mais Dolorès s'en chargera, la couchera chez elle et la promènera. Si elle est là le 11, à mon retour, je la baladerai dans New York. Mais comment n'avez-vous pas même envoyé un télégramme par le Consulat pour me prévenir de son arrivée ? C'est Moffat qui m'a averti : je ne comprends tout de même pas trop bien ce silence. Où êtes-vous ?

Je suis pris du matin au soir : articles, conférences, *Huis clos,* c'est la glu. Adieu mes petites promenades. Mais j'ai mille choses à vous raconter sur Jacqueline Breton, David Hare[2], mes séjours à la campagne. Vous savez qu'au retour notre auto a capoté sur une autostrade américaine. Hare était dessous, puis Dolorès, puis moi au-dessus. Personne n'a rien eu : simplement 300 dollars de réparation. Mais enfin, c'était le gros accident. Je vous parlerai aussi de Dolorès qui est une charmante et pauvre créature, vraiment ce que je connais de mieux après vous. Présentement nous sommes entrés dans l'agonie du départ et je ne rigole pas tous les jours. Nous avons émigré, par peur de ses portiers, dans l'atelier de D. Hare, au bas de la ville. Elle a une peur nerveuse de ce quartier qui est la Bowery. Vous imagineriez mal le curieux mélange de peur et de décision, de pessimisme profond et d'optimisme de détail, de passion et de prudence, de timidité

1. Elle venait rejoindre Moffat en Amerique.
2. Sculpteur américain, second mari de Jacqueline Breton.

traquée et de culot qui la compose. Sa passion m'effraye littéralement, surtout que je ne suis pas fort dans ce domaine, et elle l'emploie uniquement à se nuire mais elle peut être d'une candeur et d'une innocence d'enfant quand elle est heureuse.

Ici, c'est comme à Paris : tout le monde parle de moi et on me traîne partout dans la boue. C'est mon sort j'imagine. Lévi-Strauss feignant d'ignorer mes rapports avec D., lui a dit, un jour qu'elle lui demandait s'il me trouvait sympathique : « Comment veux-tu que je le trouve sympathique après avoir lu *L'Invitée?* On l'y peint tout entier et il apparaît comme un être immonde et un salaud. » Merci bien, petit charmant, merci du portrait. Je suis aux prises avec des aigrefins qui veulent vivre de moi, m'exploiter. Dolorès m'oblige à discuter âprement les questions d'argent en prétendant que cela se doit en Amérique. Je le fais mal. Je viens justement de chez l'avocat pour un renouvellement du contrat de *Huis clos.* J'avais l'impression d'être âpre à souhait. Mais il paraît que je me suis conduit comme un enfant. Tenez voici une de mes journées : 9 1/2 chez le photographe célèbre Beaten (le d'Harcourt de New York) pour une photo pour *Vogue* et à *Vogue* pour discuter d'un article que je leur fais. 11 heures chez les Knopf pour écrire une lettre à Hamilton, mon éditeur anglais et le dissuader de publier *L'Âge de raison* avant *Le Sursis.* 12 1/2 au restaurant avec Oliver Smith qui produira *Huis clos.* 2 1/2 à 4 heures : chez l'avocat pour signer le contrat. 4 à 6 je vous écris et à ma mère. À 6 heures je vais à un cocktail-party chez Richey, mon ancien propriétaire. À 7 h 45 je vais chez de Saussure, le psychanalyste suisse (vous savez : faire de l'œil pour mimer le membre viril) dîner. Demain : 11 à 12 je vois un type de l'O.W.I. 12 h 1/2 je déjeune avec Richard Wright — 3 heures je fais une conférence sur le théâtre au Carnegie Hall. Je reviens de Nouvelle-Angleterre où j'ai parlé dans 2 collèges de jeunes filles. C'était marrant. Après-demain des Canadiens français répètent *Huis clos* au théâtre du Barbizon Plaza et comme ils veulent que je les autorise à jouer à New York, j'irai voir la pièce. *Huis clos* joué avec l'accent canadien, ça ne sera pas sale. À part ça, j'ai envie de rentrer, je suis tué par la passion et les conférences. Je voudrais vous voir tranquillement et écrire *La Dernière Chance.* J'ai vu l'article de Picon : injuste et con. Il prétend que je *n'ai pas le droit* de parler de l'héroïsme et me dénie le titre de romancier parce que je sais ce que feront mes personnages dans le troisième volume.

Faut-il être con. Oui, je veux vous voir, parler avec vous, me promener avec vous (Belgique, Tunis) et travailler. Qu'en est-il de *Morts sans sépulture ?* Je ne sais plus rien du tout. Pourtant si je n'ai pas écrit 10 ou 12 lettres je n'en ai pas écrit une.

Au revoir, mon charmant Castor, je vous aime. Quand vous recevrez cette lettre je serai à trois ou quatre jours de Paris. Je vous embrasse de toutes mes forces, mon doux petit.

À Simone de Beauvoir

[Mars]

Mon charmant Castor

Voilà du sou. Bienvenue, mon doux petit, soyez la bienvenue. Vous ne me précédez que de quelques heures. Recevez ce petit mot comme un premier baiser sur votre chère petite figure (comme elle doit être écailleuse et bronzée).

Tout va, ici — mais que d'histoires ! Surtout rapport au Théâtre Antoine. Il y a eu toutes les complications du monde et finalement j'ai une pièce en un acte sur les bras. Tania est rentrée — de bonne humeur. Il paraît qu'elle a fait d'énormes progrès et que Vitold lui a dit : tu seras excellente dans *Morts sans sépulture.* Si ça pouvait être vrai. J'ai vu Bost, Olga, Giacometti, Annette[1], Claude Day, Zuorro, Pierrette Laurence, Maheu, Guille, Rirette Nizan, Caillois, Etiemble, Lefèvre-Pontalis, etc. Je me suis bien amusé mais je crains que ma pauvre mère n'ait regretté Strasbourg et la solitude alsacienne. Genet a fait une pièce excellente : *Les Bonnes* — qu'il m'a lue à haute voix, hélas. Les *T.M.* ont fait un désastre en saccageant les poèmes de Larronde qui est fou de rage.

Je viens tout de suite petite Castore, attendez-moi, je vais venir vous prendre dans mes bras.

J'ai reçu votre lettre, j'ai bien pensé à vous et je vous aime de toutes mes forces.

1. La femme de Giacometti.

À Simone de Beauvoir

Vendredi [été]

Mon charmant Castor

Je suis là. La pluie et le manque de sous nous ont chassés de Belgique. Comme j'ai envie de vous voir. Bien sûr mon cher petit que j'ai pensé que vous m'aimiez — et aussi que moi je vous aimais. C'était si bien, l'Italie, on était si bien. N'ayez pas peur. On se cachera, on ne verra personne.

Je serai à 10 heures environ (peut-être un tout petit peu plus tard) aux Deux Magots. Je resterai avec vous jusqu'à midi. La catastrophe c'est que T. entend autrement que nous « jusqu'au 24 ». Ça veut dire « *y compris le 24* ». Ça fait que, pour finir tout de même en beauté, je crois qu'il vaut mieux le lui laisser. Nous y gagnerons un temps de bonne humeur — car elle *est* de bonne humeur, présentement (théâtre, nouvel hôtel). Je vous rejoindrai le 25 au matin et nous resterons jusqu'à lundi soir sans voir personne (sauf le pauvre Bost un moment : Olga a un 2e pneumo) ni nous quitter.

Mon doux petit Castor, je suis si bien avec vous, j'ai tant envie de passer un grand temps avec vous. Les répétitions commencent le 4 septembre — je pense que nous pourrons partir le 25 pour La Pouèze.

À tout à l'heure, mon petit Castor (j'écris vendredi — mais vous recevrez la lettre demain et quand vous l'aurez, je ne serai pas loin) à tout à l'heure aux Deux Magots.

Ne m'en veuillez pas et ne vous désolez pas parce que j'ai cédé : elle venait d'apprendre le pneumo de sa sœur, ça l'a tout de même sonnée, j'ai été au bord d'une scène affreuse et j'ai cédé.

1947

A Simone de Beauvoir

[Printemps]

Mon doux petit, mon cœur

Je pars tout à l'heure pour Rome et je n'ai pas le temps de vous faire une vraie lettre. Sachez seulement que je me réjouis de toutes mes forces à l'idée de vous revoir le 14[1]. Je serai à la gare des Invalides à l'heure dite. Vous aurez une chambre retenue à La Louisiane. Et nous irons, nous deux, nous promener. Je pars en voyage — cadeau d'adieu avec la petite ; nous restons jusqu'au 10, nous serons le 10 au soir à Paris ou 11 au matin. À Rome, simplement.

Je suis si content de vous savoir à New York. Ici tout va bien : Dolorès, c'est stationnaire. Le reste (ennuis d'argent, menace d'un procès Nagel, etc.) semble s'arranger. Rien de neuf, sauf de petites anecdotes. On a fêté la centième[2] toute une nuit chez Véfour. Me suis fait chier. Pour finir j'ai traîné Astruc dans la boue (par pure ivresse et méchanceté) et il a pris une crise de nerfs.

Adieu, petit : dans 12 jours je vous revois, ça me remplit d'aise. On se retrouvera comme si on s'était quittés la veille. Je suis si bien avec vous, mon petit.

J'écrirai de Rome mais c'est pas dit que vous aurez la lettre.

1. Je revenais d'Amérique.
2. De *Morts sans sépulture.*

1948

À Simone de Beauvoir

Mardi 18 [printemps]

Mon doux petit

J'ai toujours peur que la lettre à Cincinnati ne soit parvenue trop tard et celle-ci quand arrivera-t-elle ? Nous sommes le 18 au matin, c'est calculé au plus juste mais c'est que le 16 et 17 (Pentecôte) les lettres ne partaient pas. Il eût fallu écrire le 15. C'était un peu tôt, simplement parce que je n'ai pas le sens du temps en ce moment : les jours se ressemblent trop ; j'ai de brusques réveils de calendrier pour vous écrire. Et ça me fait si drôle, mon petit, que vous ayez *en même temps* des jours absolument rythmés par des bateaux, des avions et dont aucun ne ressemble aux autres. J'ai lu dans une lettre de Dolorès : « Un tel (un de ces inconnus qu'elle décrit longuement et avec entêtement dans ses lettres gaies) est revenu à toute vitesse du Mexique parce que c'est la saison des pluies. » Ça m'a donné à penser ; comprenez-vous, il y *habite,* il y a ses affaires et il en part chaque année à tire-d'aile quand les pluies commencent. Et vous cependant vous vous dirigez à petites journées vers ce cataclysme atmosphérique. Nos voyages ont toujours été un peu gauchis vers les catastrophes solaires ou les précipitations atmosphériques par le manque d'argent, les vacances universitaires, etc. Ça continue. Nous avons toujours vu les terres au moment le plus inconfortable et le plus émouvant où elles se gercent de chaleur ou s'amollissent d'eau. Mais c'est, après tout, comme ça qu'il est en ce moment, chaque année, le Mexique et il n'y a pas d'abschattung privilégiée. J'aimerais tant que vous fassiez un splendide voyage.

Pour moi, c'est la même journée qui recommence chaque matin. La vie s'organise par thèmes plutôt que par anecdotes : ces thèmes reparaissent chaque jour à peine un peu variés, tous les mêmes que la veille. Il y a le thème du beau temps : même ciel bleu, même chaleur de juillet en mai et tout le monde dit : l'orage va éclater. Et il n'éclate jamais mais on ne s'est pas encore résigné — ni moi — à prendre cette chaleur pour ce qu'elle est. On vit en bras de chemise, on couche nu. La chaleur fait sortir les taxis de terre, c'est commode. Et puis, avec le beau temps, le thème de l'élégance : la princesse Élisabeth est à Paris. Ça compte dans la journée, comme la mort de Leclerc, à peu près. Ça déplace des grappes humaines, ça barre des rues, ça remplit les journaux (deux fois plus gros, les titres, que pour annoncer les ignominies de Palestine [1]) et le soir l'Étoile émet des rayons tricolores et son Arc est illuminé. Et chacun se demande : que fera-t-elle ce soir ? Ça rend présent à chaque esprit les courses, dancings, palais, etc. où personne ne va plus autrement. Thème à l'arrière-fond — pour moi et d'autres mais pas nombreux — la Palestine. C'est le genre de truc qui indigne autant que la guerre d'Espagne et, en plus, il y a cette malédiction des Juifs qui fait insoutenable. Si on pense par exemple à tel Juif polonais rescapé par miracle des camps et des chambres à gaz et de la sollicitude anglaise, qui s'est installé là-bas après un voyage clandestin pour retrouver les armées de l'antisémitisme, le pays envahi et le désespoir. Et puis l'O.N.U., bien sûr ; c'est *ignoble*. On le dit tout de même un peu ici, les gens sont gênés : heureusement qu'il y a Élisabeth.

Bon. Ça c'est pour vous situer un peu. À présent voilà les thèmes personnels en ordre décroissant d'importance.

1) Le travail. Comme toujours, à Paris, j'ai l'impression d'être dans un marécage et d'essayer d'y arracher mes jambes. Il y a le téléphone et la lutte contre le téléphone (j'ai renvoyé Cau samedi dimanche et lundi, rendu la ligne et je n'ai jamais si bien travaillé à Paris. Du coup j'ai décidé de localiser les agitations téléphoniques entre 12 et 13, quand je prends mon bain. Cau lui-même viendra à 11 1/2). Il y a les rendez-vous. Toujours trop et qui paraissent de ceux qu'on ne peut pas éviter quand on les accepte et après, avec

[1]. Les Anglais empêchaient par tous les moyens les Juifs de créer l'État d'Israël.

un amer remords, on les trouve futiles. Par exemple, *pourquoi* est-ce que je dois voir Sperber[1] ce matin à midi? Il a des questions urgentes à me poser. Soit. Mais urgentes *pour lui.* Le fond c'est que je me sens morveux vis-à-vis de lui parce que nous faisons sans lui le numéro allemand. Je me gare quand même : de 9 à 12 et l'après-midi de 3 à 7 mais ça n'est jamais du travail sans incidents, ça n'est pas la voie royale de Ramatuelle[2], on croirait conduire une auto à Paris : débrayer, freiner, changer de vitesse, départs et arrêts brusques, etc. Le résultat c'est l'angoisse et l'acharnement. Je travaille Mathieu : j'ai entièrement repris le passage où ils sont à Padoue[3], attendant les Fritz et je le mènerai jusqu'au bout avant de faire autre chose. Si vous voulez, l'avantage c'est que, au lieu d'être plongé dans un long rêve (Ramatuelle) on prend une vue perpétuellement réflexive. Je lis un peu : pour la Morale, le Bloch (Formation des liens de dépendance) que Cau m'a trouvé à la bibliothèque de l'E.N.S. conjointement avec Calmette (Moyen Âge) — pour mon plaisir; Mallarmé et des livres sur Mallarmé (Thibaudet, Mondor, Noulet, Roullet, etc.); je suis *ébloui* par *Le Coup de dés* (poème *rigoureusement* existentialiste à partir d'un thème hégélien : celui de la Cause et de l'Animal intellectuel). Dans l'ensemble, je me plains mais ça va.

2) Dolorès. Stationnaire. Des lettres aimables, presque gaies par moments, tendres et confiantes. Je suis *très bien* avec elle du dedans et ça me met mal à l'aise (du dedans naturellement) pour mes rapports avec la petite[4]. Dites, mon cher petit : comment ça se fait qu'elle n'ait pas eu *Visages?* Je lui avais annoncé, elle le réclame âprement. Il doit être au fond d'une de vos valises. Envoyez-le aux Gérassi pour qu'ils le lui fassent porter. Elle m'écrit qu'il faut que je *vive,* que ça n'est pas une raison parce qu'elle se sacrifie à T.[5], etc., pour que je ne vive pas. J'ai vivement réagi : je trouve que ça n'est pas une bonne disposition d'esprit chez elle. En tout cas elle y ajoutait l'autorisation officielle d'aller en Argentine. Ça tombe mal : étant toujours sans nouvelles, ce qui prouve leur

1. Écrivain, ami de Koestler.
2. Où nous avions fait un séjour tranquille au printemps.
3. En Alsace.
4. Une jeune journaliste américaine.
5. Son mari.

embarras et le peu de désir qu'ils ont de m'avoir, j'ai pensé que vous seriez d'accord avec moi pour renoncer à un voyage offert de si mauvaise grâce. Et puis de toute façon, tant d'argent et ces clauses posées et discutées, même s'ils les retiraient, ça pue, non ? Nous irons donc en Islande, mon doux petit, puisque ces barbus vous ont plu, et puis en Angleterre et en Irlande. (J'ai lu d'abord que vous étiez en Irlande et je saisissais mal l'impression d'étrangeté et de merveilleux qui, visiblement, vous avait frappée [1].)

3) La petite. Elle est gentille et amusante, j'ai une vraie amitié pour elle mais, sous un certain rapport, elle me tue. Il y a une pièce de Porto-Riche là-dessus, n'est-ce pas. Je fais très scrupuleusement ce qui m'est demandé, mais enfin si ça devient du scrupule, n'est-ce pas, c'est ennuyeux. Voici la vie : elle débarque chez moi (rue B.) vers 5 heures du soir, épuisée par sa vie de journaliste, les vêtements en lambeaux, les mollets griffés, les pieds pleins de cloques, le visage barbouillé : elle a fait huit kilomètres à travers les ronces de Trianon pour surprendre Élisabeth à table et elle est arrivée fourbue pour trouver 50 journalistes entrés par la grande porte ; ou bien elle s'est battue avec des agents. Suivant les conventions passées depuis le début, elle s'affale sur mon lit et s'endort du sommeil de Sorokine, c'est-à-dire que je vais, viens, tousse, allume des pipes et qu'elle ne se réveille qu'à huit heures quand je la secoue. Parfois, à 7 1/2, elle tire d'un violon des notes grinçantes pendant que je tape du piano. Un même morceau de Schubert nous sert de prétexte commun. Puis elle prend un bain chez ma mère qui la tolère parce qu'elle représente un lien de plus avec Paris. A 8 1/2 départ, quête du taxi, dîner. (Hier : place du Tertre, avant-hier au Petit Chevreau — avec les Bost, Kerny [2] et les Pagliero [3] —, la veille : chez Rouzier dehors. L'avant-veille : Escargot. Elle adore manger.) Puis, sur les onze heures, nouveau taxi où elle perd un colifichet (avant-hier son sac avec 30 000 francs, hier son chapeau). Alors on fait pas et démarches et on retrouve ou on ne retrouve pas l'objet (retrouvé le chapeau ; perdu, le sac). Puis invariablement, que je rentre chez ma mère ou que je dorme chez la petite, je monte et m'exécute. Les matins sont

1. Lors d'une escale en Islande, en allant en avion à Chicago.
2. Actrice, amie de Dolorès.
3. Metteur en scène et acteur italien qui avait joué le héros de *Les jeux sont faits*.

plaisants : soleil, l'Arc de Triomphe au loin, les feuillages, les toits, son balcon et puis un jus d'orange américain, du café américain et le départ : je prends un taxi, rentre chez ma mère, bois du café américain de Dolorès et travail. Mes sentiments sont doux et cordiaux : elle est tout à fait estimable; je l'aime surtout dans ses rapports avec son métier. Elle s'attache, bien sûr, mais prodigue les assurances de futur détachement. Je pense qu'elle aura de la peine mais qu'elle s'arrangera. Il y aura encore un pénible départ mais pour vous, mon doux petit, pas de pénible retour. Non, non, mon petit. Pas de pénible retour. Je vous attends, j'aimerais vous voir et tout vous raconter.

4) *Mains sales.* Chaque jour le plein. Le film : thème ennuyeux et serpentin. Chacun veut me rouler, Nagel se désespère, Brandel se tord les mains, Pascal écume, ils s'insultent, se raccommodent sur mon dos, ça n'avance pas, on se propose des délais, etc. Demain je déjeune avec les 2 (Br. et Nag.). Ça sera du propre. Ils m'assassinent de lettres qui répètent toujours la même chose.

5) Bost, Olga, etc. Je les vois peu, mais ils paraissent gentils.

6) Merleau-Ponty. *A giflé* Scipion chez les Leibovicz. Réclame à jeun l'entière responsabilité de ce geste accompli en état d'ébriété. Voici les faits : il était en train de pisser (2 heures du matin, fiesta). Il entend la voix de Scipion : « Vous êtes une conne. » Il s'irrite et médite, pensant : « Scipion, Astruc, etc., ce sont les Animaux favoris. Ils se croient tout permis sans responsabilité. Il faut les traiter autrement. » Il sort en se reboutonnant, entre dans la pièce et découvre que, sa femme étant seule présente, c'était à elle sans aucun doute possible que d'adressait Scipion. Il dit : « Vous avez traité ma femme de conne ? » Scipion dit : « Non. » Merleau-Ponty dit : « Vous manquez de mémoire » et le gifle. Scipion s'en va, se tenant la joue et disant : « Oh ! là ! là ! » Mme Merleau-Ponty dit à M. Merleau-Ponty : « C'est vrai qu'il m'a traitée de conne mais je l'avais vingt fois traité de con pendant l'heure d'avant. » « En ce cas, chère amie, je déplore que vous vous soyez mise dans une situation pareille et je n'ai plus qu'à faire mes excuses à Scipion. » Il y va : « Rendez-la-moi. » « Quoi ? » « La gifle. » « Non, na ! Je ne vous la rendrai pas. » « Si. » « Non. » Finalement il la lui a rendue. Merleau-Ponty, son honneur satisfait, a emmené Scipion boire au-dehors. Ils se quittaient bons amis quand Scipion a eu le malheur de conclure : « En somme, vous entendez

des voix aux chiottes. » Sur ce, Merleau-Ponty a ôté sa veste, Scipion aussi. Ils se sont longuement regardés en bras de chemise, puis chacun a remis sa veste et ils se sont séparés, irréconciliés. Merleau-Ponty déclare : « Après tout, j'ai 43 ans et je suis professeur de morale. Je dois leur enseigner à vivre. » Que de complexes là-dessous. L'an dernier, il avait pareillement giflé Astruc qui avait insulté Suzou. La mère Leibovicz commentant la même histoire, dit : « Quand Maurice est saoul, il veut baiser sur l'heure et adresse ses vœux à 3 ou 4 femmes différentes qui le repoussent — non qu'il déplaise mais il semble trop expéditif — alors il voit rouge et frappe. » En fait, c'est beaucoup plus compliqué.

Voilà petit, voilà tout l'essentiel. Je suis au mieux avec vous, je ne vous ai pas perdue du tout, le Matriarcat continue, je ne suis ni dépaysé ni inoccupé ; je vous aime de toutes mes forces et je ris d'aise en pensant que vous faites ce voyage superbe et pluvieux. Vous êtes mon cher petit Castor et mon âme.

1949

À Simone Jolivet

42 rue Bonaparte
Mercredi [été]

Chère Toulouse

Je t'ai gardé toute mon amitié quoique tu ne m'aies pas laissé le loisir de te le dire la dernière fois que nous nous sommes vus. Tout ce que je pourrai faire pour toi, je le ferai : tu n'as qu'à demander, si tu es encore mon amie ; je me mets à ta disposition. Et d'abord je voudrais te voir. N'importe quand à partir de samedi : choisis jour et heure.

Nous t'embrassons.

À Simone Jolivet

16 août

Chère Toulouse

J'ai reçu tes deux lettres et je me demande si tu veux même que je te réponde à ce que tu m'y dis. Je suppose que tu te mettais au clair sur toi-même en m'écrivant et que tu voulais que tes pensées soient dites à quelqu'un (à moi puisque je suis ton *prochain*) mais que tu me dispenses de tout commentaire. Tout ce que je pourrais te dire c'est que je connais aussi cette dualité — pas tout à fait comme toi et qu'il me semble qu'on hésite tout le temps à s'en accommoder, à en tirer profit (j'entends pour écrire) ou à remplacer le dualisme par un monisme. Quand on voudrait qu'elle soit glorieuse, elle est sordide et quand on veut y mettre un terme, on s'appauvrit. Je te parle de moi, c'est-à-dire un peu dans le noir sur ce qui te concerne : tout ça devrait faire l'objet de conversations, pour que chacun rectifie son tir. Tout ce que je sais, c'est que je voudrais faire une morale où le Mal fasse partie intégrante du Bien. Connais-tu cette phrase de Kafka : « Le bien est parfois désolant ! » Le goût intermittent du « Crapuleux », une morale qui ne le sauverait pas serait une triste mystification. Mais je te dis, c'est plutôt toi qui peux me parler de ça et de Loudun puisque ça ne fait qu'un.

Je voudrais seulement que l'Anachorésie ne te soit pas trop lourde — la solitude surtout, jusqu'à notre retour. Ta dernière lettre m'a touché — au sens où on *touche juste* — et je voudrais que tu penses que tes lettres ont une grande importance pour moi. Je suis content que tu ailles à Férolles : je crois que la campagne est le lieu naturel de l'Anachorète.

Moi c'est plutôt le cénobitisme que je pratique. Je vis dans une sorte de communauté qui est la villa de Mme Morel, les gens se répandent dans le jardin, dans les chambres, il est rare qu'il n'y ait pas douze personnes à crier à la fois. Ce sont des gens qui s'ennuient sur les collines séparément et qui viennent s'ennuyer ensemble au bord de la mer. Mais ma cellule monacale est parfaitement défendue. Personne n'y entre et je travaille douze heures par jour. Juan-les-Pins est par-derrière grouillant de marchands de cochons, vulgaires et misérables, d'autant que la saison n'est pas « bonne ». Toutes les rumeurs que produisent des attractions au rabais dans toutes les boîtes de la ville, chants, sons de saxo, de trompette, de violons, cris et rires viennent converger le soir sur la terrasse de la villa. Mais à cette distance elles ne nuisent pas, ça serait même facilement émouvant ; on dîne pendant que la nuit tombe, ça fait très 1880, c'est le charme et qui vient de ce que la villa, construite vers cette époque, est un anachronisme auquel seul le manque de fonds a empêché le conseil municipal de remédier. Au reste c'est déjà une institution collectiviste étant donné le nombre de gens qui en profitent. Le fils de Mme Morel, sa belle-mère et ses deux beaux-frères viennent d'arriver. C'en est trop et je m'en vais pour quelques jours (jusqu'à lundi exactement) dans un hôtel de Menton. Je crois qu'il vaut mieux que tu m'écrives ici puisque j'y reviens. Le Genet avance (je l'ai vu, lui, à Cannes chez son Lucien, pouponnant un enfant de trois mois. « Maternel », disait Niko l'Abyssin) mais pas si vite que je voudrais. Dans l'ensemble je suis plutôt heureux.

Chère Toulouse, je voudrais bien que tu ne te sentes pas *trop* seule : je ne t'ai pas vraiment quittée ; écris-moi.

À Simone Jolivet

[Décembre]

Chère Toulouse

Nous voulions te voir samedi ou dimanche et puis le Castor était crevée (grosse grippe) et, en plus, il fallait courir pour les cadeaux (car nous avons atteint cet âge où on fait des cadeaux sans en recevoir, j'ai deux filleuls et une nuée de demi-filleuls en bas âge). Je t'ai téléphoné dimanche (Tru. 00-36) vers 4 heures 1/2 mais l'appareil a sonné longuement dans le vide. Je voulais m'excuser et te dire que dès notre retour (4 ou 5 janvier) nous aimerions te voir. Tu pourrais peut-être m'envoyer un mot pour me dire comment ça va là-bas et si « nos amis » se sont manifestés. Écris : chez Mme Morel, La Pouèze, Maine-et-Loire.

Je t'embrasse.

1950

À Simone Jolivet

2 janvier

Chère Toulouse

Bonne année. Je sais ce que je te souhaite : bon travail. Je sais que c'est ce que tu désires le plus. Et, comme tu le dis : *à ton tour.* Je suis bien content que tu sois rétablie. Les nuits, il me semble que c'est normal. Les idées qui reviennent, qui montent, descendent et tracassent. Il me semble que j'ai connu ça mais je ne sais plus quand.

Oui, sois tranquille, je serai minutieux dans les ordres et contrordres ou plutôt il n'y aura plus de contrordres mais il faut que tu te rendes compte que mon envie de te revoir a été le brusque imprévu d'une vie trop pleine. Ça a dérangé l'*ordre :* figure-toi qu'à force de désordre je suis acculé à l'ordre ou si tu veux l'ordre apparent de ma vie est le signe d'un désordre profond : il faut caser tout le monde et tout. Voilà, toute initiative nouvelle est catastrophique : elle cause des remous. (Je prends tout le temps d'ailleurs des initiatives nouvelles. D'où passage de l'ordre au chaos puis à un ordre nouveau puis au chaos de nouveau.) C'était le chaos la dernière semaine de décembre. Je m'en excuse bien, tu sais. Et nous inaugurons avec la nouvelle année une période d'ordre, d'étiquette et de cérémonies. Tout est en place, plein, bondé à craquer : aucune initiative n'est prévue ni ne sera tolérée avant *au moins* deux mois. (Je te dis 2 mois parce que je compte partir avec le

Castor pour quelque Italie ou Égypte vers le début de mars pour 2 mois.)

Ici, c'est le travail. Je travaille authentiquement 15 heures par jour. Sur Genet. Il s'est décidé à publier une édition expurgée de ses œuvres clandestines et je la préface. C'est hallucinant de travailler quinze heures par jour sur un truqueur et pédéraste de génie. Il m'investit et m'hallucine. Il me réveille la nuit. Mais c'est passionnant.

Je serai rentré vers le 5. Je te téléphone sur-le-champ et si le téléphone ne répond pas parce qu'il sonne chez le voisin j'envoie un pneu. Nous viendrons te voir, Castor et moi.

Je t'embrasse.

À Simone Jolivet

Jeudi

Chère Toulouse

Voilà plusieurs jours que j'essaye en vain de t'avoir au téléphone (ça sonne mais Dieu sait où). Veux-tu *toi* avoir la gentillesse de m'appeler demain matin vendredi vers 11 ou 12 heures (Dan. 92.98). J'ai les places pour samedi et on décidera de l'heure à laquelle nous venons te prendre.

Je t'embrasse.

À Simone Jolivet

Vendredi 15 h 30

Chère Toulouse

D'abord excuse le crayon : j'ai perdu mon stylo. Ensuite nous revoici et nous avons grande envie de te voir. Quand ? Demain après-midi je discute le marxisme avec des communistes indochinois et dimanche je vois Genet pour lui poser quelques questions sur sa vie. Veux-tu lundi après-midi vers 3 heures 1/2 ?

(Je ne te téléphone plus, par méfiance, mais *toi* tu peux m'appeler vers midi demain ou après-demain matin pour me dire si tu es d'accord.)

Je t'embrasse.

À Simone Jolivet

Mardi

Chère Toulouse

Des réponses au hasard de ce que je pense (c'est le mieux comme correspondance à Tamanrasset, le plus spontané je crois) à ta lettre.

Le Démon de la perversité. Oui, j'ai lu. Et te rappelles-tu — un peu différent *Le Vitrier* dans les poèmes en prose de Baudelaire.

Tes conflits de réflexion : « que je suis noble » « c'est ignoble de penser ça, etc. » je les ai connus et connais encore sans arrêt (je ne veux pas être saint mais moral. Du point de vue qui t'intéresse ici, c'est pareil). Je crois que la réponse est claire : c'est dans la volonté même d'être moral et saint que gît le poison. Si tu veux *être* quelque chose, il faut bien que tu te demandes : le suis-je ? Il faudrait *faire* sans prendre conscience d'être. Aider quelqu'un parce que l'objet, la situation réclame l'aide, sans revenir à l'*être.* Mais alors justement ne rien vouloir être. On retrouve l'idée d'une spontanéité, dans l'immédiat.

L'attirance pour le Don. Tu avais bien raison à Paris (1927) de dire : je suis pédéraste. Je suis, en effet, plongé jusqu'au cou dans l'étude de cette attirance *chez Genet.* Ça ne doit pas être tout à fait pareil. Mais il est vrai que vous avez des traits communs : Démonisme, Mal, etc. — et que toute relation à l'Autre passe par une relation à soi : l'Autre intermédiaire entre soi et soi : comme moyen que vous utilisez pour vous voir vous-même comme Autre. Et *surtout :* le thème de ton *Ombre*[1] développé partout chez lui. Chaque personnage se cherchant lui-même en l'Autre. L'amour : « Vous êtes seuls au monde, la nuit dans la solitude d'une

1. Pièce de Simone Jolivet, jouée à l'Atelier, avant la guerre.

esplanade immense. Votre double statue se réfléchit dans chacune de ses moitiés. Vous êtes solitaires et vivez dans votre double solitude » *(Querelle de Brest)*.

Réponse au 15 août : je n'ai pas de maillot gris fer, je ne suis pas vêtu en matelot; je porte des chemisettes blanches à manches courtes, ce qui est ici le plus banal et le meilleur moyen de passer inaperçu. Oui, pourquoi ne pas essayer quelque temps la compagnie de la Corse[1] ? ce serait étrange : mais méfie-toi.

Les lettres de Dullin : *n'aie aucune crainte, Toulouse.* C'est le Castor (j'ai écrit à Chicago et elle a répondu) qui les *a enfermées chez elle.* Tu les auras dès son retour.

1. Jeune femme plus ou moins amoureuse de Simone Jolivet.

1951

À Simone Jolivet

[Été]

Le début manque.

Masson pour tes décors : sais-tu que dégoûté par Barrault (lors du *Hamlet* de Marigny) il a décidé de ne plus jamais faire de décors ? Mais pour toi (et peut-être pour moi) il acceptera je suppose.

Qu'est-ce que Fandoar ? Je ne me souviens pas de t'en avoir entendu parler.

Moi : cénobite, oui[1]. 15 personnes ici en permanence. Une terrasse superbe avec vue sur la mer et le Cap d'Antibes, mais interdite par le concours de peuple qui s'y porte, c'est un trottoir roulant. Tout cela dans une atmosphère de tension croissante avec des détestations qui s'exaspèrent et Guille, par-dessus le marché, qui vient alourdir le tout par ses humeurs de veuf et l'odeur d'urine aigre que dégagent ses enfants (au moral et, hélas, surtout au physique). De sorte que je fais l'anachorète au sein du cénobitisme. Cette dame, charmante pour moi, me fait porter des plateaux à des heures variables (ici on mange quand on y pense) et je ne sors pas de ma chambre où je travaille à Genet sans arrêt et lis à peine. Ceci se termine aujourd'hui. Ces personnes s'en vont dans un immense fracas de volontés contradictoires et moi je vais à Sainte-Maxime.

1. J'étais en Amérique.

Je te télégraphierai mon adresse quand je la saurai : Merleau-Ponty devait me retenir une chambre dans un hôtel et m'informer du nom de cet hôtel. Il ne l'a point fait. Je reste à Sainte-Maxime jusqu'au 15 puis remonte doucement sur Paris par Marseille, Aigues-Mortes, Arles, les Baux, etc. *Je n'aurai pas fini Genet au mois d'octobre.*

L'article sur O. W. m'a passionné. Il y a là en effet quelque chose de fort et de singulier : ce dialogue avec Dullin, mort et si vivant. Ce que tu dis de l'*objet* en note est du point de vue de « critique constructive » le plus intéressant. Objection : tu prends pour *connu* le contenu de la représentation. Autrement dit, tu t'adresses à des spectateurs qui sont allés voir la pièce. Mais la fiction critique c'est que tu en parles à quelqu'un qui ne la connaît pas. Il ne faut pas songer à ce public, *pour une autre raison :* tes dialogues avec Dullin, pour toi et ceux qui te connaissent, ne sont pas un procédé mais le prolongement de ta vie et ton mode de penser *réel.* Pour un lecteur, on croit à un procédé (cf. Mallarmé critique théâtral qui dialoguait avec son âme). C'est ce qu'il ne faut à aucun prix. Ce qu'il faudrait, c'est tenter une suite d'articles ou un livre qui te refléterait et le ferait comprendre aux lecteurs, où l'on aurait le temps de s'habituer et de voir que *c'est du vrai.* Seul, l'article choque puisque le lecteur — en principe — ne te connaît pas : pour lui tu pourrais être n'importe qui ayant choisi le truc de parler à Dullin comme mode d'exposition et (phrase amèrement ironique) pour « faire vivant ». Dis-moi si tu es d'accord. (Tu me diras : mais il y a des citations de Dullin qui prouvent que j'étais dans son intimité. Oui, mais qu'est-ce qui te fait connaître toi, avec tes fidélités ? Il faudrait de la patience et des précautions, on ne peut pas commencer brutalement : « Je retrouve Dullin au café » : pour toi simple phrase énonçant un fait. Pour le lecteur qui t'ignore, étrange mélange d'irrespect et de familiarité : *choquant.* Comprends-moi bien : *pas pour moi.*)

Je suis heureux de te savoir à Férolles. C'est là que le mutisme sera le plus naturel.

Je t'embrasse.

1952

A Simone Jolivet

4 juin

Chère Toulouse

Je t'envoie un petit salut de Naples et de Capri. Voyage aisé, sans histoire, heureux. Sauf que (tu sais que je fais un livre sur mon *dernier* voyage en Italie. Pas celui-ci, le précédent) je suis en train de m'acharner à écrire sur « Venise par la pluie » en ce Sud où il fait soleil. Sauf aussi que je ne retrouve jamais les impressions que j'ai dites et consignées dans cet écrit ; Rome n'est plus la Rome que j'avais vue (est-ce la différence de l'automne au printemps ?), etc. Différences minimes mais irritantes. Par exemple en octobre je n'avais pas vu de putains à Naples (ville de réputation fort putassière) et je l'ai dit. Il n'en a pas fallu davantage pour que j'en voie cette année. Pas beaucoup mais tout de même je ne peux plus écrire d'un cœur tranquille « je n'ai pas vu de putains à Naples ». Tu me diras que je n'en ai effectivement pas vu en octobre. Oui mais tu vois : j'aurais *pu* en voir. Et le chiendent avec les récits de voyage c'est que si tu dis : « je n'ai pas vu de putains à Naples » le lecteur comprend : il n'y en a pas. Menus déboires. Mais sais-tu ce que j'ai pensé tout à coup *à ton propos ?* Je pensais que tu aimerais Naples (pour une foule de raisons tenant à toi et à Naples et que je t'exposerai à mon retour) et je me suis dit : dans cette *période active* que Toulouse inaugure, pourquoi ne fait-elle pas une place *aussi* à des voyages ? Je sais ce que tu vas me dire : Férolles et le travail, ça n'est pas rien. Mais enfin je trouve du temps pour voyager et je suis aussi serré pour le temps à l'ordinaire. Tu pourrais facilement trouver un *mois* dans l'année qui vient pour aller te balader par ici (ou ailleurs. Espagne) et ça me serait agréable de te faciliter les choses (pour les lires, je connais le moyen). Ne t'irrite pas. Si ça te plaît, nous en reparlerons à mon retour (vers le 20 juin) et si ça ne te plaît pas, mettons que je n'ai rien dit.

Travailles-tu ? Cau t'a-t-il donné à temps ce que tu souhaitais ? Je te pose ces questions mais je n'ai guère d'espoir que tu aies le temps de m'y répondre : les postes italiennes sont elles aussi une ruine du XVIIIe siècle et je soupçonne qu'on transporte encore le courrier en diligence. En tout cas si tu reçois cette lettre (postée le 5) avant le 10, tu peux m'écrire poste restante à Bergame.

Je t'embrasse tendrement et te souhaite aussi bon travail que j'ai fait bon voyage (et non pas que j'ai fait bon travail).

1959

À Simone de Beauvoir

[Octobre]

Mon doux petit

Merci des articles et de la lettre. Oui, les articles sont bien bons et ça me fait plaisir [1]. Vraiment plaisir, soyez-en sûre, petit Castor. J'ai une bonne humeur profonde, dans des circonstances un peu difficiles — que je vous relaterai tout à l'heure —, et cette bonne humeur vient certainement du sort réservé aux *Séquestrés.* Pour tout dire je ne m'y attendais pas — je croyais à moins de réserves (aucune importance) et à moins de vraie chaleur. Je vous dis cela pour que vous pensiez bien que je me réjouis, si loin de vous. Et je suis bien content que cela vous rende heureuse. Merci bien, mon petit, merci beaucoup.

Je vais vous télégraphier tout à l'heure (les téléphones des chambres ne marchent pas, il faut téléphoner du hall) pour vous dire d'accepter Cayatte [2], surtout si cela vous amuse un peu. Mais vous recevrez sûrement cette lettre avant mardi. Je pense que vous devez faire le film, il faut bien toucher à tout, nous autres les polyvalents. Et puis c'est proche d'un roman. Cayatte n'a pas grand talent mais il ira jusqu'où vous voudrez qu'il aille. Simplement (en dehors de la réussite « du point de vue cinéma » comme dirait votre mère) je crois qu'il faut penser que ce sera vu par des

1. Sur *Les Séquestrés d'Altona.*
2. Il voulait travailler à un scénario avec moi. Le projet n'a pas abouti.

tas de gens qui ont lu vos livres et qui voudront vous retrouver l'histoire doit être aussi profonde que cela sera possible. Ça veut dire : mettez-vous-y tout entière comme si c'était le roman sur le couple que vous aviez envie d'écrire. Si vous pensez cela — et je suppose que vous le pensez, que vous n'y voyez pas seulement une besogne alimentaire — je suis d'accord cent pour cent. Trois millions : *bien sûr* et plus même. Pour l'adaptation du Miller, Borderie — riche à crever — m'en payait six. Enfin voyez. Pour Rozan : faites-lui toucher le 10 % et dites-le-lui, cela lui donnera du zèle.

Pour en revenir à moi, je vous rassure d'abord en deux mots : voyage excellent en deux heures (19.30-21.30) puis une heure d'auto la nuit entre de petits murs gris. Je ne voyais rien d'autre. Depuis je ne suis jamais sorti de cette énorme bâtisse d'où je vois par mes fenêtres une prairie verte qui, d'après tous les dires, s'étend pendant je ne sais combien de kilomètres. Sur cette prairie, je vois des vaches, des chevaux que le maître du logis [1], coiffé d'une casquette, chevauche l'après-midi — tantôt l'un, tantôt l'autre — courant au trot, en galop, autour de sa maison et suivi d'un petit âne têtu qui caracole derrière eux et qui ridiculise cette chevauchée. Des arbres aussi : je ne sais quoi. Pour la maison, rien de plus étrange : un bric-à-brac d'objets *authentiques* (précolombiens, africains, japonais, même français) mais qui supportent mal la confrontation et dont chacun réduit l'autre à l'inauthenticité la plus radicale. Pour ne parler que de ma chambre : un Christ de bois mexicain, des lampes italiennes et mexicaines, une statuette hindoue (Siva), des paravents japonais, des panneaux de bois peint et sculpté (derrière mon lit, autour de la glace — rose et vert délavé — dont l'origine me semble européenne (je me trompe peut-être). Ajoutons un Arlequin peint (vaguement cubiste, un vrai faux Picasso) et des meubles confortables et sans originalité (grands et profonds fauteuils blancs — moquette beige, murs gris, plafond blanc — avec lustre italien). J'oubliais de vous dire qu'on s'y perd. Le cabinet de toilette est également tapissé avec une moquette beige, qui va jusque sous la baignoire. Le siège des cabinets trône sur cette moquette. Face à eux, dos à la fenêtre, un fauteuil paresseux permet de regarder à la fois la baignoire et les chiottes.

1. Huston, avec qui Sartre travaillait à un film sur Freud.

Au milieu d'une quantité de pièces analogues, erre un grand romantique triste et esseulé, notre ami Huston, parfaitement vacant, vieilli, *incapable* à la lettre de parler aux gens qu'il invite. C'est un défilé ici : avant-hier le Major Pickmill, « maître des chiens » (cela veut dire grand maître de la chasse aux renards) ; hier un expert en chinoiseries-japonaiseries (qui s'est révélé un escroc, dit Huston), aujourd'hui un producteur et sa femme. *Personne* — vous entendez — *personne,* ni Huston, ni sa femme, ancienne danseuse, 32 ans, assez jolie et folle, ne s'occupe d'eux. Il faut que ce soit Mme Philips (l'amie de Reinhardt, vous la connaissez) qui fasse la maîtresse de maison. Petit Castor, il est 17 h 30. Réunion. Pour Freud : ça pourrait aller plus mal. Pour la boisson : je ne bois pas (sauf un petit Martini et parfois 2. Pas de scotch. Sauf les deux premiers soirs). Arlette vous le dira mieux que moi. Au revoir, mon doux petit. Je ferai dans deux ou trois jours une nouvelle lettre et décrirai le couple illustre qui nous reçoit. Ah ! une chose : je ne m'ennuie pas et pour tout dire je ne sais pas pourquoi.

Je vous embrasse de toutes mes forces, mon doux petit Castor et bien, bien tendrement.

À Simone de Beauvoir

Jeudi [octobre]

Mon doux petit Castor

Quelle affaire ! oh ! quelle affaire ! Que de mentisme ici. Tout le monde a ses complexes, ça va du masochisme à la férocité. Ne croyez pas, cependant, que nous soyons en Enfer. Plutôt dans un très grand cimetière. Tout le monde est mort, avec des complexes congelés. Ça vit peu, peu, peu. Sauf la maison qui croît sous nos pas. Vous ai-je dit qu'elle est « Work in progress ». Les ouvriers courent en chantant sur ma tête, entrent et tapent dans ma chambre, peignent la porte du cabinet de toilette et s'en vont en laissant une pancarte rose « Wet paint ». Des accessoires apparaissent : avant-hier la musique ruisselait sur les murs ; on venait de poser la radio (entre parenthèses : une sonorité et un volume sensationnels), de temps en temps le long maître de maison, accompagné de sa femme vient décrocher un tableau chez moi pour changer son cadre (lui veut des cadres dorés, elle « more sophisticated » veut du discret, — personne ne se soucie de la peinture elle-même, prétexte à choisir un cadre, bien qu'ils possèdent en toute certitude le plus laid des Monet (qui vaut des millions : 150 000 dollars — une vague esquisse, *peut-être,* pour les *Nymphéas*). Tous les hôtes ayant compris cet incessant va-et-vient (sauf moi, Français francisant) laissent *tout le jour* leur porte ouverte. C'est hallucinant, ces chambres impériales ou royales qui s'ouvrent toutes sur un imposant palier (garni de deux idoles terribles) avec, en chacune, une petite bête humaine qui se sent mourir. Par le fait il y a une incontestable appropriation entre l'extraordinaire campagne irlandaise et l'âme du maître de maison. Vous me comprendrez : 8 à 9 millions d'Irlandais en 1900; aujourd'hui 3 millions. Les autres ont émigré en Amérique; ils entretiennent de là-bas les Irlandais qui restent. Et puis l'Église et les mœurs retardent les mariages (les femmes se marient *après trente ans,* les hommes après quarante). Certes on fait aussi vite que possible six enfants de vieux mais ils meurent ou émigrent. Pas de misère : la pauvreté et surtout *la mort.* Pensez : 2 hommes sur 3 sont partis en 50 ans. Vous imaginez cette lande à l'abandon. De petits murs têtus encerclent partout des terres encore vivantes et d'autres parfaitement mortes et retournées à la nature. Partout où l'on va, des ruines. Ces ruines s'étagent, sans prévenir, du VIe siècle au XXe. Une maison en ruine (en général du siècle passé ou du XVIIIe) contre deux petites maisons basses et peintes avec l'argent américain. Les ruines sont impressionnantes, les façades restent en général, on dirait qu'une bombe a soufflé le toit et l'intérieur. On voit le ciel, à travers les fenêtres. La plupart du temps, ce sont de petites maisons mais il arrive qu'elles soient immenses et, ce qui rend bien la nature du pays, elles écrasent des petites taules à un étage : le mort saisit le vif. Ajoutez d'étranges tours rondes au bord d'une eau sombre et trépassée, genre lagune (c'est la baie de Galway) et d'autres longues tours (qu'on prétend naturellement phalliques) près des églises en ruine et des cimetières : elles auraient été construites par les envahisseurs scandinaves au VIe ; et puis partout ces petits murs obstinés, gris, inutiles (les plus hauts ont été construits comme « grands travaux » pour donner de la besogne aux paysans, lors de la disette). Vous avez vraiment l'impression d'un pays *mort* : l'herbe seule témoigne qu'on n'a pas jeté dans les parages une bombe atomique et que ses radiations n'ont pas tué la vie. Ce qui est marrant, c'est que cette campagne fait profondément *humaine* (par tous ces vestiges) et, précisément pour cela, agonisante. On voit l'Irlandais en regardant sa terre (ce qui est bien rare, malgré Barrès). On ne le voit d'ailleurs que de cette manière car il ne se montre guère. Bien : un stade avant la lune. Et justement tel est le paysage intérieur de mon boss, le grand Huston. Des masses de ruines, des maisons abandonnées, des terres en friche, des marais, mille vestiges de la présence humaine. Mais l'homme a émigré. Je ne sais où. Il n'est pas même triste : il est *vide* sauf dans les moments de vanité enfantine où il met un smoking rouge, où il monte à cheval (pas très bien), où il recense ses tableaux et dirige ses ouvriers. Impossible de retenir son attention cinq minutes : il ne sait plus travailler, il évite de raisonner. Mais il ne faudrait pas croire qu'il nous a réservé, le soir du Véfour, cette morne hébétude qui m'avait choqué. Il invite presque tous les soirs des gens (les plus étranges) : *la plus* riche héritière d'Angleterre, un rajah qui est aussi taulier (un grand hôtel au Cachemire), un « maître des chiens » irlandais, un producteur amerlaud, un jeune metteur en scène anglais. Et il ne leur dit *rien.* Nous sommes entrés, Arlette et moi, dans le salon, au moment où il causait languissamment avec le « maître des chiens » jeune homme râblé, au nez rouge, très gentleman-farmer. Il nous a présentés, le « major » a dit qu'il ne connaissait pas la langue française. Sur quoi Huston lui a frappé sur l'épaule avec un [illisible] et lui a dit : « Eh bien je vous laisse exercer votre français » et il est parti nous laissant tous trois stupides. Le major, affolé, les yeux fureteurs a fini par déclarer : « Churchill is funny when he speaks french »; j'ai fait « Hin ! Hin ! » et le silence est tombé sur nous jusqu'à ce qu'on nous appelle pour le dîner. Il faut dire que, souvent, après dîner, nous restons face à face, trois d'un côté : Arlette, Mme Philips et moi (ces deux jours derniers Reinhardt était à Munich) trois de l'autre : le producteur, Huston et sa femme et que *personne,* à la lettre, ne l'ouvre. Huston semble, d'ailleurs, physiquement éreinté. Hier, excursion de quatre heures (la seule et unique puisque sa femme part aujourd'hui pour Londres) la femme conduisait, Huston — qui n'avait *rien vu* de ce paysage prélunaire — s'est endormi presque aussitôt et pendant presque tout l'aller. On s'est procuré, l'autre jour, les deux documentaires qu'il a tournés pour l'Armée et dont il parle toujours : San Pietro (bataille pour un village, peu avant le Monte Cassino) et « Que la lumière soit », guérison des névroses de guerre par les psychiatres militaires. Films très décevants. Excessivement médiocres et propagandistes. Mais quand la lumière fut, dans le salon, on a remarqué (en particulier Wolfgang Reinhardt qui le connaît bien) qu'il avait les yeux pleins de larmes. Il semble qu'il ne se soit pas installé ici pour contempler son état d'âme dans les paysages irlandais mais pour échapper aux taxes. En Irlande, il ne paye pas ou presque pas d'impôts. Par un triste malentendu, il aimait la vie de « gentleman » que mènent les riches propriétaires aux environs de Dublin. Il a choisi, sans se rendre compte, cette lande désolée qui est à 3 heures d'auto de Dublin. Il y reste rarement plus de quinze jours et l'on pense qu'il n'y reviendra plus quand la maison sera terminée. C'est le vide pur plus, peut-être, que la mort. Il a eu un drôle de mot, un jour, pour parler de son « inconscient » à propos de Freud : « Dans le mien, il n'y a rien. » Et le ton indiquait le sens : *plus* rien, même plus de vieux désirs inavouables. Une grosse lacune. Vous imaginez comme il est facile de le faire travailler. Il fuit la pensée parce qu'elle attriste. Nous sommes tous réunis dans un fumoir, nous parlons tous et puis tout à coup, en pleine discussion, il disparaît. Bien heureux, si on le revoit avant le déjeuner ou le dîner. Sa femme, drôle de fille, trente ans, ancienne danseuse (simple rat), séduite par lui à 17 ans, enceinte, épousée et pratiquement abandonnée, a réagi par une extrême dureté pour laquelle son visage fade, et ses yeux de biche semblent indiquer qu'elle n'était pas faite. Verrouillée dans le ressentiment, je crois qu'elle s'est défendue par le mépris : de lui et de tous. C'est elle qui *construit,* lui, comme disait Dolorès, vient faire l'inspecteur des travaux finis. Elle est un peu folle, très fantasque et se saoule. J'arrête : ce ne serait qu'un début, il y a tous les autres. En vérité je ne m'ennuie pas. Quelquefois je rage : trop de bêtise dans le travail (Reinhardt lui-même s'abêtit par admiration pour Huston). Mais je vous jure que ça vaut la peine d'être vécu une fois, cette solitude en commun. Arlette n'a fait aucun effet : les gens sont là, ils y restent, voilà tout. On l'abandonne avec la même amabilité que tous les autres. *Je ne bois pas* (je le regrette) : *un* Martini et, *quelquefois, un* whisky. Je me repose, je dors, je connais l'hygiène de cette solitude. Je rentrerai *jeudi* à 11 heures 30. Malheureusement il n'y a plus que 2 avions par semaine pour Paris et prendre le premier (le dimanche) serait tout de même dommage : à travers cette incompréhension tellement réciproque, quelque chose se fait peut-être (touchant le scénario). Je mettrai Arlette chez elle et j'irai aussitôt chez vous. Je n'ai dit l'heure à personne; nous conviendrons d'une heure valable à mon arrivée. Si j'écris à Évelyne d'ici là pour lui donner une heure, ce sera pour la fin de l'après-midi. Dites-lui que vous ne savez pas.

Salut bien, mon doux petit. Je vous embrasse bien, bien fort. Je n'ai parlé que de moi mais c'était pour vous amuser. À jeudi, petit Castor.

1963

A Simone de Beauvoir

18 juillet

Mon cher petit vous autre

J'ai été bien content (et honteux) de recevoir hier votre lettre. Je regrette votre pluie : à Avignon, elle n'est guère plus décente ; nous avons la même mais qui sied ici. À vrai dire il ne pleut pas tant mais il bruine souvent, il y a de longues averses et puis le ciel est gris. Parfois, le soir, il s'ensoleille. Ça suffit pour Amsterdam : ils n'ont jamais vu mieux (peut-être faisait-il plus beau quand nous y étions ? ce mauvais temps paraît d'une telle évidence que je crois n'en avoir jamais vu d'autre en Hollande). Curieusement, Arlette, loin de s'en plaindre, l'aime : enfin elle a trouvé son exotisme, elle est ici aussi curieuse, aussi touriste que nous serions au Congo. Il est question de pousser, d'autres années, jusqu'au cap Nord.

Nous faisons *des efforts* pour être consciencieux : nous avons vu Haarlem, La Haye, Amsterdam le vieil, Amsterdam le neuf ; demain Leyde. On peut mieux faire mais nous sommes convenables. L'essentiel est moins la promenade que les Musées (nous avons été plusieurs fois à celui d'Amsterdam et j'ai revu à La Haye avec bien du plaisir le *Saül* de Rembrandt et le paysage de Delft par Vermeer. Nous aimions mieux, s'il m'en souvient — moi, en tout cas — d'autres œuvres de lui ; je crois que nous étions injustes). D'ailleurs j'ai le parti pris d'aimer tout — aussi bien les secondaires — c'est la première fois ; cela paie : on trouve une foule de choses, on les retrouve dans la rue en sortant. Nous avons trouvé un excellent livre : *Vie quotidienne en Hollande au temps de Rembrandt* : ce livre, les tableaux, la vie d'aujourd'hui, c'est un contrepoint serré qui me plaît. Vous dirai-je cependant qu'il y a un côté minable d'Amsterdam qui ne m'avait pas frappé autrefois. Est-ce le misérabilisme d'Arlette ? La place Rembrandt, quelle pacotille belge ! Et je vais vous dire : *il n'y a plus de whisky.* Vous demandez partout — je dis *partout* — un scotch en donnant une marque pour laisser entendre que vous êtes amateur, on vous sourit, on répète la marque d'un air de connivence et on vous sert un infâme brouet qui ressemble au whisky comme une capilotade à un lièvre à la Royale. J'en suis stupéfait.

Je n'ai *rien fait* depuis dix jours. Et comme les seuls ouvrages français sont de Simenon, je lis deux Simenon par jour, quelquefois trois. Voici la journée : je m'éveille à 10 h, je m'habille, je viens réveiller Arlette qui résiste efficacement jusqu'à 10 h 45. Petit déjeuner. Pendant qu'elle s'habille, premier Simenon (commencé). On sort. Thé ou café supplémentaire sur la Rembrandt plain. Puis de 11 h 30 à 17 h 30 efforts touristiques souvent couronnés de succès (le grand déjeuner — ordinairement indonésien — est compris dans l'horaire). A 17 h 30, après-midi libre, Simenon, thé, Simenon, départ vers 9 h 30 et dîner — hors d'Indonésie — quête déçue du whisky, retour vers minuit et demi, fin des Simenon et sommeil.

Trois plaies :

La plus minime : le Teatro Stabile de Gênes (D. et B.D.) pas si stabile que ça se promène en Hollande. Il a fallu les voir et voir leur spectacle. Le spectacle, bon, c'était du Goldoni, vivement joué, d'accord mais ils m'ont fait prendre en photo dans leurs bras, les traîtres. D'où résultat :

Deuxième plaie : les journalistes. Ils grouillent, interviewent et qu'est-ce qu'ils ne me font pas dire. Je viens de téléphoner pour faire ôter d'un article *toutes* les déclarations politiques qu'une dame blonde avait mises dans ma bouche. Mais il y en a encore deux autres à rattraper. C'est le plus grand mal car je compte pour peu — étant humble — un ulcère dévorant qui m'a rongé le nez (Tania a-t-elle lardé ce tarin de coups d'épingle sur ma photo ?) et l'a transformé en tomate blette, c'est affreux. Hier on m'a photographié à tour de bras cet appendice en m'affirmant que mon mal *ne se verrait pas sur la photo* ce que je trouve insensé : si l'art photographique ne peut pas reproduire ce rouge végétal — énorme et incandescent — c'est qu'il est encore dans les langes. Ça passe un peu. Mais les gens louchent sur mon nez ; avant-hier le barman ne l'a pas quitté des yeux et m'a donné de la teinture d'iode spontanément.

Écrivez, petit bon Castor, ça fait plaisir. Travaillez, lisez, promenez-vous bien, j'ai grand-hâte de vous revoir (le 31 au soir, chez vous à 9 heures) et je vous embrasse de toutes mes forces.

P.-S. : Est-ce parce que j'avais décidé de vous écrire ? J'ai relu 19 pages de *Flaubert.*

À Simone de Beauvoir

25 juillet

Mon cher petit vous autre

Merci pour votre bonne petite lettre — suivie d'ailleurs de silence, comme la mienne. Allez vous aurez eu meilleur temps que nous malgré vos orages. L'étrange, ici, c'est qu'il pleut à midi et que le ciel s'éclaircit en fin de journée. Coutume nordique, je suppose. Cela vaut de déambuler sous le ciel gris et de lire Simenon dans le dernier éclat d'un froid soleil bien inutile. À part ça, c'est plaisant : Utrecht, La Haye, Haarlem, Leyde surtout, charmant sous le ciel *bleu* — il y a eu *2* jours de ciel bleu. Finalement, c'est Amsterdam la perle. Il y a tout et cette mélancolie qui ne sied qu'à elle — que les derniers petits maîtres (début XVIIe ont vue). Saviez-vous que les Hollandais du XVIIe ne se *lavaient pas ?* Ils puaient à dix pas. Et qu'un certain abbé Sartre dans un Mémoire sur ses voyages en Hollande dit qu'on y mangeait alors comme des cochons. Ça n'a pas changé. Le misérabilisme d'Arlette nous interdisant les 5 mouches, nous mangeons dans des restaurants normaux qui servent normalement de la merde. Nul ici ne se fait d'illusion ; c'est même exagéré : au point que *tous* les reporters qui m'ont interviewé commençaient par me demander avec soupçon : « Mais qu'est-ce qui peut bien vous attirer en Hollande ? Qu'est-ce que vous lui trouvez, à ce pays ? » En vérité je l'aime bien sauf qu'on est mieux à Cuba pour travailler qu'à Amsterdam. Descartes le disait : mauvaise contrée pour le travail de l'entendement. Sachez que j'ai gardé mes heures ouvrables et qu'Arlette les a adoptées : nous avons lu cinquante-sept romans policiers et d'espionnage de la plus basse catégorie. Et le plus ignoble : j'ai suivi avec le plus grand intérêt les tortures atroces que le sympathique OSS 117 inflige aux hommes et aux femmes pour les faire parler. Mais la somnolence hollandaise feutre mes indignations ; je me dis, de temps en temps : « Mais est-ce qu'on ne protestait pas, il y a deux ans, contre ça ? » et l'assoupissement bonasse me reprend aux oreilles, je suspends mon jugement. Et Simenon, ce chien ! Étrange portrait de l'auteur qui sort de 20 Simenon lus à la suite : ce n'était pas un bon jeune homme. Ce n'était pas, ce n'est pas un bon homme. « Il est antisémite », dit parfois Arlette, levant le nez d'un Maigret, à titre de pure information. Et puis elle s'y replonge.

Un seul événement ainsi relaté par Puig dans sa lettre du 21.7.63 : « J'ai une bien mauvaise nouvelle à t'annoncer : j'ai eu un accident avec la voiture, ici, dans l'Ain, j'ai manqué un virage et je suis rentré dans un arbre, j'ai été légèrement blessé au bras. Quant à la voiture, j'ai bien peur qu'elle ne soit morte. » Il écrit de Gex. C'est galamment dit, non ? Pas un mot de plus : ces champions sont volontiers brefs. J'ai commencé par me lamenter : pas de vacances pour Arlette qui trouve que leurs rapports permettent *à la rigueur* qu'ils voyagent ensemble mais non qu'ils villégiaturent. Et puis un bref raisonnement m'a convaincu et l'a convaincue plus tard : puisque tournant *devait* être manqué — et si ce n'avait pas été celui-là, c'était un autre avec des conséquences plus sévères peut-être — autant qu'il l'ait été d'entrée de jeu et sans Arlette : ainsi cet accident prophétise ce qu'eussent été les vacances touristiques d'Arlette et les rend du même coup heureusement impossibles. « Et qu'allait-il faire dans l'Ain ? » me demande-t-elle. Mon ignorance des départements français me rend incapable de lui répondre.

Et vous, petit ? Je sais que vous avez téléphoné à ma mère. Moi j'ai télégraphié, elle a l'air aux anges qu'on se soit souvenu d'elle et de ses 81 ans. Elle semble s'accommoder de sa chambre et m'envoie une lettre *vive,* c'est un genre d' « épistole » qu'elle cultivait autrefois mais avait abandonné depuis longtemps. À propos des bruits du Bd Raspail, tamisés, dit-elle, tamisés par les rideaux et sa surdité. « Il suffit, dit-elle, de les entendre sans les remarquer. »

Petit vous autre, j'ai bien, bien du plaisir à vous revoir. J'ai les billets de train et serai le 31, 21 h à vos pieds. Je vous embrasse très fort.

J'ai télégraphié à Sourkov : impossible arriver 1er serons le 4 à Leningrad. Quant à Puig, gâteux, je ne sais quelle connerie il fait avec nos billets. Nous les aurons.

*

Cette lettre est la dernière que j'ai reçue de Sartre. Par la suite, au cours de nos brèves séparations, nous nous téléphonions.

TOME II

Œuvres de Jean-Paul Sartre (suite).

LES TROYENNES, adapté d'Euripide, *théâtre.*

L'IDIOT DE LA FAMILLE, I, II, III
(Gustave Flaubert de 1821 à 1857), essai.

PLAIDOYER POUR LES INTELLECTUELS, *essai.*

UN THÉÂTRE DE SITUATIONS, *essai.*

CRITIQUES LITTÉRAIRES

SARTRE, *texte intégral du film réalisé par Alexandre Astruc et Michel Contat.*

ŒUVRES ROMANESQUES

LES CARNETS DE LA DRÔLE DE GUERRE

CAHIERS POUR UNE MORALE

ENTRETIENS SUR LA POLITIQUE,
en collaboration avec Gérard Rosenthal et David Rousset.

L'AFFAIRE HENRI MARTIN, *textes commentés par Jean-Paul Sartre.*

ON A RAISON DE SE RÉVOLTER,
en collaboration avec Philippe Gavi et Pierre Victor.

Entretiens avec Simone de Beauvoir,
in LA CÉRÉMONIE DES ADIEUX, *de Simone de Beauvoir.*

Composition SEP 2000 à Paris.
Impression S.E.P.C.
à Saint-Amand (Cher), 3 octobre 1983.
Dépôt légal : octobre 1983.
1er dépôt légal : septembre 1983.
Numéro d'imprimeur : 1624.

ISBN 2-07-070039-9. Imprimé en France.

32508